W ROKU 2003 UKAŻĄ SIĘ W TEJ SERII M.IN.

Annie Proulx

AS
W RĘKAWIE

Przełożył Konrad Majchrzak

DOM WYDAWNICZY REBIS
POZNAŃ 2003

Tytuł oryginału
That Old Ace in the Hole

Copyright © 2003 by Dead Line, Ltd.
All rights reserved

Copyright © for the Polish edition by REBIS Publishing House Ltd.,
Poznań 2003

Redaktor
Katarzyna Raźniewska

Opracowanie graficzne serii i projekt okładki
Lucyna Talejko-Kwiatkowska

Fotografia na okładce
Piotr Chojnacki

Wydanie I

ISBN 83-7301-355-5

Dom Wydawniczy REBIS Sp. z o.o.
ul. Żmigrodzka 41/49, 60-171 Poznań
tel. 867-47-08, 867-81-40; fax 867-37-74
e-mail: rebis@rebis.com.pl
www.rebis.com.pl
Fotoskład: Z.P. *Akapit*, Poznań, ul. Czernichowska 50B, tel. 87-93-888

Dla Jona i Gail
Muffy i Geoffa
Morgana
Gillisa
oraz dla Douga i Cathy
z nadzieją, że ich wszystkie pisklęta
wyrosną na wspaniałe cietrzewie preriowe

Podziękowania

Tak wielu mieszkańców Teksasu i Oklahomy udzieliło mi pomocnych informacji na temat historii owych szczególnych, opisywanych tutaj rejonów tych dwu stanów oraz życia, jakie wiedzie się tam dzisiaj, że podziękowanie im wszystkim jest rzeczą niemożliwą. Nie wszystko, co usłyszałam i zobaczyłam, zostało wykorzystane – oznaczałoby to bowiem książkę o rozmiarach encyklopedii – niemniej jest mi przykro, że nie byłam w stanie zawrzeć w niej wszystkiego.

Pragnę wyrazić szczególne podziękowania Cathy i Dougowi Rickettsom z Lipscomb w stanie Teksas za ich nieocenioną pomoc, za pokazanie mi wszystkiego, od miejsc, gdzie niegdyś tarzały się bizony, do porzuconych domów, za poznanie mnie ze swoimi przyjaciółmi, towarzyszenie mi na licytacjach bydła oraz umożliwienie udziału w różnych miejscowych wydarzeniach. Ich głęboka znajomość regionu oraz ich miłość do tego preriowego płaskowyżu okazały się zaraźliwe. Cathy w szczególności ułatwiła mi zadanie zbierania informacji, organizując spotkania z dziesiątkami kobiet i mężczyzn, którzy są ekspertami w różnych dziedzinach, oraz ułatwiając pracę zespołowi z BBC, który zbierał część materiałów do niniejszej książki.

Cesa Espinoza, archiwista z Panhandle-Plains Museum w Canyon w stanie Teksas, służył mi pomocą przy zbieraniu materiałów dotyczących wiatraków. Kustosz No Man's Land Museum (Muzeum Ziemi Niczyjej) w Goodwell w stanie Oklahoma polecił mi wiele książek na temat historii tej krainy. Serdeczne podziękowania należą się Arlene Paschel z Five Star Equipment w Spearman w stanie Teksas za objaśnienia dotyczące urządzeń do nawadniania oraz technik irygacyjnych; Robertowi z załogi wieży wiertniczej, który pozwolił mi skorzystać ze swojego telefonu komórkowego, kiedy to na zupełnym odludziu, za sprawą ster-

7

czącego pieńka bylicy, złapałam gumę, oraz jeszcze raz Dougowi Rickettsowi, który zostawił swoją pracownię meblarską, żeby zmienić mi koło. Dzięki Oscarowi i Sandy Drake'om, którzy od trzydziestu sześciu lat są właścicielami i zarządcami elewatora zbożowego w Waca, zobaczyłam przechowywane przez nich w garażu, słynne wronie gniazdo, uwite z drutu kolczastego, pochodzące z czasów katastrofalnej suszy, jaka dotknęła te tereny w latach trzydziestych. Kolekcja kowadeł Oscara, od kowadełek dentystycznych poczynając, a na ogromnych kowadłach stożkowych kończąc, jest lekcją historii pracy w tym regionie, w całości wciśniętą w jedno pomieszczenie. Dziękuję również Mike'owi Laddowi, synowi Sandy Drake, uprawiającemu pszenicę farmerowi oraz ochotnikowi Korpusu Pokoju, za jego uwagi na temat współczesnego rolnictwa na tym terytorium.

Przyrodnik Bob Rogers, pracownik Texas Parks and Wildlife Department (Departamentu Teksaskich Parków i Dzikiej Przyrody), jednocześnie właściciel hodowli gołębi pocztowych Cloud Shadow Pigeons, był moim entuzjastycznym przewodnikiem po koloniach piesków preriowych i po siedziskach sówek ziemnych; jestem mu wdzięczna za uwagi na temat drzewa bumelii i pełna podziwu dla stworzonego przez niego samego przydomowego lasu i miniaturowego rezerwatu oraz dla jego pełnej poświęcenia pracy na przyległym do rzeki Canadian terenie i dla wysiłków zmierzających do zachowania krajobrazu oraz środowiska naturalnego prerii.

Laura van Campenhout z wydawnictwa De Geus w Holandii podsunęła mi holenderskie powiedzenia na temat wiatraków. Phyllis Randolph, dyrektorka Cimarron Heritage Center Museum w Boise City w stanie Oklahoma, pokazała mi swoje fascynujące zbiory, w tym eksponaty związane ze szlakiem Santa Fe. Wyrażam podziękowanie prowadzącemu ekologiczną farmę oraz przywracającemu do życia dawne rancza Clarence'owi Yanke'owi i jego mającej artystyczne zacięcie małżonce Marylin, właścicielom Yanke Farms w Sunray, walczącym żarliwie w słusznej sprawie. Robin Mitchell z Canadian's Mitchell Ranch oraz jej dziadek, Gober Mitchell, wprowadzili mnie w świat wyścigów quarter-horse, pozwolili mi spędzić niezapomniany dzień na Ranczu 6666 w Guthrie w stanie Teksas, a także interesujące przedpołudnie przy wiosennym znakowaniu bydła. Dziękuję również Glennowi Blodgettowi, weterynarzowi z 6666, za umożliwienie mi wglądu w funkcjonowanie wielkiego rancza hodowlanego. Phil Sell z Perryton Equity oprowadził mnie po swoim elewatorze zbożowym w Farnsworth; z tej bardzo szczegółowej wycieczki wryła mi się w pamięć jazda na szczyt budowli w drucianej kabinie skrzypiącej windy.

Larry McMurtry z antykwariatu Booked Up w Archer City w Teksasie dostarczył mi egzemplarze wyczerpanych nakładów książek na temat historii, geografii oraz stylu życia na tym terytorium. Clint Swift udzielił informacji dotyczących ekonomiki chowu trzody chlewnej na wielką skalę. Miłe godziny spędziłam w kuźni Lee Reevesa – producenta noży, podkuwacza koni, kowala nieprzeciętnego – w Shattuck w stanie Oklahoma. Nie zapomnę też uroczego popołudnia z Frankiem McWhorterem i jego skrzypcami, czasu wypełnionego muzyką prerii oraz rozmową.

Szczególne podziękowania należą się Darrylowi Birkenfeldowi ze Stratford i Cactus w stanie Teksas, za umożliwienie mi obejrzenia niewidocznego na ogół świata meksykańskich robotników w tym regionie; za podzielenie się wiedzą i uwagami na temat sytuacji gospodarczej oraz geografii moralnej płaskowyżu. Akwarelistka Phyllis Ballew z Shattuck w stanie Oklahoma, jedna z osób najbardziej zaangażowanych w założenie w tym mieście wspaniałego muzeum wiatraków, była niezwykle pomocna, podobnie jak bankowiec Clinton Davis, także z Shattuck, ze swoimi uwagami na temat współczesnego rozwoju i upadku regionu oraz znajomością ekonomicznych aspektów miejscowej uprawy sorgo na przełomie wieków.

C. E. Williams, dyrektor Okręgu Nr 3 Konserwacji Podziemnych Zasobów Wodnych, poczynił wiele użytecznych uwag dotyczących wykorzystywania w rolnictwie wodonośnych złóż Ogallala. Dziękuję Donowi i Joanne Malone'om za umożliwienie dokładnego zwiedzenia i zapoznania się z funkcjonowaniem i obsługą stacji pomp ropy i gazu. Wdzięczna jestem Louisowi A. Rodriquesowi z Canadian w stanie Teksas, będącemu wielbicielem papug i entuzjastą heavy metalu, jak również szefem wieży wiertniczej w Unit Drilling Company, za oprowadzenie mnie i wyjaśnienie, jak działa ta jego wielka, imponująca wieża. Osobne podziękowania należą się Mike'owi McKinneyowi z Merex Oil Co., za klarowne i przystępne wyjaśnienie, na czym polega technika odzyskiwania ropy za pomocą wypierania jej wodą. Gene Purcell z Higgins w stanie Teksas, kosiarz, właściciel wyświechtanego, czarnego kapelusza, przygotowuje najlepsze w okolicy lunche, a jego niezwykła knajpka jest zawsze miejscem inspirujących rozmów i stała się pierwowzorem występującego w niniejszej książce lokalu Pod Poczciwym Psem. Słowa podzięki należą się ranczerowi Donniemu Johnsonowi, emerytowi Wesleyowi Heeschowi oraz sprzedawcy paszy Bruce'owi Eakinsowi, za ich żywe i interesujące opinie na temat tego, jak się mają w tym regionie sprawy rolnicze. Miło mi było na walce kogutów w Oklahomie mieć za towarzyszkę artystkę Ruth Erikson z Canadian.

Mark W. Lang z fabryki pigmentu Cabot Corp w Pampie w stanie Teksas umożliwił mi zwiedzenie zakładu oraz zapoznanie się z bardzo skomplikowanym procesem, którego, poza kilkoma drobnymi wzmiankami, nie byłam w stanie ująć w tej opowieści. Emerytowany strażnik parku przyrodniczego Ed Day nie tylko wybornie zaprezentował mi obróbkę krzemienia (której opis niestety zniknął w ostatecznej wersji), ale też osobiście oprowadził mnie po kamieniołomach Alibates w pobliżu jezora Meredith. Asa i Fannie Jones oraz Phyllis Anderson, opiekunowie i kustosze Kenton Museum w Kenton w stanie Oklahoma, udzielili mi gościny oraz dostarczyli informacji na temat dziesiątków przedmiotów kultury materialnej. Dziękuję Inie Labrier, również z Kenton, oraz jej córce Jane Apple, dwóm kobietom, które wykonują pracę dziesięciu, oraz Bobowi Apple'owi za umożliwienie mi wizyty w ruinach starych budynków rancza 101. Fotograf Stuart Klipper opowiedział mi barowy dowcip, który wykorzystałam w książce. Na koniec pragnę podziękować Mickeyowi oraz Penny Province'om z Lipscombe za ich wszelką pomoc i dobroć oraz Treyowi Webbowi z Flap-Air Helicopter Service, który, z powietrza, pomaga zebrać rozproszone zwierzęta, sprawdza stan rurociągów, kontroluje drapieżniki, zajmuje się zwierzyną łowną i fotografuje całe opisywane tutaj terytorium.

To chyba wszystko.

Alle molens vangen wind

1

Globalna Skórka Wieprzowa SA

Pod koniec marca Bob Dolar, kędzierzawy dwudziestopięcio-
latek o szerokiej kociej twarzy, jasnych, niewinnych oczach, oko-
lonych czarnymi jak sadza rzęsami, jechał przez teksaskie
panhandle* stanową piętnastką, pokonawszy dzień wcześniej
drogę z Denver, włącznie z przełęczą Raton oraz martwymi,
wulkanicznymi terenami północnego Nowego Meksyku aż do
owej pistoletowej lufy Oklahomy, gdzie skręcił niepotrzebnie
na północ i zmarnował kilka godzin, nim wrócił ostatecznie
na właściwą trasę. Wstał rześki, wiosenny dzień, niebo miało turkusowy odcień, a w powietrzu unosił się zapach bylicy
i aromat sumaku. Stacja radia publicznego ze swoją wyli-
czanką sponsorów zamierała powoli, zastępowana przez jakąś chrześcijańską rozgłośnię, nadającą na przemian strawę
duchową i hałaśliwą muzykę. Przełączył na stację z muzyką
country i słuchał piosenek o nieruszaniu się z domu, o powrocie do domu, o przebywaniu w domu i o błędzie, jakim jest
opuszczanie domu.

Droga biegła wzdłuż torów kolejowych. Krzywizna szyn na
szerokim łuku zakrętu wydała mu się czymś niewymownie
smutnym; połyskujące zimno, ginące w dali wstęgi metalu
przypomniały mu tamten poranek, kiedy pozostawiono go na
progu domu wuja Tama, skąd nasłuchiwał, czy nie dobiegnie
go z wnętrza brzęk filiżanek i dzbanka do kawy, choć przecież

---

* Dosł. rączka rondla. Tutaj, wysunięte poza główny obszar stanów, teryto-
ria Teksasu i Oklahomy. Panhandle Oklahomy ma kształt wąskiego, skierowanego na zachód paska. Panhandle Teksasu przylega natomiast do swojego stanu niczym szyjka do butelki i stanowi jego terytorium północne. Jak pisze au-
torka: „Teksas i Oklahoma leżą na sobie jak brudne naczynia w zlewie, ich
rączki dotykają do siebie" (wszystkie przypisy pochodzą od tłumacza).

tam nie było żadnych pociągów, ani nawet toru kolejowego. Nie miał pojęcia, jakim to sposobem szyny zagościły na trwałe w jego głowie jako symbol smutku.

Coraz wyraźniej odczuwał ów odwieczny dreszczyk emocji związany z podążaniem ku wielkim, żółtym przestrzeniom na horyzoncie, bo chociaż całe połacie ziemi ogrodzono i pocięto drogami, tak że z pierwotnej prerii nie pozostało praktycznie nic, to przecież duch tamtej niczym nie ograniczonej, pokrytej trawą krainy przetrwał. Wokół była jedynie bezkresna równina i nieogarnione niebo. Dwa kojoty, węszące za łożyskami świeżo narodzonych zwierząt, dreptały pośród falujących traw ku wschodowi, promienie słoneczne podświetlały ich sierść srebrzyście. Nawodnione kręgi pszenicy ozimej, upstrzone plamkami cieląt hodowlanych, wyrastały na terenie płaskim niczym pas startowy. Na innych polach traktory wzbijały tumany kurzu. Zauważył, że kierowcy jadący wolniej od niego zawsze zjeżdżają na pobocze – tutaj zwane „pasem uprzejmości" – i machają, by ich wyprzedzał.

Daleko przed nim majaczyły miasta, kiedy jednak się zbliżał, te drapacze chmur, meczety oraz iglice przeobrażały się w elewatory zbożowe, wieże ciśnień i magazyny. Elewatory były na tych równinach budowlami najwyższymi; ich symetryczne, rzucające się w oczy sylwetki zdawały się ściągać energię kinetyczną. Po jakimś czasie Bob wczuł się w ich wertykalny rytm, jako że wznosiły się one w przytorowych miasteczkach regularnie, co jakieś pięć, dziesięć mil. Większość miała kształt betonowych cylindrów, niektóre zbudowano z cegły lub płyt ceramicznych, niemniej przy wielu bocznicach nadal stały te stare, drewniane elewatory, łuszczące się i nędzne, niektóre pokryte azbestowymi dachówkami, kilka zaś pordzewiałymi i poszarpanymi przez wiatr arkuszami blachy. Biegnące prosto ulice przecinały się pod kątem prostym. Każde miasto miało własne motto: „Miasto, gdzie każdy lubi ciasto"; „Najlepsza gleba i najmilsi mieszkańcy"; „10 000 przyjaznych osób i jeden czy dwu tetryków". Minął kino dla zmotoryzowanych, stojącą pośrodku miasta postać Jezusa z dykty, leżące przy drodze martwe krowy, z kończynami sztywnymi niczym kawałki drewna, czekające na ciężarówkę utylizatora. Z lewej i z prawej widać było kiwające się rytmicznie pompy i wahadłowe deszczownie (jedna nadal udekorowana bożonarodzeniowymi lampkami), zbiorniki kondensacyjne i plątaninę rur i zaworów, choć jednocześnie krajobraz był tak rozległy, a rozmieszczenie tych obiektów tak przypadkowe, że wydawały się one zaledwie metalowymi drobiazgami rozrzuconymi niedbale jakąś ogromną dłonią. Znaki pomarańczowe i żółte świadczyły o istnieniu podziemnych rurociągów, jako że pod polami i pastwiskami znajdował się niewidoczny świat rur, kabli, odwiertów, pomp oraz urządzeń wydobywczych, tworzących, wraz z ogrodzeniami i drogami na powierzchni, monstrualną, trójwymiarową sieć. Sieć ta sięgała w niebo za sprawą pozostawianych przez odrzutowce smug oraz niewidzialnych przekazów z satelitów. Na skraju pola dostrzegł pomalowane jaskrawo silniki wysokoprężne (w większości przerobione na gaz naturalny), pompujące wodę z wodonośnych, piaskowo-żwirowych złóż Ogallala. Mijał też dziesiątki anonimowych, niskich, szarych budynków z ogromnymi wentylatorami na szczytowych ścianach, ustawionych z dala od drogi i otoczonych solidnymi ogrodzeniami z drucianej siatki. Z lotu ptaka te pilnie strzeżone chlewnie przypominały jakieś dziwaczne fortepiany z sześcioma lub ośmioma białymi klawiszami i z pudłem utworzonym przez rozlane od tyłu trapezoidalne bajoro gnojowicy.

A przecież wszystkie te maszyny i druty, i metalowe budynki wydawały się czymś efemerycznym. Wiedział, że znajduje się na prerii, prerii, która niegdyś stanowiła fragment ogromnego północnoamerykańskiego pastwiska, trawiastej krainy, rozciągającej się od Kanady do Meksyku, ukazującej tysiące swoich twarzy długiemu szeregowi podróżników, którzy opisywali ją w całkowicie przeciwstawnych kategoriach: jedni widzieli trawy rozwichrzone niosącym piaskowy pył wiatrem, ubarwione bławatkami i zawilcami, ukwapami oraz fiołkami, pełne ptaków i antylop, tętniące życiem; w środku lata, z dala od wyeksploatowanych pastwisk wzdłuż szlaków, podróżowali oni wśród sięgających bioder, falujących traw; ci natomiast, którzy znaleźli się na szlaku późnym latem, widzieli suchą, jałową pustynię usianą jedynie teksaskimi echinokaktusami.

Niewielu poza pracującymi tam kowbojami ośmielało się wkroczyć na te równiny zimą, kiedy ostry, północny wiatr przepędzał przez nią tumany śniegu. Tam, gdzie kiedyś rozlegało się wycie wilków, teraz rozbrzmiewał pisk opon.

Bob Dolar nie miał pojęcia, że wjeżdża do regionu niewyobrażalnie zróżnicowanego przyrodniczo, według niektórych już tak zdewastowanego, że nie do ocalenia. Widział jedynie to, co przed nim widzieli inni – ogrom, pompy kiwające pterodaktylowymi głowami, aligatory drogowe z opon ogromnych ciężarówek*. Co kilka mil myszołów rdzawosterny pilnował swojego terytorium łowieckiego. Skraj drogi pokrywała mgiełka purpurowego kwiecia dzikiej gorczycy, a jego ostra, gorzka woń przenikała powietrze. Rzucił do lusterka wstecznego: „To ci dopiero płaskodupia okolica". A przecież miał do czynienia nie tyle z konkretnym miejscem, ile raczej z eksploatowanym przez rodzaj ludzki surowym materiałem.

Zmrużył oczy, kiedy tuż przed nim z bocznej drogi wyjechała biała furgonetka; wiedział, że białe furgonetki to ulubione pojazdy stukniętych kryminalistów oraz zbiegów z zakładów karnych, że w dziwny sposób przyciągają one najgorszy gatunek kierowców. Pojazd oddalał się śpiesznie, przekraczając dozwoloną prędkość, i szybko zniknął mu z oczu. Daleko z przodu, po drugiej stronie drogi, pojawiła się natomiast telepiąca się kropka, która wkrótce okazała się rowerzystą. Złudzenie wywołane przez gorące powietrze znacznie powiększyło rozmiary roweru, który wydawał się wysoki na trzydzieści stóp i drgał cały, jakby był z galarety. Minął jeszcze jednego siedzącego na słupie telefonicznym myszołowa.

Wielkie kolonie piesków preriowych na terenach porośniętych niską trawą, kolonie, które niegdyś pokrywały setki mil kwadratowych, zniknęły, tymczasem niektóre myszołowy nadal polowały staromodnie jak ich przodkowie, szybując na płasko rozłożonych skrzydłach, krążyły niezmordowanie ponad powierzchnią prerii, wypatrując żółtymi oczyma jakiegoś poruszenia w trawie. Większość tych ptaków zastosowała nowo-

---

* Przypominające kształtem aligatora fragmenty bieżnika opony dużych rozmiarów.

czesne metody. Obejmowały posterunki na słupach i słupkach i czekały, aż jakiś pojazd przejedzie królika czy pieska preriowego. Zbierały padlinę z bezczelną obojętnością, podobną tej, z jaką gospodyni domowa wrzuca paczkę schabowych do wózka z zakupami. Taki właśnie myszołów, z kępką sierści przyklejoną do boku dzioba, obserwował pedałującego na zachód mężczyznę. Kiedy znalazł się w polu widzenia jego bursztynowych oczu, ich właściciel całkowicie stracił dla niego zainteresowanie; w świecie myszołowów rowery nie mają większego znaczenia; prawdziwe zyski przynoszą ciężarówki na utwardzonych drogach, z maskami zbryzganymi krwią, jadące zygzakiem pickupy, polujące w ten sposób na zające i węże, zupełnie jak gdyby sterowała nimi owa wyższa wola, usytuowana na telefonicznym słupie.

Rowerzysta powrócił do ludzkich rozmiarów; Bob Dolar zrównał się z nim; cyklista ujrzał zarumienioną twarz, Bobowi mignęła chuda noga i złoty łańcuch, po czym rower zniknął w zagłębieniu pofalowanej szosy. Ponownie samotny na drodze, Bob zerkał na wydęty kłąb chmury nachodzącej powoli na niebo. Obok jego saturna przesuwała się płaska kraina, której każdy cal wykorzystano czy to na zboże, czy na ropę, gaz, bydło, czy wreszcie na miasteczka dla obsługi tego wszystkiego. Rancza usytuowane były z dala od głównej drogi, a od czasu do czasu mijał też jakiś porzucony dom, obrócony w perzynę przez wiatry i deszcze, otoczony połamanymi topolami. W przewróconych wiatrakach i zawalonych szopach widział fragmenty przeszłości, porozrzucane niby ołówki na biurku rysownika, który właśnie poszedł na lunch. Nad owymi resztkami swojego zakończonego życia unosili się antenaci tego miejsca. Nie zauważył pieska preriowego, który wypadł z przydrożnego zielska wprost pod jego auto. Opony ledwie co podskoczyły, kiedy po nim przejeżdżał. W powietrze wzbiła się samica myszołowa. Właśnie na taką okazję czekała.

W krainie panhandle, leżącej na północ od rzeki Canadian, Bob Dolar był kimś obcym. W ciągu tych pięciu lat, które minęły od czasu, kiedy ukończył dwuletnią szkołę wyższą im.

17

Horace'a Greeleya – ową hybrydową instytucję, ulokowaną w budynku z żużlobetonu na skraju pola cebuli przylegającego do autostrady międzystanowej numer 70 biegnącej na wschód od Denver – zdążył już mieć dwie różne posady. Od swojej uczelni oczekiwał oświecenia, miał nadzieję zetknąć się tam z czymś interesującym, co doprowadzi go do pasjonującej kariery zawodowej, ale nic takiego się nie wydarzyło i nadal gnębiły go stare wątpliwości dotyczące tego, co tak naprawdę ma robić. Sądził, że pomoże tu lepsze wykształcenie, i dlatego złożył papiery na uniwersytet stanowy, jednak pomimo skromnego stypendium (zdobył je, bo miał duży zasób słów, nawyk czytania oraz doskonałe oceny) nie wystarczyłoby mu pieniędzy, by kontynuować naukę.

Komputerowy wydruk dyplomu nie otworzył mu drogi do niczego, co nazwałby „dobrym stanowiskiem", więc ostatecznie, żeby uniknąć pracy w sklepie wuja Tama, przyjął najniżej płatną posadę, inwentaryzatora, w hurtowni żarówek Platte River.

Po trzydziestu miesiącach zmagań z pudłami i z potłuczonym szkłem, i z mikroskopijnymi, corocznymi podwyżkami, przytrafił mu się przykry incydent z prezesem firmy, panią Eudorą Giddins, wdową po Millrace Giddinsie, założycielu przedsiębiorstwa. Wyrzucono go. Z czego był zresztą zadowolony, jako że nie chciał, by jego życie było jedynie niespokojnym oczekiwaniem pośród żarówek, przypominającym czekanie na szkolne świadectwo. Chciał mierzyć w cel umieszczony wysoko, na jakiejś odległej ścianie. Bo skoro czas musi mijać, to niech mija z sensem. Pragnął ukierunkowania oraz gratyfikacji.

Szukał pracy przez pięć miesięcy, aż wreszcie zatrudniono go jako wywiadowcę, agenta poszukującego stosownych terenów dla Globalnej Skórki Wieprzowej SA, której kwatery główne mieściły się w Tokio i Chicago, natomiast biuro terenowe w Denver. Wyznaczono mu terytorium przylegających do siebie panhandle Teksasu oraz Oklahomy i wysłano tamże w pierwszą delegację.

Dzień przed wyjazdem Lucille, sekretarka pana Klukwy, posłała mu uśmiech karminowych ust i gestem dłoni wskazała drzwi gabinetu szefa. Pan Ribeye Klukwa, dyrektor regionalny, wstał zza pokrytego taflą szkła biurka, którego powierzchnia lśniła jak małe jezioro, i powiedział:

– Bob, tam, w panhandle, nie mamy wielu przyjaciół, poza kilkoma z tych bystrzejszych polityków, i stąd konieczność działania cichaczem. Chcę, żebyś był maksymalnie dyskretny... wiesz, co znaczy słowo „dyskretny"? – Jego wodniste oczy omiotły Boba wilgotnym spojrzeniem. Duża dłoń uniosła się i pogładziła sztywne wąsy, które Bobowi przypominały jeżozwierza. Ramiona szefa opadały tak stromo, że jego głowa, oglądana z tyłu, zdawała się balansować na mocno wygiętym łuku.

– Tak, proszę pana. Konfidencjonalny.

Pan Klukwa zdjął z segregatora pojemnik kremu do golenia i potrząsnął nim. Z szuflady wyciągnął zestaw szelek, pasków i klamer, przełożył przez głowę, tak że część spoczywała na jego ramionach, inny zaś fragment, w kształcie dużego krążka, na piersi. Szarpnął za krążek, a ten rozciągnąwszy się na teleskopowym ramieniu, okazał się lusterkiem. Nałożył na grubo ciosane policzki krem, wyjął brzytwę z kubka na ołówki, otworzył ją i zaczął się golić, omijając przy tym starannie brzegi wąsów.

– Doskonale, Bob. Bo ostatni facet, który miał poszukiwać dla nas terenów, myślał, że chodzi o jakąś przypadłość kręgosłupa. Był dla nas bezużyteczny. Natomiast ty, Bob, jesteś bystrzak... i pewniak, pewny jak dolar, ha-ha.

– Ha-ha – zawtórował mu Bob, który nieustannie poszerzał swoje słownictwo, od czasu kiedy w wieku dziewięciu lat dostał od wuja Tama *Ilustrowany słownik dziecięcy*. Jednak ten jego śmiech nie był tak do końca swobodny, bo przecież nie wiedział absolutnie nic o wieprzkach, poza tym że w jakiś tajemniczy sposób stanowią one źródło bekonu.

– Innymi słowy, Bob, nie pozwól, żeby ludzie się zorientowali, że szukasz lokalizacji dla przemysłowych chlewni, bo w przeciwnym razie zaczną kręcić i łgać, napuszczą na nas tych od środowiska, będą pisać listy do gazet, spróbują wszelkich złośliwości i tak dalej, zupełnie jakby mieli mózgi wyprane przez ten szalony ekologiczny Sierra Club i wierzyli, że świńskie fermy są czymś złym, nawet ci, którzy przepadają za żeberkami, nawet ci, co szukają roboty. Coś ci powiem. Region panhandle jest idealny dla naszych operacji – mnóstwo miejsca, niewielkie zaludnienie, sympatycznie długie miesiące bez opadów, świeża woda. Nie widzę powodu, dla którego panhandle w Teksasie nie miałoby dawać siedemdziesięciu pięciu procent światowej produkcji wieprzowiny. Taki jest nasz cel. Widzę, Bob, że nosisz porządne, sznurowane półbuty.

– Tak, proszę pana. – Pokręcił stopą, zadowolony z woskowego połysku eleganckich Cole-Haanów, które w detalu kosztowały ponad trzysta dolarów, a które jego wuj, Tamburyn Bułła, wyłowił z pudła z używaną odzieżą – sprzedawał ją w swoim sklepie ze starzyzną mieszczącym się na samym końcu Colfax Avenue.

Wuj Tam go wychował. Był on drobnym, niskim mężczyzną z żywymi, bladoniebieskimi oczyma – takie same miał Bob, jego matka i cała reszta Bułłowego klanu. Gęste, siwiejące włosy zaczesywał do tyłu znad prostokątnego, płaskiego czoła. Jego szybka dreptanina oraz gwałtowne ruchy dłoni irytowały niektórych. Przez pierwszy tydzień czy dwa Bob trochę się go lękał, ponieważ lewe ucho wuja kończyło się dobre pół cala wyżej od prawego, przydając jego twarzy nieco szalonego, wykrzywionego wyglądu, powoli jednak poddawał się dobroci Tama i szczeremu zainteresowaniu, jakie mu okazywał. Krótsze ucho wuja było rezultatem obrażenia z czasów dzieciństwa, kiedy to jego siostra Harfa odcięła mu nożyczkami mięsisty kawałek małżowiny, karząc go za to, że ośmielił się bawić jej bezcenną lalką Barbie.

– Nie bawił się! On ją w i e s z a ł – łkała.

Kiedy Bob miał osiem lat, rodzice przyprowadzili go któregoś dnia wczesnym rankiem na próg sklepu ze starzyzną i kazali siedzieć obok kartonu z wymiętoszonymi romansami.

– Kiedy wuj Tam wstanie i zacznie hałasować w środku, zapukasz do drzwi. Zostaniesz u niego. Musimy się pospieszyć, żeby zdążyć na samolot. Uściskajmy się szybko na pożegnanie – powiedziała matka. Ojciec, siedzący w samochodzie, podniósł energicznie rękę i zasalutował. Po latach Bob pomyślał, że to być może była ta szansa, na którą czekał jego staruszek.

Na początku wuj utrzymywał, że Bob nie został porzucony. Była sobota, siedzieli przy stole w kuchni, wuj Tam zrobił sobie właśnie zwyczajową przerwę na kawę.

– Powiedziałem Violi i Adamowi, żeby cię przyprowadzili. Zgodnie z planem miałeś być u mnie aż do ich powrotu z Alaski. Po wybudowaniu drewnianej chaty zamierzali po ciebie wrócić i wszyscy troje mieliście zamieszkać na Alasce. Twój pobyt tutaj miał być tymczasowy. Po prostu nie wiemy, co się stało. Viola zadzwoniła tylko raz, żeby powiedzieć, że znaleźli kawałek ziemi, ale nie powiedziała, gdzie, i nigdzie to nie jest zapisane. Pilot, który ich zabrał, opuścił Alaskę i udał się do Missisipi, gdzie zajął się opylaniem pól uprawnych. Kiedy wreszcie go odnaleźliśmy, było już za późno. Rozbił się na polu bawełny i uszkodził sobie mózg. Nie pamiętał nawet, jak się nazywa. Twoim rodzicom mogło się coś przydarzyć – niedźwiedź grizzly, amnezja. Alaska jest wielka. Nigdy, ani przez chwilę nie uważałem, że cię porzucili. – Postukał palcami w blat, zniecierpliwiony własnymi słowami, które w jego uszach brzmiały głupio i nieprzekonująco. Było niemożliwością, żeby dwoje dorosłych zniknęło tak, jak zniknęli Adam i Viola.

– No, a czym zarabiali na życie? – spytał Bob, z nadzieją na jakąś wskazówkę dla siebie. Miał pewność tylko co do jednego: że nie był dla nich dość ważny, żeby chcieli go zabrać ze sobą. Nauczył się nie przejmować faktem, że był tak nieciekawy, iż właśni rodzice pozostawili go na progu i nigdy nie zadzwonili ani nie napisali. – To znaczy, kim był mój tata, inżynierem, komputerowcem, czy czym?

– No cóż, twoja matka malowała krawaty. No wiesz, takie jak ten mój, z tonącym *Titanikiem*. To jeden spod jej ręki. Rzekłbym, że dla mnie najcenniejszy. Kiedyś będzie twój, Bob. Jeśli chodzi o twojego tatę, to trochę trudniejsze. Bez przerwy zdawał jakieś testy, żeby sprawdzić, co powinien w życiu robić... testy umiejętności. Nie zrozum mnie źle. Był sympatycznym gościem, naprawdę miłym, tyle że nie bardzo potrafił się skupić na jednym. Nie potrafił się na nic zdecydować. Przed wyjazdem na Alaskę miał około setki różnych posad. A na Alasce przydarzyło im się coś, czego, jestem pewien, nie potrafili uniknąć. Nie wiemy, co takiego. Wydałem majątek na telefony. Twój wuj Ksylo spędził tam dwa miesiące i nie dowiedział się niczego oprócz nazwiska tego pilota. Dawałem ogłoszenia do gazet. Nikt nic nie wiedział, ani policja, ani nasza rodzina, ani jedna osoba z Alaski nigdy o nich nie słyszała. Rzekłbym więc, że masz pecha, że twoi rodzice w ten sposób zniknęli, bo zamiast dorastać na Alasce, zostałeś wychowany przez szalonego, niebogatego wujaszka handlującego starzyzną. – Wygiął w łuk plecy, pokręcił głową, pogmerał przy luźnej nitce u mankietu trykotowej koszuli. – Pewnie jedyną rzeczą, jakiej chciałbym cię nauczyć, jest poczucie odpowiedzialności. Viola go nigdy nie miała, nie mówiąc już o Adamie. Skoro się czegoś podejmujesz, to, do cholery, doprowadź rzecz do końca. Niech twoje słowo coś znaczy. Bo serce mi niemal pękało, kiedy widziałem, jak biegniesz codziennie do skrzynki na listy, spodziewając się, że znajdziesz w niej list z Alaski. Adam i Viola nie należeli do tych, których byśmy nazwali odpowiedzialnymi.

– Było w tym wszystkim niejakie dobrodziejstwo – zauważył Bob.

Owym dobrodziejstwem, które miał na myśli, był wujek Tam. Każdego wieczoru czytał Bobowi opowiastki, pytał o jego opinię na temat pogody i czy kukurydza jest dogotowana, przekopywał się przez pokłady zawalających sklepik przedmiotów, żeby znaleźć dla chłopca coś ciekawego. Bob Dolar nie potrafił sobie wyobrazić, jak wyglądałoby jego życie w domu wuja Ksyla w Pickens w stanie Nebraska. Żona wuja, Siobhan, z pasją uprawiała tradycyjny taniec w drewnianych chodakach i w ich salonie prowadziła interes astrologiczny. Miała nawet nad frontowymi drzwiami przywołującą klientów neonową rękę, umieszczoną pod napisem „Czytanie w myślach".

– Chyba nie było łatwo wychowywać czyjegoś dzieciaka – wymamrotał. Te wieczorne lektury przykuły go mocno do wuja Tama i jego historyjek. Od tamtego pierwszego wieczoru w małym mieszkanku, kiedy to wujek Tam odwrócił kartkę i wypowiedział słowa: „Część pierwsza: Stary Pirat" – Bob uzależnił się od opowieści. Wślizgiwał się do wyimaginowanych światów, jako bierny słuchacz, z rozwartymi szeroko ustami bezkrytycznie chłonął każdą historię.

– Ach, byłeś dzieckiem niekłopotliwym. Wyjąwszy biblioteczne kary. Zawsze byłeś sympatyczny, skory do pomocy. Nie musiałem się martwić, że zadzwoni policja, o narkotyki, kradzione samochody, napady na sklepiki. Tylko raz przyprawiłeś mnie o ból głowy, kiedy zacząłeś się zadawać z tym osiłkiem, z tym Orlandem Stukniętym. To było nieodpowiednie towarzystwo. Nie dziwota, że wylądował w pudle. Jestem wdzięczny losowi, że bez ciebie.

– Nie był to przecież żaden napad z bronią w ręku ani nic w tym sensie. Tylko takie sobie komputerowe włamania.

– Taa? Skoro uważasz, że skierowanie wszystkich bieżących funduszy Służb Leśnych Kolorado do burdelu w Nevadzie było „takim sobie komputerowym włamaniem", to naprawdę szkoda gadać. – Przeciągnął się, pobawił mankietem, zerknął na zegarek. – Już prawie jedenasta. Muszę wracać do sklepu.

W wieku chłopięcym Bob miewał odczucie, że składa się z osobnych fragmentów, z wielu nie połączonych ze sobą malutkich części, że jego wnętrze jest niczym pełen szczap worek. Jednym polanem było tamto dawne życie z rodzicami, innym lata spędzone z wujkiem Tamem i Wayne'em „Bromo" Redpollem, a potem już tylko z samym wujkiem. Jeszcze inne części stanowili Orlando i Gorączka, i ekscentryczne filmy, potem etap żarówkowy oraz pani Giddins, kiedy prosiła, żeby wymasował jej stopy, oraz jej wściekłość, kiedy wzdrygnął się, cofając przed odorem lepiącego się nylonu. Prawdą było, że Bob zawsze chętnie pomagał przy zmywaniu naczyń, gotowaniu i innych pracach domowych, głównie dlatego, że wstydził się przygnębiającego ubóstwa wujka Tama, które wydawało się jakoś mniej widoczne, jeśli wszędzie panowała czystość i porządek. Ustawiał książki na półkach wedle rozmiaru i koloru, a Bromo Redpoll, wspólnik wuja, powtarzał: „Nie zachowuj się jak stara baba".

Wuj Tam nie widział poza Bobem świata, chociaż niewiele mógł dać na to dowodów oprócz swojej troskliwej atencji oraz względnie wytwornych podarków ze sklepu ze starzyzną, takich jak właśnie te eleganckie brązowe półbuty.
– Bob! Wygląda, że to twój rozmiar. Przymierz. Były w torbie od jakiejś grubej ryby z Cherry Creek. Pewnie przyniosła je służąca.
– Są wspaniałe. Przydałaby mi się do nich sportowa kurtka. – Bo rzeczywiście wyglądały dość dziwnie ze starymi dżinsami i T-shirtem Boba.
– Nie mamy takich sportowych kurtek, które by człowieka powalały na kolana, ale jest i owszem całkiem sympatyczna kurtka samochodowa, zamszowa z podszewką z delikatnej wełenki. Jak nowa i prawie twój rozmiar. Kurtki samochodowe są teraz troszkę niemodne, ale ta może ci się przydać. Nigdy nie wiadomo. Rzecz w tym, że jest nieco... nieco spłowiała. Wejdź do sklepu i obejrz.
Kurtka była ciasna w ramionach, rękawy miała przykrótkie, ale bez trudu mógł stwierdzić, że pomimo cytrynowatego koloru, rezultatu zastosowania kiepskiego barwnika, była to świetnie uszyta sztuka garderoby. Przez dłuższy czas odczuwał przerażenie, że kiedyś na ulicy jej poprzedni właściciel rozpozna kurtkę i rzuci jakąś szyderczą uwagę. Zdarzyło mu się to już dwukrotnie, kiedy był w szkole, raz, gdy miał na sobie wzorzysty sweter, innym razem w przypadku robionej na drutach czapki z napisem CHARLES na wywiniętym brzegu. Usiłował zamazać napis atramentem, ale litery wciąż przebijały wyraźnie spod spodu. Aż wreszcie pojawił się wielki, czarny beret, z wypalonymi papierosem dziurami, i ten nosił przez całe lata, powtarzając sobie, że to jakiś Francuz odwiedził Denver i tu go porzucił.

– Posłuchaj, Bob – mówił pan Klukwa, klepiąc się energicznie po policzkach, które spryskał płynem po goleniu – nie możesz jechać do Teksasu w tych brązowych półbutach. Wierz mi. Spędziłem tam dość czasu, by wiedzieć, że takie eleganckie, sznurowane półbuty mogą tamtejszych ludzi nastawić do człowieka negatywnie. I mimo wysztyftowanych w garnitury nafciarzy czy zamożnych hodowców pszenicy z brylantowymi pierścieniami, w Teksasie postacią prawdziwie szanowaną jest nadal hodowca bydła, a ten chce wyglądać jak kowboj. Nie zaszkodziłoby, żebyś sobie kupił zwyczajne spodnie i kilka koszul z długim rękawem. Najważniejsze jednak, żebyś kupił sobie parę przyzwoitych kowbojskich butów i w nich tam chodził. Nie musisz nosić kapelusza ani westernowych koszul, ale buty koniecznie.

— Tak, proszę pana — zgodził się Bob, dostrzegając w słowach tamtego pewną logikę.

— I... Bob. Masz tutaj listę cech tego, czego masz szukać... cichcem... na tamtych terenach. Rozglądaj się za mniejszymi ranczami i za farmami, a nie za wielkimi gospodarstwami czy za ranczami, na których jest czterysta odwiertów. Szukaj terenów, gdzie wszyscy ludzie mają siwe głowy. Są starsi. Ludzie w takim wieku chcą żyć w spokoju, a nie angażować się w jakąś sprawę czy walczyć z władzami miasta. Takich mieszkańców nam trzeba. Zdobądź nazwiska miejscowych, którzy odgrywają jakąś rolę — bankowców, ludzi działających w kościołach — zrób na nich dobre wrażenie. Miej oczy i uszy otwarte na farmerów, których dzieci poszły do szkół i nie zamierzają wracać na gospodarstwo, chyba że ktoś im przyłoży lufę do głowy. Czytaj nekrologi właścicieli wiejskich nieruchomości, którzy zmarli niedawno, a których potomstwo myśli tylko „pokażcie mi gotówkę", bo chce jak najszybciej wrócić do Kansas City czy do Key West, czy jeszcze innych jaskiń rozpusty.

I jeszcze jedno. Musisz mieć jakąś przykrywkę, bo nie możesz tak po prostu udać się tam i powiedzieć, że jesteś wywiadowcą Globalnej Skórki Wieprzowej SA. Niektórzy nie ukrywaliby swojej wrogości. Będziesz tam spędzał po kilka miesięcy, wobec czego musisz wymyślić jakąś historyjkę, która usprawiedliwi twoją obecność. Gość, który przedtem dla nas pracował, mówił, że jest reporterem ogólnokrajowego czasopisma i że pracuje nad materiałem o panhandle... co miało mu pozwolić wszędzie się wkręcić i zadawać wszelkie adekwatne pytania. Wiesz, co znaczy „adekwatne", prawda?

— Tak, proszę pana. Adekwatny, odpowiedni, stosowny do tematu.

– Bardzo dobrze, chyba nieźle sobie radziłeś w szkole. Ten gość, którego wspomniałem, myślał, że ma to jakiś związek z przylepnością. Tak czy owak, uważał, że ma dobrą przykrywkę i że będzie ona leciutko otwierać przed nim wszystkie drzwi.

– Dla jakiego czasopisma miał niby pracować tamten gość, proszę pana? Dla kogo miał robić ten reportaż?

– No cóż, nie wybrał sobie „Texas Monthly", uważając słusznie, że miejscowi mogli o nim słyszeć. A naturalnie szaleństwem byłoby rzucać tytuły w rodzaju „Walki Kogutów" czy „Wiadomości Ranczerskich". Podał chyba „Vogue'a". Uważał, że w panhandle ten tytuł będzie bezpieczny.

– I nie udało mu się?

– Niestety nie. – Mały palec Ribeye'a Klukwy zgarnął drobinę kremu do golenia z małżowiny usznej. – Będziesz musiał wymyślić coś innego. Osobiście trzymałbym się jak najdalej od pomysłu z reportażami. Ale coś tam wymyślisz. Słuchaj, Bob, będzie w porządku, jeśli zatrzymasz się na kilka dni w motelu, żeby się zorientować w okolicy, najlepiej jednak zrobisz, wynajmując sobie u kogoś pokój. Znajdź jakąś starszą panią albo starsze małżeństwo z mnóstwem krewnych. Dzięki temu będziesz wiedział, co się dzieje. Zdobędziesz najważniejsze informacje. A sam przetrząśniesz nieruchomości na północ od... – popatrzył na wiszącą na ścianie mapę – ...od rzeki Canadian. Przetrząśniesz je dokładnie! Kiedy tylko znajdziesz posesję, która wygląda odpowiednio i właściciel jest chętny, dasz mi znać, a ja wyślę tam naszego oferenta finansowego. Założyliśmy sobie firmę zależną, której zadaniem jest nabywanie nieruchomości oraz przekazywanie praw własności do nich Globalnej. Miejscowi nie mają pojęcia, że pojawią się tam chlewnie, dopóki buldożery nie zaczynają kopać dołu pod gnojowicę. Później, kiedy już nabierzesz doświadczenia, kiedy udowodnisz swoją przydatność dla Globalnej Skórki Wieprzowej, sam będziesz mógł działać jako oferent finansowy, chociaż na ogół lubimy wysyłać w tym celu kobietę, a starszym osobom natychmiast podajemy konkretną sumę. Ma to swoje zalety. Aha, i nie siedź w jednym miejscu, mniej więcej po miesiącu przenieś się do innego miasteczka. I tak dalej.

A jeśli chodzi o faceta, którego wspomniałem, to wybrał sobie Mobeetie, więc gdybym był tobą, tobym tam nie jechał. Spowodował, że tamtejsi ludzie stali się podejrzliwi. Wpakował się w kłopoty.

Lucille przygotowała ci pakiet z mapami i folderami, z charakterystyką konkretnych hrabstw; jest tam też firmowa karta kredytowa... naturalnie z limitem, Bob. Potrzebny jest na niej twój podpis. Możesz więc jechać, a ja życzę ci powodzenia. Składaj mi pocztą cotygodniowe raporty. I nie mam tu na myśli tej cholernej poczty elektronicznej. Nie tykam tego diabelstwa. Znajdź sobie skrzynkę pocztową. Pisz na mój adres domowy, ja też będę podawał ten adres, tak że tamtejszy naczelnik poczty nie zobaczy na żadnej kopercie nadruku Globalnej i nie zacznie wyciągać żadnych wniosków. Dopilnuję, żeby firmowe biuletyny przesyłano ci w zwykłych, szarych kopertach bez nadruku. Nigdy dość ostrożności. W nagłej potrzebie korzystaj z automatu w budce telefonicznej.

– Tak, proszę pana.

– I pamiętaj, to, co tutaj jest naprawdę ważne... to, że my... że robimy to, co robimy.

Bob wychodził z dziwnym wrażeniem, że Ribeye Klukwa coś kręci.

Tego samego wieczoru zabrał wuja Tama na uroczystą kolację do sławnej, serwującej steki, inuicko-japońsko-irlandzkiej restauracji, gdzie lali stopione masło z litrowych dzbanków, gdzie pieczone kartofle, udekorowane maleńkimi parasolkami, miały rozmiar futbolowych piłek, a steki były takie grube, że można je było przeciąć jedynie samurajskim mieczem. Wuj wytrzeszczył oczy na widok cen w menu, potem przesadnie wychwalał potrawy, co wyraźnie świadczyło o tym, że tęskno mu do knajpy Chickee'ego, przecznicę od jego sklepu, gdzie mógł się zajadać smażonymi drobiowymi żołądkami albo sumem duszonym z cebulą i ziemniakami. Jego myśli musiały jednak podążać w zupełnie innym kierunku, jako że na chodniku przed restauracją beknął głośno i oznajmił:

– Zastanawiałem się, czy nie przerzucić się na jarzyny. Zostać wegetarianinem. Mięso jest tak cholernie drogie. Aha. Chwileczkę. Zanim zapomnę. Wayne coś ci przysłał. I jeszcze drobiazg ode mnie. – Wuj podał mu dwa płaskie pakiety. – Nie otwieraj ich, dopóki nie dojedziesz na miejsce – dodał.

– Od Bromo! Nie wiedziałem, że nadal utrzymujesz z nim kontakt.

– Taa. Utrzymuję. Obaj utrzymujemy. Zresztą nieważne.

2

Sztuka z materiałów plastycznych

W tym czasie, kiedy rodzice zostawili go na progu mieszkania wuja Tama, wuj miał współlokatora, niejakiego Wayne'a Redpolla, mężczyznę o gniewnym spojrzeniu, ciastowatej twarzy, nosie tak haczykowatym i tak bardzo przytłaczającym, że nie pozwalał zapamiętać koloru jego oczu. Do tego ciemne włosy skręcone i wzburzone, kipiące energią. Rankami, przed dziesiątą, o której otwierano sklep, przesiadywał na kanapie, nagi do pasa, rozwiązując krzyżówki, stukając ołówkiem o pożółkłe zęby. Klatkę piersiową miał dziwną, sutki niemalże pod pachami. Nie był zbyt dobry w rozwiązywaniu krzyżówek, brakowało mu cierpliwości, i po kilku minutach robił to po swojemu: wypełniał puste miejsca czymkolwiek, pasującym czy nie pasującym tam słowem. Bob czuł do niego lekką antypatię i częściowo właśnie dlatego, że chciał go pokonać w rozwiązywaniu krzyżówek, zaczął studiować *Ilustrowany słownik dziecięcy*, który wujek Tam wyłowił z jakiegoś kartonu i wręczył mu ze słowami: „Wszystkiego najlepszego w ten wspaniały środowy poranek". Nim skończył dwanaście lat, był już w stanie w niecałe dwadzieścia minut, od razu piórem, rozwiązać krzyżówkę z wtorkowego „New York Timesa", ale czwartkowa i piątkowa zabierała mu wiele godzin z ołówkiem w ręku, jako że hasła były bardzo przemyślne i zakładały wiedzę o wydarzeniach kulturalnych z zamierzchłej przeszłości. Przez głowę przepływały mu słowa przeróżnego rodzaju – ocelot, zez, *plat du jour*, archipelag, deprymować, wapory, mesa, sitar, *boutique*. Wayne próbował skontrować umiejętności chłopca, wyciągając skądś jakieś dziwaczne krzyżówkowe informacje i objaśniając mu je, jakby w tym tkwiło sedno rozwiązywania krzyżówek: że mianowicie wymyślił je w roku 1913 dziennikarz z Liverpoolu, że w 1924 stały się one ogólnonarodowym szaleństwem. Na ogół odnosił się lekceważąco do krzyżówek z „New York Timesa", które, jak twierdził, są zabawą dla dzieci – tu znaczące spojrzenie w kierunku Boba – w porównaniu z podchwytliwymi krzyżówkami brytyjskimi, w szczególności zaś z tymi ułożonymi przez dawnych mistrzów, Torquemadę, Ximenesa i Azeda. Niemniej te drwiny nic mu nie dały. On po prostu nie miał do krzyżówek drygu, a Bob i owszem.

Wayne Redpoll zyskał przydomek „Bromo" po nocy ciężkiej popijawy, niedługo po tym, jak Bob Dolar pojawił się na progu mieszkania. Wayne miał kaca; cierpiał i jęczał, pił czarną kawę, żeby dojść do siebie, powtarzał: „Cholera, idę na spacer, żeby przewietrzyć sobie głowę", skończył zaś u Chickee'ego, gdzie zamówił Bromo Seltzer, żeby pozbyć się mdłości. Przełknął gazującą miksturę i dosłownie po kilku sekundach zwymiotował na ladę.

Miał zwyczaj mówienia przez zaciśnięte zęby. Pozwalał słowom wydobywać się przez wąziutką jedynie szczelinę, przez co jego mowa była zduszona i sycząca. Nie lubił wielu rzeczy. Nienawidził kampanii „pij mleko", która ukazywała znane osobistości ze szklankami po wypitym mleku w dłoniach, z górnymi wargami pobielonymi, zupełnie jakby wciągali płyny niczym tapiry. Nie znosił latania, bo – nie wspominając już o porywaczach – irytowały go wesoło rzucane polecenia stewardes, żeby opuścić rolety na oknach i tym samym pozwolić innym pasażerom oglądać amerykańskie filmy kategorii Z. Odmawiał opuszczenia rolety, twierdząc, iż jedyna przyjemność z latania to oglądanie krajobrazu z wysokości dziesięciu tysięcy metrów. Kiedyś wysadzono go z samolotu w Kansas City za kłótnię na ten właśnie temat. Wuj Tam przejechał setki mil, żeby go stamtąd zabrać, i całą drogę powrotną wysłuchiwał narzekań Bromo na te okropne ulice, po których musiał w kółko łazić, kiedy na niego czekał. Wyrażenia, jakie się oferuje nieutulonym w żalu, takie jak „czas goi rany" i „nadejdzie dzień pocieszenia", wywoływały jego irytację i bywały okresy, kiedy siedział w milczeniu, robiąc wrażenie, jakby pogrążył się w jakimś głębokim osadzie żałości.

– Pocieszenia? Kiedy umrze ukochana osoba, nie ma żadnego „pocieszenia".

Nie lubił programów telewizyjnych, w których uganiający się za trąbami powietrznymi wywrzaskiwali „Ale wielka! Ale wielka!", i nie znosił zaszczurzonych labiryntów Internetu, pełnych nieprawdziwych informacji i wszelakich utrudnień. Nie lubił starych, zagranicznych filmów za to, że kiedy ludzie się w nich żegnali, to jedno stawało pośrodku drogi i machało ręką. Uważał, że ludzi z telefonami komórkowymi należy unicestwić, razem z tymi, którzy rozgotowują makaron. Kalendarze, szczególnie te z krajobrazami, ukazujące uładzone obrazki świata, pozbawionego drutów telefonicznych, rdzewiejących samochodów czy budek z hamburgerami, doprowadzały go do furii, co nie przeszkadzało mu nienawidzić kalendarzy z kotkami, motocyklami, sławnymi kobietami czy interesującymi muzykami jazzowymi.

– A dlaczego nie fotografie dzikich kotów? Dlaczego nie choroby? – pytał z wściekłością.

Ciężarówki Wal-Martu sunące autostradą zarabiały u niego swoją porcję przekleństw, podobnie jak wyperfumowane kobiety w windzie narażały się na jego kąśliwe uwagi, że pachną zwierzęcymi, piżmowymi gruczołami. Latami pracował nad esejem zatytułowanym „Ta Ziemia NIE jest twoją Ziemią".

I chociaż nie przepadali za sobą, Bromo otworzył dla Boba rachunek w miejscowej księgarni, dzięki czemu wolno mu było kupować tam jedną książkę co dwa tygodnie. Tęsknota za książkami była u Boba silniejsza od niechęci do posiadania jakichkolwiek zobowiązań w stosunku do Bromo.

Kiedy na progu sklepu pojawiały się kartony z darami, Bromo miał dla ich zawartości jedynie słowa zjadliwej krytyki. Kiedyś w pudełku ze stemplem Grill Deluxe pojawiła się dziwna sztuka garderoby. Była to ogromna kamizelka uszyta z niemożliwego do zidentyfikowania futra, o szorstkim, długim, brązowo-szarym włosiu. Bił od niej odór nikotyny i naftaliny.

– Bestia! – wykrzyknął Bromo, cofając się w udawanym przerażeniu. – Dobry Boże, to coś pochodzi z lat sześćdziesiątych, strój jakiejś górskiej komuny. Pomacaj kieszenie, Tam, sprawdź, czy nie ma w nich narkotyków.

Kieszenie okazały się puste. Bromo odczuwał zdecydowaną niechęć do tej kamizelki, która przypominała mu psychodeliczne wzory na spódniczkach, symbole pokoju, dziewczęta faszerujące swoje dzieciaki podbiałem i krwawnikiem; doprowadzała go do furii niemożność zidentyfikowania futra, z którego była uszyta. W końcu, nie mogąc już znieść tego stanu niewiedzy, zapakował kamizelkę i zabrał ją do Muzeum Historii Naturalnej miasta Denver.

– Podaj makaron, Bob – poprosił wuj Tam tego samego wieczoru. A potem zwrócił się do Bromo: – Nie zamierzasz nam wyjawić, co ci powiedzieli w muzeum?

– Naprawdę chcesz wiedzieć?

– Naturalnie, że chcę wiedzieć. To nie jest zwykłe futro.

Bromo parsknął.

– Żebyś wiedział. Na dodatek jest cholernie nielegalne. To skóra z niedźwiedzia grizzly.

– Och, nie – żachnął się wuj Tam, który był żarliwym obrońcą środowiska naturalnego i który przez calutkie życie prenumerował „Przyjaciela Ptaków", „Wiadomości Przyrodnicze", „Matkę Naturę", „Zwierzęta Gór Skalistych" i „Zwierzęta Kolorado".

Nastąpiła długa dyskusja – spór – na temat tego, co zrobić z „bestią", jak Bromo uparcie nazywał znalezisko. Ostatecznie znalazła się ona na oświetlonym reflektorkiem punktowym stoliku z tabliczką oznajmiającą NIEPOWTARZALNA KAMIZELKA Z NIEDŹWIEDZIEJ SKÓRY i z metką, na której widniała cena 200 dolarów.

Ci dwaj mężczyźni byli współlokatorami i wspólnikami, i być może, jak Bob zastanawiał się kilka lat później, kimś więcej; w ich związku była bowiem pewna dziwna poufałość, która dalece wykraczała poza sprawy domowe czy sklepowe. A przecież nie zauważył nigdy żadnych znaczących spojrzeń ani dotknięć. Mężczyźni mieli sypialnie po przeciwnych końcach korytarza na piętrze. Jednocześnie jednak nigdy nie przyprowadzali do domu żadnych kobiet. Było to ubogie kawalerskie gospodarstwo (choć porządne i wysprzątane), jako że wspólnicy niewiele zarabiali. Ostatecznie Bob doszedł do przekonania, że seksualna skrzynia biegów obydwu mężczyzn (być może podobnie jak jego własna) nastawiona była na bieg jałowy. Nie pasowało do tego jedno, jedyne, szczególne i zupełnie niemożliwe do wyjaśnienia wspomnienie Bromo Redpolla, siedzącego już po raz trzeci tego samego dnia w Santa Fe na hotelowym tronie dla klientów pucybuta, z wyrazem twarzy, jaki dziewięcioletni Bob mógł scharakteryzować tylko jako „dorosły", podczas gdy młodziutki Meksykanin strzelał swoją szmatką w błyszczące wstawki na czubku i bokach jego trzewików. Kiedy Bob był starszy, pojął erotyczną treść tamtej miny i miał nawet dla niej odpowiednie określenie – pożądliwość – widział ją bowiem we własnej twarzy, choć nie w związku z jakimś pucybutem, ale w związku ze zdzirowatymi dziewczynami ze szkoły Front Range High, równie dla niego odległymi jak fotografie w kalendarzach. Wyobrażał sobie siebie w towarzystwie pełnej temperamentu dziewczyny, o kręconych włosach i z dołeczkami w policzkach, ale nigdy do takiej sytuacji nie doszło. Bob nie był wysoki, niemniej, za sprawą jakiegoś genetycznego przypadku, budowę miał proporcjonalną, był nieźle umięśniony, miał drobne, twarde pośladki i kwadratowe ramiona. Kiedy dojrzał, Tamowi wbrew woli przyszło na myśl, że chłopiec stanowi, jakby to ujął Wayne, „smakowity kąsek".

We Front Range High nie było dziewcząt z lokami i dołeczkami w policzkach, za to w przedostatniej klasie poderwała go wyrośnięta, flejtuchowata dziewucha o ziemistej cerze, niejaka Marisa Psianko, która malowała wargi na ciemnoczerwony kolor, przez co jej zęby jarzyły się żółcią jak u bobra. Uciekając się do słownych deklaracji oraz gestów świadczących o rzekomej miłości, szybko uczyniła go swoim seksualnym sługą. Oznaczało to „regularne chodzenie", wspólną naukę, piątkową lub sobotnią wyprawę do kina, erotyczne zmagania w niedzielne poranki, kiedy to jej rodzice, oboje o twarzach ogorzałych i pokrytych plamami, przebywali w kościele. Robił to, co mu kazała, a wszystko miała już wcześniej dobrze zaplanowane. Telefonowała wieczorem.

– Co robisz?

– Zakuwam na sprawdzian z nauki o społeczeństwie.

– Ja też mam sprawdzian. Ze stycznych. Ale się nie uczę. Bo to przypomina raczej quiz niż sprawdzian.

Styczne były przedmiotem eksperymentalnym, którego tematyka, w zależności od zainteresowań i kierunku dyskusji, przeskakiwała po stycznej z jednego tematu na drugi. Zaczęły się jako lekcja geologii, zboczyły na esperanto, prześlizgnęły się na dwór Ludwika XVI, do wywołanej wprowadzeniem podatku od whiskey rebelii farmerów, oklahomskiej gorączki ziemi, potem zaś do fraktali, konstrukcji tankowców, a całkiem niedawno do liczenia za pomocą liczydeł.

– Do niedzieli tylko trzy dni – zauważyła figlarnie.

– Aha.

– Cieszysz się?

– Z czego? Że jeszcze trzy dni?

– Że tylko trzy dni.

– Jasne.

Za bardzo to on się jednak nie cieszył. Po potyczkach w szorstkich prześcieradłach, przesiąkniętych mocnymi zapachami jej ciała, odczuwał niepokój i rozczarowanie. Wolałby, żeby niektóre sprawy wyglądały inaczej. Musiał jednak przyznać, że Marisa potrafiła roześmiać się szczerze i miała niejakie poczucie humoru, choć bazujące na bólu oraz nieszczęśliwym przypadku. Tylko raz przyprowadził ją do mieszkania. Dała mu wtedy jasno do zrozumienia, że uważa jego mieszkanie za ciasną norę, a wuja Tama za kogoś w rodzaju idioty, sympatycznego, ale tępego.

– Jest roztargniony, no wiesz. Nie nadąża, prawda?

Nie odczuwał ani żalu, ani ulgi, kiedy oświadczyła, że muszą ze sobą zerwać.

– Nie będę już z tobą chodzić. Jest ktoś inny – poinformowała go.

Szybko dowiedział się, że tym kimś innym był Kevin Alk, krótkowzroczny chłopak mający fioła na punkcie matematyki, z twarzą w pryszczach i z tłustymi włosami, w których po przejechaniu grzebieniem pozostawały rowki.

– Powodzenia – powiedział uprzejmie, w duchu jednak pomyślał, że Marisa i Kevin są siebie warci.

Jeśli zaś szło o niego samego, to zainteresowanie Marisy jego osobą, a potem brak owego zainteresowania pokazywały wyraźnie, jak niewiele dla niej znaczył. Jedynie wuj Tam dostrzegał w nim pewną wartość, jaka to jednak była wartość, tego już Bob nie wiedział. Podejrzewał, że pewnie tylko pokrewieństwo i może jeszcze poczucie obowiązku wobec zaginionej siostry.

Mieszkanie ich miało szczególną woń, rezultat wyziewów dochodzących z mieszczącego się poniżej sklepu – wbitego w drewno kurzu, stęchłej tapicerki, gorzkich oparów z celuloidu i bakelitu, morskiego zapachu tego starodawnego, uzyskiwanego z ryb kleju. Schody ze sklepu na piętro były wąskie i kręte, ściany pokrywała tapeta z jakimś dziwnym wzorem z lat czterdziestych, z wiszącymi na żółtej kracie czerwonymi imbrykami. Na górze, w połowie długości korytarza, wisiały ryciny oraz obrazy, które znalazły się kiedyś wśród kartonów wszelakiego śmiecia, a które przypadły do gustu wujowi Tamowi. Na jednym przedstawiono pięćdziesiąt wielkich rzek świata, w postaci wiszących sznurków, uporządkowanych pod względem długości, a w rogu, po przeciwnej stronie, umieszczono górskie szczyty, od najniższego do najwyższego, wywołujące wrażenie jakiegoś bajecznego i niesamowitego pasma górskiego, nie istniejącego zresztą nigdzie w rzeczywistości. Niemniej Bob przez wiele lat wierzył, że gdzieś, w odległej krainie, setki gór przypominających odwrócone stożki lodów ustępują miejsca bezkresnej równinie, po której, równolegle do siebie, płynie pięćdziesiąt rzek.

– Ty głuptasie, to nie jest prawdziwe miejsce – drwił Bromo Redpoll. – To tylko dla porównania.

Sklep oferował szeroką gamę amerykańskiej starzyzny; specjalizował się jednak w plastiku, a obopólne zainteresowanie obiektami z żywic oraz polimerów połączyło tych dwu mężczyzn niczym jedna szypułka dwie wiśnie. Wuj Tam godzinami mógł opowiadać o produkcji plastiku i nawet zapisał się na kurs chemii, żeby lepiej zrozumieć te złożone procesy.

W sklepie było jedno pomieszczenie – najlepszy pokój – gdzie dla zwykłego klienta nie było nic do kupienia. Napis na drzwiach głosił:

SZTUKA Z MATERIAŁÓW PLASTYCZNYCH
Tylko po wcześniejszym ustaleniu terminu

– Pewnego dnia – mówił wuj Tam – prawdopodobnie już nie za naszego życia, ale być może za twojego, Bob, ludzie będą kolekcjonować plastikowe przedmioty z dwudziestego wieku jako dzieła sztuki, tak jak obecnie poszukują tych drewnianych pałąków do kos, przeciwwag i ciężarków wiatraków. To tutaj warte będzie majątek – oznajmił, obejmując majestatycznym gestem ręki półki i gabloty pełne bransoletek z lucytu, waz z akrylu, bakelitowych radioodbiorników, dzbanków na wodę z polietylenu. Na postumentach, niczym rzeźby, stały czarno-białe, wymontowane z pralek automatycznych plastikowe mieszadła. Łupieżcze wyprawy wspólników obejmowały wszystko, od przygarażowych wyprzedaży do okresowego przekopywania rzędu sklepików ze starociami na Broadwayu, gdzie poszukiwali grzechotek dziecięcych, starych kul bilardowych, a nawet tych celuloidowych szerokich, nakładanych kołnierzy, które stanowiły fragment staromodnego stroju zakonnic.

W ramach poszczególnych specjalności występują często podzbiory jeszcze bardziej wyspecjalizowane i tak właśnie rzecz się miała z Bromo Redpollem oraz Tamem Bułłą. Bromo zebrał na przykład kilkanaście rączek do parasoli wykonanych z żywic fenolowych, z ozdobnymi metalowymi opaskami. Tam z kolei wyszukiwał przedmioty z żywicy mocznikowej z lat dwudziestych – zwiastuna melaminy. Przedmioty z silikonu, poliuretanu oraz żywic epoksydowych były obiektem ich pożądania, niemniej nigdy nie wydawali na nic jednorazowo więcej niż kilka dolarów. Poboczną specjalność stanowiła bakelitowa biżuteria z lat dwudziestych. Kiedy wuj Tam odkrył na dnie pełnego czasopism starego pudła katalog wyrobów bakelitowych z początku wieku, obaj uznali to za wspaniałe znalezisko.

W pomieszczeniu „Sztuki z materiałów plastycznych" leżały dziesiątki lalek oraz innych zabawek, ale Bob wolał od nich wszystkich puzderko do manikiuru „Kleopatra" – piękne czerwono-czarne pudełeczko w stylu art déco, szczelnie wypełnione pilniczkami i szmerglami z plastikowymi rączkami oraz kilkoma buteleczkami lakieru do paznokci, już dawno wyschniętego na czarny pył. Udawał, że naprawdę należało ono do Kleopatry i że te fiolki z ciemnym proszkiem zawierają truciznę.

Najważniejszy moment tygodnia nadchodził w niedzielny wieczór, kiedy nadawano *Objazdowy antykwariat*. Wuj Tam zamykał sklep o wpół do piątej; nawet jeśli przy drzwiach stali klienci z błagalnymi minami, wywieszał tabliczkę ZAMKNIĘTE. Wspólnicy byli absolutnie oddani temu programowi i w związku z nim rozwinęli stopniowo pewne rytuały. Sprzątali wszystkie czasopisma i rachunki, jakie w ciągu tygodnia zebrały się na stoliku do kawy. Wykładali notesy i pióra. Drinki, w zależności od pory roku i dostępnych składników, musiały być przygotowane w pochodzącym z ery jazzu srebrnym shakerze w kształcie pingwina – najbardziej cenili koktajle z mleczkiem kokosowym, ale ponieważ mleczko kokosowe było drogie, zazwyczaj kończyło się na sześciopaku budweisera. Zakąskę stanowiły kanapki z masłem orzechowym, marchewka pokrojona w słupki i tani ser albo, jeśli mieli przypływ gotówki, smażone kurze skrzydełka z ostrym sosem lub flaczki od Chickee'ego.

Plastiki rzadko pokazywano w *Objazdowym antykwariacie*, ale gdy już do tego doszło, obaj mężczyźni byli uszczęśliwieni i pilnie skrobali w swoich notesach. Kiedy pewien pękaty jegomość z Baltimore pokazał swoją maszynę do pisania ABS Olivetti, sprawną i w idealnym stanie, wraz z czerwonym futerałem z lat sześćdziesiątych, tupali z zazdrości, po czym wykrzykiwali wściekle, ponieważ „ekspert" wycenił ją na nędzne sto dolarów. Wuj Tam oznajmił, że gdyby miał pieniądze, to poleciałby do Baltimore i złożył właścicielowi ofertę, choć naturalnie bilet lotniczy rozdąłby cenę do niebotycznych rozmiarów. Ostatecznie ograniczył się do bezowocnych poszukiwań w Denver odpowiednika tamtego pięknego urządzenia.

Czasami program trwał całymi godzinami; siedzieli wtedy wychyleni do przodu w radosnym oczekiwaniu, szacując wartość obiektów, zanim zdążyli przemówić eksperci, pojadając marchewkowe słupki, które wysychały i wyginały się w łuk.

Pod koniec programu nie byli w stanie usiedzieć spokojnie na miejscu i Bromo szedł wtedy do pokoju „Sztuki z materiałów plastycznych", gdzie po kolei czyścił wszystko i odkurzał. Rozmawiali też o dokonaniu wielkiego odkrycia, które wyniesie ich na same szczyty, i bardzo często, przepełnieni entuzjazmem, kierowali się na czynne wieczorami pchle targi, skąd wracali do domu o północy z pudłami wypełnionymi dziwacznymi przedmiotami pozbawionymi jakiejkolwiek wartości. Najbliżej wielkiego odkrycia znaleźli się za sprawą pożółkłego dziennika, podpisanego nazwiskiem A. Jackson, które, wedle Tama, mogło oznaczać samego Andrew Jacksona. Jednakże w miarę czytania ich czułe odniesienia do „pana Jacksona" stopniowo chłodły, a nadzieje rozwiały się, kiedy odkryli, że litera „A" oznacza Amelię Jackson z Poultney w stanie Vermont, jeszcze jedną niewiastę z tej wielkiej procesji emigrantów, którzy w latach pięćdziesiątych dziewiętnastego wieku porzucili Nową Anglię dla złotonośnych złóż Kalifornii. Dziennik – proste notatki dotyczące pogody, kurzu oraz przebytej drogi – kończył się raptownie na postoju pod Independence Rock. Amelia Jackson napisała:

Pan Jackson odłączył się od kawalkady naszych wozów razem z grupą mężczyzn, którzy nie mogli dojść do porozumienia z naszym przewodnikiem, panem Murkiem. Mam zostać przy wozie, a spotkamy się w San Francisco, jeśli taka będzie wola naszego Zbawiciela. Mężczyźni pojadą skrótem na tereny złotonośne. Nie uważam, by był to najlepszy z możliwych planów. Wiele bym dała za to, żeby znaleźć się w domu z matką i z ojcem, i z moimi kochanymi siostrami, w zgodzie i spokoju oraz z MNÓSTWEM wody w zbiorniku.

Udało im się sprzedać ten dziennik za kilkaset dolarów Bibliotece Historii Osadnictwa Pionierskiego mieszczącej się w Independence w stanie Missouri, a Bromo oznajmił kwaśno, że gdyby to był dziennik Andrew Jacksona, to natychmiast mogliby przejść na emeryturę.

Z upływem lat Bob zauważył, że Bromo Redpoll nie jest już tak zachwycony programem o starociach jak wujek Tam. Zaczynał być coraz bardziej szyderczy w stosunku do kloszy w stylu Tiffany'ego i starych czasopism. Potrafił wstać w połowie programu, rzucić: „Zawołaj mnie, kiedy pojawią się bracia Keno" i pójść do kuchni, żeby poszperać w lodówce; wydawało się, że jedynym fragmentem programu, jaki go jeszcze interesuje, jest ten, w którym występują bliźniacy Keno z Nowego Jorku, specjaliści od amerykańskich mebli. Bob uważał, że ci dwaj wyglądają jak ożywione figury woskowe, choć ich ubrania naprawdę go fascynowały. Kojarzyły mu się ze słowem „szykowne". Bo obaj byli tak szykowni, jak nikt w Denver nie był i nie mógł być.

Pod koniec roku, w którym Bob ukończył szkołę średnią, pewnego niedzielnego wieczoru, po programie, dobiegła też końca wieloletnia spółka. Bromo spędził większość wieczoru w kuchni, gdzie przygotowywał ciasteczka z masła orzechowego w polewie czekoladowej; jednym uchem łowił dźwięki z saloniku, na wypadek gdyby Tam zawołał: „Alarm! Bracia Keno!" Owszem, pokazali się pod sam koniec, wobec czego popędził co sił i zdążył zobaczyć uroczą, wysoką komódkę, na której widok aż trzęsły się ręce telewizyjnych bliźniaków. Bromo patrzył jak urzeczony, drewniana łyżka z porcją rzadkiego ciasta tkwiła nieruchomo w jego dłoni. Kiedy zabrzmiała głośniej wesoła muzyczka i pojawiły się napisy, usiadł na kanapie obok Tama i oznajmił: „Musimy porozmawiać". Odłożył łyżkę na stolik, nie zważając na spływające z niej ciasto. Potem podniósł wzrok i zobaczył, że Bob przygląda się im obu.

– Proszę, Bob, dokończ za mnie te ciastka. Muszę pogadać z Tamem.

Bob, zerknąwszy z ukosa na wuja, który skinął przyzwalająco głową, pomaszerował do kuchni i ostentacyjnie zamknął za sobą wahadłowe drzwi. Słyszał nieustający pomruk głosu Bromo, jak gdyby ten występował z jakimś wyciszonym, stłumionym orędziem. Był ciekaw, o czym jest mowa, ale nie był w stanie rozróżnić poszczególnych słów, nawet kiedy w końcu stanął z uchem przyciśniętym do drzwi. Od czasu do czasu wuj zadawał pytanie i Bromo ponownie wylewał potoki słów, wypowiedział ich więcej, niż Bob usłyszał od niego w ciągu minionych ośmiu lat. Kiedy ciasteczka się upiekły, położył kilka na talerzyku i zaniósł do pokoju, jednak w chwili, gdy otwierał drzwi, zamilkli obaj, potem zaś obserwowali, jak stawia talerzyk na stoliku, podziękowali mu, poczekali, aż wyjdzie, i dopiero wtedy podjęli na nowo rozmowę. Wziął zatem dla siebie garść ciepłych ciasteczek i poszedł do swojego pokoju na piętrze. O dziesiątej, poziewując, umył zęby i poszedł spać, nadal jednak słyszał z dołu ich głosy.

O jakiejś niewiadomej mu porze, wczesnym rankiem, na wpół tylko obudzony wstał z łóżka i otworzył drzwi. Z dołu dotarły do niego ich głosy. Teraz słyszał z kolei wuja Tama, a jedyne słowa, jakie był w stanie zrozumieć, to „...uczciwa wartość rynkowa". Na pewno rozmawiają o plastiku, pomyślał.

O ósmej rano pogalopował na dół, pierwszy na nogach, nie dziwota zresztą, skoro przesiedzieli pół nocy, rozprawiając o grzebieniach i o bransoletkach. W śmieciach leżała pusta butelka po szkockiej. Włączył ekspres do kawy i pobiegł do kiosku po gazety, a w drodze powrotnej zatrzymał się przy piekarni Słodki Kopczyk, żeby kupić poziomkowo-pistacjowe lody, które wszyscy trzej lubili. Wróciwszy do kuchni, zdążył nakryć do stołu, postawić na nim mleko oraz cukier, wyjąć z lodówki trzy jajka i odnaleźć w niej bekon bez azotanów, na którego kupno zawsze nalegał wuj, aż wreszcie usłyszał za sobą szuranie kroków. Był to wuj Tam, odziany w szlafrok we wściekłą kratkę, z kaprawymi oczyma i w ogóle robiący wrażenie skacowanego.

– Ojej, ależ mi ta kawa dobrze zrobi.

– Długo siedzieliście?

– Do świtu. Położyłem się dopiero przed dwiema godzinami. – Popatrzył na stół, na trzy nakrycia. Wziął jeden z talerzy i sztućce, odstawił je na miejsce.

– Hej, dlaczego to robisz? Bromo też jada śniadania.

– Nie dzisiejszego ranka. Już go nie ma. Poszedł o piątej rano. Namówił mnie do wykupienia jego udziału w interesie. Od teraz, chłopcze, jesteśmy tylko my dwaj, ty i ja.

– Ale dokąd poszedł? Dlaczego? Jak mogłeś go wykupić, skoro nie mamy pieniędzy?

– Pojechał do Iowa City, gdzie mieszka jego siostra, a stamtąd wyruszy do Nowego Jorku. Twierdzi, że chce poznać stylowe meble, tak jak bracia Keno. Już go nie interesuje sztuka z materiałów plastycznych. I nie mylisz się, rzeczywiście nie mam pieniędzy, wobec czego musiałem przyrzec, że zapłacę mu pewną sumę, jeśli tylko kiedykolwiek uda mi się pozbyć tego śmietnika. A teraz, jeśli nie masz nic przeciwko temu, porzućmy ten temat na zawsze. Już i tak mózg mi się od tego gotuje.

Bob był dość rozsądny, by zachować milczenie. A po kilku tygodniach dostał swoją pierwszą pracę – pakowanie zakupów spożywczych u Sandmana. Oprócz tygodniówki dostawał też mięso i jarzyny, jajka oraz przejrzałe owoce. Żyli zatem, spożywając nadpsute produkty i nie najświeższe mięso, i często cierpieli na rozstrój żołądka.

3

Znów w drodze

Następnego ranka po dniu zakończonym uroczystym posiłkiem ze stekami Bob zdążał na południe autostradą międzystanową nr 25 w firmowym aucie Globalnej Skórki Wieprzowej SA, niebieskim nowym modelu saturna, mając przez cały czas oko na zbiegłych więźniów w białych furgonetkach. Zatrzymał się po benzynę w Trinidad, kupił ociekającego sosem chili hot-doga, którego pojadał, prowadząc jednocześnie samochód, zrobił krótką przerwę przy przydrożnym źródełku poniżej przełęczy Raton, żeby umyć ręce i wytrzeć kierownicę.

Na fotelu pasażera leżały pakiety, które przed restauracją wręczył mu wuj.

Jechał krętymi, stromymi drogami przez północno-wschodni Nowy Meksyk, przez suchą krainę rancz, gdzie oprócz krów i stożków żużlu, i sporadycznie widocznego gdzieś na horyzoncie, otoczonego zagrodami dla zwierząt budynku, nie było nic. Jakiś leciwy jeździec prowadził bez pośpiechu środkiem drogi ze czterdzieści krów, nie zwracając najmniejszej uwagi na samochód Boba.

Wjechał na biegnącą zygzakiem drogę, całą wysadzoną sękatymi dębami, robiącymi wrażenie nieugiętych. Przypuszczał, że od Picket Wire, położonych nad rzeką Purgatoire terenów pociętych kanionami, na południe od La Junta, dzieli go jakaś godzina jazdy. Kiedy miał trzynaście lat, wuj Tam i Bromo Redpoll wynajęli samochód i pojechali na południe do Withers Canyon Gate, skąd zamierzali udać się pieszo do owego słynnego miejsca, gdzie zachowały się ślady dinozaurów.

Dzień był gorący, późnym przedpołudniem temperatura sięgała niemal trzydziestu ośmiu stopni. Bob i wuj Tam zabrali zapas wody. Bromo dźwigał plecak z puszkami zimnego piwa, a Bob i wuj Tam przyciskali do piersi wypełnione wodą plastikowe butelki. Bromo i Bob mieli wysokie buty do pieszych wędrówek, wuj Tam natomiast stare, czarne i cuchnące tenisówki. Droga do bramy, przy której zaczynał się szlak, pełna była bloków skalnych, głazów i wyrw. Tabliczka przy bramie informowała, że długość szlaku w obie strony wynosi 10,6 mili.

– Cholera – stęknął wuj Tam – to prawie jedenaście mil marszu.

– Dwie godziny w tamtą, dwie z powrotem – oceniał Bromo, wypijając pierwsze piwo i rzucając puszkę za skałę. – Zostaw – zawołał, kiedy Bob po nią pobiegł. – Zabierzemy ją w drodze powrotnej. Cholernie jesteś porządnicki. Nie bądź taką starą babą.

Wyruszyli powoli, wspinając się na skalisty szlak. Słońce świeciło Bobowi ostro w twarz i już po dwudziestu minutach chłopiec wiedział, że spali sobie skórę. Zapomniał czapki.

– Wujku Tamie, czy zabrałeś jakiś krem przeciwko oparzeniom słonecznym? – spytał. Uważał, że najeżone kaktusami, jukami i opuncjami otoczenie jest przerażające. Do skwierczących w upale skał przytulały się zmierzwione jałowce. Wokół wznosiły się ściany kanionu, wystrzeliwujące z siebie żar niczym pistolety plazmowe.

– Niech to szlag. Nie wziąłem. A byłoby to niegłupie. Może ty wziąłeś, Bromo?

– Zostawiłem w aucie. Pobiegniesz po niego, Bob? Zaczekamy tu na ciebie.

– Nie. – Sama myśl o bieganiu była odrażająca.

Poszli dalej, Bromo na przedzie, jakby prowadził uczestników safari. Każdy ich krok wzbijał ze szlaku kłąb żółtego kurzu, tak że zarówno ich buty, jak i tenisówki wuja Tama, skarpetki i dół nogawek wkrótce pokryły się pyłem, wywołując świąd skóry jak przy pokrzywce. Na początku Bob usiłował jak najdłużej zachować wodę w swojej niewielkiej butelce, jednak nieustannie odczuwał w ustach ogromną suchość, a przy przełykaniu bolało go gardło. Miał wrażenie, jakby było poranione i krwawiło. Bromo skończył czwarte już piwo, ustawił starannie puszkę przy szlaku.

– Zabiorę, jak będziemy wracać – oznajmił, podobnie jak przy poprzednich. Wyprostował się i wtedy poprzez skwar do ich uszu dobiegł delikatny, suchy szelest.

Bob pomyślał, że to cykada albo konik polny, i ruszył pod górę, zamierzając wyprzedzić Bromo, gdy tymczasem wuj Tam tak gwałtownym ruchem wyrzucił ku niemu ramię, że trafił go w twarz.

– Au. Za co?

– Zamknij się. To grzechotnik.

Krajobraz zakołysał się przed oczyma chłopca.

Nie widzieli węża. Stali w kompletnym bezruchu. Tymczasem warkot wzmagał się, aż Bobowi wydał się najgłośniejszym dźwiękiem, jaki kiedykolwiek słyszał. Nadal go jednak nie dostrzegali, dopóki Bromo nie zmienił pozycji.

– Jest tutaj – wyszeptał. – Tuż przy puszce. Chryste, byłem zaledwie dwa cale od niego.

– Chcę już stąd iść – wyszeptał Bob.

Wycofywali się powoli, a kiedy znaleźli się w odległości piętnastu stóp, Bromo podniósł kamień i rzucił w grzechotnika. Chybił.

– No i co zamierzasz zrobić, Tam? Jakoś go obejść? Ten cholerny wąż siedzi na samym szlaku.

– A niech to diabli, wracamy. Mnie się zrobiły pęcherze na stopach, Bob spalił sobie skórę i kto wie, na ile jeszcze węży możemy wpaść. Mogą ich tu być setki. Nie wszystkie grzechoczą. Ludzie zatłukli już tyle tych grzechoczących, że teraz rozmnażają się głównie te ciche. Któregoś dnia grzechoczących w ogóle nie będzie. Poza tym jest za gorąco. Bo to takie miejsce, do którego najlepiej wybrać się w listopadzie, a nie w czerwcu.

Odjechali, jednak nie wrócili tam ani w listopadzie, ani w żadnym innym miesiącu. Natomiast Bob wielokrotnie myślał o tym, że któregoś dnia dotrze do tych dinozaurzych śladów, być może na górskim rowerze, a już na pewno w jakiejś chłodniejszej porze roku, kiedy grzechotniki śpią. Teraz, przypominając sobie tamtą nie dokończoną wyprawę, pomyślał, że może doprowadzi ją do skutku podczas którejś z tych swoich podróży pomiędzy Denver a panhandle. W chłodniejszy dzień.

Na północ od Clayton wynalazł żółtą, gruntową drogę, która powiodła go serpentynami, garbatymi mostkami, koleinami tak głębokimi, że nieustannie drapał podwoziem o ziemię. Był środek popołudnia, kiedy dojechał do Kurzawki, niedaleko od Black Mesa, w panhandle Oklahomy, w krainie sosny, jałowca i gór o płaskich szczytach, wyrastających spomiędzy skał wysokich kaktusów, czeremchy, karłowatych dębów. Zatrzymał się przy sklepie, żeby kupić butelkę wody oraz kanapkę z szynką; przytrzymał go tam na dłużej gadatliwy właściciel, pękaty człowieczek z baczkami z siwej szczeciny, przybyły niedawno z Kalifornii, którego ambitne plany, po przejściu na emeryturę, obejmowały uczynienie z tego miejsca drugiego Santa Fe.

– Bo widzi pan, moi dziadkowie wyjechali stąd w latach trzydziestych. W czasach tamtej katastrofalnej suszy. Pomyślałem więc sobie, że wrócę i zobaczę, co takiego tu zostawili. To piękne miejsce. Z ogromnymi możliwościami. I ma elektryczność, co nie zawsze da się ostatnio powiedzieć o Kalifornii. Są tu rękodzielnicy, rzeźbiarze i malarze, są Indianie, ludzie z szopami pełnymi antyków, uprawiana jest turystyka na skromną skalę, wymagającą jedynie rozkręcenia. Turyści to głównie chrześcijanie, jest tu kowbojskie obozowisko biblijne, które przez całe lato przyjmuje uczestników. Niedaleko stąd, w Kenton, wystawiają wielkanocne widowisko, na które ściągają tysiące ludzi. Mamy tu nawet winnicę; leżące na wschód od miasteczka ranczo Butcha Podzemny'ego przestawiło się na winorośl. Przy odrobinie szczęścia małe oklahomskie panhandle mogłoby zakasować Nappa Valley. Niezły klimat dla winorośli, wysoko położony teren, suchy, mnóstwo słońca, czyste powietrze, lekka, kamienista gleba. Nowy agent rolny naszego hrabstwa uważa, że mamy szansę produkować całkiem niezły miejscowy gatunek wina. Ten poprzedni widział wyłącznie krowy.

Bob pomyślał sobie, że mężczyzna próbuje nadać znaczenie tej okolicy, że usiłuje zagłuszyć żal, że opuścił Kalifornię i znalazł się w samym środku tego zagłębia kurzu.

– Myślę, że jeśli potrafimy zainteresować „Oklahoma Today", spowodować, że przyjadą i napiszą o nas artykuł, to biznes zyska na tym jakieś pięćdziesiąt procent. Bo trochę jesteśmy tutej zapomniani. Na razie staram się mieć wszystko pod ręką, mieć po trosze wszystkiego, żeby się przekonać, czego ludziom potrzeba. Mam kalendarze, trochę artykułów spożywczych, kontuar, przy którym można zjeść lunch. Mam dystrybutor paliwa, jedyny w promieniu trzydziestu mil. Przyszły rok to będzie rok wyjątkowy. Namówiłem przyjaciela, żeby przebudował stary hotel, otworzył sympatyczną restauracyjkę. W tym czasie Butch będzie już miał do sprzedania swoje wino. Jeśli mu się uda, setki innych z radością wycofają się z tych cholernych krów i zajmą się czymś tak przyjemnym jak winorośla. Nadchodzi okres rozkwitu. Kurzawka będzie następnym Santa Fe.

Przejechanie przez to niewydarzone miasteczko ze świetlaną przyszłością zajęło Bobowi dwanaście sekund; minął po drodze trzy sklepy wykorzystywane jako kościoły przez różne grupy religijne, siedem zawalonych albo pustych domów, starą szkołę zabitą deskami i oplecioną dwużyłowym drutem kolczastym, rozsypujący się, pozbawiony dachu kamienny budynek z tablicą KELLY'S HOTEL, który, jak przypuszczał, miał być siedzibą przyszłej „sympatycznej restauracyjki". Zaskoczony widokiem dziwnych formacji skalnych, które przypominały stojące pionowo odchody dinozaurów, myślał jednocześnie o sklepikarzu, który najwyraźniej nie zdawał sobie sprawy z faktu, że minęło kilka stuleci, nim Santa Fe rozbudowało się z małej osady, handlującej meksykańskimi zwierzęcymi skórami oraz indiańskimi wyrobami ze srebra. Był kilkakrotnie w Santa Fe z wujem Tamem i Bromo Redpollem na dorocznych konwencjach Stowarzyszenia Sztuk z Mas Plastycznych i podczas gdy tamci dwaj rozpływali się nad jakimiś popękanymi polimerowymi przedmiotami, on sam wędrował po mieście z jednym z owych darmowych przewodników, jakich dostarczał gościom hotel. I tak, rozmyślając o Szlaku Santa Fe z Independence w stanie Missouri do Council Grove w stanie Kansas i dalej, do Pawnee Rock, gdzie trasa się rozwidla na dwoje, „mokry szlak" idzie wzdłuż rzeki Cimarron na południe, a ten bezpieczniejszy, „suchy szlak" z Fortu Benta, na zachód do przełęczy Raton, przez pasmo Sangre de Cristo i dalej do Santa Fe, tak tedy rozmyślając o tym, jak wkrótce to on sam przetnie ów upiorny szlak, skręcił nie tam, gdzie należało.

Z początku w ogóle tego nie zauważył, odwróciła bowiem jego uwagę kukawka srokata, śmigające niczym błyskawica pustynne ptaszysko, które raptownie pojawiło się przed maską jego auta. Droga była brukowana, wkrótce jednak znacznie się zwęziła, a po dalszych piętnastu milach powiodła go z niewysokiego wzgórza wprost do brodu na rzece, a potem w górę, ciasnym zakrętem na płaski teren, gdzie rozwidliła się ponownie, tym razem na trzy pobrużdżone gruntowe drogi bez żadnych drogowskazów. Nie było stąd widać gór o płaskich szczytach, zniknęły gdzieś skalne formacje. Sięgnął po mapę, tanie wydawnictwo ze stacji benzynowej, z nadrukiem *Stany środkowe i zachodnie*, ale Kurzawka na niej nie istniała. Domyślił się, że skręcając w prawo, jak mu się wydawało na wschód, znajdzie się na drodze równoległej do linii granicznej stanu, a po jakimś czasie natrafi na drogę, która będzie ponownie biegła na południe.

Wjechał zatem w wypełnione pyłem, znaczone nawozem bruzdy, na prymitywny trakt, wijący się pośród niezamieszkanych, dziewiczych pastwisk. Nie było tam żadnych miasteczek, żadnych stacji benzynowych, domów, zagród; tylko pusta droga. Był jedyną osobą na nie kończącym się trakcie, bez żadnej bocznej dróżki czy skrzyżowania. Duszące tumany drobniutkiego pyłu wciskały się do auta; żałował teraz, że nie kupił kilku galonów wody od tamtego gadatliwego sklepikarza. Było parno jak na marcowy dzień, nawet w Oklahomie, a na niebie kłębiły się ogromne chmury. Po godzinie jazdy, kiedy z trudem już przełykał ślinę, zobaczył pierwszy znak. Oznajmiał on: PRERIA KOMANCZÓW. Popatrzył na mapę. Był na niej zielony kwadracik oznaczony tymi samymi słowami. Dziwnym sposobem znalazł się na powrót w Kolorado i podążał na północ.

Nie mógł znieść myśli o powrocie tą samą drogą do czekającego w uśpieniu na rozkwit miasteczka, wobec czego brnął uparcie naprzód, wiedząc, że wcześniej czy później pojawią się jakieś skrzyżowania oraz drogi prowadzące na wschód, a następnie na południe, które poprowadzą go do Oklahomy i Teksasu. Osiem mil dalej zobaczył z prawej strony drogę; co prawda nie było tam żadnego drogowskazu, ale droga bez wątpienia biegła na wschód i pozwalała mu dostrzec przecinaną właśnie błyskawicą masywną ścianę granatowoczarnych chmur.

Całkiem niespodziewanie z pokrytej pyłem, gruntowej drogi wjechał na czarną nawierzchnię, zobaczył w oddali pędzące ruchliwą szosą ciężarówki. Znalazł drogę, ale stracił dzień. Od północnego zachodu przez szczelinę pomiędzy chmurami wystrzelił wąski złocisty promień słońca. Była w tym promieniu niejaka ociężałość, zupełnie jakby jego głęboki kolor rzeczywiście niósł w sobie brzemię złota.

Po godzinie ponownie był w Oklahomie, kilka mil od Boise City, i szukał miejsca na nocleg. Znalazł nocleg ze śniadaniem w miejscu zwanym Borsucza Nora, gdzie na trawniku od frontu stał ogromny borsuk z włókna szklanego z okręconym wokół szyi sznurem bożonarodzeniowych lampek. Na maleńkim parkingu zobaczył białą furgonetkę z tablicami rejestracyjnymi z Arizony. W kurzu, jaki pokrywał tylne drzwi samochodu, ktoś nagryzmolił: I ZNOWU W PIEPRZONEJ DRODZE. Nie wyglądało mu to na wyznanie zbiegłego więźnia, wobec czego poprosił o pokój.

Na piętro poprowadziła go solidnie zbudowana kobieta, młoda, ale zażywna, z żółtymi, ufryzowanymi włosami i piękną twarzą. Kiedy się odzywała, górna warga unosiła się jej z jednej strony, zupełnie jakby mówiła z cygarem w ustach. Pokój był nagrzany i duszny, ściany pomalowane na niezapominajkowy błękit. Białe jednoosobowe łóżko wydawało się filigranowe, a łazienka najwyraźniej została wygospodarowana z wąziutkiej garderoby. Klimatyzacji nie było, za to większość blatu malowanej komody zajmował wentylator. Otworzył okno i razem z chłodnym, wieczornym powietrzem do wnętrza wtargnęła rozproszona chmara komarów. Włączył wentylator; ten ryknął potężnie, strumień powietrza szarpnął zasłonami, zaszeleścił kartkami leżącego na nocnym stoliku czasopisma – „Stylowy Dom na Kołach".

Bob Dolar otworzył ten mniejszy z pakietów, które wręczył

mu wuj, i znalazł w nim namalowany przez matkę krawat, ten z tonącym *Titanikiem*. W burcie statku ziała ogromna wyrwa, z której wysypywali się ludzie i łóżka, i porcelana; maleńkie figurki szarpały się w wodzie. Góra lodowa, wyglądająca jak wiązka noży jakiegoś szefa kuchni, groziła ponownym ugodzeniem statku. W bladych oczach Boba pojawiły się łzy. Wiele razy słyszał z ust wuja, że ten krawat to jego najcenniejsza własność. Druga paczka pod jego palcami wydawała się książką. Bromo zawsze darowywał mu książki, wspaniałe książki, miał bowiem niesamowite wręcz wyczucie tego, co może się Bobowi spodobać. W środku odkrył cienką książkę w broszurowej okładce, *Ekspedycja na Południowy Zachód; Przeprowadzony w roku 1845 rekonesans Kolorado, Nowego Meksyku, Teksasu i Oklahomy* porucznika Jamesa Williama Aberta. Była też kartka od Bromo:

Drogi Bobie.
Pomyślałem sobie, że mogą cię zainteresować przygody por. Aberta, ponieważ był on pierwszą osobą, która systematycznie badała ten region, w którym obecnie się znajdujesz; Abert był zresztą wtedy mniej więcej w twoim wieku. Mam nadzieję, że zainteresuje cię to, co zobaczysz, tak jak interesowało jego. Umysł, który pasjonuje się odkryciami, jest źródłem szczęśliwego życia. Powodzenia.
PS Trzymaj się z dala od Oklahomy.

Wyszedł na kolację, zjadł dwie spalone kiełbaski oraz wiekową surówkę z białej kapusty w jadłodajni Bandwagon, po czym zatelefonował z automatu na koszt odbiorcy.

– Cześć, wuju Tamie, to ja.

– A niech mnie. Od dwudziestu czterech godzin nie miałem od ciebie żadnych wiadomości. Jak ci się tam podoba?

– Jeszcze tam nie dotarłem. Trochę mi się drogi pokręciły. Jestem w Oklahomie. Zrobiło się już za późno na dalszą jazdę. Zresztą chcę obejrzeć te okolice za dnia. Pomyślałem sobie, że zadzwonię i powiem ci, jak bardzo się cieszę z krawata. Wiem, ile dla ciebie znaczył.

– Cóż, wydawało się stosowne, żebyś miał coś od własnej matki. Miałem ci go dać, kiedy ukończyłeś Horace Greeley, ale coś kazało mi się wstrzymać. Co ci dał Wayne?

– Książkę niejakiego Aberta. Porucznika. Który, jak sądzę, wędrował przez te okolice jakieś sto lat temu. Wygląda na interesującą. Bromo napisał, żebym się trzymał z dala od Oklahomy, a ja właśnie tu jestem. A co nowego u ciebie?

– Niewiele od twojego wyjazdu. Rozciąłem sobie kciuk przy otwieraniu koperty... papierem. Bolało jak wszyscy diabli. A i stopy mi dzisiaj dokuczają. Myślę o wizycie u lekarza. I zdecydowałem się wziąć udział w loterii „Reader's Digest". Pierwsza nagroda wynosi dwa miliony.

– A jak idzie program wegetariański?

– Nieźle. Kupiłem trochę tofu i warzyw, i owoców, chyba z tonę suszonej fasoli. Pani Mendoza, która mieszka niedaleko, przy naszej ulicy, pokazała mi, jak przyrządzać fasolę na sposób meksykański. Dała mi trochę suszonej komosy. Powiedziała, gdzie mogę kupić przyprawioną ostro kiełbasę z czosnkiem, ale to wykreśliłem z jadłospisu... ostatecznie to nie jarzyna. Już się czuję nieco lepiej... gdyby nie te stopy. No i wpadł twój stary przyjaciel.

– Jaki stary przyjaciel?

– Ten opryszek. Orlando.

– Orlando wyszedł?

– Widocznie wyszedł, skoro tu wpadł. Nie wiem, czy uciekł, czy go wypuścili, a i nie chciałem pytać. Z początku go nawet nie poznałem. Widać po nim, że odsiadywał. Chciał wiedzieć, gdzie cię można znaleźć. Powiedziałem, że nie wiem.

– Przyślę ci adres, jak tylko znajdę sobie jakieś lokum i skrzynkę pocztową. Jeśli Orlando znów się pojawi, weź od niego numer telefonu albo jakiś inny namiar. Zadzwonię za kilka dni.

– Mam nadzieję, że nie zamierzasz znowu się z nim zadawać. Jest teraz byłym więźniem. Albo kimś jeszcze gorszym, zbiegłym więźniem.

W pokoju nie było telewizora, wobec czego przeczytał kilka stron *Ekspedycji* porucznika Jamesa Williama Aberta. Nim ogarnął go sen, dowiedział się, że porucznik był synem pułkownika Johna Jamesa Aberta, który stał na czele Korpusu

Topografów Stanów Zjednoczonych, agencji powołanej do badania obszarów zachodnich oraz sporządzania ich map. W West Point syn zebrał zdumiewającą liczbę złych ocen i był w swoim roczniku najgorszy ze wszystkich przedmiotów, wyjąwszy rysunek, w którym okazał się najlepszy. Wśród jego kolegów z West Point znajdowali się Ulysses S. Grant, James Longstreet, William Tecumseh Sherman, Henry W. Halleck oraz inne późniejsze znakomitości wojny secesyjnej. Bob Dolar całym sercem był po stronie porucznika Aberta, otoczonego przez wojskowych brutali, młodzieńca, którego jedyną umiejętność stanowiło dziewczyńskie rysowanie. Porucznik był w wieku Boba, kiedy razem z przyjacielem i jednocześnie zastępcą, uzdolnionym matematycznie porucznikiem Williamem Guyem Peckiem, oraz niewielkim oddziałkiem ludzi otrzymał od maniakalnego i wyniosłego Johna Charlesa Fremonta rozkaz, by odłączył od tej dużej wyprawy i utworzył „Ekspedycję Południową", w celu zbadania terytorium Komanczów oraz sporządzenia mapy biegu rzeki Canadian, podczas gdy sam Fremont miał podążać naprzód ku słonecznej Kalifornii. Dziennik okazał się dla Boba interesujący, jako że Abert miał bystre oko, sympatyczne usposobienie i należał do pierwszych podróżników po tej krainie.

Na łóżku piętrzyły się puchate kołdry, tak piekielnie gorące, że kopniakiem zrzucił je na podłogę, a wentylator skierował wprost na posłanie. Kiedy obudził się o świcie, stwierdził, że prześcieradła zbiły się w okropne, uwierające go węzły i supły, poskręcane w spirale niczym jakieś stare sznury telefoniczne. Wziął prysznic, wciągnął dżinsy i T-shirt. Chciał jak najszybciej wyrwać się z tego miejsca. Biała furgonetka zniknęła.

4

Niecny dziwoląg

Już jako czternastolek Bob Dolar wiedział, że w każdym roz-
dziale księgi żywota znajdzie się jakiś dziwoląg; czyjś brat
czy szkolny kolega, syn właściciela delikatesów, młodzian, którego życiowym celem jest skonstruowanie low-ridera, nadą-
sany malkontent, rozwalony na jakiejś kanapie z puszką napoju Yoo-Hoo w dłoni, jedyny członek gangu, którego łapie
policja, znawca tematu w wypożyczalni filmów pornograficz-
nych, mistrz wypieku pizzy w Podziemnej Pizzerii Benny'ego.
On swojego dziwoląga spotkał w aptece Younga, kiedy czekał
w kolejce, żeby odebrać przygotowany na receptę środek
przeciwbólowy dla wuja. Stał tam przed nim szesnastoletni
osobnik o bladej twarzy; okrągłą głowę miał przewiązaną czarną przepaską we wzorek z czaszek i piszczeli, brodę udekoro-
waną siedemdziesięcioma czy osiemdziesięcioma blond wło-
skami oraz całą kolekcją różnorodnych pryszczy. Ubrany był
w kombinezon o ogromnych nogawkach – każda wystarczająco obszerna, by pomieścić krępego mężczyznę – i stał w kolejce bokiem, rozmawiając z ciężarną kobietą, która siedziała na
plastikowym krzesełku. Rękawy trykotowej koszuli miał tak
długie, że przy ściegach mankietów wydarł małe dziurki, przez
które wystawiał palce, same zaś mankiety zwisały niczym
bezpalce mitenki nad pokrytymi kurzajkami dłońmi. Nie przypominał innych dziwolągów. Nie był wesoły, nie uśmiechał się
przymilnie, jego oczy nie były ani naiwne, ani niewinne. Bob
Dolar instynktownie wyczuł, że to jest niecny dziwoląg. Natychmiast poczuł do niego wielką sympatię. Ten patałach spodobał mu się właśnie dlatego, że był taki odpychający.

Dziwoląg przemawiał do kobiety siedzącej na krześle:
– W Kansas City trzymali mnie w zapaśniczym chwycie. To

był jeden z tych najbardziej niebezpiecznych chwytów. Omal mnie nie zabili. Nie wiem, jak mi się udało umknąć, ale w końcu tu jestem, no nie, czekam w kolejce jak inni. A było to w zeszłym roku. Teraz by nie mogli mi tego zrobić, bo ja bym zabił ich. Kręgosłupy bym im poprzetrącał. A jednym z nich był mój najlepszy przyjaciel. Teraz już nie jest moim przyjacielem. Jest moim byłym przyjacielem. A przecież robiliśmy razem różne rzeczy. Kiedyś, jak byliśmy mali, pożyczyliśmy sobie od jego matki kuchenny palnik do robienia *crème brûlée* i wytopiliśmy nim dziurę w automacie z gumą do żucia i kulki gumy wysypały się na podłogę, toczyły się we wszystkie strony, a my je zbieraliśmy: rety, ależ one były gorące. Gorzej niż gorące, one kipiały, lepiły się do naszych dłoni i paliły skórę. O proszę, tu mam blizny od tej gumy do żucia. – Wyciągnął do niej dłoń, ukazując pomarszczone kręgi na skórze. – To właśnie mój były najlepszy przyjaciel Mark w wieku trzynastu lat wybudował wyrzutnię rakiet. Lubił rozwalać różne rzeczy, ja zresztą też, i pewnie dlatego byliśmy najlepszymi przyjaciółmi. Jego ciotka miała te stare winylowe płyty, z taką dziwaczną jazzową muzyką, no to rzucaliśmy je sobie w powietrze i waliliśmy w nie kijami bejsbolowymi. Mark miał trzy takie kije, ale w bejsbola nie grał nigdy, po prostu rozwalał nimi różne rzeczy. Jak bym go teraz zobaczył, to jego bym rozwalił. Tylko że teraz to on jest bezpieczny, bo przecież jest w Kansas City, a ja jestem tutaj. Gra na gitarze i nie jest w tym za dobry. Nie chce być dobry. Chce być głośny. I nosi te dziwaczne metalowe rękawice, które dostał od dziadka. Bo jego dziadek pojechał kiedyś do Londynu, żeby zobaczyć Tower, i przywiózł te metalowe rękawice i Mark je włożył i w jednej z nich utknęła mu dłoń. Musieli go zabrać na pogotowie w Kansas City i pokazywali potem w telewizji, jak mu tą rękawicę zdejmują. A dziadek podarował mu te rękawice właśnie po to, żeby nie grał na gitarze. Taki mieli układ: „Ja ci daję te angielskie, metalowe rękawice, a ty nie grasz na tej pieprzonej gitarze". Pani wybaczy, ale to są słowa dziadka Marka, nie moje.

Siedząca na krześle kobieta wpatrywała się w niego z pełną obrzydzenia miną, milczała jednak. Bob zamierzał powiedzieć, że współlokatora jego wuja zdjęto z samolotu w Kansas City, ale kiedy już otworzył usta, farmaceutka o chmurnych ogromnych oczach, które Bob uważał za zmysłowe, podeszła do kontuaru i zwróciła się do dziwoląga:

– Orlando, czy doktor Tungsten dał ci jakieś próbki leków? Bo ja nie mogę zrealizować twojej recepty. Lekarz jej nie podpisał.

– Że co? Nie, nie dał mi żadnych próbek! Tylko tą receptę i powiedział, żeby „natychmiast ją zrealizować". Nie podpisał jej? A to baran.

– Chcesz, żebym do niego zadzwoniła?

– Po cholerę. Już tam idę – powiedział Orlando, wyjął z jej dłoni receptę i energicznym krokiem ruszył ku drzwiom.

Kiedy zniknął z pola widzenia, kobieta podniosła słuchawkę telefonu, wybrała numer i powiedziała do kogoś:

– Tu Ruby Voltaire, farmaceutka od Younga. Był tu u mnie niejaki Orlando Bunnel, rzekomo pacjent doktora Tungstena, z receptą na Viacomdex, tyle że nie podpisaną. Nie bardzo rozumiem, o co tu chodzi. Tak? Aha. W porządku.

Druga farmaceutka spojrzała na Boba Dolara i oznajmiła:

– Lek dla wuja jest już gotowy.

– Prosił, żeby zapisać to na jego rachunek. – Zabrał opakowanie i popędził do wyjścia.

Kiedyś, w podstawówce, miał przyjaciół, ale pierwsza klasa szkoły średniej była okropna, wypełniona samotnością i poczuciem, że jest wyrzutkiem, po części, o czym był przekonany, dlatego, że nosił tamte wyrzucone przez innych ubrania ze sklepu wuja Tama. Po miesiącu nauki w drugiej klasie usiłował wyjaśnić wujowi sytuację.

– Nie zawarłem zbyt wielu przyjaźni w zeszłym roku – powiedział – ale myślałem, że to dlatego, że byłem pierwszoroczniakiem. I uważałem, że w tym roku będzie inaczej. Nic się jednak nie zmieniło. Usiłuję być dla wszystkich miły, ale dla mnie nikt nie jest miły. Po prostu nie wiem, co zrobić, żeby ludzie mnie lubili. I śmieją się z moich ubrań.

Wuj Tam nie okazał się zbyt pomocny.

– Och, co ci zależy? To wszystko łachudry.

Po objawieniu się Orlanda Bobowi przestało zależeć.

Zobaczył dziwoląga na przystanku autobusowym, dwie przecznice dalej na zachód. Spojrzał w głąb ulicy i zobaczył płaski pysk autobusu, nie większy od gumki na końcu ołówka. Zaczął biec w kierunku przystanku; dotarł tam, kiedy autobus był odległy jeszcze o kilka przecznic.

– Cześć – odezwał się do dziwoląga, który odwzajemnił mu się twardym spojrzeniem.

– Byłeś w aptece – stwierdził.

– Taa.

Nie odezwali się więcej, dopóki nie wsiedli do autobusu.

– Do której szkoły chodzisz? – spytał Bob Dolar.

– Do szkoły! Nie zaszczycam ich swoją obecnością. Rzuciłem pieprzoną szkołę.

– Rety. Rodzice ci pozwolili?

– Oczywiście, że mi pozwolili. Jedyną inną możliwością były kajdanki i użycie siły. Miałem problemy z nauczycielami. Moim rodzicom jest wszystko jedno, bylebym czytał dużo książek.

Bobowi nietrudno było sobie wyobrazić, że dziwoląg może mieć problemy z nauczycielami. Dostrzegał tkwiące w tamtym ogromne możliwości wywoływania u nauczycieli furii.

– Jak to się odbyło? Przecież nie wydarzyło się to wszystko jednego dnia. Powiedziałeś rodzicom: „Rzuciłem szkołę?"

– No dobra, było tak. – Orlando przemawiał znużonym głosem, jak ktoś, kogo nagabują w sposób, którego nie jest w stanie znieść. – W tej szkole byłem w takiej jednej klasie. Nauczycielką była panna Termino. Nazywaliśmy ją Terminator. I Termit. Kazała napisać to kretyńskie wypracowanie: „Co zamierzam uczynić ze swoim życiem". Każdy musiał czytać to swoje dzieło w obecności całej klasy. Takie zwykłe pieprzenie dzieciaków, które chciały zostać programistami komputerowymi, producentami programów, lekarzami i pielęgniarkami, kierowcami wyścigowymi, didżejami.

Dotknął tematu, który wielce Boba interesował.

– Skąd oni wiedzą? – spytał. – S k ą d w i e d z ą, kim chcą być?

Orlando jednak nie dał się wciągnąć w dysputę filozoficzną i mówił dalej:

– No i każdy, oprócz mnie, czyta swoje wypracowanko i Terminator oznajmia: „To było wyśmienite". Nie wspomniała o tym, że jakoś nikt nie chciał być naukowcem ani matematykiem, chociaż wszyscy wiedzą, że właśnie z tym nie jest w tym kraju najlepiej. Że to jedna z tych wielu rzeczy, z którymi w tym kraju nie jest najlepiej. Wobec czego powiedziałem: „Panno Termino, przecież ja nie przeczytałem jeszcze swojego. Opuściła mnie pani". A ona na to: „Nie opuściłam cię, Orlando, założyłam tylko, że jak zwykle nie odrobiłeś pracy domowej". Wobec czego ja mówię: „Tą odrobiłem" i wstaję i idę przed całą klasę. Głośno i z przytupem. I czytam swoje wypracowanie. Znałem je na pamięć. Czytam więc: „Lodowe Miasto Orlanda. Nie chcę być neurochirurgiem ani prezydentem, nie miałbym nic przeciwko temu żeby być mistrzem zapaśniczym albo facetem który hoduje pitbule albo kapitanem oceanicznego liniowca ale przede wszystkim chcę zbudować lodowe miasto na biegunie południowym i wyciągnę pieniądze od wielkich korporacji i wynajmę grupę bezrobotnych facetów – oczyszczę Kansas City z meneli – żeby wybudować to lodowe miasto. Budynki będą z czystego lodu a ja będę miał wielki piec do topienia śniegu i wtryskiwania wody do form – prostokąty sześciany stożki i cylindry – a menele będą z nich składać wielkie lodowe drapacze chmur i kopuły i będę miał we wnętrzach te wszystkie światła tak że nocą te budowle z lodu będą świeciły różnymi kolorami a najlepsze i największe będą ogromnymi czworokątami jeśli ludzie będą chcieli zwiedzać miasto każę im płacić po pięćdziesiąt dolarów od łebka z tym że w tej sumie byłyby też steki z pingwinów na obiad". I wtedy jakaś dziewczyna zaczyna: „Steki z pingwinów! Łe! Obrzydliwość!", no to daję jej kuksańca, bo to świadczy o jej ograniczonym umyśle, a steki z pingwina są pewnie niezłe, a ta dziewczyna wali głową o ławkę i wybija sobie zęby, zupełnie jak jakiś hokeista, i Terminator każe mi iść do gabinetu dyrektora. Nie odezwałem się ani słówkiem, zebrałem książki i wyszedłem. Rzuciłem budę. Mój ojciec – szurnięty facet, ale co tam – wziął moją stronę. Dwa tygodnie później przeprowadziliśmy się tutaj.

– Masz albo niezłą wyobraźnię, albo jesteś wielkim łgarzem – oznajmił Bob Dolar.

– No cóż, sam to musisz odkryć. – Orlando zwisał na uchwycie i huśtał się w takt ruchu autobusu.

– Nie wiem, skąd ludzie wiedzą, kim chcą być, zanim jeszcze są starzy, koło dwudziestki czy coś w tym sensie – powiedział Bob.

– A ty nie wiesz?

– Nie mam pojęcia. A ty? To znaczy, jak już wybudujesz to lodowe miasto.

– Jasne. Chcę być bogaty i rządzić światem. Chcę być geniuszem komputerowym. I już nie mam ochoty budować tego pieprzonego lodowego miasta. To dziecinada. A ty, dlaczego chcesz wiedzieć, jak się rzuca szkołę? Planujesz coś takiego?

– Nie. Wuj by mi nie pozwolił.

– Co on ma do tego? A rodzice?

– Zniknęli, kiedy miałem siedem lat.

– Jasny gwint! Niby jak zniknęli? Uciekli nocą? Porwali ich kosmici? Eksplodowali? Uśmiercili ich gangsterzy albo jakieś jadowite gady? Człowieku, jestem pod wrażeniem. Żeby tak moi zniknęli. Moja matka... wiesz, co ona wyprawia?

– Co?

– Gotuje wszystko z etykietkami. Z tymi głupimi nalepkami na pomidorach z napisem „pomidory", a na awokado z napisem „awokado". Zapomina je zdjąć, wobec czego w sałatce jest pełno małych nalepek. Albo kurczak ma na skrzydle tą blaszkę, a ona piecze go z tą blaszką i w ten sposób z tego metalu wydobywa się ołów i przeróżne trucizny. Dlatego jestem podtruty. Najgorzej dotknęło to ojca. Wciąż kaszle zgięty wpół. Zatruty kurczakowymi blaszkami.

Autobus zapełniał się powoli i Bob stanął bliżej Orlanda. Czuł zapach brudnych włosów i miętowej gumy do żucia.

– Matka i ojciec pojechali na Alaskę, żeby wybudować dla nas chatę z drewnianych bali, a ja miałem do ich powrotu mieszkać u wuja. Tyle że nigdy nie wrócili. Nie zadzwonili, nie napisali. Wuj telefonował do tamtejszej policji, a ta umieściła ich na liście osób zaginionych i nigdy ich nie znalazła. Mój wuj, Ksylo, pojechał na Alaskę ich szukać. Oni po prostu zniknęli. Nawet nie można się było dowiedzieć, do której części Alaski się udali. I dlatego musiałem zostać u wuja na stałe. On prowadzi sklep ze starzyzną przy Colfax, a mieszkanie mamy od tyłu i na piętrze. Z początku wuj uważał, że coś się im musiało przytrafić. Potem jednak zmienił zdanie. Myślę, że doszedł do wniosku, że mnie porzucili.

– Człowieku, to niesamowite! Zamierzasz się wybrać na poszukiwanie starych, kiedy skończysz osiemnaście lat?

– Myślałem o tym.

Nigdy nie opowiedział wujowi o swoim głęboko skrywanym fantazjowaniu, które zaczęło się kilka miesięcy po ich zniknięciu: wyobrażał sobie, jak leci do Fairbanks, jak zagląda do książki telefonicznej, gdzie odnajduje Adama i Violę Dolarów, razem z adresem i numerem telefonicznym. Później, kiedy odkrył, że Fairbanks to jeszcze jedno zwyczajne miasto, wniósł poprawki do scenariusza: teraz (przeobrażony w kudłatego i muskularnego dorosłego) wiosłował czerwonym kanoe szalejącą alaskańską rzeką, a potem, z nadchodzącą zimą, ruszył pieszo w dziewicze pustkowie. Kiedy miał już zamarznąć w potwornej zamieci, natknął się na jakąś chatę. Wewnątrz znalazł kobietę i mężczyznę, słabych i wyniszczonych. Ogień wygasł i para ta tuliła się do siebie pod resztkami koców. Znalazł siekierę i drewutnię, narąbał całe naręcza drzewa, rozpalił ogień, przygotował posiłek z kiełbasek i tłuczonych ziemniaków, nakarmił staruszków, którzy łkali z wdzięczności, a potem pozmywał naczynia. Był tam też pies – husky – nakarmił więc i psa. Później zrobił z tego psa całą gromadę przymierających głodem psów pociągowych i nakarmił je wszystkie, a one lizały jego dłonie. Para staruszków nie posiadała się z zachwytu i kiedy oboje ponownie wrócili do sił, błagali go, żeby z nimi został. Starzec oznajmił: „Mieliśmy kiedyś syna, który teraz byłby mniej więcej w twoim wieku, ale nigdy nie udało nam się wrócić do Denver, żeby go zabrać". I wyobrażał sobie, jak pyta łagodnie, dlaczego, i słyszy w odpowiedzi o łobuzie – rozczochranym Ricku Moomaw, z twarzą jak kosmaty termofor – z sąsiedniej działki, który tylko czyha, żeby wyjechali, chociażby na weekend, a wtedy przywłaszczy sobie cały ich teren, włącznie z chatą, nawet z tytułem własności. Ostatecznie Bob mówi im, kim jest, że jest ich dawno utraconym synem, a oni rzucają mu się na szyję i opowiadają, jak znaleźli złoto i jak to Rick Moomaw czatuje na ich własność. W odpowiedzi Bob śmiał się i napinał mięśnie, twierdził, że rozerwie Moomaw na kawałki.

Później ta fantazja rozmyła się i rozpłynęła, zastąpiły ją sny o niechlujnych blondynach z polakierowanymi paznokciami u stóp, niemniej w czasie, kiedy spotkał dziwoląga, nadal była ona niezwykle intensywna. Nigdy nie mówił nikomu o swoich nadziejach na odnalezienie rodziców, a tu, po chwili rozmowy, Orlando sam je odgadł.

Kilka miesięcy po brzemiennym w skutki wyjeździe rodziców Bob zaczął postrzegać swoje nieokreślone jestestwo jako jestestwo renifera i nosił ostrożnie głowę, żeby uniknąć zderzenia poroża z szafkami czy innymi zawieszonymi na ścianach przedmiotami. Ta fantazja nabrała bardzo wyrazistego kolorytu. Nie miał pojęcia, kim jest, skoro rodzice zabrali jego tożsamość ze sobą na Alaskę. Cały świat był na rolkach, odsuwał się od niego, kiedy już-już miał się do niego dostać. Wiedział, że czuje się taki samotny, dlatego że pozbawiono go poczucia przynależności. Dom i sklep wuja Tama były zaledwie przystankami, na których czekał na sensowne połączenia, na wydarzenie lub osobę, która by mu pokazała, kim jest. W pewnym momencie przeobraziłby się z tajemniczego renifera w istotę ludzką, w jakiś sposób ponownie połączoną z rodziną.

Na Boże Narodzenie wyjeżdżał z wujem Tamem, bez Bromo, który pozostawał na miejscu, żeby karmić kota i dopilnować sklepu, do Łap w stanie Kansas, na rodzinną farmę, gdzie dorastała jego matka, wuj Tam oraz reszta rodzeństwa Bułłów. Wcześniej, kiedy mieszkał z rodzicami, wielokrotnie odwiedzał swoją babkę, ale teraz zrozumiał, że matka i ojciec nigdy go nie chcieli. Na świątecznych spotkaniach jego ciotki Lutnia i Bandżo rozczulały się nad nim, a wujowie wyduszali z siebie fałszywe obietnice zabrania go na ryby, na polowanie albo na mecz Rockies. W którymś momencie obiadu babka rozglądała się wokół stołu, ocierała oczy i rzucała:

– Gdyby tylko Viola wiedziała, co traci.

– Jestem przekonany, mamo, że bierze to pod uwagę i żałuje

swojej decyzji – odpowiadał jej wuj Ket, jako że liczni członkowie rodziny wyznawali teorię, iż Viola i Adam Dolarowie mieszkają gdzieś w Homer albo Nome, albo też hodują lisy na Aleutach. Z upływem lat rodzina posuwała się jeszcze dalej w próbach wyjaśnienia zagadki długotrwałego milczenia tamtej dwójki, wszystkich zresztą zbudowanych na założeniu, że uciekinierzy żyją: trąd, amnezja, szaleństwo, porwanie albo usunięcie się w jakieś bardzo odległe miejsce odpowiadały na pytanie, dlaczego nie ma z nimi żadnego kontaktu. Bob czepiał się tych scenariuszy. Jedynie Bromo Redpoll utrzymywał, że nie żyją, ale co on mógł wiedzieć? Żaden z niego krewny.

W autobusie Orlando zapytał niespodziewanie:
– Hej, chcesz iść do kina?
– Taa, ale wpierw muszę dostarczyć wujowi lekarstwo. Czeka na te pigułki. Powiedział, że okropnie go boli. Uszkodził sobie krzyż, podnosząc skrzynkę pełną plastikowych lalek. I jeszcze te bolące stopy.
– To kiepsko! Gdzie mieszkacie?
– Przy Colfax. Na samym końcu, blisko Chambers Road. To już prawie Kansas.
– Stary, to strasznie, strasznie daleko. Da się dojechać autobusem? Spoko. Zawozimy pigułki wujowi i dopiero wtedy ruszamy. Do kina przy Colfax. Do Urwiska, przy rogu Colfax i Xerxes. Za sklepem monopolowym.
– Myślałem, że musisz wracać do swojego lekarza.
– Lekarza? O co ci chodzi?
– No przecież tak powiedziałeś tej pani w aptece. Że wracasz do lekarza, żeby ci podpisał receptę.
– Och, to tylko takie pieprzenie. Tylko próbowałem. Numer wprost z Księgi Łgarstw. Znalazłem tą receptę na chodniku. Pokaż no te pigułki wuja. Eee. Hydrokodon. Nic ważnego, tylko kodeina i tylenol. Ale i tak możemy sobie kilka łyknąć. Niczego nie zauważy. – Wytrząsnął sześć pigułek, dał dwie Bobowi, resztę połknął sam.
Bob Dolar włożył swoje dwie do kieszeni.
– OK – powiedział – co grają?

– *Kobiety szczury*. Wspaniały. Jak te dziwaczne czarno-białe filmy, cały jest ziarnisty. Sfajdasz się ze strachu. Stary horror z lat sześćdziesiątych. To Urwisko pokazuje tylko horrory i różne wariactwa. Hej, czy nie powinniśmy tu wysiąść? Żeby się przesiąść?

Jechali Colfax, mijając Salon Satyryczny, Grecką Pizzerię, obok Części Samochodowych Johna Elwaya, Manikiuru u Tammy, Air Afrik, Dragon Express i Bombę. Przed Atomową Pralnią Wieku Kosmicznego toczono właśnie walkę na pięści i Bob powiedział Orlandowi, że papużka falista wuja Tama pochodzi ze sklepu Jerseya Johna i że mają otwarty rachunek w Szalonym Psie i w księgarni Pielgrzym, gdzie Bobowi wolno kupować dwie książki miesięcznie. (Kiedyś Bob korzystał dość często z filii biblioteki miejskiej, jednak wuj Tam zakazał mu tego, ponieważ chłopiec zapominał zwracać pożyczone książki w terminie i kary za zwłokę narastały niepokojąco.) Informacje te nie robiły specjalnego wrażenia na Orlandzie. Wreszcie minęli Food 99 i sklep z nadwyżkami wojskowymi Brygadier i zobaczyli sklep wuja Tama (Używane, ale Nie Nadużywane), i Boba ogarnęła fala zażenowania, bo wszystko wyglądało tak licho i ubogo.

Wuj Tam leżał na nędznej kanapie, popijając piwo i oglądając telewizję. Wziął do ręki brązowe, plastikowe opakowanie, wytrząsnął z niego dwie duże kapsułki, połknął je i popił piwem.

– Więc chcecie iść do kina? – spytał. – Na dobry film? Może i ja bym się z wami wybrał, gdyby tylko tak mnie nie łupało w krzyżu.

– Mógłby się panu nie spodobać, proszę pana – zauważył Orlando. – To stary horror. *Kobiety szczury*.

– Cóż, rzeczywiście, to nie w moim guście. Zatem nie mam pewnie czego żałować. – (Oglądał właśnie po raz trzydziesty i siódmy Jaques'a Tati w *Moim wujaszku* ze względu na pewną scenę w fabryce plastiku, w której plastikowy wąż wynurza się z maszyny w formie długiego szeregu rozdętych balonów albo sznura małych błyszczących kiełbasek.) Wyjął z kieszeni jednodolarowy banknot. – Proszę, Bob, parę groszy na popcorn. I na gazetę. Kup mi „Post", kiedy będziesz wracał. Po odliczeniu pięćdziesięciu centów na gazetę na popcorn pozostawało pięćdziesiąt centów, a z tego, co wiedział Bob, nigdzie na świecie nie można go było kupić za tak mizerną kwotę. Jednak na zewnątrz Orlando, który obserwował całą tę scenę, oznajmił:

– Ja stawiam, bo ja cię zaprosiłem. Zresztą, ja mogę zdobyć tyle pieniędzy, ile mi będzie potrzebne. Mój tata popija i kiedy wraca nabuzowany do domu, to jak zaśnie, dobieram się do jego portfela i biorę sobie dwudziestkę czy coś w tym sensie, a poza tym mam jeszcze takie jedno zajęcie. – (Jakiś czas potem Bob dowiedział się, że „takie jedno zajęcie" było nagabywaniem o pieniądze turystów w centrum handlowym przy Szesnastej Ulicy. Umiejętności tej Orlando nauczył się od pewnego obszarpańca, mieszkającego sobie wygodnie w luksusowej mansardzie w najlepszej dzielnicy Denver, a który uprawiał ten żebraczy proceder wyłącznie przy podłej pogodzie, kiedy współczucie zmuszało przechodniów do niezwykłej szczodrości. Najlepszą okazją były burze śnieżne tuż przed Bożym Narodzeniem.)

Kino Urwisko było okropne i film był okropny, tymczasem Bob Dolar czerpał wiele uciechy z obydwu. Poza biletami Orlando kupił popcorn oraz litrowe kubki podrabianej coli. Kino okazało się zaadaptowanym magazynem na zapleczu sklepu monopolowego, pochyła podłoga z nagiej, taniej sklejki dudniła przy każdym kroku. Drewniane siedzenia nie były niczym wyściełane. Sala cuchnęła uryną oraz przepalonym olejem roślinnym. Publiczność składała się zaledwie z czternastu osób.

Film rozpoczął się sceną, w której dziesiątki szczurów biegają po plugawej portowej ulicy jakiegoś bliżej nie zidentyfikowanego miasta. Były tam zbliżenia szczurów jedzących odpadki, szczurów przyczajonych, śpiących w szczurzych gniazdach, zbliżenia szczurów zjadających jakieś chrząstki oraz jednego pałaszującego jakąś kleistą substancję przypominającą zepsuty pudding bananowy. Potem wszystkie szczury w pośpiechu zniknęły za rogiem ulicy. Kamera wolno podążała za nimi. Okazało się, że za rogiem nie ma już żadnych szczurów, a jedynie osiem czy dziesięć blondynek, opartych o ścianę magazynu, zmysłowych, z ustami grubo pokrytymi szminką, ubranych w długie, obcisłe, połyskujące cekinami sukienki. Paliły papierosy i przez ciemne okulary spoglądały w noc. Ich pantofle miały ostro zakończone czubki oraz niewiarygodnie wysokie obcasy. Kamera podjeżdżała coraz bliżej, prześlizgiwała się po obleczonych w satynę biodrach i pośladkach, pozostających w cieniu zagłębieniach i rowkach, chwytając wilgotny błysk oka i świecących tłusto warg. Zjeżdżała powoli wzdłuż grzbietu najbardziej piersiastej z blondynek, po sukni wyciętej na tyle głęboko, by ukazywać początki cienia pomiędzy pośladkami i niżej po ich wypiętej krzywiźnie, po błyszczącej, opinającej udo tkaninie, wzdłuż całej nogi do łydki, a tam przez ułamek sekundy można było dostrzec zwisający tuż pod krawędzią sukienki muskularny szczurzy ogon, który, niczym jakieś sprośne łypnięcie oka, raptownie zadrgał.

– Obrzydliwość! – oświadczył Bob Dolar, który niewiele jeszcze zdążył zobaczyć. Czekała go scena, w której na plaży kobiety szczury w bikini wabią ratownika pod swój pasiasty parasol, gdzie duszą go ogonami (wcześniej zwiniętymi wewnątrz bikini), a potem pożerają i wyrzucają jego kości w fale przyboju. Miał jeszcze zobaczyć, jak anonimowy szef policji miejskiej zamienia się w wampira i podejmuje próbę zmuszenia kobiet szczurów, by stały się jego seksualnymi niewolnicami. A potem Orlando, który skonsumował popcorn i wypił colę, zupełnie od niechcenia, nawet nie wstając z miejsca, hałaśliwie nasiusiał na tę podłogę ze sklejki.

Po projekcji filmu Orlando nalegał, żeby obejrzeć jeszcze zapowiedzi nadchodzących atrakcji, *Krwawych świąt* oraz *Wyrzutków*. Kiedy wychodzili, wskazał ręką na ponury afisz *Mielących zwłoki* („W mrożących krew w żyłach kolorach") i oznajmił:

– To kurewsko odlotowy film – po czym opowiedział mu o kinie w Kansas City, w którym ten obraz obejrzał. Kiedy publiczność wchodziła na salę, bileterzy wręczali każdemu torebkę na rzygi z nadrukiem MIELĄCY ZWŁOKI i później niektórzy spośród widzów z nich skorzystali.

– Sam próbowałem, ale nie potrafiłem niczego z siebie wydusić. Ciągle mam tą torebkę. Teraz to już obiekt dla kolekcjonerów. Może twój wuj powie mi, ile jest warta. – To kino w Kansas City, oświadczył, miało zamontowane pod każdym fotelem specjalne brzęczyki. Włączały się, kiedy szalony kot pielęgniarki skakał na doktora Glassa, co wywoływało wrzask całej widowni.

Tamtej nocy Bob Dolar spał głębokim snem, nasycony niewybredną rozrywką i odurzony dwiema skradzionymi pigułkami.

Teraz, w Boise City, które, jak poinformowała go kobieta z ufryzowanymi włosami, zostało omyłkowo zbombardowane podczas drugiej wojny światowej przez lotnictwo Stanów Zjednoczonych, zapadł w sen przy paplającym telewizorze, by zostać z niego wyrwanym tuż po północy rykiem chrypliwej syreny oraz przebiegających przez ekran czerwonych błysków, które ostrzegały mieszkańców May i Rosston, i Plask, by szukali schronienia, ponieważ zauważono lejowatą chmurę przesuwającą się na północny wschód od Darouzett, tuż za granicą stanu Teksas. Pokazano mapę i Bob zobaczył, że tornado oddalone jest o siedemdziesiąt mil od niego i że odległość ta się zwiększa. Zanim ponownie zanurzył się w swoim niespokojnym śnie, pomyślał, że być może podczas swojej pracy zostanie kiedyś porwany przez trąbę powietrzną.

5

W Kowbojskiej Róży
nie ma pokoju do wynajęcia

Nazajutrz wiał ostry wiatr, a kiedy Bob wjeżdżał do Teksasu, mijając po drodze kilka fioletowych uli oraz znak z napisem „Obejrzyjcie największego na świecie pieska preriowego, 3 mile na zachód", wiatr jeszcze przybrał na sile, w nagłych, nieregularnych porywach waląc i tłukąc w jego samochód. Kule suchorostów, zdarte do niewielkich rozmiarów zimową młocką, setkami przetaczały się przez szosę. Fruwały płachty plastiku, opakowania po żywności, worki, papier, kartony, szmaty zaczepiały się na drucie kolczastych ogrodzeń i trzepotały tam, dopóki nie uwolnił ich ostrzejszy podmuch. Krajobraz wręcz kipiał od śmieci. Wielki suchorost grzmotnął łodygą w przednią szybę saturna. Łuk pęknięcia zarysował się na szkle. Bob zobaczył w oddali zamgloną, brązową chmurę i domyślił się, że coś tam musi płonąć. Tymczasem jednak zapach oraz natychmiastowe uczucie duszenia w gardle, które pojawiły się, kiedy przejeżdżał obok ogromnego wybiegu dla bydła, z krowami niemalże niewidocznymi w nawozowym pyle, porywanym przez wiatr i najwyraźniej stanowiącym źródło owej chmury, pozwoliły mu zapoznać się ze złej sławy brązowymi dniami teksaskiego panhandle, z tym unoszącym się w powietrzu pyłem, zwanym, jak później usłyszał, „oklahomskim deszczem". Minął garbarnię i zakład pakowania mięsa, w oknach zdezelowanych furgonetek dostrzegł twarze Meksykanów. Na wielkim metalowym znaku, kiwającym się do przodu i do tyłu, widniał napis: BYCZA WPADKA. Niebo było trupio szare, jakby dopasowane do obumarłej trawy przy torach kolejowych, gdzie przed laty wyciek chemikaliów wybił wszystkie żyjące w glebie organizmy.

Skręcił na wschód, parskając i wydmuchując nos. Świnie przynajmniej trzyma się pod dachem, pomyślał (ponieważ jeszcze nie zetknął się bezpośrednio z tuczem trzody chlewnej;

znał ją wyłącznie z wydrukowanego na błyszczącym papierze rocznego sprawozdania Globalnej Skórki Wieprzowej, gdzie mógł podziwiać czyste i obszerne kojce dla świń). Minął kilka jezior okresowych, na których tysiące kaczek i gęsi zmagało się ze spienionymi falami – akweny te wydały mu się zupełnie nie na miejscu pod tym całunem brązowego pyłu nieustannie szarpanym przez wiatr. Na ogół przejeżdżał jednak wzdłuż płaskich pól z pompami do wody, do ropy i pastwisk z wiatrakami pompującymi wodę do zbiorników dla bydła, każdy zaś zbiornik otoczony był kręgiem błota, od którego gwiaździście rozchodziły się dziesiątki wąskich, krowich ścieżek.

Późnym rankiem posuwał się beztrosko szosą numer 15, rozglądając się za miasteczkiem, w którym mógłby założyć swoją bazę wypadową. Wiatr powoli przycichał. Gdzieś pomiędzy Stratford i Miami, obok ogrodzenia obwieszonego martwymi kojotami oraz tabliczkami z napisem: INTRUZI KULKA W ŁEB, A CI, CO PRZEŻYJĄ – DO PROKURATORA, zjechał z piętnastki na węższą drogę; wytrząsł się, przecinając tory kolejowe, i mniej więcej dziesięć mil dalej wjechał do Kowbojskiej Róży, niegdyś miasteczka hodowców bydła, potem miasteczka-widma, obecnie powracającego powoli do życia, na pół już odnowionego i sielankowego, ocienionego drzewami. Przepływał przez nie strumień Srebrna Łyżeczka, a w centrum pysznił się duży trawnik okolony jakimiś płaczącymi, omdlewającymi drzewami, które jemu kojarzyły się z cmentarzem. Były tam dwie knajpy, dwie stacje benzynowe oraz pomalowany na kremowo ceglany budynek, na którego frontowej ścianie wypisano wielkimi czerwonymi literami MUZEUM TORNADA I DŁUGOPISU. Naprzeciwko zobaczył cienisty park ze wspaniałym trawnikiem obramowanym ogrodowymi kwiatami. Dostrzegł tam też wzniesioną w wiktoriańskim stylu muszlę koncertową. Natomiast nigdzie w polu widzenia nie zauważył żadnych elewatorów zbożowych, żadnych cylindrów z amoniakiem ani innych zbiorników.

Wszedł do knajpy Kolec Kaktusa, mijając wypisany ręcznie plakat z informacją:

ZAGINĘŁO 18 SZTUK BYDŁA, JAŁÓWKI RÓŻNYCH RAS.
ZNAKOWANE **KOTWICĄ**. ZAWIADOMIĆ SZERYFA
H. MIAZGĘ, HRABSTWO BUMELIA

Zamówił specjalność zakładu, stek wołowy w cieście z białym sosem. Kelner i pomywacz w jednej osobie, postawny mężczyzna w gumowych rękawicach na dłoniach, przyniósł pływające w sosie danie, a Bob spytał go od niechcenia, czy nie zna kogoś, kto wynajmuje pokoje.

– No cóż, chyba Beryl. Beryl i Harvey Schwarmowie. Mają pokój, który czasami wynajmują. Zazwyczaj jednak kobietom. Kto wie, może wynajmą mężczyźnie. Ten żółty dom z dużym gankiem przy ulicy Dzikiego Indora należy do nich. Chyba warto spróbować. Jest pan komiwojażerem?

– Nie. Odwiedzam te okolice... raczej jako turysta. Podoba mi się wasze miasto. Jest bardzo ładne.

– To zasługa siostry Beryl, Joni, to ona zaprowadziła te kwietniki, zachęciła do zbudowania estrady dla orkiestry. Rozkręciła orkiestrę. Latem grają każdego piątkowego wieczoru. Lekką klasykę, jak mówią, ale gdyby mnie spytać, to powiedziałbym, że są to głównie stare numery Franka Sinatry. Bo nikt z okolicy nie wie, co znaczy słowo klasyka. Ale coraz więcej ludzi przyjeżdża w odwiedziny. Przydałby się motel albo jakiś pensjonat, ale nie wygląda na to, żeby miało to nastąpić wkrótce. Na razie najlepsze, co mamy, to Schwarmowie, chyba że ma pan ochotę pojechać do Dumas albo do Perryton. Tam są motele.

– Spróbuję u Schwarmów. Dzięki za wsparcie.

– Wsparcie to mnie się tu należy – odparł mężczyzna, pocierając kciukiem o palec wskazujący.

Pani Schwarm, w błękitnym, szenilowym szlafroku, otworzyła mu drzwi. Nos miała opuchnięty, twarz zaczerwienioną i usianą małymi, żółtymi ziarenkami. Jej dłonie tkwiły w gumowych rękawicach, a z mokrej myjki, którą w nich trzymała, kapała woda.

– Mam nadzieję wynająć tutaj pokój. Ktoś mi powiedział, że wynajmuje pani pokoje.

– Kto taki? Kto to panu powiedział? – Robiła wrażenie bardzo zirytowanej.

– Aa. Kelner z Kolca Kaktusa. Krępy mężczyzna...

– Haley Wielka Głowa. Ten głupiec. Tak tępy, że od wiązania sznurowadeł boli go głowa. Nie mogę sobie nawet zrobić maseczki, żeby ktoś nie walił w drzwi i nie pytał, czy wynajmę pokój. On jak raz o niczym nie ma pojęcia i nie wie, że już rok temu przestałam wynajmować. Niech te ludzie, co przyjeżdżają do Kowbojskiej Róży, zatrzymują się u krewnych albo niech se przywiozą namiot. Miałam dość kramu z kobietą, która wynajmowała tu pokój, i tak sobie umyśliłam, że już nigdy go nie wynajmę. Przyjechała z Minnesoty i obyczaje miała inne od naszych. Siedziała do późna, spała do południa, a potem domagała się soku pomarańczowego. Pewnie myślała, że jest na Florydzie. Prosiłam, żeby była uważająca i zdejmowała buty, kiedy wchodzi do domu – na schodach mam biały chodnik – ale nigdy tego nie robiła, no i zniszczyła mi ten chodnik.

– Pani Schwarm, przysięgam, że będę zdejmował buty. Nie będzie pani miała najmniejszego kłopotu...

– Ani chybi nie będę miała kłopotu, bo nie zamiaruję pokoju wynajmować. Nie ma w nim teraz nawet łóżka. Po prawdzie mój mąż tam teraz majsterkuje. Robi kaczki z drewna. – I zamknęła drzwi.

Pojechał na północ, w pobliże granicy z Oklahomą, do Perryton – miasta udekorowanego fruwającymi opakowaniami po artykułach spożywczych oraz nieaktualnymi plakatami wyborczymi. Światła drogowe huśtały się na wietrze. Wszyscy jeździli tu pickupami, jego auto było jedynym sedanem w okolicy, a kiedy jechał powoli główną ulicą, tablice rejestracyjne z Kolorado przyciągały spojrzenia przechodniów. Wszystkie motele były pełne. Na przedmieściu znalazł posępny, jednopiętrowy budynek o nazwie Stajnia. Nad wejściem wisiał wielki transparent z napisem: STAJNIA WITA BAPTYSTÓW Z MARBLE FALLS.

– Należy pan do tej grupy religijnej? – zapytał recepcjonista, młody człowiek z krzywą twarzą i pokrytym bliznami nosie. Bob Dolar pomyślał, że to był więzień.

– Nie, podróżuję w interesach.

– To będzie pana kosztowało pełną opłatę, znaczy się... siedemnaście za noc.

– W porządku. – W Oklahomie zapłacił trzydzieści siedem. Stajnia odznaczała się cienkim, brudnym chodnikiem rozłożonym na betonowych schodach. W kątach korytarza leżały papierowe kubki i opakowania po orzeszkach. Jego pokój okazał się mały i nędzny, przesiąknięty wonią jakiegoś silnie perfumowanego środka odkażającego; malowana betonowa podłoga, przykuty łańcuchem do ściany telewizor, tylko jedna jeszcze nie przepalona żarówka, kilka Biblii, włącznie z egzemplarzem w zakaraluszonej łazience. Nad łóżkiem wisiała wielka fotografia kanionu Palo Duro. Słyszał dochodzące z sąsiedniego pokoju śpiewy oraz okrzyki „Alleluja", a kiedy przechodził korytarzem, zauważył wypisaną ręcznie kartkę: SPOTKANIE MODLITEWNE GODZ. 17, przymocowaną zużytą, hydrauliczną taśmą przylepną do ściany z bloczków gazobetonu.

Wszystkie restauracje pełne były gości; przed wejściem do każdej z nich ludzie stali w długich kolejkach, jedynie przed Różą Mexicali* zebrała się niewielka grupka potencjalnych konsumentów. Czekał razem z nimi i po jakimś czasie zaprowadzono go do miniaturowego stolika stojącego obok wahadłowych drzwi kuchennych, które otwierały się gwałtownie mniej więcej co pół minuty. Lokal wypełniali baptyści oraz ich dzieci, które albo siedziały biernie, bez ruchu, pod surowym okiem rodziców, albo też biegały szaleńczo w tę i z powrotem, sprawnie unikając zderzenia z kelnerkami. Zamówił enchiladę i przyglądał się gościom. W boksie obok jego stolika siedziała dwójka bardzo spokojnych dzieci ze splecionymi dłońmi. Ojciec i matka rozmawiali niemalże szeptem, rzucając spojrzenia spod oka na biegające wokół i podskakujące hałaśliwe dzieciaki. Bob usłyszał, jak ojciec mówi, że wystarczyłoby pięć minut jego opieki, a nauczyłby je tego, co trzeba, bo tak przetrzepałby im skórę, że do końca życia zapamiętałyby ból tyłka. Przyniesiono rodzinie jedzenie, dla każdego cheeseburgera z frytkami, mrożoną herbatę dla rodziców i po ogromnej szklance mleka dla dzieci.

Ta sama kelnerka, w azbestowych rękawicach na dłoniach, przyniosła Bobowi metalowy półmisek, którego cała powierzchnia była jednym wielkim jeziorem kipiącego, żółtego sera. Dziob-

---

* Róża Mexicali – jedna z najczęściej nadawanych meksykańskim restauracjom nazw. Mexicali jest stolicą stanu Kalifornia Dolna Północna w Meksyku.

nął ją widelcem i strumień pary wystrzelił w górę. Miał wrażenie, że zęby widelca odpadną. Nim ta roztopiona lawa ostygła na tyle, by mógł zacząć jeść, kelnerka przyniosła rodzinie obok specjalny deser, lody z owocami, z pięcioma sosami i z całą masą ubitego substytutu śmietany. Zamiast wisienki na wierzchu każdego z deserów widniał maleńki krzyżyk. Mizerne dzieciaki zjadły bardzo niewiele z tych wspaniałości.

– No to dajcie je tutaj – oznajmiła matka, sięgając łyżką. – Ostatecznie żeśmy za nie zapłacili.

Nagle i niespodziewanie Bob pomyślał o Gorączce, dziewczynie Orlanda, o tym, jak ci baptyści cofaliby się na jej widok, gdyby weszła tu teraz w swoich rozsznurowanych martensach.

Któregoś dnia Orlando zadzwonił i powiedział Bobowi, żeby się z nim spotkał na rogu Arapaho i Szesnastej.

– Wszyscy się tam kręcą. Wieczorami ludzie w wózkach inwalidzkich urządzają tam sobie wyścigi. Za dnia to świetne miejsce do spotkań. Pokazuje się tam mnóstwo bombowych kumpli. Będzie też Gorączka.

– A kto to taki ta Gorączka?

– Moja dziewczyna. No tak jakby – odparł Orlando. Bob był tym zaskoczony, ponieważ Orlando zrobił na nim wrażenie osobliwego samotnika, którego dopadnie kiedyś klasyczny atak szaleństwa i wtedy będzie strzelał do klientów jakiegoś baru albo też weźmie jako zakładnika poborcę podatkowego.

– Dlaczego ma na imię Gorączka? Rodzice tak ją nazwali?

– Gdzie tam! Dali jej na imię Shirley. Ale ona kazała sobie przekłuć język i wargę, i założyć te różne małe sztyfty i gwoździki, no i dopadła ją infekcja. Uszy też zresztą przekłuła. Tyle że uszy nie były zakażone. Ona miała po prostu gorączkę i chodziła w kółko, prosząc każdego, żeby przyłożył jej dłoń do czoła i sprawdził, czy nie ma gorączki, no i zaczęliśmy ją tak nazywać. Tak czy owak, możemy się tam pokręcić jakiś czas, a potem iść do kina – ciągnął Orlando. – Jest taki potrójny pokaz za pięć dolarów: *Obłąkany... Wyznania nekrofila* i *Piję twoją krew*. Ten trzeci jest o jakimś atomowym potworze i jeśli nas znudzi, to sobie po prostu wyjdziemy.

Kiedy dotarł do Arapaho, natychmiast dostrzegł Orlanda. Niecny dziwoląg miał na głowie czerwony kowbojski kapelusz oraz kombinezon mechanika lotniczego z naszywką United Airlines na piersi. Stał w grupie dziesięciu czy dwunastu nastolatków. Ci przypominali raczej jakieś stwory z planu filmu science fiction niż istoty ludzkie, z tymi swoimi farbowanymi irokezami na głowach, tatuażami zrobionymi flamastrem, przekłutymi wargami, nozdrzami, powiekami, językami, przepastnymi, uszytymi z różnych kawałków tkanin spodniami i całą różnorodnością metalowych przedmiotów – złotymi łańcuszkami na szyjach i ciężkimi łańcuchami używanymi przez pickupy do holowania na biodrach. Na Bobie szczególne wrażenie zrobił rachityczny młodzian z czarną szminką na ustach, która całkiem nieźle pasowała do jego imbirowego wąsika i pozłacanych uszu.

Zawołał do Orlanda, który się odwrócił, pomachał sennie, wyciągnął z tłumu dziewczynę i przyprowadził do niego.

– To Gorączka.

Musiał przyznać, że pasowała do Orlanda. Była dość tęga; jej gładkie ciało wyglądało na giętkie i sprężyste. Boki oraz tył głowy miała ogolone, włosy na górze były długie i ufarbowane na więzienny pomarańcz i federalną żółć. Jej usta pokrywały na przemian pionowe pasy fioletowej i niebieskiej szminki, a z dolnej wargi zwisało małe kółko. Uszy połyskiwały dziesiątkami krążków z niobu. Ubrana była w białe męskie, sztruksowe spodnie i fioletową, męską, atłasową marynarkę, z wyszytym na plecach napisem „Pospolite ruszenie szaleństwa". Na grzbietach jej dłoni widniały wytatuowane czaszki. Każdy palec zdobiło kilka pierścionków oraz obłażący z paznokci zielony lakier, a jej łokcie pokrywała szara, łuszcząca się skóra. Kiedy się odwróciła, Bob zobaczył dziurę wielkości herbatnika w spodniach, przez którą wylewała się tłusta fala brzoskwiniowego pośladka, a gdy usiadła na betonowej skarpie, na kostkach jej nóg dojrzał strupy i kręgi brudu.

Popatrzyła na Boba Dolara i spytała:

– Sie kurwa masz? – Kiedy się uśmiechała, widział tkwiący w jej przekłutym języku sztyfcik.

6

Szeryf Hugh Miazga

Szeryf Hugh Miazga miał czterdzieści lat, był drobnym mężczyzną – sto sześćdziesiąt pięć centymetrów wzrostu i niespełna sześćdziesiąt kilogramów wagi – gnębiły go przeróżne tiki oraz złe przyzwyczajenia, a mimo to był typem prawdziwego, wzbudzającego lęk przywódcy stada. Miał ostry aztecki nos, puszystą czarną czuprynę oraz czarne oczy, zupełnie jak te leżące w szufladzie preparatora. Przez jego twarz, od kącika lejowatych ust aż do ucha, biegł rządek szpetnych pryszczy. Na jego mundur składała się skórzana kurtka oraz wąziutki, czarny krawat. Przez całe życie moczył łóżko i dawno już przestał się przejmować, że nie potrafi tego powstrzymać. Na łóżku, pod pościelą, miał gumową płachtę, a w przyległej do sypialni łazience stała pralka. Nigdy się nie ożenił, sama bowiem myśl o wyjaśnianiu komukolwiek tej sytuacji była dla niego nieznośna. Obsesyjnie obgryzał paznokcie. Liczył wszystko, stopnie do budynku urzędu, słupy telefoniczne, guziki przy koszulach aresztowanych, drobiny pieprzu na jajkach podczas śniadania, sekundy niezbędne do opróżnienia pęcherza (na jawie).

Inni członkowie rodziny Miazgów również wstąpili do sił porządku i bezpieczeństwa publicznego, tworząc w ten sposób coś na kształt dynastii służby publicznej. Brat przyrodni Hugh Miazgi, Doug, był asesorem, a ich babka po kądzieli była niegdyś, na przełomie stuleci, członkiem Żeńskiej Straży Pożarnej Panhandle w Amarillo i nosiła wspaniały kostium złożony z czarnych rajtuzów, króciutkiej sukiennej spódniczki z ogromnymi, mosiężnymi guzikami oraz grzebieniastego, metalowego hełmu, wzorowanego na tych, które nosili rzymscy gladiatorzy. Siostra matki jego ojca, Dolly Kołek, była chlubą okolicy. Na początku wieku wyjechała na Uniwersytet w Chicago, gdzie specjalizowała się w ekonomii politycznej i socjologii, a po pierwszej wojnie światowej przeszła wszystkie szczeble kariery zawodowej od kierowniczki w przytułku dla kobiet w Ohio do zastępcy naczelnika stanowego domu dla dziewcząt w Wirginii Zachodniej. Niezamężna siostra jego ojca, Ponola Miazga („Żelazna Ponola"), była komendantem Pomocniczego Żeńskiego Korpusu Policyjnego w Szyszce, na południe od Waco. Zanim objęła to najwyższe stanowisko, Korpus był niewiele więcej niż zgromadzeniem żon policjantów, które piekły ciasta, żeby zebrać pieniądze na stół do bilarda w koszarach albo żeby pomóc rodzinie jakiegoś funkcjonariusza znajdującej się w ciężkiej sytuacji materialnej po tym, jak go okaleczono lub zabito. Ponola zmieniła to wszystko i uczyniła z Korpusu organizację paramilitarną, z mundurami i czarnymi, skórzanymi pasami oraz wysokimi butami, sztywnymi kapeluszami w stylu tego, jaki nosił rysunkowy miś Smokey, ostrzegający przed pożarami lasów, z koszulami, krawatami i tak dalej. Piekące ciasteczka żony zostały wyparte, a ich miejsce zajęły przyjaciółki Ponoli, muskularne amazonki o baptystowsko-republikańsko-antyaborcyjnych przekonaniach, które patrolowały ulicę przed jedynym w Szyszce barem, czekając na okazję do rozgonienia jakiejś bójki i powykręcania ramion kowbojom, w tych bowiem sztukach celowały.

Jednakże najbliższą mu osobą była jego młodsza siostra, Opal, z którą przez cały okres wspólnego dorastania łączył go związek szczególny, zapoczątkowany pewnego parnego niedzielnego popołudnia, kiedy on miał lat czternaście, a Opal dwanaście. Grali w chowanego z kuzynami, którzy przyjechali w odwiedziny. Znęcali się nad słabszymi, kudłatymi łobuzami, których żadne z rodzeństwa nie darzyło sympatią. Ukryli się w sianie na strychu. Wymagająca milczenia i ukradkowa sytuacja, bliskość ciał, półmrok rozjaśniany strzelającymi poprzez dziury w dachu iskrami światła, miały swój udział w prowadzonym, głównie dla zabawy, wzajemnym fizycznym odkrywaniu, które trwało przez cały następny rok, ponawiane w wielu przeróżnych miejscach, od szafy we frontowym pokoju poczynając, a na rodzinnym samochodzie, który Hugh wolno było w pewnych okolicznościach prowadzić, kończąc. Jedną z takich okoliczności było towarzyszenie Opal w drodze na tańce, Opal bowiem nie pozwalano umawiać się z chłopcami. Zamiast tego, jak zadekretował paterfamilias, Hugh miał wozić siostrę na tańce i przywozić z powrotem. Kiedy już byli na tańcach, ona bawiła się ze swoim partnerem na dany wieczór, a Hugh zajmował się własną dziewczyną.

Pewnego ciepłego wrześniowego wieczoru, kiedy Opal miała trzynaście lat, a Hugh piętnaście, byli właśnie oboje na tańcach. On był zadurzony w wysokiej dziewczynie z długimi, rudymi włosami, niejakiej Ruhamie Drop, przybyłej niedawno do panhandle z hrabstwa Pstryk w Missouri. Przetańczył z Ruhamą sześć kawałków pod rząd; pozwalała mu ocierać się o siebie, ale kiedy potem błagał ją, by wyszła z nim na parking, ulotniła się z Archiem Ipworthem. Rozpalony i porzucony poszukał Opal, która tańczyła właśnie z jakimś kolegą z klasy, o twarzy tak pryszczatej, że z daleka zdawała się mienić tęczowo.

– Hej, chcesz się przejechać? Wyrwać się stąd? Nie widzi mi się tutej.

– OK – mruknęła, a zwracając się do tamtego chłopca, rzuciła: – Do zobaczenia w poniedziałek w szkole. – Kiwnął głową i począłapał na bok.

W aucie Hugh poinformował ją, w czym problem, opowiedział o rudowłosej dziewczynie, która rozpaliwszy go do białości, pozostawiła z bólem ciągnącym się od kolan aż do ramion.

– Mówię ci, to coś okropnego. Tak mnie wzięło, że nie zdzierżę. – Jęknął teatralnie. – Pozwól mi chociaż tylko włożyć. Przecie nie będzie to o wiele więcej niż robiliśmy do teraz.

– OK – zgodziła się, a on wjechał na cmentarz, gdzie przenieśli się na tylną kanapę i rozpoczęli działanie, które przez następne pięć lat kończyło każde tańce, nie wyłączając tańca na przyjęciu weselnym po ślubie Opal, kiedy to pan młody, podstarzały rancher, niejaki Richard Głowa, był zbyt opity tanim szampanem, by w ogóle zauważyć nieobecność panny młodej. Podczas Święta Dziękczynienia czy w Boże Narodzenie, kiedy zjeżdżała się cała rodzina, Hugh i Opal zgłaszali się na ochotnika, by pojechać do sklepu po lody czy po piwo imbirowe, czy też po niezbędny właśnie przedłużacz.

Ojciec szeryfa, T. Scott Miazga, przez wiele lat był kucharzem w Teksaskim Więzieniu Stanowym w Huntsville, w czasach, gdy nazywano je jeszcze „U wuja Buda"; jego zadaniem było przygotowywanie ostatniego obiadu skazańcom oczekującym wykonania kary śmierci. Kiedy zmarł w wieku sześćdziesięciu sześciu lat, szeryf musiał własnoręcznie zrobić przegląd w jego szafie z ubraniami, gdzie odszukał niedzielne spodnie z wypchanymi kolanami, jakby przygotowanymi na przyjęcie martwych członków. W kartonie wypełnionym zleżałymi papierzyskami odnalazł cztery czy pięć niemieckich pocztówek z lat trzydziestych, ręcznie podkolorowanych, ukazujących kobiety nachylone ku wnętrzom aut albo oparte o nie, ich ozdobione wzorkiem pończochy ze szwem zwisające w żałosnych obwarzankach pod kolanem i przy kostce, stopy w pantoflach z matowej skóry na słupkach, zapinane na pasek. Zebrane do góry spódnice odsłaniały prozaicznie praktyczne podwiązki oraz grube, zgrzebne, bawełniane majtki opinające muskularne i twarde pośladki. Jedna z tych pocztówek szczególnie mu się nie podobała. Ukazywała kobietę o gołych pośladkach, z prawą nogą w kępce trawy, a lewą opartą na stopniu auta. Pozycja kobiety oraz kąt, pod jakim zrobiono zdjęcie, spowodowały, że lewy pośladek był przerażająco ogromny, podczas gdy prawy, spłaszczony i rozciągnięty, wydawał się w stanie zaniku. Zupełnie nie potrafił pojąć, jak ktoś mógł czerpać przyjemność z podobnej asymetrii, niemniej ten obrzydliwy obraz wrył mu się na stałe w pamięć i pojawiał się niepowołany w najmniej odpowiednich chwilach.

Ludzie zawsze wypytywali ojca szeryfa o skazanych na śmierć, o to, jakie przestępstwa popełnili, co mówili i co robili. Ten odpowiadał zazwyczaj: „Za cholerę nic o tych sprawach nie wiem; wiem tylko, co każden jeden chciał na swój ostatni posiłek. Na początku, jakem przyszedł do tej roboty, tom myślał, że będzie to coś frymuśnego, ale gdzie tam. Chłopaki ze wsi nie znają się na potrawach. Większość se życzy cheeseburgera z podwójną porcją mięsa i z frytkami. Czasami ktosik zamawia steka z sosem Worcestershire. Ale przeważnie to jednak hamburgera. Stek nijak nie przychodzi im do głowy. Czarnuchy mają lepsze pomysły. Nie krzywdują sobie.

Chcą pieczone kurczaki, mrożony napój z wina, sok owocowy i cukier, kukurydzę w kolbach, żeberka z grilla, krokiety z łososiem. Mnóstwo czarnuchów, szczególnie mucułmany, wymiguje się od zjedzenia ostatniego posiłku. Wolą popościć. Jeden poprosił o dziczyznę... myślał pewnikiem, że dla niego pójdziemy z oszczepami na polowanie. Dostał cheeseburgera. Po mojemu to mógłby dostać zeskrobanego z jezdni, przejechanego zwierzaka. Wiele zamówień na enchiladę i taco. Wołają też o piwo i o wino, ale nie dostają pozwoleństwa. Proszą o papierosy i cygara. Też nie. Ani gumy do żucia. Ten, co to zabił swoją przyjaciółkę, chciał jajecznicę z sześciu jajek, piętnaście plasterków bekonu, kaszę kukurydzianą i siedem grzanek. Wtrząchnął wszystko i jeszcze talerz wylizał. To, co miało się stać, w ogóle mu nie spsowało apetytu. A co powiecie na dwie nadziewane papryki i surową marchewkę na ten ostatni posiłek? Ale powiem wam jedno... rzadko kto prosi o stek wołowy w cieście. I co wy na to?"

Na dnie kartonu leżała kucharska czapa, wygnieciona i poplamiona. Do tego sprowadzało się życie jego ojca, do pożółkłych zdjęć panienek i do spłaszczonego nakrycia głowy. Zamierzał dopilnować, by nic podobnego nie przydarzyło się jemu samemu.

Przez jakiś czas zbierał związane z funkcją szeryfa ciekawostki. Miał obrożę, którą nosił jeden z psów gończych szeryfa Andre Jacksona Spradlinga. I topór, użyty przez zbiegłego więźnia Jasona Krzaka, który tym właśnie narzędziem wyrąbał sobie drogę na wolność z więzienia hrabstwa Comanche; miał też zdjęcie rewolweru, który zdesperowany więzień wyrwał szeryfowi C. F. Ściernisko, a następnie użył go, by odstrzelić szeryfowi język. Był właścicielem jednego z wzorzystych krawatów teksaskiego szeryfa Bucka Lane'a oraz talii przetłuszczonych kart (rezultat nalotu na nielegalną jaskinię hazardu w miasteczku Borger). Miał przeciwwagę wiatraka w kształcie gwiazdy i komplet mosiężnych kastetów używanych przez zastępcę szeryfa z Bryant w stanie Oklahoma. Mógł się też pochwalić grubym łańcuchem, którym przykuwano więźniów do drzew w czasach, kiedy nie zbudowano jeszcze więzienia w Bumelii.

Hugh Miazga wybierany był na kolejne kadencje. Nie próbował, jak inni szeryfowie, żartów ani rozbrajającej serdeczności, jego spojrzenie było twarde i przenikliwe, zasłużył sobie na opinię człowieka, który z łatwością pociąga za spust i nigdy nie chybia. Naiwni wierzyli w rozległe tereny raju i piekła, jedne w górze, drugie w diabelskich sztolniach pośród gorących skał, a wszystkie otwarte i nie ogrodzone. Szeryf jednak wiedział, że nieruchomości te już dawno zostały podzielone i że postrzępione łaty nieba i piekła występują na obszarze całego Teksasu. Uważał, że większość pozamiejskich przestępstw popełniana jest w pojazdach zaparkowanych przy barach mlecznych oraz na przydrożnych parkingach; zwłaszcza społeczne funkcje tych ostatnich mogłyby wprowadzić w zdumienie ekspertów od planowania dróg i terenów przydrożnych. Były jeszcze te nędzne łachudry, które podkradały paliwo z rurociągu, no i każde miasteczko miało własny zbiór obtłukujących żony damskich bokserów. Żeby dopaść tych pierwszych, nasłuchiwał charakterystycznych stuków w silnikach miejscowych aut – ubocznego efektu spalania tego rodzaju paliwa.

Był cenionym klientem stanowego laboratorium kryminalistycznego i nawet przy pomocy jego pracowników rozwiązał kiedyś zagadkę paskudnej zbrodni: pod stojącym na uboczu wiatrakiem znaleziono nagie, mocno posiniaczone ciało młodego pracownika rancza. Na skórze ofiary widniały dziesiątki okrągłych odcisków i Hugh Miazga, działając zupełnie intuicyjnie, poprosił laboratorium o porównanie tych śladów z guzami zdobiącymi ręcznie wykonane, skórzane ochraniacze spodni właściciela rancza. Pasowały idealnie.

Miał nacięcia na kolbie rewolweru. Był posiadaczem czarnych pasów oraz dyplomów z tajemnych sztuk walki; w jego rękach zwykły kij stanowił śmiercionośną broń. W hrabstwie Bumelia przewodniczył podczas pewnych zgodnych z prawem rytuałów i ceremonii, wysłuchiwał spowiedzi, rozsądzał spory, miał oko na miejscową społeczność, wiedział, kiedy jakaś rodzina popadła w kłopoty, sprowadzał błądzących z powrotem na właściwą drogę, czasami używając w tym celu siły.

Hugh Miazga nie lubił polityki i drażnił go fakt, że musi ubiegać się o swoje stanowisko. Przez wiele lat jego kontrkandydatem był Tully Nelson, prawie dwumetrowy drab, który po ostatniej porażce przeniósł się do leżącego w odległości trzydziestu mil, rzadko zaludnionego hrabstwa Rozstaj, gdzie wygrał z łatwością i tym samym został rywalizującym z nim szeryfem. Hugh Miazga nie znosił też nastoletnich gnojków i uważał, że najlepszym środkiem odstraszającym dla młodocianych opryszków – im młodszych, tym lepiej – jest noc czy dwie spędzone w miejscowym areszcie. Zamknął w nim kiedyś syna prokuratora stanowego, dziewięcioletniego okularnika, którego przyłapał na rzucaniu kamieniami w psa przywiązanego łańcuchem do budy.

– A jak by ci się to widziało, jak by tak ciebie uwiązać i jakiś czterooki drań ciskałby w ciebie kamorami? Po mojemu, to trza cię wychować. – I przykuł chłopaka kajdankami do stojaka na rowery przed urzędem hrabstwa, zerwał mu okulary, założył sobie na nos i mrugając, powiedział: – A teraz udajemy, że ja jestem tobą, a ty jesteś to biedne psisko. – Podniósł kamyk i cisnął w dzieciaka. Uderzył go w ramię, wywołując wrzask i szloch, który przyciągnął do okien mnóstwo głów. Jeszcze kilka kamyków i chłopiec wpadł w prawdziwą histerię. – Widzi mi się, że muszę cię przymknąć, cobyś mógł się uspokoić – powiedział i powlókł chlipiącego dzieciaka do aresztu, gdzie kopniakiem umieścił go w celi. Naturalnie, przyszło mu za to później zapłacić, jako że prokurator stanowy był groźnym przeciwnikiem.

– To ci dopiero cholerstwo – mówił potem przez telefon do swojej siostry Opal.

– Przynajmniej miałeś satysfakcję – pocieszała, a w panhandle satysfakcja czy zadośćuczynienie za krzywdę bardzo się liczyło.

Zapewne najbardziej irytującym z jego obowiązków, poza sprawdzaniem zgłoszeń starszych pań o obcych na drodze, było utrzymywanie równowagi w trwającej nieustannie wojnie pomiędzy Advance'em Slauterem i Francisem Scottem Kitą, dwoma ranczerami o całkowicie odmiennych osobowościach oraz filozofii i stylu prowadzenia rancza. Szeryf Hugh

Miazga zupełnie nie mógł pojąć kompletnego lekceważenia przez tych dwóch istniejącego pomiędzy nimi pokrewieństwa; Slauterowie i Kitowie już całe pokolenia wstecz, kiedy jeszcze oba klany mieszkały w Arkansas, pobierali się między sobą. Stary Daniel Slauter poślubił w roku 1833 Zubie Kitę i chociaż była ona zaledwie pierwszą z jego pięciu żon, to przecież urodziła mu pięcioro z trzydzieściorga dwojga dzieci, które, jak utrzymywał, spłodził, w rezultacie czego charakterystyczne cechy Kitów – długa, żółwia szyja, podkrążone oczy, długie, kościste palce oraz kiepskie uzębienie – dołączyły do dotychczasowych genów Slauterów. W późniejszym okresie w efekcie podobnych krzyżówek Slauterów z Kitami przybywało nowych, szpetnych cech po obu stronach.

Advance Slauter i Francis Scott Kita nie znosili się od czasów szkoły (którą miejscowi weterani zwali sarkastycznie „kowbojskim college'em"), kiedy to Kita, wytwór głęboko religijnego wychowania, członek dziecięcej organizacji wspierającej policję teksaską, lider młodzieżowego kółka rolniczego, podsłuchał, jak Advance Slauter, muskularny, gburowaty dziwoląg, mówi, że obraca obie swoje młodsze siostry i że jeśli ktokolwiek chciałby skorzystać, ma się zgłosić na rodzinnym ranczu o szóstej rano z ćwierćdolarówką w dłoni i zapukać w jego okno, to zostanie wpuszczony do środka. Hugh Miazga chichotał w duchu, później natchnęło go to nawet do sprawdzenia rzeczy osobiście, jednakże Francis Scott Kita, mający na uwadze dziewczęcą czystość, wściekł się nie na żarty. Wywiązała się straszliwa bójka, przerwana przez dyrektora. Obaj chłopcy odmówili powiedzenia, co było jej przyczyną. Prawdę mówiąc, Ad Slauter zupełnie nie pojmował ataku na swoją osobę. I tak zaczęła się ta wojna, trwająca już ponad trzydzieści lat, podczas której każdy z mężczyzn kolejno przychodził do biura szeryfa, żeby zgłosić najnowsze okrucieństwa swojego wroga. Szeryf wysłuchiwał skarg i robił notatki, umieszczał je w dwóch grubych tomach akt, zawierających coraz to bardziej wyrafinowane, kryminalne postępki. Napaści na początku ograniczały się głównie do rzucania kamieniami i do wyzwisk, aż do czasów szkoły średniej, kiedy to obaj wydębili od rodziców zdezelowane pudła na kołach. Teraz zaczęło się wylewanie kubłów farby, przebijanie opon, tłuczenie przedniej szyby. Kiedy Francis Scott Kita pojechał ze swoją grupą do Wichita Falls na pokaz bydła, kupił wykonaną na zamówienie nalepkę na zderzak o treści JESTEM KAWAŁKIEM GÓWNA i przylepił ją potem z tyłu samochodu Slautera. Ad Slauter podczas wakacji z rodziną na Padre Island odwiedził sklep szkutniczy, skąd ukradł trzy puszki sprężonej pianki poliuretanowej w aerozolu, które w odwecie opróżnił, wtryskując zawartość w przedział silnikowy auta Kity. Załatwił na nazwisko wroga prenumeratę gejowskiego pisma pornograficznego ("Rachunek potem"), Kita zaś wypuścił trzy czarne wdowy na parapet okna Slautera. A wtedy Slauter wylał szesnaście galonów zużytego oleju silnikowego na frontowy ganek domu Kity.

Jako dorośli mężczyźni Francis Scott Kita oraz Advance Slauter prowadzili hodowlę cieląt na sposób tak różny, że łączyło ich jedynie to, że ich krowy były czworonogami. Francis Scott Kita miał do hodowli podejście naukowe, metodyczne, poprawne, postępowe. Urodził się w Bumelii i dlatego był wojującym, agresywnym "synem panhandle", nienawidzącym wszelkich obcych.

Kita mieszkał z żoną Tazzy oraz ich jedynym dzieckiem, czternastoletnim Frankiem, chudym, mizernym młodzieniaszkiem z pierogowatymi uszami i bocianią szyją. Często odsyłał chłopca, żeby pomagał matce w kuchni, ponieważ przy maszynach czy przy krowach pomocy nie miał z niego nijakiej. Dom ich był duży, w stylu zwanym "ranczo delux" – jedyny na całym ranczu budynek nie zbudowany z metalu. Bo już płoty i ogrodzenia postawiono ze stali pokrytej emalią w miłych kolorach. Budynki gospodarcze oraz cielęciarnia były ogrzewane i dobrze oświetlone, corocznie świeżo malowane. Dorodne bydło rasy Santa Gertrudis pyszniło się gęstą, mahoniową sierścią, a grzbiety miało tak proste i równe jak ziemia, po której stąpało. Dziewięćdziesiąt cztery procent jego krów ciliło się każdej wiosny. Wszystkie dane dotyczące rozpłodu zapisywał pedantycznie na specjalnych arkuszach komputerowych. Jałówki zapładniano sztucznie, nasieniem od byków czempionów, wiosną wyprowadzano na świeżo wyrosłą ozimą pszenicę, a potem, w ciągu lata, z wielką starannością przenoszono z jednego pastwiska na drugie. Kita uzupełniał trawę soją, buraczaną pulpą, melasą, sorgo oraz łodygami, liśćmi i ziarnem kukurydzy, bawełnianymi makuchami, buraczanymi liśćmi, odpadami z zakładów przetwórczych, bezwodnym amoniakiem, odpadami drobiowymi (włącznie z pierzem), orzeszkami arachidowymi, paszą mięsno-kostną, kłaczkami odzyskiwanymi z domowej suszarki do odzieży. Do tego szwedzkiego stołu dodawał całą baterię specyfików – antybiotyków oraz sterydów i innych środków przyśpieszających przyrost masy, takich jak Bovatec, Rumensin, Compudose, Finaplix, Ralgro, Steer-oid i Synovex-S. Po osiągnięciu osiemnastu miesięcy jego wyrośnięte, wykastrowane byczki mięsne gotowe były na rynek, a on dostawał za nie najwyższą cenę.

Dla kontrastu, Ad Slauter zamieszkiwał siedzibę wybudowaną wokół starego baraku, pamiętającego lata dziewięćdziesiąte dziewiętnastego wieku, stanowiącego fragment potężnego rancza, które kiedyś należało do jakiegoś zawiedzionego w swoich nadziejach szkockiego konsorcjum. Dorzucił do niego, w dość niedbały sposób, różne przybudówki i skrzydła, żeby zapewnić lokum licznej rodzinie, w tym dziesięciu córkom. Był zwolennikiem tajemnych domowych kuracji. Kiedy pięcioletnia Mazie podczas zabawy w chowanego wybrała sobie na kryjówkę kępę dorodnych pokrzyw, a po chwili wynurzyła się z niej, wrzeszcząc i chwytając za łydki, zaczął oddawać mocz na piekące bąble, tłumacząc dziewczynce, że to uśmierzy swędzenie – w końcu musiała na niego wyskoczyć żona z miotłą. Terpentyna i zimna kawa były, jak utrzymywał, dobre na gorączkę, pijaczkowie natomiast mogli wytrzeźwieć, jeśli pojedli słodkich ziemniaków.

Rancho Slautera było nędzne i zaniedbane; z pochylonymi płotami i dziurawymi drogami. Prowadził je tak jak kiedyś jego ojciec, pozwalając, by bydło – mieszanka różnych ras, kupiona w większości na aukcji w Beaver w stanie Oklahoma – samo zajmowało się swoim życiem seksualnym. Krowy wolały opiekować się swoimi cielętami przez sześć czy siedem miesięcy, niż dawać się zapładniać raz za razem, a Slauter uważał, że one wiedzą, co robią. Wędrowały sobie, gdzie im się żywnie podobało, i często, nim nadszedł czas spędu, stawały się na wpół dzikie. Co pięć, sześć lat kupował niewielkie, młode byki po kilkaset dolarów. Jedynie pięćdziesiąt pięć procent jego krów cieliło się każdego roku. Ponieważ zaś jadły wyłącznie trawę z pastwiska, zimą uzupełnianą sianem, osiągnięcie niezbędnej do sprzedaży masy zabierało im dużo czasu, jakieś dwadzieścia osiem do trzydziestu miesięcy. Co dziwne, księgi obydwu mężczyzn bilansowały się niemalże identycznymi liczbami, ponieważ operacje Kity były kosztowne, a śmiertelność jałówek wysoka, spowodowana wyjątkowo dużą masą cieląt, co z kolei było rezultatem pochodzącego od czempionów nasienia.

Hugh Miazga nie znosił, kiedy którakolwiek z wojujących stron zajeżdżała przed budynek urzędu, szczególnie jednak nie lubił Francisa Scotta Kity, którego uważał za bezkrytycznego formalistę, zbytnio zainteresowanego sprawami, jakimi w ogóle nie powinien się zajmować.

W biurze szeryfa pracowało pięć dyspozytorek. Wszystkie były pogodnymi kobietami w średnim wieku i żadna nie potrafiła pojąć, w jaki sposób można odróżnić sprawy małej wagi od spraw nie cierpiących zwłoki. Tym razem Myrna Greiner nie zawahała się, by zadzwonić do niego o trzeciej nad ranem.

– Szeryfie, uważam, że powinien pan wiedzieć, że mamy meldunek o czarnej panterze, która próbuje włamać się do kuchni Minnie Dubb. Kobieta słyszy, jak zwierzę porykuje i drapie do drzwi.

– Skąd wie, że to czarna pantera? Widziała ją?

– Mówi, że poznaje po hałasach. Poza tym wyjrzała przez to małe, boczne okienko w spiżarni i w świetle księżyca zobaczyła, jak stoi na tylnych łapach i drapie w jej drzwi.

– Oddzwoń do niej i powiedz, że jeśli za dnia zwierzak wciąż tam będzie, to przyjadę i go zaaresztuję. Powiedz, żeby sobie włożyła watę do uszu i poszła spać. I niech najsampierw weźmie kąpiel. Moja babcia mawiała, że jak się człowiek nie wykąpie, to nocą dopadną go pantery.

Dla dyspozytorek wszystkie telefony były jednakowo ważne, bo jeśli się czytuje gazety, to jest rzeczą tak samo logiczną wierzyć, że pantera wyślizgnie się z Nowego Meksyku i znajdzie drogę do domu Minnie Dubb w Bumelii, jak lękać się, że skrzypienie, które się słyszy piętro niżej, spowodowane jest przez zbiegłego więźnia gotowego rabować, kraść samochody i mordować. Właśnie taki przerażający los spotkał głuchego pana Ruszta, emerytowanego ranczera, porwanego w roku 1973 z łóżka, wywiezionego we własnym pickupie i zamordowanego przy drodze, tuż za linią graniczną ze stanem Oklahoma.

Do wielkiego zwycięstwa szeryfa nad Tullym Nelsonem, jego niegdysiejszym politycznym przeciwnikiem, doszło kilka lat wcześniej, o 8.30 pewnego bezksiężycowego wieczoru, kiedy to szeryf patrolował w swoim samochodzie boczne drogi. Otrzymał wówczas wezwanie o pomoc z Teksaskiego Związku Wędkarzy i Myśliwych.

– Szeryfie, mamy cynk, że banda kłusowników obrabia okolice nad Smrodynką. Czy możemy się tam spotkać o dziesiątej?

Był o zaledwie milę od mostu, kiedy przyszło wezwanie; zjechał na pobocze, wyłączył światła, skierował potężną lornetkę na pola i natychmiast zauważył światła pozycyjne przy drodze w pobliżu mostu. Policzył. Cztery światła – dwa pojazdy. Zawrócił auto, zatoczył koło, jadąc polnymi drogami na południe, wschód, północ i zachód, robiąc czteromilową pętlę po to, by podjechać do tamtych pojazdów od tyłu, ostatnie pół mili przejechał wolniutko, z wyłączonymi światłami (dobrze widział w nocy i znał każdy cal drogi), zatrzymał się ćwierć mili od mostu i pieszo podkradł do zaparkowanych samochodów. Tuż obok drogi, przy moście, stały dwa puste wozy patrolowe z biura szeryfa, z zapalonymi światłami pozycyjnymi. Na drzwiach zobaczył gwiazdę i napis SZERYF HRABSTWA ROZSTAJ. Bagażnik jednego z pojazdów otwarty był na całą szerokość.

– A niech mnie – zamruczał pod nosem. Od dawna czekał na taką okazję. Zbliżało się Doroczne Grillowanie i Turniej Siatkówki organizowane przez Biuro Szeryfa z Rozstaja, a oto, pomyślał, pojawili się jego przedstawiciele, żeby niedozwolonymi metodami uzyskać danie główne. Z pola dochodziły go pomruki i sapanie, a także przekleństwa i zaklinanie, żeby zachować ciszę, dostrzegł też tańczące w mroku światełko małej latarki. Z telefonu komórkowego zadzwonił do dyspozytorki (Janice Mango) i szeptem nakazał jej, żeby natychmiast posłała ludzi ze związku wędkarzy i myśliwych w kierunku mostu na Smrodynce, zadzwoniła do gazet w Amarillo, podesłała mu trzech zastępców z bronią długą – złoczyńcy, których zamierzał aresztować byli potężnie uzbrojeni. A miało to być spektakularne aresztowanie.

Kiedy łowcy zbliżyli się do dziury w drucie kolczastym (wcześniej użyli nożyc do cięcia drutu), włączył własne światło, morski reflektor, który mocą dwustu tysięcy świec zdawał się oświetlać całe panhandle... Tully Nelson oraz jego czterech zastępców, przeciągający i przetaczający po ziemi dwa martwe jelenie oraz jednego byczka z oznakowaniem „Y na biegunach", zakryli rękoma oślepione do bólu oczy.

– No dobra, jesteście aresztowani. Odwrócić się i położyć ręce na karku. Wiem, kim jesteście, i już ten fakt zameldowałem, nie próbujcie więc żadnych cholernych, głupich sztuczek. – Zauważył z obrzydzeniem, że Tully jest w mundurze. Zakuł ich w ich własne kajdanki, zabrał im broń i wrzucił do otwartego bagażnika.

– Dej pokój, Hugh, pogadajmy – prosił zastępca szeryfa, Waldemar, napakowany maniak kulturystyki z hollywoodzkim profilem i bielutkimi kapami na zębach.

– Żadnej gadki. Siadnijcie se, chłopcy. Wy cholerni, bezczelni idioci, zostaliście złapani na gorącym uczynku przy próbie wykonania najgłupszego od lat numeru. Pewnie miało to być na tego waszego cholernego grilla?

– Przestań, Hugh. To dla wspólnego dobra. Przecie wszyscy na to grillowanie przychodzą – zaskamlał Harry Siemasz, dla szeryfa Miazgi okaz ogrodowego ślimaka, który po reinkarnacji przyjął postać ludzką. Cóż, posypie go solą.

– To nie było dla wspólnego dobra. Po mojemu to było dla osobistego zysku i korzyści, a poza tym ze wszystkich stron nielegalne, czy z dołu do góry, czy z góry do dołu, czy przez sam środek. To, coście zrobili, jest wredne i takie będzie aż do dnia sądu ostatecznego. Radzę siedzieć spokojnie i nie otwierać gęby. Jestem w diablo podłym nastroju i najmniejszy ruch czy gadka może wywołać u mnie wrażenie, że stawiacie opór przy aresztowaniu i podejmujecie próbę ucieczki. A jak z wami wtedy skończę, to tylko te pieprzone kajdanki da się rozpoznać! – grzmiał szeryf.

W grudniu tego samego roku otrzymał Teksaską Nagrodę Pokoju, wręczaną corocznie w hotelu Sztokholm w Dallas. W samolocie lecącym z Amarillo do Dallas miał miejsce przy oknie i cały lot spędził na liczeniu nitów na skrzydle. Poza nitami było tam jeszcze pięć małych znaków w kształcie litery L, zupełnie jakby ktoś obmalował białą farbą rogi skrzynek na narzędzia. Potem dostrzegł na skrzydle mnóstwo białych kropek – całe ich skupiska, jakby ktoś strząsał umoczony w farbie pędzel. Było ich za dużo, żeby dało się policzyć. Podczas ceremonii liczył nitki frędzli przy pokrywającym stół prezydialny obrusie. Wielka fotografia, przedstawiająca go, jak trzyma trofeum oraz czek na pięćdziesiąt dolarów, zawisła w jego gabinecie, obok portretu babki w nakryciu głowy rzymskiego gladiatora.

7

Kompendium

Zatrzymał się w Stajni trzy dni; spędzał czas na czytaniu miejscowych ogłoszeń, wracał do Róży Mexicali na posiłki, złożone zazwyczaj z wołowego steku w cieście (nie zmieniającej się nigdy specjalności zakładu), wypytywał kelnerki i sprzedawców w sklepach o pokoje do wynajęcia, jeździł wokół i odczytywał nalepki na zderzakach.

MÓJ SYN JEST WIĘŹNIEM HONOROWYM
W McALESTER

ZATRĄB JEŚLI LUBISZ BRATWURST

JAKIEGOŻ TO PRZYJACIELA MAMY W JEZUSIE

FETOR NA 12 LITER – ŚWIŃSKA FERMA

Policzył kościoły: Pierwotnych Baptystów, Baptystów Nowego Światła, Baptystów Wschodu Słońca, Sielskich Baptystów, Pierwszych Baptystów, Biblijnych Baptystów, Wiary Apostolskiej, Zgromadzenia Baptystów Wolnej Woli, Baptystów Tabernakulum, Towarzystwa Baptystów, Prawdziwie Chrześcijański, Czysto Chrześcijański, Pierwszy Boży, Ludu Równin, Ewangelii Łaski, Królewska Sala Świadków Jehowy, Świątobliwości Zielonoświątkowej, Betlejemsko-Luterański Synodu Missouri, Pierwszego Zgromadzenia Bożego, Pierwszy Zjednoczony Metodystów, Braci, Adwentystów Dnia Siódmego i, na samiutkim krańcu miasta, w pobliżu jakichś rozlatujących się chałup, Katolicki Kościół Opoki Niepokalanego Poczęcia, maleńki budyneczek, nie większy od wędzarni, w której miał początek. Wydawało się, że na każdych pięciu mieszkańców przypada jeden kościół. Tymczasem ani śladu mieszkań czy pokoi do wynajęcia. Każdy tutaj miał dom i w swoim domu mieszkał. Zarządzający Stajnią, Gerald Popcorn – możliwe, że jednak nie były skazany, pomyślał sobie Bob Dolar – zaoferował mu stawkę stałego gościa, wynoszącą dziesięć dolarów za dobę, informując go jednak przy okazji, że musiałby się w związku z tym przenieść do mniejszego pokoju. Lepszym rozwiązaniem byłby pewnie namiot. A na zewnątrz wiatr nie ustawał nawet na chwilkę.

Nocą czytał fragmenty *Ekspedycji* porucznika Aberta. Na początku książki znajdowała się ilustracja przedstawiająca Jamesa Williama Aberta, był już wtedy mężczyzną w średnim wieku. Trudno było na tej podstawie stwierdzić, jak wyglądał, mając dwadzieścia pięć lat; szczupły, dość wydatny, prosty nos, wiotkie, ciemne włosy. Pewnie już wtedy zapuszczał widoczne na rycinie wąsy oraz brodę, a linia włosów zaczynała się cofać znad jego czoła. Bob wyobrażał sobie, że przyjaciele tamtego zwracali się do niego „Jim", on sam jednak myślał o nim jako o poruczniku Abercie.

Opowieść zaczynała się od opisu Fortu Benta. Bob był tam w ósmej klasie ze szkolną wycieczką. Wiedział, że fort jest zaledwie rekonstrukcją oryginału, a przewodnicy, kowale oraz ludzie gór tam przebywający to tylko aktorzy, niemniej miał zadziwiająco realne wrażenie, że znajduje się na wyznaczonej rzeką Arkansas granicy z Meksykiem, w połowie dziewiętnastego stulecia, w świecie handlarzy i traperów, i Czejenów, Meksykanów i Teksańczyków, skór bizonich i francuskich wojażerów. Teraz, kiedy przyglądał się akwareli porucznika Aberta przedstawiającej fort, z ogromną powiewającą flagą, ze stożkowym namiotem na pierwszym planie, być może tipi, dwoma stojącymi w pobliżu białymi mężczyznami, jednym w koszuli w paski, ze skrzyżowanymi rękoma, drugim w spodniach z koźlęcej skóry i ze strzelbą na lewym ramieniu, poczuł, że znów tam jest. Fort wyglądał tak samo jak podczas tamtej wycieczki w ósmej klasie. Wtedy cieszyły go krzyki przechadzających się po wałach i po dziedzińcu pawi. Teraz natomiast przeczytał, że w czasach porucznika Aberta było w forcie ogromne mnóstwo klatek z ptakami tego regionu – sroką, przedrzeźniaczem, orłem bielikiem. Zewnętrzny wał obsadzono kaktusami, które, kiedy Abert zobaczył je latem roku 1845, obsypane były woskowatymi czerwonymi i kremowymi kwiatami.

Radował się wraz z porucznikiem oglądaniem Czejenów, którzy przybyli do fortu, by zaprezentować swój taniec skalpów, a potem pozować do portretów. Czerpał przyjemność z opisywanych szczegółowo przez porucznika indiańskich fryzur; mężczyźni nosili włosy tak długie, że często sięgały one ziemi, podczas gdy z brwi i bród usuwali najmniejszy nawet włosek. Był przekonany, że w zainteresowaniu porucznika kobiecymi przedziałkami pośrodku głowy oraz ich porządnie splecionymi, sięgającymi do pasa warkoczami, kryło się coś więcej niż tylko zaciekawienie bezstronnego obserwatora. Najwyraźniej one mu się bardzo podobały i Bob zastanawiał się, czy z którąś sypiał. Pewnie tak. A kiedy porucznik udał się w towarzystwie „pana Charbonarda" z wizytą do Starej Kory, ważnego Czejena (mającego piękną córkę), Bob był mocno podekscytowany związkiem, jaki ten fakt miał z wyprawą Lewisa i Clarka z roku 1804, jako że „pan Charbonard" to przecież nikt inny jak Jean-Baptiste Charbonneau, syn Sacajawei i Toussainta Charbonneau – tamto niemowlę, które Sacajawea niosła na plecach przez całą drogę do Wielkiej Wody Zachodu. Bob brał w rękę to, co porucznik napisał w roku 1845, i słyszał, jak przemawia do niego tamten od dawna już martwy głos.

Pod koniec tygodnia, kiedy siedział w Róży Mexicali nad filiżanką słabiutkiej kawy, w kwadratowym otworze, w którym pojawiały się te wszystkie talerze ze stekiem w cieście, tym razem pojawiła się głowa kucharza.

– Hej, Bob Dolar, chcesz, żeby twoje jaja świeciły oczkami, czy żeby były ścięte po obu stronach? Nadal szukasz pokoju?

– Ścięte. I nadal szukam.

– Ano, słyszałem, że jest coś u jednej paniusi w Bumelii. Jeśli ci się będzie tam widzieć. Martwa mieścina. Mam jej numer. – Wyrzucił z otworu oddarty skrawek gazety. – I jeśliś bystry, to musowo zabierzesz ze sobą coś do żarcia. W Bumelii nie ma żadnej knajpy. Owszem, była, jakieś piętnaście lat temu, prowadziła ją starsza pani, ano, mówię tu starsza pani, ale, po prawdzie, trudno było rzec, czy to kobieta, czy mężczyzna.

– Dzięki. I chyba zamówię kurczaka na wynos.

Popatrzył na mapę. Bumelia była następnym miastem za Kowbojską Różą, przy drodze numer 444, która biegła z Tyrone w Oklahomie do Pampy w Teksasie. Leżała po północnej stronie rzeki Canadian. Zadzwonił pod otrzymany numer i wysoki, a jednocześnie szorstki głos kobiecy poinformował go, że miejsce, które wchodzi w grę, jest starym, zbudowanym z drewnianych bali barakiem na ranczu Pęknięta Gwiazda, nie posiadającym ani elektryczności, ani bieżącej wody, ale za to solidnym i zdrowym, i że kosztuje jedynie pięćdziesiąt dolarów miesięcznie. Żadnego picia, palenia, żadnych kobiet ani narkotyków. Powiedział, że chciałby to obejrzeć, myśląc, że być może jest to właśnie ta okazja, na którą czekał.

Wiatr ucichł, pozostawiając po sobie nijakie, bladoniebieskie niebo. Na przedmieściach Bumelii tablica obwieszczała wszem i wobec: TO JEST NAJLEPSZE MIEJSCE NA ZIEMI. Stojąca za nią mniejsza tablica była już ze starości niemal całkowicie nieczytelna, poza tymi kilkoma brzmiącymi złowrogo słowami: „...z miasta przed zachodem słońca". Bumelia była stolicą hrabstwa Bumelii. Zbiegało się tutaj siedem pokrytych żwirem i wapieniem dróg, wydeptanych w latach dziewięćdziesiątych dziewiętnastego wieku przez spędzane z okolicznych rancz bydło, prowadzących ze wszystkich stron świata do krańcowego punktu linii kolejowej. Żadne kierujące ruchem ulicznym światła nie byłyby w stanie uporządkować tego złożonego skrzyżowania działającego na zasadzie „kto pierwszy, ten lepszy". Główną ulicę przecinały tory kolejowe. Stała tam biała wieża, na której jakiś dowcipniś wymalował napis H_2O. Za wieżą widać było pięć czy sześć elewatorów zbożowych i z tuzin zaparkowanych przed nimi pickupów. Bob domyślił się, że tu głównie przesiadują farmerzy.

Budynek urzędu hrabstwa z beżowej cegły – w samym centrum Bumelii – otaczał sterczący jak spódniczka baletnicy wyrudziały trawnik, beżowy chodnik wiódł w górę, do portyku, gdzie tabliczka ze strzałką wskazywała gościom drogę do biura szeryfa. Naprzeciwko urzędu, po drugiej stronie ulicy, zobaczył rząd typowych małomiasteczkowych punktów działalności gospodarczej: sklepik z pocztówkami i upominkami, za nim pusty lokal, potem knajpę Pod Poczciwym Psem, kancelarię adwokacką z tabliczką, na której wypisano złotymi, łuszczącymi się już literami F. B. WEICKS ADWOKAT, salon bilardowy Samotna Gwiazda, aptekę Bludgetta, Speedwell Market, Bank Bumelii i oddzielony od chodnika jedynie taflą szkła lokal redakcji „The Banner", gazety zwanej przez miejscowych, jak się miał wkrótce dowiedzieć, „The Bummer"*. Przez okna Poczciwego Psa widać było wewnątrz tłum mężczyzn w kowbojskich kapeluszach, podobnie zresztą jak na ulicy, szczególnie w okolicach Nowości & Video Clipa, gdzie wystawali młodzieńcy oraz nastoletnie dziewczęta, opierając się o ściany sklepów, o kosz na śmieci, o filary pasażu handlowego, dosłownie pokładając się na zderzakach pickupów. Miasto robiło wrażenie miejsca ważnego i tętniącego życiem.

Nowsze sklepy, które świadczyć miały o tym, że bumelianie są społecznością nowoczesną, mieściły się przy dwóch uliczkach biorących początek z obu stron urzędu. Tutaj też znajdował się kościół episkopalny w kształcie trójkątnego kawałka tortu, motel Caribe, z basenem rozmiarów wanny pośrodku parkingu, tajsko-meksykańska restauracja i Siłownia Pana Siły. W ciastkarni u Kuzyna Douga Bob kupił sześć pączków. Plakat na wystawie oznajmiał OWSZEM MAMY CAFÉ OLÉ – domyślił się, że to ostatnie słowo to zapewne regionalna pisownia „au lait".

Poczta usytuowana była dwie uliczki dalej, w małym budynku za fałszywie wysokim frontonem ocienionym niewielką topolą. Na ławeczkach z drewnianymi, ażurowymi oparciami siedziało czterech starszych mężczyzn, ogorzałych, po-

---

[3] „Banner" – chorągiew wojenna, proporzec; „bummer" – koszmar, byle co, szmatławiec.

marszczonych, cienkoszyich i chudych, wszyscy z prawą nogą założoną na lewą. Nogawki, które podjechały im wysoko do góry, ukazywały skośnie ułożone, białe golenie. Wszyscy palili papierosy, na których końcach utrzymywał się tej samej długości słupek popiołu, odwracali równocześnie głowy, podążając wzrokiem za przejeżdżającymi pojazdami. Bob z zadowoleniem patrzał na tak znaczną liczbę osób w podeszłym wieku i wyobrażał sobie, że oni wszyscy są właścicielami rozległych terenów.

Inny, stojący przed pocztą starszy mężczyzna, odziany w krótszą wersję skórzanych osłon na spodnie, kowbojski kapelusz i szyte na miarę, skórzane osłony nadgarstków i przedramion, wytłumaczył mu, jak trafić do Pękniętej Gwiazdy, poinformował też, że jej właścicielką jest LaVon Grace Fronk, kazał się trzymać środka jezdni, bo dopiero co przejechali kosiarką obrotową po cholernych poboczach i sterczy tam w ziemi pełno ostrych jak gwoździe pozostałości krzaków. Wsiadł na siwka, zasalutował i odjechał. Jego wierzchowiec wyraźnie kulał.

– Proszę wchodzić – zajodłowała kobieta, przyzywając go ręką do mrocznego wnętrza domu. Jej głos był szorstki i gładki jednocześnie, jak masło orzechowe z chrupkimi kawałkami orzechów. – Napije się pan wody czy pepsi? – LaVon Fronk, mała i szczupła niczym piątoklasistka, była wdową w średnim wieku, przypominającą któregoś z pomniejszych rzymskich cesarzy, a to za sprawą spiętego, pełnego nerwowości wyrazu twarzy, drobnych ust, niewiele szerszych od nosa, blisko osadzonych oczu pod wydatnymi łukami brwiowymi, spłowiałej, marmurkowej, rudo-siwej fryzury.

– Z przyjemnością napiję się wody – oświadczył, czując spowodowaną upałem i kurzem suchość w gardle.

LaVon odegrała dla niego małe przedstawienie, złożone z sięgania po szklankę, płukania jej, wkładania kostek lodu, wyjmowania z lodówki dzbana z wodą, odkrawania plasterka cytryny i mocowania go na brzegu szklanki. Bob odniósł wrażenie, że w domu jest bardzo gorąco.

– Proszę! Nie ma to jak zimna woda, co? Pochodzę z rodziny

Harshbergerów z Miami – wymawiała to słowo „Miama" – z Miami w Teksasie. Nie na Florydzie. Wyszłam za Jase'a Fronka w 1951 roku, a on umarł... ano, dość o tym.

– Bumelia to dziwna nazwa – stwierdził Bob. – Czy pochodzi od jakiegoś nazwiska?

– Od drzewa bumelii. Pewnie kiedyś rosło ich tutej mnóstwo. Ptaki lubią bumelię. Wiosną jej liście są jak raz całe pod spodem puchate, zanim się do cała rozwiną, takie wełniste kuleczki. A Kowbojską Różę nazwano tak od kwiatka. Winnego pucharu. To inna nazwa kowbojskiej róży. Trudno, żeby miasto nazywało się „Kielich do Wina". Przynajmniej nie w abstynenckim hrabstwie Bumelii.

Popijając wodę, Bob widział wszędzie wokół krzykliwy natłok przeróżnych drobiazgów. LaVon powiedziała mu, że kuchnia utrzymana jest w stylu francuskiej prowincji, tymczasem na nim robiła wrażenie prowincji teksaskiej; czysta, biała podłoga z linoleum, stół z blatem z płyty laminatowej na chromowanych nogach, krzesła do kompletu, kalendarz wiszący na ścianie obok wykonanego z makaronu i ziaren portretu Jezusa oraz różnorodnych starych i oślepiająco wręcz białych kuchennych przyborów. Ścierki do naczyń z nadrukiem *Bonjour* ukazywały wieżę Eiffla. Na blacie stały ceramiczne pojemniki opisane: CAFÉ, SUCRE, FARINE. Plakat ze *Schodkami Monmartre'u* Brassaia wisiał nad stojakiem do wina, który podtrzymywał wyłącznie butelki whiskey, co Bob Dolar wziął za zdecydowanie dobry znak. Pokazała mu dziesiątki przedmiotów, które nabyła za pośrednictwem katalogów sprzedaży wysyłkowej – skórzany pokrowiec na termofor, marokańską lampkę oliwną. Nad koszykiem kota – a miała pręgowanego kocura wagi ciężkiej, chromego na jedną łapę, z jednym tylko uchem i z połową ogona, ofiarę bliskiego spotkania z kosiarką do trawy – emaliowana tabliczka obwieszczała CHAT LUNATIQUE. Bliższe rzeczywistości byłoby *chat mort*, jako że to senne zwierzę leżało całymi godzinami niczym martwe, budząc się jedynie na dźwięk otwieranych drzwi lodówki albo kiedy tykowaty chłopak z sąsiedztwa uruchamiał kosiarkę.

Wypiwszy wodę, Bob powiedział:

– No cóż, obejrzyjmy sobie ten baraczek.

– Oto i on – powiedziała LaVon, kiedy jechali po nierównym pastwisku, przez ponury strumień, ku kępie topól.

Za ogrodzeniem z drutu kolczastego był drugi płot z trzech rzędów starych opon. Pod topolami stał niewielki budynek z gankiem z bali. Na całym obwodzie podłogi ganku leżał powróz, który, jak powiedziała LaVon, chronił chatę przed wężami. Wewnątrz znajdowały się cztery puste prycze, na każdej złożony w pół cienki materac, stos koców, cztery drewniane krzesła przy kwadratowym stole. Był też maleńki piecyk z okopconym czajnikiem, a pod ścianą skrzynka wypełniona szczapami i patykami.

– Warunki spartańskie – zakomunikowała LaVon. – Nie ma prądu. O pościel i ręczniki musi się pan sam zatroszczyć. Wodę będzie pan sobie przywozić. Z kuchni, z mojego domu.

– Biorę – oświadczył, nie myśląc nawet o codziennej jeździe przez to nierówne, krowie pastwisko, o dźwiganiu wody, o braku telefonu, bo już zaczął czerpać przyjemność z subtelnego uroku panhandle, zauważając i kępy drzew, i gęstwę krzewów nad strugami, ogromne skręty winorośli, spowijające w szorstką materię całe drzewa. Pomyślał o biegnącym wyraziście na ukos, skalnym grzbiecie oddzielającym płaskowyż od południowych równin, o czerwonych kanionach Palo Duro, uderzająco pięknych i egzotycznych.

Opróżnił swój nowy neseser (nowy tylko dla niego, jako że pochodził ze sklepu wuja Tama) z ładunku druków Globalnej Skórki Wieprzowej, pary błyszczących pastą kowbojskich butów z wąskimi czubkami i z kartonu z pieczonym kurczakiem, którego kupił sobie w Perryton. Rozpakowywanie zabrało mu dosłownie kilka chwil. Wyszedł na zewnątrz i przez kilka minut chodził wokół baraku; w którymś momencie wystraszył pulchnego, przypominającego kurę ptaka, który siedział w splątanym gąszczu nad strumieniem. Plusk płynącej wody był bardzo przyjemny, choć zdecydowanie wywoływał u niego parcie na pęcherz. Cztery grube kloce stały oparte o tylną ścianę chaty, dwa z nich częściowo już wyrzeźbione w ludzkie postaci – kobiecą głowę z powiewającymi włosami i słabo obrobioną postać męską, w jakiś niejasny sposób przypominającą Lenina. Bardzo możliwe, że któryś z byłych pracowników rancza uważał się za rzeźbiarza.

W gasnące popołudnie usiadł na ganku z butelką ciepłej wódki Pearl i powiedział sobie, że nazajutrz w Bumelii koniecznie musi kupić lodówkę turystyczną i lód. Na rozciągającym się ku zachodowi wielkim polu, od kilku już lat nie wypasanym i porośniętym trawą sinolistną oraz chwastem, widział porzucone rolnicze maszyny i pojazdy. Doliczył się pięciu zardzewiałych kombajnów do pszenicy, trzech pickupów, czterech starych ciągników, jeszcze większej liczby różnych bron i grabi – wszystko to zapadało się coraz głębiej w ziemię. Był tam jeszcze jakiś inny, ciemny kształt majaczący w wysokiej trawie, ale nie mógł rozpoznać, czym on jest – może dystrybutorem paliwa starego typu. W słabnącym świetle zauważył na południu niski pagórek, zbyt niski, by można go, nawet w tej płaskiej krainie, nazwać wzgórzem, ot niewielkie wybrzuszenie, jakby ziemia nabrała powietrza i wstrzymała oddech. Niemniej, wedle standardów panhandle, było to sfałdowanie terenu zasługujące na miano „wzgórza". Nad tym wzniesieniem i daleko poza nim rozwarła się na dwoje ogromna granatowa chmura, niczym para jakichś mrocznych skrzydeł, monstrualnych i przygniatających, przecinanych wstęgami błyskawic, a nad odległą równiną rytmicznie migały stroboskopowe światła z końcówek ramion obrotowych urządzeń nawadniających. Mrok przesączał się w dół niby opadające drobiny sproszkowanego, szarego jedwabiu.

Skórę i kostki z kurczaka zostawił na podłodze ganku. Gdzieś w środku nocy obudziły go chrapliwe, szczekliwe zwierzęce odgłosy, dochodzące zza drzwi z monotonną wręcz regularnością. Nie zdążył nawet do końca się rozbudzić, kiedy zaczęły one cichnąć, a gdy wreszcie wyjrzał przez okno, w oświetloną jedynie gwiazdami ciemność, zauważył tylko jakiś niewielki cień wślizgujący się pomiędzy czarne zielska, lisa czy kojota, nie umiał powiedzieć. Nad ranem o dach zastukały krople deszczu.

Rano pojechał do głównej siedziby rancza, domu LaVon, nabrał wody, po czym usiadł i wypił filiżankę kawy w towarzystwie gospodyni, której regionalny w tym względzie gust kazał pić słabiutką, bladobrązową wersję tego napoju. Poinformowała go, że zajmuje się kompilowaniem historii hrabstwa, którą nazywała *Kompendium Bumelii*, a na którą składały się setki pamiętników oraz fotografii zamieszkujących ten region rodzin.

– Wie pan, pracuję nad tym od trzynastu lat.

Jej skrzynki pocztowe, jak go poinformowała, w południe każdego dnia, kiedy Doll McJunkin dostarcza przesyłki, dosłownie zapychane są genealogicznymi wspominkami. Goście w starszym wieku regularnie zjawiają się na jej podjeździe z kartonikami pełnymi zdjęć i dzienników, spłowiałych kopert. Te papiery oraz fotografie zajmowały dwa pokoje na parterze. Kiedy usiedli z filiżankami kawy przy jej stole do pracy, LaVon ramieniem omiotła półki wypełnione kartonami i pudełkami.

– Pewnie nigdy tego nie skończę – oznajmiła z czymś w rodzaju dumy w głosie. – Pewnie jak umrę, mój syn to wszystko powyrzuca... całą historię hrabstwa Bumelii i wszystkich jej mieszkańców.

– Czy nie mogłaby pani zrobić tego w kilku tomach?– spytał Bob. – To znaczy opublikować, na przykład, tom pierwszy, dotyczący najwcześniejszych czasów, a potem, no wie pani, za jakiś czas, wydawać resztę?

– Nie, w żadnym razie. Moje materiały ujmowane są rodzinami, nie latami. Są alfabetyczne, nie chronologiczne. Czasami sobie myślę, że to był błąd. Cóż, ale my przecież z naszymi błędami żyjemy.

– To nie mogłaby pani zrobić od A do L? To znaczy, cokolwiek, co by pozwoliło uzyskać nieco przestrzeni. Czy ludzie nie domagają się przypadkiem zwrotu swoich listów i zdjęć?

– A niech się domagają – oznajmiła nonszalancko. – I dostaną je zresztą z powrotem, kiedy już skończę. Za dużo nowego materiału dopływa bez przerwy, materiału, który musi być dodawany do tego z początku alfabetu.

– Ale...

– Niech pan się tym nie przejmuje, panie Dolar – powiedziała LaVon. – Jestem pewna, że ma pan własną pracę, która pana interesuje. Każdy placek ma swoją kruszonkę.

– No cóż, tak. – Nie dostrzegł w jej słowach pułapki.

– A na czym ta pańska praca polega? Co sprowadza pana do panhandle, które ma tak niewielu dobrowolnych gości?

– To nieco skomplikowane – odparł. – Tak naprawdę, to nie chodzi o pracę. – Obok komputera LaVon zauważył dwa półprzezroczyste, plastikowe pudełka po swetrach. Wydawało mu się, że w tym na górze coś się poruszyło.

– O? Może więc chodzi o wakacje w słonecznej Bumelii?

– Szukam...

– Tak? – Wlepiła w niego wzrok.

– Ja... ja... piszę artykuł o panhandle dla jednego z czasopism. Dlatego interesuje mnie pani *Kompendium*.

– Które to czasopismo?

– Eee. Tego sobie jeszcze nie załatwiłem. Pomyślałem, że najpierw napiszę artykuł, a dopiero potem wyślę go do jakiegoś magazynu. Może do „Oklahoma Today" – wyjaśniał Bob, starając się myśleć jak najszybciej.

– Nie sądzę, panie Dolar. Choć może to się wydać dziwne, to jednak „Oklahoma Today" specjalizuje się w historiach dotyczących samej Oklahomy, nawet już nie oklahomskiego panhandle. I nie w taki sposób umieszcza się artykuły w czasopismach. Ludzie otrzymują zlecenia. Musi pan uważać mnie za kompletną idiotkę. Dla pańskiej informacji, przez siedemnaście lat byłam redaktorką „Sączka". – Po krótkiej chwili zaspokoiła jego ciekawość. – To rolniczo-techniczne czasopismo poświęcone nawadnianiu.

– No tak. Ma pani rację. Nie piszę artykułu. Ktoś inny to robi. Robił. – Myśli jego goniły jak oszalałe. – W rzeczywistości szukam... dziewczyny. Moja matka zaginęła na Alasce, kiedy byłem małym chłopcem, ale wcześniej zawsze powtarzała, że mam się ożenić z dziewczyną z Teksasu.

– Och, coś podobnego. Ile miał pan lat, kiedy udzieliła panu tej rady?

– Około siedmiu. Albo ośmiu. – Nie odrywał oczu od plastikowego pudełka. Jego górna część była gęsto podziurkowana.

– To trochę za mało, żeby nakierowywać dzieciaka na małżeństwo. Chyba że była Chinką...

– Nie była.

– Może sama pochodziła z Teksasu? Na wybrzeżu mieszka wielu Azjatów.

– Nie była Azjatką. Zawsze jednak podziwiała dziewczęta z Teksasu. Ja zresztą też je podziwiam.

– Może tak to na razie zostawimy, na tym pańskim podziwie dla teksaskich dziewcząt. A przy okazji, czy ma pan zatrudnienie? Bo zastanawiałam się, czy będzie pan w stanie zapłacić czynsz, nawet jeśli jest on tak niski jak ten.

– Owszem, mam zatrudnienie. Jestem wywiadowcą przemierzającym ten region w poszukiwaniu ładnych kawałków terenu pod luksusowe osiedla mieszkaniowe. Globalne Nieruchomości Delux. Firma zainteresowana jest utworzeniem swojego oddziału w teksaskim panhandle. Dostrzegają tutaj duże potencjalne możliwości.

– Gdyby pan wiedział, jakie tysiące już się doszukiwały tych „potencjalnych możliwości". Ano, luksusowe osiedla to dla mnie coś nowego. Bo ta część kraju jak raz traci mieszkańców. Raczej bym pomyślała, że poślą pana w pagórkowate okolice Austin, ze względu na tych wszystkich zamożnych komputerowców, albo w pobliże Dallas. Taki milioner z panhandle woli mieszkać w przyczepie kempingowej, a pieniądze wkładać w ziemię i w konie. Tak czy owak, ma pan dobrą pracę i dużo szczęścia w tym świecie, gdzie tylu z trudem wiąże koniec z końcem. W tej sytuacji nie będzie pan zapewne miał nic przeciwko temu, żeby zapłacić za miesiąc z góry? Muszę mieć przecie zabezpieczenie, na wypadek gdyby pan zniknął.

Bob uśmiechnął się i oznajmił, że od ręki wypisze czek, po czym dodał:

– Czy w tym plastikowym pojemniku coś jest? Wydawało mi się, że coś się tam porusza. W tym górnym.

– To Różołapka. – Sięgnęła po pudełko, postawiła je pomiędzy sobą a Bobem, ściągnęła pokrywę.

Bob zobaczył z przerażeniem, że przygląda mu się beżowa tarantula z niewinnie różowymi odnóżami. Zerwał się tak gwałtownie, że aż przewrócił krzesło. Przestraszony pająk wycofał się.

– Nie ma obawy – zapewniała LaVon. – Jest bardzo spokojna. Jestem zdziwiona, że w ogóle się poruszyła. Rzadko kiedy wychodzi ze swojej kryjówki. – Wskazała dłonią kilka kawałków grubej kory, stojących na sztorc pod tylną ścianką pudełka. – Trochę tu chyba za sucho – mruknęła pod nosem, macając drewniane ułomki i ziemię. Pająk nie zwracał na nią uwagi. Ona tymczasem wzięła małą butelkę i spryskawszy wnętrze klatki delikatną wodną mgiełką, nałożyła z powrotem wierzch.

– Jakem już spryskała w jednym... – powiedziała, odstawiając butelkę i sięgając po drugie pudełko.

– Ma pani dwa? – spytał Bob, bez specjalnego entuzjazmu.

– Ten jest inny – odparła, unosząc ostrożnie róg pokrywy. – Oto Tonya. Wybuchająca gwiazda z Togo. Afrykański gatunek nadrzewny. Obie zresztą żyją na drzewach, tyle że Różołapka pochodzi z Ameryki Łacińskiej, z lasów deszczowych. – Bob zbliżył się, żeby dokładniej ją obejrzeć. – Lepiej się nie zbliżać, ta może skoczyć, a jest bardzo agresywna i kąsa niczym błyskawica. Po takim ukąszeniu można się poczuć bardzo kiepsko.

Bob zdążył zobaczyć wzorek przypominający wybuchającą gwiazdę na odwłoku. Tonya nie była taka duża jak Różołapka. Niemniej odetchnął z ulgą, kiedy LaVon umieściła pokrywę na swoim miejscu.

– Tonya jest u mnie dopiero od roku, a Różołapka już od pięciu. Może dożyć do ośmiu albo dziewięciu. To niewiele jak na tarantulę. A dla przykładu taki meksykański ptasznik to on może dożyć nawet czterdziestu. To długowieczne stworzonka.

Gdy wyszedł, niebo zdawało się mieć barwę wystygłej herbaty.

Kiedy tego wieczoru na ganku baraku zrobiło się zbyt ciemno, by dało się czytać, przyniósł sobie latarkę, jako że znajdował się w takim miejscu narracji, w którym porucznik oglądał rysunki syna Starej Kory (młodzian zademonstrował wcześniej taniec z „licznymi wygibasami"), rysunki o charakterze autobiograficznym, na których tenże syn atakował energicznie lancą Indian z plemienia Paunisów. Porucznik nie skąpił komplementów, wychwalając wykonanie oraz „znaczne wyczucie" w kwestiach proporcji oraz kompozycji ogólnej. Bob odniósł wrażenie, że gdyby porucznik miał kiedyś tego syna Starej Kory na lekcjach rysunku, na które sam uczęszczał, to dałby mu pierwszą nagrodę w tej dziedzinie. Kiedy jednak na scenie pojawił się sławny przewodnik Thomas Fitzpatrick, ostrzegając porucznika, by nigdy nie wiązał mułów do krzaków, bo zwierzęta te szarpią ich gałązkami, za każdym zaś szarpnięciem i związanym z nim szelestem są coraz bardziej przekonane, że wróg mulego rodu znajduje się coraz bliżej, światło latarki zaczęło przygasać i migotać, więc po kilku chwilach Bob dał za wygraną i poszedł wcześnie spać. W tamtym momencie, kiedy siedział w głębokim mroku, a snop światła słabł z minuty na minutę, w kursie jego życia nastąpił zwrot, z czego Bob w ogóle nie zdawał sobie sprawy, ponieważ świadom był jedynie własnej irytacji wywołanej brakiem oświetlenia i przysięgał sobie, że nazajutrz na pewno kupi jakąś lampę czy przynajmniej świeczkę.

8

Pionier Fronk

W roku 1878 w mieście Manhattan w stanie Kansas Martin Merton Fronk, dwudziestotrzylatek, syn zegarmistrza, niemieckiego imigranta, siedział, sapiąc i pokasłując, na skórzanej kanapce doktora Jicka.

– No cóż, młody człowieku – mówił doktor Jick – sądzę, że odczuwasz dolegliwości wynikające z koncentracji wilgotnych elementów w miejscowej atmosferze, która to atmosfera, acz wonna i rozkoszna dla większości nozdrzy, na niektórych wywiera wpływ szkodliwy. Obawiam się, że znajdujesz się w tej mniej licznej grupie. Twoja nieco słabsza konstrukcja fizyczna nie pozwala ci się cieszyć klimatem nizinnym ani też czerpać z niego korzyści. Radzę poszukać wyższego, suchszego klimatu, gdzie atmosferę nieustannie przedmuchują szybkie, krystalicznie czyste wiatry. Sugerowałbym zatem przeniesienie się na położone wysoko równiny Teksasu, dokąd udało się już wielu cierpiących na podobne przypadłości i gdzie już po roku poczuli się znacznie lepiej. A wielu z nich miało gruźlicę.

– Czy ja mam gruźlicę?

– Nie sądzę. Jesteś wrażliwy na mgły, opary i wszelaką wilgoć. Bez wahania polecam wysoko położone tereny Teksasu. W rzeczy samej, pewien bardzo dobry medyk mieszka w Bumelii – och, te teksaskie nazwy miast – medyk, który zajmował się wieloma osobami i wyleczył je z chorób dróg oddechowych o wiele cięższych niż twoja. Możesz go odszukać i z pełnym zaufaniem oddać się w jego ręce. D. F. Kufa, doktor nauk medycznych, wielce zainteresowany przypadłościami ludzkiego ciała, a do tego handlarz końmi.

– Nie mam pojęcia, jak mógłbym tam zarabiać na życie.

– Z tego, co wiem, to niezłe tereny rolnicze, a jeszcze lepiej nadają się na hodowlę bydła. Wielu mężczyzn, szczególnie zaś takich młodzieńców jak ty, udaje się do tego regionu w poszukiwaniu fortuny ukrytej w tamtejszej bujnej trawie i czystej wodzie. Kiedy już twoje płuca w tym zdrowym powietrzu się wyleczą, a jestem całkowicie pewien, że tak się właśnie stanie, będziesz się uganiał konno, pokrzykując i pędząc szaleńczo po obsypanych kwieciem wzgórzach – jestem o tym przekonany. Mógłbyś też pojechać dalej na północ, na Terytorium Wyoming czy do Montany, jednak tamte tereny nawiedzane są przez srogie zimowe mrozy i zamiecie. Teksas przynajmniej jest ciepły.

Później Fronk z goryczą przypominał sobie te słowa. Tymczasem jednak, będąc w stanie błogosławionej niewiedzy, uporządkował swoje sprawy i zamienił większość swoich ziemskich dóbr na gotówkę (432 dolary), wiodąc spór z ojcem, który ciągle jeszcze marzył, że jego syn zasiądzie przy zegarmistrzowskim warsztacie. Po trzech dniach kłótni ojciec zrozumiał, że wyjazd syna jest nieuchronny, i pod koniec kwietnia roku 1878 Martin Fronk wsiadł do sapiącego, jadącego na zachód pociągu, w towarzystwie walizki oraz kufra z tak niezbędnymi przedmiotami, jak siekiera, solidny konopny powróz oraz czternaście starych egzemplarzy „Luizjańskiego Trwania", okazjonalnie wydawanego ilustrowanego czasopisma, prezentującego zdecydowane i podżegające do działania poglądy polityczne, ale także bardzo atrakcyjne ryciny mało znanych rejonów świata, w której to kategorii Martin mentalnie umieścił Teksas, razem z jego wyżej i niżej położonymi terenami. Poza tym w kufrze znalazł się mały worek słodkich ziemniaków oraz papierowa paczuszka z ziarnem kawy, przygotowana i zapakowana przez jego młodszą siostrę, Światełko.

Kiedy pociąg zatrzymał się na godzinę w miasteczku, które całe wydawało się złożone z jednego wielkiego sklepu i z niezliczonych stad bydła, wysiadł, żeby rozprostować nogi, wszedł do tego sklepu i kupił trzy puszki ostryg, z których jedną otworzył i zjadł na peronie, a dwie pozostałe umieścił w swojej walizce. Pociąg ruszył ponownie ze straszliwym szarpnięciem, potem jednak jechał już spokojnie i monotonnie, kiwając się na boki. W egzemplarzu „Luizjańskiego Trwania", który przeglądał, uwagę jego tak mocno i gwałtownie przyciągnął artykuł o hodowli bydła, iż ledwie zauważył niezwyczajnie długi most, po którym właśnie przejeżdżał jego pociąg, a którego długość, jak z dumą obwieścił konduktor, wynosiła aż 840 stóp. Bydło, czytał, na równinach teksaskich nie wymaga ani rozpieszczania, ani zwyczajnej nawet opieki. Po prostu wypędza się je pod gołe niebo i pozwala paść do woli, po czym, raz lub dwa razy w roku, przy pomocy dzieci z tego regionu (w ten sposób Martin interpretował słowo „kowboj") zbiera w jedno stado i pędzi na targ, żeby wymienić zwierzęta na pieniądze. Na równinach Teksasu było tak wiele bezpańskich krów, że ubogi, ale ambitny człowiek mógł w rok czy dwa zbić na nich fortunę. Pokasłując, odwrócił kartkę i przeczytał, że krowę wartą w Teksasie pięć czy dziesięć dolarów w Kansas City można sprzedać za trzydzieści. Artykuł opisywał zasady ekonomiczne rządzące pędzeniem trzech tysięcy krów z Teksasu do krańcowego punktu torów kolejowych w Kansas. Potrzeba do tego było jedenastu ludzi, włącznie z kucharzem, każdy kosztował trzydzieści dolarów miesięcznie... co dawało 330 dolarów. Następne sto dostawał człowiek organizujący i nadzorujący całe przedsięwzięcie, jeszcze jedna setka na zapasy żywności: razem 530 dolarów samych kosztów miesięcznie. Krowy przyniosłyby 90 tysięcy dolarów. Nagle przyszłość wydała mu się jasna i pewna.

Dalej w artykule wyjaśniano, że najbardziej skuteczną i najtańszą procedurą jest pozyskanie usług kontraktowego poganiacza bydła, zamiast używania własnych kowbojów, którzy potrzebni są na ranczu, by zająć się następnym pokoleniem krów. Jako inny scenariusz prezentowano przykład ranczera mającego sześciu silnych synów, którzy zdolni są popędzić bydło z rancza na szlak, synów, którym płaci się bardzo niewiele albo zgoła nic, ranczo bowiem prędzej czy później ma i tak przejść na ich własność. Jednak, pomyślał sobie Martin, nie znajduje się przecież sześciu silnych synów w pobliskiej olszynie. Obawiał się, że nawet gdyby miał żonę, to dochowanie się dorodnych, mających smykałkę do hodowli bydła synów zajęłoby mu dziesięciolecia. Czytając dalej, zrozumiał, że kontraktowi poganiacze sami mogą dojść do majątku i ostatecznie dokonać zakupu i zapełnić bydłem własne ranczo. Podano przykład jednego, który pędząc na północ bydło należące do innych, zdołał w sezon zarobić 50 tysięcy dolarów. Martin się rozmarzył. Jeśli jego zdrowie raptownie się poprawi, zostanie na kilka lat poganiaczem, potem zaś osiądzie na miejscu jako ranczer, on i jego sześciu dorodnych synów. Jedno rozumiał jasno – w bydle tkwią bajeczne zyski, jeśli tylko człowiek jest konsekwentny.

Kolej nie dochodziła do Bumelii, tory kończyły się bowiem w Dwugroszku, miejscowości odległej od tamtej o jeden dzień jazdy konnej. Za stacją znajdowała się prymitywna stajnia. Tam udało mu się przekonać jakiegoś parchatego starowinę do sprzedania czterokołowego lekkiego wozu oraz siwka o wielkich, szalonych oczach. Załadował walizkę i kufer i wyruszył na zachód, z grubsza w kierunku Bumelii. Wcześniej, w pociągu, konduktor, który robił wrażenie równie dobrze poinformowanego w sprawach kolei Missouri/Kansas/Teksas jak jej dyrektor, zapewniał go, że w ciągu najbliższego roku linia zostanie przedłużona do Bumelii, że Bumelia stanie się głównym punktem wysyłki bydła i że on, Martin Fronk, wykaże się bystrością, jeśli rozejrzy się za ziemią w pobliżu tej przyszłej metropolii.

Dwukrotnie przebył niewielkie strumienie, Bumelię i Rogers, obydwa porośnięte wzdłuż brzegów wierzbami i topolami, które użyczały podróżnikowi ocienionego miejsca odpoczynku. Raz dostrzegł z daleka niewielką grupę obozujących ludzi, ale ponieważ wyglądali mu na Indian, nie zdecydował się do nich zbliżyć. Konduktor bowiem wspomniał o kilku szczególnych zwyczajach Indian, szczególnie zaś Komanczów, którzy mieli fatalne maniery i czasami potrafili zaskoczyć człowieka dość gwałtownymi reakcjami.

– W ubiegłym roku dopadli sprzedawcę zegarów, rozcięli mu brzuch, wyciągnęli wnętrzności, przywiązali do kuli u siodła i pognali zwierzę. Widzi mi się, że jeszcze odcięli sobie na pamiątkę różne kawałki jego ciała. W sumie niewiele z gościa pozostało, ot można było mieć ogólne pojęcie o tym, czym był przedtem. Mądrze pan zrobi, trzymając się od nich z daleka.

Jakiś jegomość siedzący po drugiej stronie przejścia powiedział:

– Do diabła, to jeszcze nie było najgorsze. Powiedz mu, co zrobili z Dave'em Dudleyem przy Murach z Suszonej Cegły. Nie wiesz? Ano, to ja mu powiem. Dopadli Dave'a Dudleya, kiedy strzelał do bizonów przy Potoku Jelenim. Najsampierw obcięli mu jedno jajo, włożyli do ręki i przywiązali ją do stojącego przed nim pala, tak żeby musowo na nią patrzał i zastanawiał się nad tym, co się dzieje. Potem wycięli mu w brzuchu dziurę i przybili go kołkiem do ziemi; wbijali ten kołek siekierą. To był jego własny kołek do rozciągania bizonich skór. Na koniec oskalpowali go ze szczętem na wszystkie możliwe sposoby. Takich tu mamy Indian. Większość już stąd przegnano, ale jeszcze nie wszystkich.

Późnym popołudniem niebo na zachodzie przybrało głęboką brunatnozieloną barwę, jednak dla niego nie miało to szczególnego znaczenia. Był zmęczony wieloma godzinami upału i wytrzęsiony jazdą i nie marzył o niczym innym, jak o zanurzeniu się po brodę w zimnej wodzie. Odczuwał pragnienie, już dawno temu osuszył manierkę z wodą. Niemniej lękał się zbliżyć do rzeki, gdzie mogli kryć się Indianie. Od czasu do czasu oddychał głęboko, sprawdzając tym samym, czy suche powietrze płaskowyżu ma jakiś wpływ na jego płuca. Wydawało mu się, że oddycha łatwiej i lżej. Nie potrafił stwierdzić tego na pewno. Nagła błyskawica rozcięła ponure niebo nad jego głową, skierował się zatem ku kępie drzew, bo bez względu na to, czy byli tam Indianie czy nie, jemu potrzebna była jakaś osłona przed żywiołem.

W cienistym zagajniku nie było Indian, natomiast niewielka wydeptana polanka wskazywała, że w ciągu ubiegłych dwudziestu czterech godzin ktoś tu obozował. Rozpalił malutkie ognisko i ułożył na węgielkach dwa słodkie ziemniaki, żeby się upiekły, kiedy on sam tymczasem zmyje kurz z rozpalonej twarzy. Było tam małe jeziorko, posępnie mętne. Złożył dłonie i napił się zalatującej siarką wody. Ziemia zatrzęsła się od grzmotu, choć powietrze pozostało martwo nieru-

chome. Cicha eksplozja, która dobiegła od ogniska, uzmysło-
wiła mu, że zapomniał wcześniej przebić ziemniaki i teraz
jeden z nich rozpękł się z hukiem. Czysta strata. Wbił nóż
w ten drugi, nadal w jednym kawałku (pomyślał o udręczo-
nym Daviem Dudleyu i o nieszczęsnym sprzedawcy zegarów,
jako że jego ziemniak przywodził mu na myśl żółty ludzki
brzuch), narzucił nań więcej węgli i napełnił manierkę wodą
z jeziorka. Zdjął z siwka uprząż, wytarł go mocno, nakarmił
i napoił, rozłożył dla siebie pod wozem koc. Kiedy ziemniak
się dopiekł, zjadł go na gorąco i bez soli, otworzył nożem drugą puszkę ostryg, połknął je, ponownie napił się wody z jeziorka, wypłukał puszkę i odłożył ją na bok, żeby użyć nazajutrz do zaparzenia kawy, wczołgał się pod swój pojazd, gotów do snu, choć wciąż jeszcze było jasno, naciągnął koc na
głowę, żeby odgrodzić się od moskitów. Tuż ponad ziemią
powiał świeży wiaterek, równie miły i orzeźwiający jak schło-
dzona woda. Niebo zmieniło barwę na fioletowoczarną; raz
po raz rozrywały je błyskawice, ukazując przy tym chmury
nisko przepływające pod wiszącą nad nimi większą napęcz-
niałą, skłębioną masą chmur. Chmury były strzępiaste i roz-
szalałe. Wiaterek nabrał szybkości, stał się wiatrem, dość
mocnym, by odegnać kłujące insekty, podniósł róg jego koca.
Był zdecydowanie zimniejszy.
Drzemał przez kwadrans, przebudził go przeraźliwy huk
grzmotu. Przez chwilę myślał, że znów jest w pociągu, słyszał
bowiem w pobliżu stukot kół ciężkich, naładowanych wago-
nów. W jaki sposób znalazł się nagle na stacji rozrządowej?
Usłyszał szaleńcze grzechotanie i kulki lodowego gradu wielkości orzechów zaczęły wpadać pod wóz. Próbował wyczołgać
się spod niego, jednak z boku coś zablokowało mu wyjście, coś
o sztywnej, mokrej sierści. Minęło kilka sekund, nim rozpoznał palcami sierść własnego konia. Tuż za drzewami toczyły
się z hukiem wagony towarowe, a towarzyszył im trzask gałęzi. Drzewa się chwiały, jedno upadło. W świetle błyskawic widział ich trzepoczące gałęzie, konfetti zerwanych liści, a dalej
coś czarnego i ogromnego wznoszącego się wysoko niczym jakiś senny koszmar. Niewidzialny pociąg, poruszający się bez
świateł, umknął gdzieś w mokrą noc. Na zachodzie pas bez-

barwnego nieba pokazywał, że dzień następny będzie pogodny. Obolały ze zmęczenia i z poczuciem ogólnego osłabienia zasnął ponownie.

Obudził się wcześnie, przed świtem. Rozległe niebo upstrzone było kłaczkami malinowych obłoków. Wyczołgał się spod wozu i spojrzał na konia. Był martwy.

Chwilę potem wymieszał w dłoni garstkę mąki kukurydzianej z wodą, położył uzyskaną w ten sposób masę na zebranych liściach, by stężała, podczas gdy on będzie rozpalał ognisko i rozgrzewał w nim dwa płaskie kamienie. Upiekł na jednym z kamieni kukurydziany placek, na drugim przypalił ziarna kawy, obuchem siekiery rozgniótł je na proszek, w puszce po ostrygach ugotował kawę. Gorąca blacha parzyła dłonie i wargi. Cedził płyn przez zęby, rozgryzał drobiny. Ponownie przyjrzał się koniowi, pomyślał, że pewnie zginął od pioruna, ponieważ na jego prawej łopatce zobaczył wyraźne przebarwienie, a drugie podobne tuż nad pęciną.

Najlepiej, jak potrafił, ukrył kufer pod ziemnym nawisem brzegu, z przodu zasłonił go stosem połamanych gałęzi i kamieniami. Ponownie popatrzył na martwego konia. W końcu ruszył na piechotę ku zachodowi, szacując, że Bumelia nie może być dalej niż jakieś dwie, trzy mile.

Późnym przedpołudniem dopadło go nowe zmartwienie. Poczuł, jak w jego wnętrznościach mieszają się i przelewają placki i kawa, i ostrygi. Kiszki mu się skręcały. Przypomniał sobie Dave'a Dudleya oraz sprzedawcę zegarów. Przez kilka następnych godzin wlókł się jakoś naprzód z częstymi przerwami, ponieważ jego trzewia domagały się nieustannie swoich praw. Porzucił walizkę. Wkrótce zaczął wymiotować, głowę przeszywał mu ostry ból. Po południu poddał się i cierpiąc katusze, położył na ziemi. Po godzinie, rozpalonemu gorączką wywołaną nagłym paroksyzmem choroby, wydało mu się, że czuje zapach dymu. Obrócił się na drugi bok i wzrokiem potoczył po prerii. Owszem, z widocznego opodal pagórka unosił się dym... czyżby wulkan? Nagle na zboczu pagórka ukazał się czarny prostokąt, a w nim jakaś postać, która rzuciła coś, co zaiskrzyło krótko i zgasło. Postać odwróciła się i zniknęła w tym ciemnym prostokącie, w którym teraz Martin rozpoznał drzwi.

Zaczął się ku nim czołgać, a kiedy był już od nich zaledwie pięćdziesiąt stóp, dwa konie stojące w prowizorycznej zagrodzie zaczęły rżeć i parskać. Drzwi się uchyliły, a Martin Fronk słabym, zdławionym głosem wyjęczał „pomocy".

– A to co, do stu tysięcy diabłów? – spytał jakiś głos i ponaddwumetrowe dziwadło o białych włosach, w czerwonej koszuli i przykrótkich pasiastych spodniach na szelkach, wyszło energicznym krokiem z ziemianki, ściskając w rękach winchestera. Za nim pojawił się niższy, młodszy mężczyzna, krzywonogi, z małymi oczkami i bujną wielokolorową brodą, zwianą na jedną stronę przez wiatr.

– Kim, do diabła, jesteś i po kiego tak się tu skradasz? Ani chybi jeden z tych, co to z lepkim powrozem przychodzą podziwiać cudze konie.

– Chory. Nie mogę chodzić. Żadnych złych zamiarów. – Wydawało się zabawne, że mogli dostrzec w nim coś złowrogiego. Mówienie wywołało ponowne wymioty.

– Chryste, cuchniesz, jakbyś się sfajdał i nie tylko.

– Tak. Jestem chory. Chory. – Powiedział kilka słów o kukurydzianych plackach i o martwym koniu, i o nagłym ataku biegunki.

– Brałeś wodę przy Dwugroszku? Z takiego małego bajorka?

– Tak.

– To gówniana woda. Ma się po niej ochotę umrzeć, widzi się człekowi, że matczyne szydełko wyrywa mu przez tyłek bebechy, ale nie przyjdzie ci umierać, bo większość dobrzeje, niektóre nawet piją ją znowu bez żadnych złych skutków. Ja to zrobiłem. Ano, uwarzymy ci cosik specjalnego. Poczekaj tutej. Nie wejdziesz do obozowiska cuchnący jak łajno i rzygowiny upichcone razem ze skunksowym zielskiem. Zwiń się tutej w kłębek, jak pusty worek, a my ci co trza przyniesiemy.

Kuracja, jak to nazywali, okazała się blaszanym kubkiem wypełnionym brązową cieczą, przyprawioną do smaku jakąś tanią whiskey. Wypił napój i przepisowo zwymiotował. Mężczyzna z wielokolorową brodą przyniósł następną porcję, a on pił ją drobnymi łykami, siłą woli zmuszając napój do pozostania w żołądku. Kiedy kubek był pusty, położył się na trawie i zamknął oczy.

– Daj temu godzinkę albo dwie, żeby zadziałało – powiedział wielkolud i obaj mężczyźni zniknęli w ziemiance.

Przed zachodem słońca pojawili się ponownie z misą parującej wody i z jakimś zwiniętym w kłębek ubraniem. Ściągnęli jego cuchnącą koszulę i spodnie, wylali na niego całą tę misę gorącej, mydlanej wody, rzucili mu ręcznik z worka po mące i poradzili, żeby się przebrał w świeże odzienie.

– Moja walizka... – powiedział, wskazując ręką kierunek, z którego przyszedł.

Wysoki mężczyzna oznajmił na to:

– Niezły pomysł. Czymu ma zapaskudzać gównem nasze łachy, kiedy może se robić, co chce, z własnymi? – Osiodłał jednego z koni i pojechał w kierunku obozowiska nad strumieniem.

Martin leżał nagi i zmarznięty na prerii, chwyciły go dreszcze, ale przynajmniej nie męczyły go już tamte spazmatyczne ataki. Mężczyzna z brodą przyniósł mu bułeczkę i czystą wodę.

Nim zaszło słońce, wysoki mężczyzna powrócił z walizką. Otworzył ją i z zainteresowaniem przejrzał zawartość. Rzucił Martinowi spodnie i bawełnianą koszulę w paski. Martin poprosił o kalesony na zmianę, ale tamten roześmiał się i zamknął walizkę.

– Chłopcze, w Teksasie mężczyźnie nijak nie godzi się ich nosić. Tylko człowieka spowolnią, jak się do czegoś zabiera. Jak raz przyda się na ścierę do garów.

Dali mu kąt w ziemiance, a ten wysoki, który powiedział, że nazywa się Klattner i że ostatnio przebywał w Arkansas, przyrzekł – kiedy tylko się dowiedział, iż są w nim ziarna kawy – że rankiem przywiezie kufer Martina.

– Od miesiąca my są bez kawy. Próbowali my kupić trochę w Bumelii, ale im też wyszła i aż do czerwca nie będzie dostawy. Docenimy więc twoją kawę. W tej cholernej Bumelii ni śladu porządnego sklepu. Bo ten, który tam teraz mają, jest zupełnie do niczego. Prowadzi go na pół gwizdka ten stuknięty doktórek, jak nie leży właśnie spity w trupa na kanapie. Nie potrafiłby trafić bandżo w tyłek słonia. Był tam kiedyś prawdziwy sklepikarz, ale przegrał interes do doktora. A doktór nigdy nie zamówi wystarczającej ilości kawy, mąki, cukru i czego tam jeszcze. Przez całą ubiegłą zimę nie było ani mąki, ani tytoniu. Rany boskie, gość wziął tysiąc funtów sody do pieczenia i ani jednej łyżeczki mąki. Spuściliśmy mu nieliche baty, ale to nic nie zmieniło. Jest tak samo źle jak przedtem.

– Czy nie jest to przypadkiem doktor Kufa?

– Przypadkiem jest. Znasz go?

– Nie. Powiedziano mi, że ma dobrą opinię, jeśli chodzi o kurowanie ludzi.

– Nie wiem, kto ci to powiedział, ale twój imfonmator łgał. Doktór Kufa nie wykurowałby kury, nawet gdybyś go jakoś doprowadził do kurnika. Po mojemu, jak idzie o kurację, to potrzebna jest samemu doktórkowi Kufie... kuracja wodna. Gdybym był na twoim miejscu, tobym się musowo sam doprowadził do zdrowia. Najlepsze jest świeże powietrze i whiskey... i kupa roboty.

Do rozmowy włączył się brodaty:

– Powiem po prawdzie, gdybym był na twoim miejscu, to ani przez chwilę nie chciałbym mieć nic do czynienia z doktorem Kufą. Zapełnił już ze szczętem jeden cmentarz i teraz zaczyna zapełniać następny. Jak raz możesz przejąć jego sklep i poprowadź go dobrze... i rzetelnie. Każdy powitałby cię szczerym sercem, gdzie byś się pokazał.

Martin Fronk postanowił jednak zdobyć fortunę na bydle, czy to jako poganiacz, czy ranczer, stąd pomysł prowadzenia sklepu wydał mu się odpychający, co zresztą bez zwłoki oznajmił.

– Pewnikiem zamiarujesz pracować jako kowboj – wycedził mężczyzna z kolorową brodą, który nazywał się Carol Dzionek; zadziwiająco żeńskie imię, pomyślał sobie Martin, który nie zdążył jeszcze poznać tych wszystkich brodatych Marion, Fannych i Abbych z Teksasu, którzy, obdarzeni przez bezmyślne matki wytwornymi imionami, zmuszeni byli na siłę wyrabiać sobie brutalne, męskie charaktery.

– Uważam, że jestem już za stary, żeby być znowu jakimś tam bojem.

– Wiek się tu nie liczy. Niektórzy z najbardziej wyrywnych kowboi zbliżają się do siedemdziesiątki. Przyjrzyj się na starego Whiteya – skinął głową w kierunku swojego wysokiego towarzysza, który owijał właśnie kawałkiem nie garbowanej skóry trzonek siekiery. – Ma prawie osiemdziesiątkę, a lepszy z niego kowboj niż niektórych dziesięciu.

– On jest kowbojem?

– A jakże. Ile to razy przeszłeś szlak do Montany? Dwadzieścia?

– Dwadzieścia dwa. I już mi wystarczy. Po mojemu, tam w górze jest za zimno. Śnieg pada całe lato. Płacą ci, a nie masz gdzie wydać moniaków. Zawracasz konia i z powrotem do Teksasu.

– A co z Miles City? Co z Cheyenne? Denver? Wiem, że odwiedzałeś te miasta wiele razy w czasie drogi powrotnej.

– Pieniądze za bardzo mi ciążyły. Tak czy siak, wygląda na to, że nasz Martin nie chce być ani kowbojem, ani sklepikarzem. Widzę, że umyślił se coś lepszego.

– Myślałem zrobić interes na przeganianiu bydła.

Mężczyźni zaczęli się pokładać ze śmiechu. Carol dosłownie padł na klepisko, tarzał się po nim i jęczał:

– Trzymajcie mnie, bo nie zdzierżę, „zrobić interes na przeganianiu bydła".

– Ty głębie – odezwał się Klattner. – Żeby zrobić interes na pędzeniu bydła, trzeba znać krowy jak własne jaja. Trzeba mieć kowbojską praktykę, znać rynki i ludzi. Trzeba umieć zasunąć gadkę do farmerów i radzić se z Indanami. Sami się sparzyliśmy, ja i Whitey, na pędzeniu bydła. To nagłe rzucanie się całego stada na oślep do ucieczki, te kłopoty z Indanami, ci piekielni farmerzy z Kansas...

– Indianie?

– Diabła tam, to najmniejsza bieda – powiedział Carol. – Dasz im jedną ze swoich krów, a zostawią cię w spokoju. Oczywista, po pięćdziesięciu takich podarunkach masz o pięćdziesiąt krów mniej.

– Mogą być z nimi kłopoty – odezwał się drugi. – Przypomnij sobie Quanaha Parkera*. I innych. Pamiętasz tamtego sprzedawcę zegarów...

---

* Quanah Parker (1850?-1911) – legendarny wódz Komanczów. Nie przegrał żadnej bitwy z białymi.

Nie miał ochoty raz jeszcze wysłuchiwać opowieści o sprzedawcy zegarów.

– Mógłbym poprowadzić sklep – wyszeptał Martin Fronk, rezygnując z planów zostania ranczerem czy poganiaczem bydła. Rzecz była aż nadto ryzykowna.

Nazajutrz poczuł się zdecydowanie lepiej, zapakował walizkę i spytał swoich gospodarzy, czy odstąpiliby jednego z koni, żeby mógł się dostać do Bumelii.

– Chcesz kupić czy pożyczyć?

– Skłonny jestem kupić jednego z waszych wierzchowców. Najlepiej łagodnego i posłusznego.

– Ten zdechł w zeszłym roku. Ale możemy ci sprzedać za dwadzieścia dolarów tego gniadego wałacha. Ma dwa imiona. Ty Skurczybyku i Pasikonik. Nie lubieje, kiedy trawa faluje na wietrze i kiedy ona faluje, to on podskakuje. Kupisz starego Pasikonika, a my w przyszłym tygodniu przyprowadzimy ci twój wóz. A rozpatrz się, czy nie możesz zabrać Kufie sklepu. Wyrządzisz miastu przysługę.

Drugi dodał własną radę:

– A jak już zabierzesz, zamów mnóstwo kawy. I trzymaj furgon dostawczy z dala od tego cholernego, czerwonego bagna. Miejscami wzdłuż rzeki Canadian są kawałki czegoś, co wygląda na wyschnięte łożysko, ale można się tam zapaść w błoto, bardziej lepkie niż gotowana melasa wymieszana z klejem, a głębokie na osiemset stóp. Niektórym się to przytrafiło.

Ty Skurczybyku nie znosił falującej trawy, ptaków, odległych jeźdźców, piesków preriowych, chmur, siodeł oraz, jak się okazało, kiedy już Martin Fronk dojechał do przedmieść Bumelii, czarno-białych psów. Jeden z takich psów wywołał u niego długotrwały napad brykania i dopiero wysadzenie Martina z siodła zdołało je zakończyć. Koń ustawił się przodem do szczekającego psa, drżąc na całym ciele. Martin podniósł kilka kamieni i rzucił je celnie a silnie w psa, który ze skowytem umknął do jakiegoś obdartego namiotu. Na boku namiotu widniał napis: SKLEP Z ARTYKUŁAMI MIESZANYMI WŁASNOŚĆ DR DF KUFY.

Wszedł do środka. Ujrzał niewiarygodne kłębowisko przedmiotów, od różnych potrzebnych w obejściu towarów gospodarskich do bykowców.

– Jest kawa? – zwrócił się z tym pytaniem do ludzkiego wraka, zaplątanego w belę błękitnej jak niezapominajki bawełny. Czyżby na zimnym piecyku leżało bandżo?

– W czerwcu. Jeszcze nie przysłali. Proszę przyjść w czerwcu.

Wyszedł, zastanawiając się, czy miał przyjemność zobaczyć osławionego doktora Kufę, oraz przekonany, że on sam potrafiłby poprowadzić ten sklep, mając worek na głowie i spętane nogi.

9

Pęknięta Gwiazda

Bob Dolar uważał, że Pęknięta Gwiazda, należące do LaVon ranczo, położone nieco na północ od rzeki Canadian, to miejsce urocze. Pierwszy raz w życiu miał okazję się przekonać, z jakiej to nadzwyczajnej prywatności korzysta rodzina ranczerów. Gdyby poszukiwał terenu na luksusowe siedziby, właśnie tutaj by go znalazł. LaVon poinformowała go, że ranczo powstało na ziemi bogatej w pastwiska – rosły na nich trawy sinolistne, trawy niskie, butelua smukła, ostnica oraz perz psi – kiedy pierwsi osadnicy przybyli do tej krainy pod koniec dziewiętnastego wieku. Moises Harshberger, jej nie umiejący usiedzieć w miejscu dziadek, pojawił się w panhandle jako młody człowiek w roku 1879, rok po tym, jak przodek jej męża, Fronk, przejął sklep Kufy.

Moises Harshberger oraz jego brat Sidney, mówiła, wyprawili się z Tennessee do Kalifornii, gdzie kupili tysiąc pięćset młodych byczków, które następnie zabrali do Montany i tam z zyskiem sprzedali; stamtąd udali się do Teksasu, gdzie kupili jeszcze więcej bydła, które pognali do Kansas City i z zyskiem sprzedali. Tam Sidney zapadł na cholerę. Po pospiesznym pogrzebie Moises pognał niewielkie stado do Wyomingu, sprzedał je aroganckiemu, angielskiemu lordowi z twarzą niczym ozdobiona wąsem tortilla, osiągając cudowny wręcz zysk, ponownie udał się do Teksasu, gdzie kupił ziemię na ranczo na północ od pradoliny rzeki Canadian. Tam, na prerii, odkrył tysiące krótkich, zaostrzonych kołków, dziesięć lat wcześniej używanych przez polujących na bizony myśliwych do rozpinania zwierzęcych skór. Pod nogami chrzęściły tysiące bizonich kości.

Jak na ironię, Harshberger nie cierpiał tej pozbawionej odrobiny cienia równiny, jej traw i srebrzystej bylicy. Wynajął mężczyzn, którzy mieli wykopać i przywieźć dla niego setki młodych klonów oraz karłowatych kasztanów, pięćset młodych sosen żółtych, niechętnie podlewanych przez woźniców furgonów, telepiących się z tym ładunkiem całymi dniami, podobnie jak niechętnie dbali o drzewa chlebowe kapitana Bligha posępni marynarze z żaglowca *Bounty*. Dopilnował też ich pielęgnacji, kiedy już posadzono je wokół domu. Po miesiącu kwękania i próbowania różnych uników ze strony buntowniczych pracowników, uważających się za czystej wody kowbojów, dla których jakakolwiek czynność wymagająca zejścia z konia, podnoszenia czegoś i dźwigania, jak to jest z wiadrami z wodą, była poniżającą obelgą, wynajął dorosłego, choć opóźnionego w rozwoju syna sąsiadów, który, nieświadom kowbojskiego kodeksu, chlustał codziennie wodę do dołka wykopanego wokół każdego młodego drzewka. Harshberger zabronił swoim ludziom używania tych drzewek jako palików do wiązania koni czy też traktowania ich jako miejsc wygodnych do oddawania moczu. Jednak te młode drzewka nie były w stanie wytrzymać niosącego piasek wiatru i zanim postawił ogrodzenie z desek od nawietrznej, połowa z nich zginęła. Z czasem pozostałe drzewa, choć wyrosły wyraźnie pochylone, sięgnęły korzeniami głęboko w ziemię i baldachim liści okrył dom cętkowanym cieniem.

– Własnoręcznie, z dwoma jedynie pomocnikami, ogrodził całe ranczo i długie odcinki tego ogrodzenia stoją do dziś.

Nie powiedziała, że takie ogradzanie naruszyło pewną równowagę. Bo potem Harshberger uważał już, że ziemia ma służyć jemu i że winna dostarczać mu środków do życia, że należy do niego wszystko, co tylko potrafi z niej wyciągnąć.

– Nadeszły ciężkie czasy – mówiła LaVon. – Skądeś trafiło mu się kilka sztuk bydła z gorączką odkleszczową, włączył je do stada i już wkrótce miał mnóstwo chorych i zdychających zwierząt. A w tym czasie panhandle wolne było od kleszczy.

– A obecnie nie jest?

– Tego nie powiedziałam. Obecnie nie ma już problemu kleszczy. Nauczyliśmy się, jak należy postępować.

– To znaczy jak? – spytał Bob.

– Nie wiesz nic młodzieńcze o kleszczach?

– Wiem, że w Kolorado kleszcze z Gór Skalistych potrafią doprowadzić człowieka do śmierci.

– No cóż, ten stary, pospolity kleszcz bydlęcy i południowy kleszcz bydlęcy potrafi uśmiercić każdą krowę. W Meksyku wciąż mają z tym kłopoty. Bydło z południa było odporne i nie zapadało na odkleszczową gorączkę, natomiast krowy z północy – gdzie kleszcze nie występują – nie miały żadnej odporności. Były bardzo podatne i zdychały kilka tygodni po kontakcie z tymi odpornymi, noszącymi na sobie kleszcze krowami z południa.

Ano zła passa dziadunia na tym się nie skończyła. Cielaki zapadły na zarazę. Lato było takie upalne, że wyschły studnie, trawa niemal ze szczętem obumarła i krowy ginęły. Zimą stracił w zamieci połowę pozostałego stada. Wiosną lało jak z cebra i gzy zapędziły stado w bagna i wiele zwierząt potonęło. Jakby tego było mało, stan zdrowia jego żony pogorszył się i czwartego lipca zmarła. Pochował ją, owiniętą w flagę państwową. Dziesięć lat zabrało mu budowanie życia i zapuszczanie korzeni, a wystarczył rok, żeby z majętnego człeka stał się bankrutem. Był w takich opałach, że musiał zebrać te wszystkie bizonie kości i sprzedać je gościowi z Mobeetie, który produkował nawozy. Nie należał jednak do tych, co to się poddają. Kiedy już zebrał wszystkie kości, zapomniał o dumie i zatrudnił się do budowy ogrodzeń u Griffitha i Shannona. A ci dwaj mieli kontrakt na ogrodzenie XIT. Co zmieniło wszystko.

Była zdumiona, że Bob Dolar nie tylko nie wie nic o kleszczach, ale że nigdy nie słyszał o XIT. Z ogromną przyjemnością poinformowała go, że to zajmujące trzy miliony akrów ranczo w zachodniej części panhandle powstało w momencie, w którym stan Teksas przekazał prawo własności do tego terenu kilku biznesmenom z Chicago, w zamian za wybudowanie nowego stanowego budynku administracyjnego w Austin, znacznie większego i okazalszego od wszystkich innych.

– Kiedy dziadziuś zbierał te kości i rogi, zaczęło mu w tym pomagać kilku z jego byłych kowboi i któregoś dnia wszyscy razem ruszyli pełnym furgonem do Mobeetie. Nie poczekali, aż załatwią interes, tylko zaczęli pić. I nieźle się nabuzowali. A większość była jeszcze nastolatkami. Zaczęli ciskać kośćmi w przechodzących jak raz obok pracowników z innych farm. Jeden z tamtych podniósł kość i odrzucił, nie jakoś tak lekko, ale z całej siły. I w ten sposób rozpoczął wielką Kostno-Rogową Bójkę w Mobeetie. Krew płynęła, sińce pokrywały ciała kowboi, ale nie zamiarowali się poddać, póki furgon się nie opróżnił, a wszystkie kości nie znalazły się na jezdni i na chodniku z desek. Tak czy owak, dziadziuś zajął się grodzeniem – powiedziała. – XIT ciągnęło się na ponad dwustu milach, z północy na południe. Brygady ogrodzeniowe wyruszały z wozem i narzędziami. Furgon przywożący drut ze składu kolejowego w pobliżu Trinidad w stanie Kolorado miał zostawiać dla nich szpulę drutu co ćwierć mili. Tyle co wiem.

Zaczęła przeglądać papierową teczkę na akta, wyciągnęła z niej zdjęcie zaprzęgu mułów z wozem, na którym piętrzył się stos słupków. Na jego szczycie leżało zwinięte biwakowe posłanie, a na nim siedział Moises Harshberger. Jakiś wyrostek w kapeluszu rozmiarów koła kucał niezgrabnie na słupkach.

Potem sięgnęła do innej teczki. Wyjęła z niej zdjęcie zaprzęgu z furgonem i wcisnęła w dłoń Boba. Była to długa wąska fotografia, ukazująca zaprzęg mułów sczepionych ze sobą istną plątaniną pasów i powrozów, woźnica siedział na najbliższym furgonu mule po lewej stronie. W rzeczywistości nie był to jeden furgon, ale cały ich rządek, z czego dwa krótkie i kryte, jeden zaś niezwykle długi. Policzył koła – szesnaście – i zdał sobie sprawę, że ogląda dziewiętnastowieczny odpowiednik przegubowego szesnastokołowca.

– Jak woźnica był w stanie powozić takim wielkim zaprzęgiem? Jaki ładunek może pociągnąć dziesięć mułów?

– Nie wiem. Musiałbyś, młody człowieku, zapytać kogoś takiego jak Tater Kurcz. Jego dziadek zajmował się spedycją, nim założył Płomykówkę. Myślę, że Tater wie, jak to się robiło.

Nabrała powietrza i podjęła na nowo opowieść o własnym dziadku.

– I tak, po roku takiego zajęcia Moisesa znudziło grodzenie, wobec czego się wycofał. Zaczął pracować jako kowboj dla XIT, przechodząc, jak powiadał, z deszczu pod rynnę. Każdej nocy rżnęli w karty na pieniądze. Chłopcy z XIT w tamtym czasie nijakiego wstydu nie mieli. Było to, zanim A. G. Boyce przejął interes i zaprowadził tam porządek. XIT we wczesnym okresie miało kiepską reputację. Pracownicy znakowali bydło byle jak, samą sierść, wykradali sztuki, zabierali matkom cielątka i zaklinali się, że to znalezione przez nich, zabłąkane sztuki, przecinali tym cielaczkom mięśnie powiek, żeby nie widziały i nie mogły trafić z powrotem do swoich mam, odcinali im języki, żeby nie mogły ssać, i przypalali kopyta, żeby nie mogły szukać swoich mam, przeprowadzali różne lewe kombinacje księgowe i rachunkowe i niejeden mógł zacząć samodzielną działalność ranczera, wykorzystując rezultaty tych niecnych praktyk.

– Czy pan Harshberger też robił takie rzeczy?

– Zawsze utrzymywał, że nie; twierdził, że jedynie hazard go wciągnął. A w XIT hazard nie znał granic. Grali w monte, hiszpańską grę czterdziestoma kartami. Często siadali po prostu na drodze i grali. Ostatecznie przegrał nasze ranczo przez jedną, jedyną kartę. Sięgnął dna. Później mówił, że takie sięgnięcie dna dobrze człowiekowi robi, bo dopiero wtedy dowiaduje się, z jakiej jest ulepiony gliny. XIT istniało jako ranczo hodowlane ponad dwadzieścia pięć lat i nijak nie przynosiło zysku. Z tego zresztą powodu prowadzono przeciw niemu sądowe sprawy. Zaraz, zaraz, mam niezłe zdjęcia mojego dziadziusia.

Poszła do pokoju obok i słyszał, jak szeleści papierami. Wróciła z dużą, brudną kopertą, wyjęła z niej garść zdjęć, podała Bobowi. Było tam typowe zdjęcie półtuzina kowbojów, siedzących ze skrzyżowanymi nogami na ziemi, z blaszanymi talerzami w rękach; strzałka wskazywała młodzieńca o małej głowie, w pasiastej koszuli bez kołnierzyka, skórzanych ochraniaczach na spodniach i w wysokim kapeluszu z szerokim rondem. Inne ukazywało tego samego młodego człowieka z lewą stopą w strzemieniu, gotowego do skoku na grzbiet muskularnego wierzchowca. Na tym zdjęciu zobaczył, jak niesamowicie długie nogi miał Harshberger.

– Co się dalej działo z panem Harshbergerem? To znaczy, skoro ma pani obecnie to ranczo, to przecież musiał je odzyskać.

Uśmiechnęła się tajemniczo i powiedziała:

117

– Tamto było ranczem H a r s h b e r g e r a. To tutej jest F r o n-
k a. Siedziba rodziny mojego męża. Na Harshbergerowym rośnie teraz pszenica. Ostatecznie przestało należeć do rodziny
w 1947 roku. Znajduje się na terenie hrabstwa Roberts.
Podniósł ostatnią fotografię, nie bardzo świadom, czemu się
przygląda. Wyglądało to na plecy jakiegoś człowieka, poorane
i zakrwawione, jakby wychłostano go marynarskim biczem.
– Czy to też jest pan Harshberger? – Wyciągnął do niej rękę
ze zdjęciem.
– Tak. Niezły obrazek, co? Te blizny nosił na grzbiecie do
śmierci.
– Ale skąd one się wzięły? Czy go wybatożono?
Roześmiała się.
– Nie chciałabym wykorzystać wszystkich historyjek za jednym zamachem – odparła, wsuwając zdjęcia na powrót do koperty.
Bob pomyślał sobie, że jest na to raczej niewielka szansa.
– Powiem jednak, że to doświadczenie kazało mu się ożenić
i założyć rodzinę. Wrócił do Tennessee, żeby się rozeznać,
i jego żoną została Fern Leake. Kiedy była wściekła, mówiła,
jak to oglądał ją i inne dziewczęta z Tennessee, jakby były
końmi. Nie zależało mu, żeby była urodna... chciał mieć moc-
ną kobietę, szeroką w biodrach i niemalże mierzył te biodra
styliskiem od siekiery.
W tym momencie Bob zaczął myśleć o LaVon jak o jakiejś
przywiędłej Szeherezadzie panhandle. Należała do typu ga-
datliwych, takich jakie polecił mu znaleźć Ribeye'a Klukwa,
co nie przeszkodziło, by od nadmiaru informacji rozbolała go
głowa.

Co wieczór, jeśli wiatr nie był zbyt silny, Bob zasiadał na ganku baraku i do zmierzchu (bo ciągle zapominał kupić lampę)
czytał opisaną przez Aberta podróż z Fortu Benta, a potem na
południowy wschód ku rzece Canadian i w końcu przez tereny, które miały się później stać teksaskim panhandle.
Kiedy tak sobie czytał, kilkaset stóp od niego terkotał prze-
ciągle stary wiatrak, za każdym obrotem koła napełniając

świeżym strumieniem wody zbiornik, podtrzymując ten płynny puls życia na ranczu. Zbiornik już od tak dawna tkwił w ziemi i tyle burz piaskowych oraz niosących chmury pyłu wichrów przewaliło się nad nim, że na jego dnie zebrała się gruba warstwa szlamu, w samym zaś środku wyrosła kępa leszczyny o średnicy dziesięciu stóp. Pierwotne rury narożne wiatraka, zaplanowane na większą konstrukcję, stały teraz o stopę na zewnątrz obecnych nóg, przymocowanych do nich sworzniami i nakrętkami. Całość wisiała zatem w powietrzu na trzech punktach oparcia. Pomost na szczycie zgnił, na zardzewiałej śrubie wisiała jedna, rozpadająca się deska. Inna leżała na ziemi. Powierzchnię wody pokrywała zielona piana, z wyjątkiem miejsca, gdzie wiatrak pompował świeżą wodę, o czym świadczył pojawiający się i znikający strumyczek, pulsowanie powierzchni o przekroju ćwierćdolarówki. Wiatrowskaz na szczycie był podziurawiony kulami. Niemniej Bob wciąż był w stanie odczytać wymalowane kiedyś przez szablon litery: WIATRAKI MELKEBEEK I KURCZ. Przy elewatorze zbożowym dowiedział się, że jedna krowa potrzebuje sześć do ośmiu galonów wody dziennie, każdego dnia. Zaczął wtedy dostrzegać trudności dawnego pędzenia na szlaku, gdzie jednocześnie wędrowały setki, a nawet tysiące spragnionych zwierząt. Dobry szlak, pomyślał, to musiał być szlak z dostępem do wody.

Pewnego ciemnego poranka, jeszcze przed wschodem słońca, stary wiatrak przestał pompować i cisza, która w rezultacie zapadła, obudziła go. Kiedy poszedł po wodę do kuchni LaVon, powiedział jej o tym i już koło południa starszy mężczyzna wraz z pomocnikiem wymieniali jesionowe żerdzie pompowe, bo nie bardzo trzymały pion, przez co jedna zużyła się i złamała. Plątanina gałązek judaszowca za oknem obsypana była krwiście czerwonymi kwiatami.

Tego wieczoru Bob czytał przy akompaniamencie postukującego w spokojnym rytmie zreperowanego wiatraka, odmierzającego stałe porcje wody, i odkrył, że rzeka Canadian, którą, jak sądził, nazwano tak ze względu na francusko-kanadyjskich traperów, prawidłowo winna być nazywana Cañadian (jak oznaczono na mapie Aberta), od *cañada*, starego meksy-

kańsko-hiszpańskiego słowa oznaczającego „mały kanion",
szczególnie zaś ową ciągnącą się wzdłuż rzeki skalną krawędź,
utrzymującą owce na pastwisku, coś w rodzaju naturalnej bariery. Rządowi drukarze usunęli tyldę ze sprawozdania porucznika, w ten sposób mimowolnie zmieniając nazwę rzeki. Bob uważał, że źle się stało. Wiedział, że wcześniej Indianie zwali ją Gualpa, którą to nazwę porucznik zapisywał Goo-
-al-pah.

Abert zdawał się czerpać szczególną przyjemność z obser-
wacji i opisu Czejenów, a z zapisanych drobnym drukiem kart
promieniował zarówno jego przyjazny charakter, jak poczucie
humoru. Od czasu do czasu Bob podnosił wzrok znad książki
i spoglądał ponad pastwiskiem na zachód. Czerniejący w trawie dziwny kształt, który zauważył już pierwszego wieczoru,
nadal tam tkwił, nadal nierozpoznany, było jednak zbyt ciemno, by pójść tam w trawę pomiędzy grzechotniki. Jak zawsze,
gasnące dzienne światło zmusiło go do podnoszenia książki
pod sam nos. Z wysiłkiem odczytywał drobny druk, przeciągnął się zatem, poszedł do łóżka i ani trochę nie senny wiercił
się i rzucał przez wiele godzin, marząc o elektryczności, po
raz kolejny przysięgając sobie, że kupi sześć lamp, o której to
przysiędze zawsze w świetle dnia zapominał.

Niemal codziennie zatrzymywał się przy budynku mieszkalnym rancza, żeby napełnić kanister wodą. Barak dla pracowników nadal nosił ślady po związanych ściśle z końmi miesz-
kańcach – wydrapane przez ostrogi stopnie prowadzące na
ganek, ciemne plamy na podłodze po strzykanym przez zęby
tytoniu oraz brązowy ślad na desce w wychodku. Któregoś
ranka, wyłączywszy swój odkurzacz, model „Pogromca kurzu",
LaVon oznajmiła, że ślad ten zapewne pochodzi od znanego
w latach czterdziestych nadzorcy kowbojów, niejakiego Rope'a
Kłąba, który chorował na krwawiący wrzód żołądka, wyleczo-
ny później przez niego samego lewatywą z kawy.

– Wally Ooly, aptekarz, powiedział, żeby to wypróbował. Ten
Rope to swoje widział – ciągnęła. – Za jego życia dokonała się
w panhandle zmiana, od zaganiania bydła z końskiego grzbie-

tu i spania na prerii do pickupa z odtwarzaczem CD i z telefonem komórkowym.

Bob dziwił się, dlaczego pionierzy i osadnicy założyli swoje miasta w panhandle niemal w linii prostej i we w miarę równej odległości.

– Pewnie myśleli, że któregoś dnia pobiegnie tamtędy linia kolejowa – zgadywał.

LaVon prychnęła z irytacją.

– Zapomnij o tych gadkach na temat pionierów i pierwszych osadników – powiedziała. – Bo niewiele mieli wspólnego z lokalizacją miast. W s z y s t k o zależało od kolei. Kompanie kolejowe mówiły, gdzie mają być miasta, i tam one powstawały. Z pionierami jak raz nie miało to nic wspólnego. Wszystko to były cele i pieniądze, i interes kompanii. Potem sprzedali działki i mieli nadzieję, że jakoś się ułoży. Kompaniom nie zależało na miastach... chodziło im o długoterminowe kontrakty na przewóz pszenicy i bydła. Umyślili sobie plany dotyczące całego regionu, całego stanu – całego kraju – i one tu rządziły. To kolej ze szczętem wszystko rozbiła. Kiedyś był tu taki specjalny region panhandle, rozciągający się od Dodge City do Mobeetie i do Old Tascosa, połączony szlakami. Po prawdzie b y ł o trochę miasteczek założonych przez ludzi z dala od kolei, jak Kowbojska Róża, większość na głuchej prowincji, niewiele wartych. Zabawne, ale teraz właśnie takie miejsca ludzie lubieją najbardziej. Oczywiście, Kowbojska Róża dostała potem bocznicę kolejową, ale przecież nie powstała jako miasto przy kolei. Te przykolejowe miasta to wyłącznie sprawa pieniędzy... handlowa ulica, stacja kolejowa, bank, paru kupców. Niewiele więcej. Zupełnie inaczej to wtedy wyglądało. Wszystko się jednak zmienia.

Chociaż Bobowi przykro było pożegnać się z myślą o pionierach dzielnie osiedlających się na pustkowiu, to jednak teoria kolejowa wyjaśniała, dlaczego tyle miast przypominało i to poprzednie, i to następne. Tak jest na całym Zachodzie, pomyślał sobie, po czym podzielił się tą myślą z LaVon.

– Hm – mruknęła. – A kto, według ciebie, zasiedlał Zachód? Nie, n i e pionierzy. Biznes! Najsampierw kupcy, tacy jak Bentowie i St Vrain, a potem powstały placówki wojskowe, żeby chronić i tych kupców, i ciągnące wozy osadników, potem zaś linie kolejowe. Na tej ziemi zawsze szarogęsił się biznes. Od pierwszego dnia.

– LaVon – spytał – gdzie mógłbym kupić lampę? Coś takiego, co używa się na biwaku, no wiesz, z tych na propan. Bo w ogóle nie mogę czytać wieczorami.

– Możesz kupić bańkę nafty, kiedy pojedziesz do miasta, a ja dam ci jedną z moich naftowych lamp. Oszczędzisz kilka dolarów. Używamy je, kiedy braknie prądu. Wyciągnę ci dzisiej jedną i oczyszczę. Ty tylko kup naftę.

Kupił naftę w sklepie Na Rozstajach, pomiędzy Bumelią i Kowbojską Różą, a potem obserwował uważnie, kiedy LaVon demonstrowała mu, jak zapalać lampę, przycinać knot, codziennie myć szkło. Okazało się to znakomitym rozwiązaniem i mógł już siedzieć do późnych godzin, czytając raport porucznika, a lampa rzucała na kartki książki przyćmione, żółte światło. Lektura szła powoli, druk bowiem był drobny i gęsty, a jedyna mapa kiepska: maleńka i pozbawiona jakichkolwiek szczegółów. Nieustannie spoglądał na własną mapę drogową stanów zachodnich, ale ponieważ jej wydawca nie uwzględnił mniejszych rzek i ich dopływów, okazała się niemal tak samo bezużyteczna jak ta miniaturowa.

Przeczytał, że Bentowie wybudowali dodatkowy fort w teksaskim panhandle, Fort z Suszonej Cegły, i zastanawiał się, czy to ta słynna ruina, Mury z Suszonej Cegły, sceneria bitwy, jaka rozegrała się po zmasakrowaniu biednego Dave'a Dudleya – bitwy wyznaczającej moment, w którym rząd Stanów Zjednoczonych postanowił zdecydowanie i całkowicie wytępić żyjących w tym regionie Indian. Pomyślał, że w swoim czasie Bentowie bez wątpienia dominowali na tych terenach, że byli wpływowymi kupcami. Być może LaVon miała rację: to interesy otwarły drogę na zachód.

Teraz, w książce, porucznik Abert, opuściwszy przed tygodniami Fort Benta, przeprowadzał rozpoznanie wzdłuż rzeki Arkansas, kilka mil od miejsca, gdzie łączyła się ona z Purgatoire. Obóz rozbito wcześniej niż zwykle i po uczcie złożonej

z kruchej dziczyzny dokonano pomiarów, żeby ustalić jego po-
łożenie; był to jedyny poprawny pomiar dokonany przez tę
wyprawę, za nieustanne błędy obwiniano później źle działają-
cy chronometr.

Bob palił się do tego, żeby obejrzeć wykonane przez porucznika szkice tej krainy, szkice, które nie znalazły się w jego
wydaniu raportu z wyprawy. (Kilka lat później w bibliotece
publicznej miasta Denver zobaczy oryginalny egzemplarz *Raportu* porucznika Aberta. A na jego końcu te ilustracje, które
kiedyś tak bardzo pragnął obejrzeć, pięknie pokolorowane, na
dodatek, jak oświadczy bibliotekarz, prawdopodobnie wykonane własną dłonią Aberta. Bob opuści palec na kartę, której
kiedyś dotykał sam porucznik Abert... takie transcendentne
kontakty będą niezmiennie przyprawiały go o dreszcze.)

W niedzielne popołudnie, w dzień przejrzysty i wietrzny, z kilkoma zaledwie obłoczkami w kształcie kowbojskich wąsów na
niebie, Bob poczuł, że powinien mieć organki i grać sobie na
nich, siedząc na ganku z odchylonym do tyłu krzesłem i nogami na poręczy.

Zamiast zrealizować ten pomysł, napisał list do pana Klukwy.

Szanowny Panie,

Sprawy idą jak najlepiej, a ja pod każdym względem zachowuję
ostrożność, jeśli idzie o moje zainteresowanie tym regionem. Miejscowym mówię, że oglądam te ziemie dla budującego luksusowe rezydencje developera. Wynająłem niezłe lokum, za jedyne 50 dolarów
miesięcznie, stary barak na tutejszym ranczu. Nie ma tu bieżącej
wody, dlatego muszę ją sobie codziennie przynosić od pani Fronk,
właścicielki rancza. Zażądała opłaty za dwa miesiące z góry. Mnóstwo wie o wszystkim, jest bardzo pomocna, choć jednocześnie nieznośnie gadatliwa. W baraku nie ma też kuchni do gotowania, dlatego cały czas jadam poza domem. Jest tu kilka barów, jeden z nich
przyzwoity. W żadnym nie przyjmują kart kredytowych, muszę zatem płacić gotówką. Tutejsi tworzą w znacznej mierze społeczność
gotówkową, czasem nawet stosują handel wymienny. Dlatego często
odwiedzam bankomat. W okolicy jest tylko jeden i muszę do niego
jeździć samochodem. Nie znajduje się on bowiem w Bumelii.

Odkryłem, że region ten cierpi na susze, to właśnie jest osławiony obszar dotknięty burzami piaskowymi i pyłowymi. Z drugiej wszakże strony pod wszystkim rozciąga się podziemne wodonośne złoże Ogallala, tyle że do lat sześćdziesiątych nie dysponowano pompami, które byłyby w stanie wydobyć potrzebną wodę na powierzchnię – nie mieli tych pomp głębinowych i tych różnego rodzaju nawadniaczy czy spryskiwaczy, które pozwoliły ludziom przeobrazić panhandle w to, czym jest dzisiaj, mianowicie w „zbożowy spichlerz". Kiedy się porozmawia z tutejszymi farmerami, to człowiek usłyszy, że to właśnie oni ratują świat przed głodem, uprawiając wysokiej jakości pszenicę, sorgo, soję, orzeszki ziemne, bawełnę itd.

Przypuszczam, że wie pan, iż niektórzy z naszych konkurentów, Texas Farms, King Karolina, Murphy Farms oraz Seaboard, już zdążyli wejść tutaj ze swoimi tucznikami. Rok czy dwa lata temu na jednym z takich należących do Murphy Farms miejsc zdarzył się okropny wypadek. Kierowca ciężarówki zginął, po tym jak cofając pojazd, wjechał do głębokiego na dwadzieścia pięć stóp zbiornika z gnojowicą. Było to tragiczne wydarzenie, które bynajmniej nie usposobiło miejscowej ludności życzliwie do hodowli trzody chlewnej.

Woda może stanowić przyczynę kłopotów. Chociaż w Ogallala jest jej nadal dużo, to przecież jej zapasy kurczą się w zastraszającym tempie. Pewna kobieta, z którą rozmawiałem, powiedziała mi: „Nie mam zamiaru się przejmować, znajdą jakieś inne źródło wody, przetransportują samolotami góry lodowe albo coś w tym sensie, zawsze znajdują jakieś rozwiązanie". Ja jednak nie uważam, by w najbliższej, przewidywalnej przyszłości mogli tu sprowadzać samolotami lód z gór lodowych. Przy elewatorach zbożowych nasłuchałem się różnych rzeczy i tam właśnie jeden z farmerów poinformował mnie, że od lat sześćdziesiątych zużyto już połowę zasobów wody z Ogallala, a dopływ świeżej niemal nie występuje. Niektórzy z farmerów demonstrują podejście wyrażające się tym, że skoro nie oni, to ktoś inny zużyje tę resztę. Wygląda na to, że w Teksasie właściciel ziemi na powierzchni jest też właścicielem praw do wody pod swoją nieruchomością i że może z tą wodą robić, co mu się żywnie podoba, zatem, w rezultacie, wygląda to tak, jakby mnóstwo ludzi wsadziło jednocześnie słomki do wspólnego naczynia z wodą i wciągało jej tyle, ile się da (mimo że Ogallala nie jest żadnym podziemnym jeziorem, a jedynie przesiąkniętym wodą złożem piasku i żwiru). Niektórzy ranczerzy i farmerzy, którym nie bardzo się wiedzie, sprzedają po prostu swoje prawa do wody. Zwą to „hodowlą wody". Jest to bardzo kontrowersyjny proceder.

Na zakończenie wspomnę, że duch przedsiębiorczości jest tutaj bardzo silny. Większość ludzi mieszka w niewielkich domach ranczerskich i jeździ starymi pickupami, są to ludzie konserwatywni i oszczędni, tak że na początku człowiek odnosi wrażenie, że nadal są pionierami. Jednocześnie jednak odkrywam, że w bankach jest wielki pieniądz i że wielki pieniądz zainwestowano w maszyny i w ziemię. Problem w tym, że w następnym pokoleniu to wszystko się skończy, ponieważ młodzi ludzie nie chcą tutaj żyć. Jedynie Meksykanie (tych dość często się widuje) są biedni. Czarnoskórych w ogóle tutaj nie ma. Możliwe, że pan już to wszystko wie.

Kiedyś później Bob przypomni sobie tamten barak nocą, to żółte światło lampy naftowej, czerwony koc na zapadniętym łóżku, cętkowaną, sinawą skórę na podłodze, zdartą z jakiegoś starego byka, podłogę pokrytą aksamitnoskrzydłymi ćmami, które przyciągnął tam blask jego lampy. Na zewnątrz stado dzikich indyków grzebało w ziemi i żerowało, wzlatując o zmroku, żeby przysiąść na zwieszających się nad barakiem gałęziach topoli. Raz tylko zaparkował pod tym drzewem swoje auto, nazajutrz odkrył bowiem, że jego saturn jest dokładnie pokryty ptasimi odchodami. W pobliżu jego tymczasowego domu tętniła życiem niewielka kolonia piesków preriowych, a on już wiedział, że tam, gdzie są pieski preriowe, tam również są grzechotniki, często dzielące z tymi pierwszymi nory.

Noce zapadały powoli. Jaskrawoczerwone niebo stopniowo przybierało żółtą barwę, następnie delikatnie lazurową, aż wreszcie wypływał księżyc niczym wielka lilia wodna. Odkąd wysłuchał opowieści LaVon, wszystko to jakoś mieszało mu się z odkryciami porucznika Aberta, z przesyconymi gwarą tamtych czasów niegdysiejszymi ranczami, XIT, Patelnią, Matadorem.

Bob Dolar zaczął dostrzegać, iż te dwa panhandle stanowiły niegdyś jeden region, na którym kurtyna odsłaniała kolejno przeróżne scenografie. Tutaj niegdyś Indianie prowadzili tryb życia koczujących myśliwych; kupcy przecierali szlaki do Santa Fe i do Taos, żeby sprzedawać perkal i w zamian za towary przemysłowe brać od Indian skóry zwierząt; wojskowi zwiadowcy przychodzili, żeby sporządzać mapy, i popadali w konflikty z Indianami; łowcy bizonów zabijali je, oprawiali i wysyłali skóry na Wschód. Kiedy zniknęły ogromne stada tych zwierząt, ranczerzy sprowadzili bydło, by mogło biegać po wolnym, otwartym terenie, a synowie osadników zostali kowbojami. Zaprzęgi mułów ciągnęły wozy z drewnem budowlanym, słupkami na ogrodzenia, czajnikami i mąką, z drutem ogrodzeniowym. Wraz z pojawieniem się kolei napłynęła fala ludzi, drobnych farmerów, którzy wierzyli, że suszę i wiatry da się pokonać ciężką pracą i pługiem. Na końcu przybyli nafciarze i szukający łatwego zarobku oszuści oraz urzędnicy państwowi, żeby mówić ludziom, co robią nie tak, jak trzeba. Teraz nadeszła pora na korporacje takie jak Globalna Skórka Wieprzowa.

Teksas i Oklahoma są jak brudne garnki ustawione jeden na drugim w zlewie, ich rączki stykają się ze sobą. Te same snopy światła słonecznego padają po obydwu stronach granicy stanowej, oba panhandle omiata ten sam wiatr. Nad obydwoma przepływają metaliczne chmury o kolorze zaśniedziałego mosiądzu. LaVon poinformowała go, że w obu regionach występuje wiele przypadków nowotworów i stwardnienia rozsianego, co, wedle niej, wiąże się w jakiś sposób z posiadaniem małych psów. Wspomniała o skupiskach zachorowań na raka w Perryton (benzen z pól naftowych), Panhandle (demontaż broni atomowej) i w Pampie (wielkie zakłady chemiczne).

Bob powoli zaczął myśleć o Teksasie jako o bezimiennym miejscu, czającym się gdzieś za wersem piosenki: „Nie przez cały dzień chmurzy się niebo", jako że dość często niebo nad panhandle pozostawało dzień po dniu zaciągnięte ołowianą zasłoną. Od czasu do czasu chmury rozstępowały się nieco, żeby ukazać odrobinę błękitu. Wyobrażał sobie, że podczas suszy farmerom musi się przewracać wątroba na widok tych chmur, wiszących tak nisko, że można by je dźgnąć patykiem, a jednocześnie nie przynoszących ani odrobiny deszczu.

W takim wysuniętym poza główny obszar stanu terytorium było coś niepokojącego: rączka rondla może odpaść, jeśli zawiodą nity, może się wygiąć albo złamać pod wpływem uderzeń czy ciężaru. Panhandle Oklahomy miało kształt skierowanego na zachód palca. Panhandle Teksasu przylegało do swojego stanu niczym szyjka do butelki. Stanowiło jego terytorium północne; niepodobne do reszty Teksasu, geometryczne, pokryte poszarpanymi, nagimi skałami, przecięte rzeką Cañadian (w myślach dodał zagubioną tyldę porucznika Aberta). Był to teren uwarunkowany geologicznie formacją twardej jak skała warstwy pod powierzchnią gleby. Podobnie jak samotne drzewo przyciąga pioruny, tak panhandle przyciągały apokaliptycznych rozmiarów grzmoty, pożary traw, nieznośne północne wiatry, żółte burze pyłowe oraz coroczną procesję paskudnych huraganów. Nocą, po zgaszeniu świateł i ułożeniu się do snu, nikt nie mógł mieć pewności, czy zwyczajnie obudzi się rankiem, czy też zostanie uniesiony w powietrze razem z wirującym metalem i strzaskanym drewnem. Dlatego w życiu tamtejszych mieszkańców dominowała podskórna niepewność. Jeśli opowieści LaVon są prawdziwe, pomyślał Bob, ci ludzie wykształcili w sobie rodzaj przewrotnego humoru oraz talent gawędziarski, nauczyli się wyolbrzymiać szczegóły, przenosząc tym samym życie codzienne w mityczne obłoki hiperboli.

Niewiele czasu zajęło mu również odkrycie, że pomiędzy tymi dwoma terytoriami istnieje rywalizacja oraz wzajemne dyskredytowanie, chociaż fakt nazwania przez Oklahomę części własnego terenu Hrabstwem Teksaskim („światową stolicą ujeżdżania mustangów") mógłby się wydać niejakim hołdem złożonym temu drugiemu stanowi, podobnie jak niektóre nazwy miejscowości, w rodzaju Texhomy, czy żartobliwe nazywanie teksaskiego panhandle Półwyspem Oklahomskim. Teksańczycy jednak z pogardą wyrażali się o drogach Oklahomy, określali swoich północnych sąsiadów jako obstrukcjonistów, mających skłonności do oszustw i będących na łasce przekupnych polityków.

– W Oklahomie wszystko było i jest Standard Oil – oznajmił Froggy Dibden w knajpie Pod Poczciwym Psem.

Ten wąski pas czegoś, co kiedyś stanowiło ziemię publiczną, nie należącą do żadnego stanu ani terytorium, ten wskazujący palec Ziemi Niczyjej, pozostał izolowany, ignorowany przez główny obszar stanu. W miejscowości Guymon kelnerka opowiedziała Bobowi o czasach, kiedy to przejechawszy wraz z mężem sto mil na wschód własnego stanu, zobaczyli znak z napisem „Witamy w Oklahomie". Od czasu do czasu jakiś Oklahomczyk zwracał uwagę, że rączka teksaskiego rondla upaćkana jest nadmierną dumą oraz chełpliwym sposobem bycia, tak charakterystycznym dla ludzi niezasłużenie zamożnych. Z rozmów przy elewatorze Bob Dolar wywnioskował, że resentymenty mają korzenie w latach osiemdziesiątych dziewiętnastego wieku, kiedy to ranczerzy z Oklahomy rozciągnęli wzdłuż granicy stanowej z Teksasem drut kolczasty, żeby powstrzymać pędzenie bydła po dawnych szlakach, bo niosło ono ze sobą gorączkę i kleszcze. Teksańczycy przecięli druty i podążyli na północ, i tak się rzecz zakończyła. A do tego istniał wieloletni spór na temat tego, do którego z tych dwu stanów należy hrabstwo Greer; spór ów przydawał kolorytu wszelkim dyskusjom, podobnie jak kilka kropli atramentu strząśniętych do słoja nadaje wodzie niebieski odcień. Mieszkańcy panhandle są pamiętliwi.

– Ano, nawet jeżeli miejscowa młodzież nie ma ochoty tu pozostać, to przecież różne miastowe ludzie na emeryturę przenoszą się do panhandle – zaczęła LaVon, krojąc tort kawowy – z Houston i z Dallas, żeby tylko uciec jak najdalej od świateł. Przez te światła nie mogą spać po nocach. Przybywają tu zewsząd. Ani chybi woleliby się przenieść na wzgórza wokół Austin, ale na to wychodzi, że nie stać ich na zapłacenie tamtejszych cen za nieruchomości. Są w naszym mieście różne ludzie, niektóre tyle co przyjechali, ale miejscowe ich odrzucają. Tak, panie Dolar, to teraz kraina swojaków. Jesteśmy tutej niczym jedna rodzina. Każdy każdego zna i to od bardzo dawna. Takie społeczności nie istnieją w wielkich miastach.

LaVon, podobnie jak Bob, wierzyła w koncepcję harmonijnej sielskości, gdzie farmerów i ranczerów żyjących dookoła oraz mieszkańców małego miasteczka łączy nie tylko wspólnie zamieszkiwany region geograficzny, ale też pełne życzliwości sąsiedzkie zainteresowanie. Sposób, w jaki powiedziała do niego „panie Dolar", spowodował, że czuł się nieswojo, zupełnie jakby za jego plecami stał jakiś starszy, siwowłosy mężczyzna. Zaczął się zastanawiać na głos, czy emerytki również ściągają do panhandle jako do miejsca, w którym można odegrać do końca sztukę życia, przyprawiając ją przy okazji starodawną kowbojską romantycznością.

– Można tak rzec – powiedziała LaVon. – One doceniają przywiązanie do historii.

Im częściej Bob potakiwał, tym więcej opowiadała mu o Bumelii. Freda Salonik, oznajmiła, dla miejscowej społeczności jest postacią kluczową; jest również prezeską Towarzystwa Historycznego, chociaż w roku 1994 osoba nowo przybyła, niejaka Betty Sue Wilpin, która wraz z mężem, Parchem Wilpinem, przeprowadziła się do Bumelii z Houston, usiłowała przejąć to stanowisko. Zainaugurowała ona coroczne spotkania przy lodach, na których prezentowano lody o niezwykłych smakach – mango, daktylowej śliwy, dyniowo-wiśniowe, cynamonowe. Parch osobiście przygotowywał te wszystkie desery na trzech maszynkach do lodów, które w tym celu kupił... bo Wilpinom forsy nie brakowało. To pierwsze towarzyskie spotkanie było ich wielkim sukcesem i na tej podstawie Betty Sue parła do prezesury towarzystwa, obiecując wszystkim programy historyczne oraz działania, które „przebudzą Bumelię". Poniosła sromotną klęskę, a Fredę Salonik wybrano na siedemnastą z rzędu roczną kadencję. Wilpinowie, odczuwając boleśnie ten policzek, zrezygnowali z działalności społecznej i towarzyskiej i zajęli się renowacją kupionego wcześniej, starego kamiennego domu. Budynek ten był niegdyś domem mieszkalnym rancza Koślawe A, chociaż samo ranczo, którego ziemie dawno temu przekazano małym ranczom i farmom, skurczyło się z dwunastu tysięcy akrów do stu pięćdziesięciu.

– Parch Wilpin jak nic zbzikował, kazał wysypać podjazd kruszonymi muszlami ostryg i niemal każdego weekendu jeździł po te muszle nad Zatokę. Kiedy skończył z podjazdem, zaczął szukać kogoś, kto potrafiłby odrestaurować okienny witraż: przedstawiał on byczka, a nad nim znak Koślawego A. Po sprawiedliwości, ten znak do nich nie należy – lata temu sprzedano go Bobowi Haywoodowi z Blaszanki, hen tam przy starym Oślim Szlaku. Po mojemu to kłopot z tymi przyjeżdżającymi tutaj na emeryturę ludźmi jest taki, że śpieszno im wszystko urobić na swoje kopyto, żeby wyglądało jak tam, skąd przyszli. Chcą mieć Państwowe Radio Publiczne. Chcą sklepów ze zdrową żywnością. Chcą, żeby na próg ich domów dostarczano „Houston Chronicle". Chcą mieć tu sklepy z ankoholem. Chcą restauracji. – Temu ostatniemu wyrazowi nadała intonację, z jaką zapewne wymawiałaby „kolonię trędowatych". Westchnęła melancholijnie. – Naturalnie, nie wszyscy urodzeni tutej mają dobrze poukładane w głowie. Bo człowiek pogranicza to taki, który nie rezygnuje z czegoś tylko dlatego, że się biedy dopytał.

Dopiero wielokrotne niepowodzenia, od bankructwa do śmierci, potrafią załamać prawdziwego mieszkańca panhandle, oznajmiła. Wystarczy, żeby Bob popatrzył na przypadek Jerky'ego Bauma, a zrozumie, co znaczą upór oraz wytrwałość.

– Jerky przez dwadzieścia lat hodował bydło, po porządku jak jego tata i dziadek. Ich ranczo – Cycaty Kapelusz, nazwane tak od kształtu kapeluszy Kanadyjskiej Policji Konnej – było w kiepskim stanie, pastwiska nadmiernie wyeksploatowane, aż do piasku. Baumowie ni centa nie inwestowali. Jakoś dawali sobie radę, raz lepiej, raz gorzej. Ostatecznie jednak sprawy tak się miały, że mogli jedynie ogłosić bankructwo i iść poszukać jakiejś roboty. I wtedy, zanim zdążyli cokolwiek zrobić, na swoim południowym pastwisku odkryli ropę i pieniądze zaczęły płynąć jak z tryskającego wodą strażackiego węża. Ponad trzynaście tysięcy dolarów dziennie, każdego dnia. Jerky Baum chodził jak oczadziały. Częściowo dlatego, że nigdy wcześniej nie miał pieniędzy na wydatki, a teraz mógł w forsie pływać. Zbudowali wielki, kamienny dom, jak zamek, z kortami tenisowymi i z fosą, i z basenem pod szkłem. Jerky kupił odrzutowca i wynajął pilota, nie wiem po kiego, bo nie było takiego miejsca, do którego chciałby polecieć. Zbudował jeden czy dwa pasy startowe dla tego samolotu. Potem wpadł w łapy facetów, którzy namówili go na wyścigi koni pełnej krwi. Wybudował stajnie i tor treningowy, wynajął chłopaków stajennych oraz trenerów, kupował kosztowne konie, które akuratnie nigdy nie wygrywały. W każdym razie, teraz miał już takie miejsce, gdzie chciał jeździć – tory wyścigowe – i jeździł tam... Santa Anita, Harbor Park,

Keeneland, Saratoga. Ale jego konie nigdy nie wygrywały. „Daj sobie trochę czasu", mówili koniarze. „Jesteś nowy w tej grze. Daj sobie trochę czasu". Potem ropa zaczęła płynąć wolniejszym strumieniem i pieniądze się skurczyły. A Jerky Baum zachowywał się tak, jakby ropa miała popłynąć tak jak przedtem. Ale nie popłynęła. Żeby utrzymać te wszystkie stajnie i ten wielki personel, musiał nagle pożyczać pieniędzy. Powiada do swojej żony: „Nie turbuj się. To jest jak susza. Skończy się wcześniej czy później". Bieda tylko, że się nie skończyło i bank przejął samolot i rezydencję, i większość ziemi. A Jerky z rodziną przeprowadził się do jednego z domów trenera. Po tamtym zamku było im tam dość ciasno i tłoczno. W końcu dotarło do niego, że ropa się skończyła. Bo tak właśnie jest z ropą... kończy się.

– I co się potem z nim stało? – spytał Bob.

– Och, kręci się po okolicy. Pracuje przy elewatorze zbożowym, waży ciężarówki i w ogóle. Pewnie go tam widziałeś.

Bob zmienił temat.

– Zastanawiałem się nad waszą stacją radiową. Jak to możliwe, że nie macie tutaj dobrej muzyki? Jedyne, co mogę złapać, to Dr Laura i Rush Limbaugh oraz ta najgorsza papka z Nashville. I hymny.

– Cóż, a czego byś oczekiwał, Bobie Dolar?

– Hm. Troszkę jazzu? Wiadomości? Muzyki klasycznej? Gadki dla kierowców? Latynoskich piosenek? Radia Publicznego?

LaVon Fronk prychnęła pogardliwie.

– Są tacy, którzy próbują zebrać pieniądze, żeby można było ściągać Państwowe Radio Publiczne. Miejscowym się to nie widzi. Te jego liberalne audycje... w całym panhandle jest najwyżej z sześć osób, które chcą słuchać tej komunistycznej gadki. A hymny bardzo nam odpowiadają.

– A co ze skrzypkami i z teksaską muzyką? Sporo najlepszych kawałków pochodzi z tej części kraju. Woody Guthrie i Bob Wills, i Buddy Holly, i Jimmy Dale Gilmore... Boże, jest ich cała setka. I melodie na skrzypki. Nic z tego nie słyszę w tym cholernym radiu.

– Po prostu jesteś niezwyczajny naszego stylu życia. Musisz pojąć, jak idzie o panhandle, że tutejsze ludzie cięgiem pracują, są rzetelni, postępują wedle najwyższych moralnych standardów i większość z nich to chrześcijanie. Ani chybi, są tu też takie ludzie, co mówią zapalczywie i nikczemnie i są zdolni skrzywdzić każdego, kto stanie na ich drodze. Są kobiety dźgające ozorem jak nożem. Po prawdzie, jedyne, co w dzisiejszych czasach zbliża ludzi, to pogrzeb albo tornado. Nic nie jest tu doskonałe, szczególnie od czasu, jak pojawiły się tutej te przemysłowe chlewnie. Nie wiem, czyś się już rozpatrzył i zauważył, panie Dolar, że mamy tutej taką sytuację, która nijak nie pasuje do luksusowych rezydencji. Mam na myśli te świńskie fermy. Tak czy siak, skrzypków możesz posłuchać na tańcach i w klubach. Możesz usłyszeć muzykę na gankach od podwórza i w salonikach. Możesz posłuchać Słodkich Chłopców z Panhandle. Możesz posłuchać Starych Zbieraczy Kości z Mobeetie. Te stare skrzypki zawodzą jak rysie. Możesz usłyszeć je na żywo, bo nigdy nie przestały tutej grać. Pojedź któregoś sobotniego wieczoru do Lipscomb. Mają tam parkiet do tańca, a gra Frankie McWhorter i inni. On grał kiedyś z Bobem Willsem. Są dobrzy. Jest też mnóstwo teksaskiej muzyki. Ona cięgiem tu jest. Nie potrzeba radia, żeby jej posłuchać.

– Hymnów też można posłuchać w kościele, po co więc zapychać nimi fale radiowe?

– Wyrośliśmy na tych hymnach. Są częścią naszego życia. Jak powietrze, którym oddychamy! – I silnym głosem zaczęła śpiewać: – PRZYCHODZĘ do ogrodu saaaama...

– Co to jest Święto Drutu Kolczastego? – spytał Bob, jako że drut kolczasty miał dla niego zupełnie nieświąteczne brzmienie, a poza tym chciał, żeby LaVon przestała śpiewać. Chciał, żeby wróciła do wątku mieszkańców panhandle.

– To – odparła – jest dzień chwały Bumelii. Największy, jaki mamy. W końcu czerwca.

W latach od 1904 do 1928, oznajmiła, Spółka Druciana Panhandle z siedzibą w Bumelii wyprodukowała setki tysięcy mil drutu kolczastego, przy czym lata największego zysku związane były z dostawami dla armii w czasie pierwszej wojny światowej. Fabryka zatrudniała wielu miejscowych mężczyzn oraz trochę kobiet, a kiedy zbankrutowała, Wielki Kryzys całkiem wcześnie dotarł do Bumelii.

– Jest to więc sposób pierwsza klasa, by przypomnieć sobie tamte czasy, kiedy każdy miał pracę i interes się kręcił. Po porządku najsamprzód mamy paradę, a potem grillowanie żeberek wieprzowych. Ochotnicy ze straży ogniowej odpowiadają za grille, a Cy Frease za jedzenie. Potem jest loteria, w której fantem jest kapa, oraz wybory Króla i Królowej Drutu Kolczastego. I zazwyczaj jakieś przedstawienie dla dzieci. A wieczorem uliczne tańce. Bieda tylko, że jest mnóstwo takich, co przynoszą piwo, a w Bumelii obowiązuje zakaz publicznego picia ankoholu, oni jednak to robią i ten nasz żałosny szeryf palcem nie kiwnie i daje na to pozwoleństwo.

– To na razie – powiedział Bob, wstając, ale ponieważ LaVon nie przestała mówić, usiadł ponownie.

– Są jeszcze w naszym mieście inni przybysze. Jest ten Frank Owsley i jego tak zwany współlokator, Teddy Paxson, którzy przyjechali z Dallas w 1996 roku i kupili ten stary budynek szkolny, trzy mile na wschód od miasta. Urządzili tam pracownię wyrobów ze szkła i dom mieszkalny. Mają tam warzywnik i gadają coś o otwarciu restauracji dla smakoszy, co ani chybi bardzo by pasowało Wilpinom. W weekendy odwiedzają ich przyjaciele z miasta, a te biedaki muszą i tak pracować pod skwarnym słońcem w ogrodzie albo przez cały dzień pakować szkła w swojej pracowni.

– Chyba już muszę iść – powiedział Bob. Pomaszerował do zakurzonego saturna. Nawet kiedy już zamknął drzwi auta, dosięgnął go głos LaVon, która ponownie zaczęła śpiewać.

– Iiiiiiiii On IDZIE ze mną... I ROZMAWIA ze mną...

W ciągu pierwszych tygodni pobytu w Bumelii Bob Dolar odkrył, że tam, gdzie teren jest równy i płaski, charaktery ludzkie są wręcz przeciwne, ekscentryczności bowiem ceni się i kultywuje, jeśli nie są nazbyt osobliwe. Gderliwi, wiekowi ranczerzy zajmujący się haftowaniem czy siedemdziesięcioletnie bliźniaczki alkoholiczki, czy człowiek konstruujący we własnym garażu naturalnych rozmiarów lokomotywę, ranczer, który zbudował o połowę mniejszą od oryginału replikę Stonehenge, pani Splawn, która odziedziczyła po mężu wykrywacz metalu i można ją teraz zobaczyć na poboczach dróg, gdzie szuka monet oraz pierścionków zaręczynowych, wyrzucanych przez zawzięte i porywcze Teksanki, wszyscy oni byli nie tylko tolerowani, ale wręcz podziwiani. Natomiast ciemniejszy odcień skóry, dziwny akcent czy manifestowane oznaki homoseksualizmu oraz widoczny, krzykliwy liberalizm były czymś nieznośnym.

Bob Dolar popełnił błąd, mówiąc LaVon, że interesuje go wszystko, co dotyczy tego terenu – nie tylko ziemia, ale także ludzie, bydło, pszenica, konie, koleje, ropa i gaz, woda, a nawet – tu zaśmiał się nieszczerze – trzoda chlewna.

– Wiem, że ludzie nie lubią tych świńskich ferm, ale są one chyba częścią tych okolic.

– Po prawdzie, jest wielu takich, co sobie umyślili mieć tutej przemysłowe chlewnie. Szczególnie niektórzy politycy. Są takie w okolicy Follett. Mój Boże, ludzie sami się prosili, nic tylko umizgiwali się do tych świńskich korporacji. I jeszcze interesują cię dziewczęta. Nie zapominajmy, że szukasz sobie teksaskiej przyjaciółeczki. – LaVon włożyła do ust tabletkę przeciwkaszlową i oznajmiła, że panhandle to najbardziej skomplikowana część Ameryki Północnej, ostatnia do zasiedlenia połać Teksasu. – Lekka gleba, susze, wichury, nieznośna spiekota, tornada oraz męczące wiatry północne. I nigdy nie wiadomo, które z nich przyjdzie. Taka tu zmienna pogoda. – Sugerowała tymi słowami, jakoby te rozległe, płaskie przestrzenie, burzowe nawałnice, potężne świdry tornad oraz owa swoista konfiguracja terenu współpracowały z wiatrem, by zdmuchnąć stąd ludzkie plewy, pozostawiając na miejscu jedynie ciężkie, solidne ziarna. Rezygnacja i wycofanie się były uważane za klęskę. Żeby zostać, należało dysponować takimi cechami charakteru, jak poczucie humoru, wytrwałość, upór. – Większość ludzi mieszka tu szmat czasu, od pokoleń – oznajmiła, podając nazwiska kilkunastu rodzin, włącznie z własną – poczynając od wszystkich tych z wielkich rancz. Tylko niedojdy odeszły. Kiedy przychodzi zły czas, większość ludzi jeszcze bardziej zbliża się do siebie. W czasach katastrofalnej suszy i burz piaskowych i pyłowych rząd radził wielu farmerom, żeby wyjechali do Kalifornii. Albo do Arizony, zbierać bawełnę. Twardziele zostali na miejscu. Popatrz tutej – powiedziała, wyciągając małą szufladkę i wyjmując z niej maleńką, czarną książeczkę.

Bob Dolar wziął ją do ręki. Była to miniaturowa Biblia.

– Te Biblię mężczyźni z rodu Fronków mieli przy sobie w siedmiu wojnach. Wojnie secesyjnej, wojnie hiszpańsko-amerykańskiej, pierwszej wojnie światowej, drugiej wojnie światowej, wojnie koreańskiej, wojnie wietnamskiej i wojnie w Zatoce. Wszyscy, prócz jednego, wrócili żywi do domu, ani chybi dzięki tej Biblii. – Odłożyła tomik na bok. – W roku 1950 zaginęła nad rzeką Yalu, gdzie zabili wuja mego męża, Ditmara. Znalazł ją na ziemi jakiś inny żołnierz, a miała wypisane i nazwisko Fronk, i Bumelię, i Teksas na pierwszej stronie... no to gość wysłał ją do nas pocztą, wystarczyło nazwisko i miasto, żeby do nas dotarła.

Bydło pędzone do Montany i Wyomingu tędy też przechodziło – ciągnęła. – To zawsze była kraina krów i kowboi, nadal zresztą jest tutej więcej bydła niż gdziekolwiek indziej. Dlatego miejscowi ludzie są tacy krzepcy i nieugięci. Ta kraina była jak raz stworzona dla krów, kiedy już pozbyli się z niej bizonów. Na to wychodzi, że żeby tu mieszkać, trzeba być na pół krową, na pół jadłoszynem* i do tego szalonym. – Kciukiem wskazała na stojącą w holu biblioteczkę, wypełnioną opowieściami o Teksasie, o jego początkach. – Weź się za te książki, migiem się czegoś dowiesz – doradziła.

Bob zdążył już sam zauważyć, że prawomyślne postępowanie podtrzymywane jest falami plotek oraz stałym obserwowaniem i dokuczliwym krytykowaniem tych, którzy wykazują najmniejszą tendencję do zbaczania z utartych ścieżek, chyba że podpadają pod kategorię Barwnych Postaci Panhandle. Wielkim czynnikiem wyrównującym jest zaś praca, praca oraz ziemia, te dwa bliźniacze aktywa wszelkich społeczności wiejskich.

Zdjął z półki jedną z książek, otworzył na strony opisujące przyjęcie na ranczu z okazji roku przestępnego 1884, zobaczył kobiety ubrane w męskie stroje, mężczyzn ubranych jak ko-

---

* Występujący na tamtych terenach krzew o obfitujących w cukier owocach; ceniona pasza.

biety. Autor ledwie co wspomniał o ubiorach kobiet, rozwodził się natomiast nad strojami mężczyzn:

C. W. Pool, blondyn o karnacji dyni, ubrany był w wierzchnią spódnicę z drelichu, w kolorze ecru, stanik z cytrynowego kretonu, nisko wycięty, z pełnymi rękawami. Zdobiły go wrotki i prosta, złota biżuteria. Wielce stosowne.

Ed Miller, sprężysty jak polny konik, odziany był w krótki spacerowy kostiumik z lekkiego materiału. Ozdoby: goździki i skórka z cytryny. Skromne, lecz fascynujące.

W. Strange, uroczy, płowy blondyn. Kostium z cienkiej wełny, bez domieszek, o barwie burgunda, z dobranym kolorystycznie paskiem i pończochami. Ozdoby: surowa bawełna oraz trociny. Skromne, ujmujące i robiące wrażenie.

Bob był lekko wstrząśnięty lekturą. Przebieranie się w stroje płci przeciwnej jakoś nie bardzo pasowało mu do dawnych hodowców bydła.

Przyzwyczaił się wpadać codziennie rano do elewatora zbożowego, gdzie zawsze siedziało ze czterech czy pięciu farmerów, którzy popijali kawę i rozmawiali z Wayne'em Etterem, kierownikiem, o cenie ziarna, podatku od wartości dodanej, klęli na rząd i na import z Kanady. Jerky Baum był utytłanym człowieczkiem, wykonującym w elewatorze większość brudnych robót, i Bob, choć próbował, nie mógł go sobie wyobrazić jako magnata naftowego z prywatnym odrzutowcem i stajnią koni wyścigowych. Któregoś dnia Etter powiedział mu, że pociąg przejechał przez sam środeczek elewatora zbożowego w Marmaduke, w pobliżu granicy stanowej, co wystarczyło, żeby Bob pognał do Czarnego Psa, odległego o milę od linii kolejowej. Był to jak na panhandle, a może i cały Teksas, bar wyjątkowy, serwował bowiem przyzwoite jedzenie; zdaniem Boba, niemalże tak dobre jak tamta tłusta łania, spożywana pod topolami w 1845 roku, który to posiłek z ogromną przyjemnością opisywał w swojej książce porucznik Abert.

10

Pod Poczciwym Psem

Cy Frease miał wielkie, wydatne usta, mięsiste i ruchliwe; kiedy się uśmiechał, odsłaniały tylne zęby trzonowe, a kiedy je zaciskał, wydymały się niczym wulkaniczny stożek. Twarz jego była sinawa od zarostu, natomiast kanciasta budowa z kwadratowymi ramionami przywodziła na myśl butelkę od dżinu. Pracował kiedyś jako kowboj dla Kwadry Księżyca, rozległego rancza, którego mieszkający w Chicago właściciele pojawiali się raz do roku. Pod koniec lat osiemdziesiątych znużyło go jednak to, jak mówił, „najobrzydliwsze cholerne sraj-ogniem-i-oszczędzaj-na-zapałkach żarcie po tej stronie czarciego stołu", oznajmił zatem, że jeśli on sam nie potrafi gotować lepiej, to się utopi w babcinym nocniku, pobrał należną zapłatę, wziął siodło i odmaszerował. Zniknął z okolicy na kilka lat, po czym, pewnego dnia, ujrzano go ponownie, jak schodzi ze schodków Banku Hrabstwa Bumelii, nie zmieniony, jeśli nie liczyć nowego, filcowego kapelusza. Kiedy już skończył ściskać dłonie i witać się ze starymi znajomymi, wyjął z kieszeni kluczyk i podniósł go wysoko do góry.

– Widzicie toto? Zamiaruję parę rzeczy tu zmienić. – Rozejrzał się wokół tymi swoimi oczyma koloru szkła i nic więcej nie dodał, natomiast w południe jego pickup (ten sam sfatygowany, stary chevrolet z 1976 roku, którym stąd odjechał) zaparkował przed tym, co kiedyś było lokalem Tyci Tyciuchny Płatek i Wiązaneczka, który zbankrutował i od dwóch lat był zamknięty. Teraz otwarte miał na oścież wszystkie okna, przez które wydobywały się na zewnątrz tumany kurzu. Przechodnie słyszeli ryk odkurzaczy, a potem plusk wody.

– Zmywa ściany wodą z węża. Tyle z nich błota złazi, że można by założyć ogródek – oznajmił Big Warren, poważny hodowca pszenicy, z dekoracyjnymi kępkami włosów na policzkach i podbródku.

Zaczęły się plotki. Zamierza zainstalować pralnię samoobsługową; solarium; pracownię końskich siodeł. Ciężarówka z przedsiębiorstwa handlującego tarcicą wyładowała belki, sosnowe deski, a potem, pewnego ranka, pojawił się cieśla z Higgins i zaczął tłuc młotkiem i piłować, jednak na wszelkie pytania odpowiadał wyłącznie uśmiechem. Ciekawscy zaglądali do wnętrza i mogli zobaczyć, że całą przestrzeń podzielono na cztery pomieszczenia, w tym dwa malutkie z boku, a jedno długie i wąskie od tyłu. Sala frontowa, od ulicy, była duża i wysoka. Zajechała ciężarówka z mieszczącej się w Wichita Falls firmy Odzysk Ruchomości. Big Warren powiedział, że powinni się raczej nazywać Resztki po Tornado. Dwóch pryszczatych młodzieńców wyładowało blaszane tłoczone panele sufitowe, popularne na przełomie wieków, masywną, choć zapaskudzoną, dębową ladę barową z rzeźbionymi postaciami jeźdźców pędzących bydło. To oczywiste, utrzymywały plotki – miejsce zamieni się w prywatny klub, do którego ludzie będą przynosić własny alkohol i popijać, w hrabstwie Bumelia obowiązywała wszak częściowa prohibicja i barów publicznych z wyszynkiem tam nie było.

Tymczasem tydzień później wypolerowany dębowy kontuar nabrał złocistej barwy i wszelkie pogłoski o klubie ucichły. Przyjechała jeszcze jedna ciężarówka, tym razem z Tulsy: WSZYSTKO DLA RESTAURACJI – WYPOSAŻENIE Z DRUGIEJ RĘKI. Wyładowano z niej staromodną kuchnię gazową i wysoką na dziesięć stóp zmywarkę do naczyń z nierdzewnej stali.

– Ta zmywarka jest ani chybi z więzienia – oświadczył Charles Winiak, który był dobrze poinformowany. – Wedle mnie kombinuje se knajpę. Te dwa pokoiki z boku to damska i męska...

Sam Cy Frease przeczesywał natomiast panhandle w poszukiwaniu pewnych niezbędnych przedmiotów i ściągał je na miejsce: żeliwne rondle i garnki, domowej roboty grill, skonstruowany z dwu oczyszczonych parą pięćdziesięciopięciogalonowych beczek (znalezionych w zielsku za osypującą się ruiną jednego z baraków rancza LX). Ustawił to urządzenie w korytarzu za kuchnią. Jeździł na licytacje i odwiedzał tani sklep Armii Zbawienia w Amarillo, szukając tam porcelany i sztućców, nakrył stoliki kupioną w Cactus meksykańską ceratą o bajecznych wręcz wzorach i barwach pawiego błękitu oraz purpury, brązu i czerwieni. Z tyłu sali jadalnej zestawił obok siebie cztery długie stoły. Wreszcie umył okna, wywiesił szyld POD POCZCIWYM PSEM z malunkiem swojego kundla i otworzył interes serwujący jeden posiłek dziennie, w samo południe.

Wczesnym rankiem Cy wykonywał różne roboty na miejscowym ranczu, zastępował nieobecnych albo zatrudniał się jako dodatkowa pomoc przy spędzie czy w sezonie sianokosów, zawsze jednak około dziesiątej wracał do Psa, żeby zapalić pod grillem i wstawić ziemniaki. O wpół do trzeciej wszystkie naczynia i sztućce znajdowały się już w tej więziennej zmywarce, a on sam był na powrót przy krowach. Wieczorami zagniatał ciasto na chleb i zostawiał je, żeby urosło, obierał kartofle, mył sałatę i czyścił warzywa wyrosłe w miejscowych przydomowych ogródkach, i szedł się przespać parę godzin. Każdej soboty jechał samochodem do Austin, żeby zrobić zakupy w hurtowym magazynie spożywczym Whole Foods.

„Kowboje zasługują na zdrowe jedzenie", mawiał, wystawiając się na krytykę (na którą zresztą nie musiał długo czekać) i zarzuty, że ma fioła na punkcie zdrowej żywności i pewnie jest lewicowym liberałem, jeśli nie komunistą.

Miał stałą klientelę, złożoną ze starszych mężczyzn, ponieważ włączył do swojego jadłospisu z osiem czy dziesięć ulubionych potraw z czasów Wielkiego Kryzysu, kiedy tamci byli jeszcze chłopcami i kiedy wyrabiał się im smak: kwaśną zapiekankę, bułeczki z gorącą kakaową polewą, zasoloną, smażoną wieprzowinę i dla najstarszych kowbojów – zbójecki gulasz. Dla starego pokolenia, które większość życia spędziło w siodle, robił od czasu do czasu ów najbardziej wyrafinowany z kowbojskich deserów, mianowicie wiśniową galaretkę z dodatkiem imbirowego piwa i zatopioną w niej pociętą pianką żelową; galaretka pokrojona była w malutkie połyskujące kostki, przystrojona kopczykiem bitej śmietany z koktajlową wisienką na szczycie. W okolicy, gdzie mężczyźni spędzali tak wiele czasu poza domem, w skwarze, kurzu i w niosącym piasek wietrze, galaretka ta cieszyła się dużym powodzeniem. Cy nie był zainteresowany ziemniakami krojonymi w karbowane paski, raczej już kaszą kukurydzianą; nie interesowało go zabaglione, cenił natomiast ciasto z rabarbarem i placek ze słodkich ziemniaków. Świat oferował wiele rodzajów białka, on jednak je zredukował do mięsa z rusztu, miejscowych przysmaków oraz suma. Raz w miesiącu piekł na rożnie wołowe polędwice albo przygotowywał pełne brytfanny żeberek. Sporadycznie też, kiedy miał nastrój, przygotowywał pierogi, poduszeczki z ciasta nadziewane ostro przyprawioną mieloną wołowiną. Miał zawsze pełen słój kleistego syropu z arbuza, który dodawał do potraw dość lekką ręką.

Wszyscy starsi mężczyźni mieli w pamięci przeróżne dziwne dania z czasów dzieciństwa.

– Och, my to byli biedne – mówił Methiel Dąs. – Wygląda na to, że w końcu miesiąca mieli my tylko fasolę i jeszcze raz fasolę. W świnto było w niej troszki wieprzowiny, coby ją urozmaicić. Matka trzymała zasoloną wieprzowinę w glinianym garnku, z pokrywą, a na tej pokrywie solidny kamień, a przecie i tak stary, ojcowy pies myśliwski odsunął ten kamień, wlazł do środka i wyżarł wszyściutko do cna. Mama powiedziała wtedy, że jedyne, czym możemy se okrasić naszą fasolę, to smar z wiatraka. Czasami przyjeżdżała furgonetka z opieki społecznej i przywoziła nam ryż, fasolę, suszone śliwki i mleko w proszku.

Bud Motek wyprostował się na krześle.

– Ta uprawiana na podporach wiatraka fasola jak raz przypomina mi o syropie Zamknąć Się, Ale Już, specjalności mojego taty. Straszny był z niego nerwus i nie znosił, jak żeśmy – siedmiu chłopaków i dwie dziewczyny – hałasowali w jego pobliżu i mówił wtedy „zamknąć się, ALE JUŻ", a jeśliśmy się migiem nie uciszyli, wyciągał butelką tego syropu. Jego własnej receptury, paskudztwo, wygotowane z zielonych daktylowych śliwek z odrobiną cukru, żeby było gęściejsze, ale i tak aż do bólu wykrzywiało człowiekowi gębę i skręcało żołądek. Boże! Jeszcze dziś czuję smak tego świństwa!

Dixie Goodloe przypomniał sobie w związku z tym samo dno kulinarnej baryłki z jego dzieciństwa, które przypadło na czasy Wielkiego Kryzysu.

– My byli takie biedne, że często do jedzenia nie było nic, akuratnie nic. Był taki dzień, że mój tato z rozpaczy zastrzelił i sprawił kojota i jedliśmy zupę na kojocie. A gwarantuję wam, że my nie byli jedyne.

– Jak smakowała?

– Wtedy była to najbardziej smakowita rzecz, jakom w życiu wrąbał.

Pod Poczciwym Psem wszystko było wystawione na tych długich stołach; zupy po prawej, a ciasta po lewej. Wchodzili klienci, dostawali sztućce oraz talerz i sami sobie nakładali. Każdy ranczer i farmer, pracownik wieży wiertniczej, kowboj, kierowca ciężarówki, jeśli nie znajdował się akurat zbyt daleko, pojawiał się na obfity południowy obiad; w sumie zbyt wielu mężczyzn, żeby jakaś kobieta mogła czuć się tam swobodnie. Lokal stał się czymś w rodzaju męskiego klubu, a jego bywalcy byli niemalże identyczni, większość po pięćdziesiątce, wszyscy w wyświechtanych dżinsach i kowbojskich kapeluszach – zimą filcowych, słomkowych latem. Pies Cya sypiał pod stolikami, pośród woniejących nawozem buciorów. Od czasu do czasu Cy stawiał mu przed nosem podstawek wypełniony kawą ze śmietanką, mówiąc: „Zobaczymy, czy to cię dobudzi".

Stary prawnik, mieszkający przy tej samej ulicy, F. B. Weicks, był pierwszym klientem Frease'a i od tamtego pierwszego razu pojawiał się u niego każdego dnia, punktualnie w samo południe. Nosił zsunięty do tyłu kapelusz kowbojski, staromodny, granatowy garnitur, znoszony i wyświechtany. Jego oczy wydawały się ogromne za okrągłymi plastikowymi okularami, które kupił w najtańszym sklepie w Pampie. Miał miękki, długi nos przypominający kształtem penisa, a każdego dnia Cy wręczał mu talerz ze specjalnym daniem, mianowicie wielkim ziemniakiem nadziewanym pastą z tuńczyka. Nigdy do nikogo się nie odzywał, siedział w kącie, jedząc swój ziemniak i wypijając do niego dwie butelki Dr. Peppera o smaku limetki. Zawsze zostawiał ćwierćdolarówkę napiwku i zanim wstąpił na powrót w swoje prawnicze życie, salutował od drzwi gospodarzowi.

Po tygodniu od otwarcia Poczciwego Psa na ścianach męskiej toalety zaczęło się pojawiać graffiti. Pierwsze z nich brzmiało: „Oklahomcy, te landrynki w pisuarach nie są dla was". Po kilku miesiącach było ich już znacznie więcej:

JEZUS NADCHODZI!
(i innym charakterem pisma) „To znów go dopadniemy".
„Papier toaletowy z pozdrowieniami
od teksaskiego piasku i żwiru".

Bob Dolar spędzał Pod Poczciwym Psem większość czasu i tutaj od rozwalonych swobodnie czy podpartych pod boki mężczyzn, przypominających mu w tych pozach jakieś porzucone maszyny, dowiedział się, że system obrotowego nawadniania pól może kosztować nawet i sto tysięcy dolarów na ćwierć mili kwadratowej; że region jest za chłodny na bawełnę, ale za to dostarcza przyprawiające o zawrót głowy ilości pszenicy, milo, sorgo, lucerny, kukurydzy oraz soi na rynki krajowe i zagraniczne oraz na paszę dla setek tysięcy sztuk bydła i dla świń w chlewniach, tych, co to nadają panhandle ten charakterystyczny zapaszek. „Smród pieniądza", oświadczył Harvey Dołek, niezależny hodowca trzody chlewnej, bezlitośnie przyciskany do muru przez wielkie fermy. Bob, który przedstawił się jako wywiadowca poszukujący terenów pod budowę luksusowych osiedli, milczał, chłonąc te wszystkie informacje, uszy jednak nastawiwszy na tę, która wskazywałaby, iż ktoś zamierza pozbyć się swojej ziemi. Mówiący byli zadowoleni, że mają nowego i uważnego słuchacza.

– Tak jest, mój panie, te farmery nauczyły się, jak zmusić panhandle, żeby gadało „forsa" zamiast „trawa", i wtedy właśnie zaczęli je nazywać Złotym Ranczem. To musowo przyciągnęło tych, co działali na wielką skalę. Wyniuchali forsę na odległość, z Nowego Jorku i z Japonii.

– Prawdę gada – potwierdził jego słowa Mark Farwell, gość o zapadniętych policzkach i wąskich ramionach, z opadający-

mi na oczy przetłuszczonymi włosami, który żył całkiem nieźle, dostarczając urynę od swoich źrebnych klaczy do produkcji estrogenów. – Właśnie tutej znajduje się najżyźniejsza ziemia uprawna na całej ziemi, jeśli tylko wystarcza wody.

Wśród bywalców było też dwóch leciwych miejscowych, o tym
samym imieniu i nazwisku, Bill Williams, z którym to faktem
ludzie jakoś sobie poradzili, nazywając ich wedle maści – Bill
Koźla Skórka z racji jasnych, złocistych wręcz włosów i ciem-
nej brody jednego oraz Kasztanowaty Bill ze względu na ru-
dawobrązowy odcień czupryny i włosów na ciele drugiego. Koźla Skórka włączył się do rozmowy:
– Do diabła, przecie my nie jesteśmy jak te Kalifornijczyki,
z tym ichnim centralnym nawadnianiem i z wodnymi koope-
ratywami. Farmer teksaski to niezależny sukinkot i wszystko
cięgiem odwala sam – studnie, pompy, rowy, rury, robociznę.
A Ogallala? Nie wygra z obecną suszą i z niskim poziomem
wody gruntowej. Synku, jak już zniknie, to zniknie.

Wszedł jakiś wymizerowany, siwowłosy jegomość, istna skóra i kości, wziął filiżankę herbaty i siadłszy w końcu stołu,
skinął głową Winiakowi.
– Bob, poznaj Asa Kurcza... tego, co to utrzymuje wiatraki
w ruchu. As, Bob szuka ziemi pod budowę wymyślnych osiedli dla emerytów.

Mężczyzna popatrzył na Boba przenikliwym wzrokiem, zupełnie jakby go przejrzał na wylot. Bob zarumienił się i opuścił głowę.
– To ty jesteś ten gość, co to mieszka u LaVon? Ten, co to
tak mu się podobają jej dyrdymały? – Podniósł filiżankę i wlał
w siebie niemal całą jej zawartość.
– Tak jest. Opowiada niezłe historyjki. – Bob pomyślał sobie, że Pod Psem wszyscy jedzą i piją tak, jakby umierali
z głodu czy pragnienia.
– Nie dziwota, jak się pomyśli o tych wszystkich pamiętni-
kach i listach, które wydębiła od ludzi. Niech Bóg chroni Bumelię, jeśli jej dom się kiedyś zapali. Jak pomieszkasz pan
tam dłużej, to zdadzą ci się nauszniki.

– Niby dlaczego?

– No przecie uszy ci, człowieku, odpadną od tego jej gadania. Większość nie jest w stanie tego zdzierżyć.

Bob pomyślał jednak, że sam As jak nic mógłby brać udział w zawodach krasomówczych.

Spośród rozmaitości rozbrzmiewających wokół rozmów wyławiał fragmenty dotyczące życia w panhandle oraz różnych zagadkowych dla niego zajęć, wyrazy niepokoju w związku z chorobą pyska i racic, przeskakującą tutaj z Europy i niszczącą teksaskie bydło. Ciarki przechodziły mu po plecach, kiedy słuchał opowieści o niezliczonych wypadkach na farmach i ranczach – złamaniach, zmiażdżeniach, wstrząśnieniach mózgu, tragicznych upadkach, trwałych okaleczeniach i o ofiarach śmiertelnych. Każdy z mężczyzn, którzy jadali Pod Poczciwym Psem, młody czy stary, miał blizny do okazania.

Rope Kłąb, sędziwy kowboj, który wpadł na szybką filiżankę kawy, odwrócił się do zajętych stolików i rzucił:

– Wy durnowate pacany, czy żaden jeden nie ma nic do roboty? Tylko cięgiem siedzicie i gadacie dyrdymały. Może wy nie, ale ja akuratnie mam co robić. – Co powiedziawszy, podciągnął dżinsy i wyszedł.

Bob poczuł się nieswojo. Czy całe to słuchanie choć odrobinę zbliżało go do tych osób, które mogłyby chcieć się wyprzedać?

Znów, niczym śmieci na wietrze, przepłynęły obok niego fragmenty rozmów. I znów rozmowy te powróciły do tematu suszy oraz, nieuchronnie, do Wielkiego Kryzysu, kiedy to burze piaskowe przeorywały panhandle. As Kurcz spojrzał na Boba. Jego oczy były pełne powagi.

– Nawadnianie z Ogallala wszystko uratowało, pokazało, że jak człowiek przetrzyma, to ostatecznie zostanie nagrodzony. Tyle że na początku nikomu się nie śniło, jak to może się zemścić, jak otworzy wrota temu agrobiznesowi i farmom wielkich korporacji.

– Powiadają, że żyjemy w gospodarce globalnej – oświadczył Bob, powtarzając słowa Ribeye'a Klukwy.

– Owszem, tak powiadają. Tyle że niektóre ważniaki z tych korporacji wyrośli w takich domach jak Hitchowie z Guymon.

Mają gigantyczne świńskie fermy i tuczarnie bydła. Zanurzyli się w forsie jak kaczki w wodzie. Więc niektóre powiadają, że – tu przeszył Boba świdrującym spojrzeniem swoich starych, wyblakłych oczu – że i Ogallala, i ta technologia... pompy, telefony, dobre drogi, radia, komputery i telewizja, że to wszystko uczyniło z panhandle raj. A przecie jednocześnie ta sama technologia nie pozwoliła się nam dopasować do prawdziwej natury tego miejsca i ani chybi przyjdzie nam kiedyś za to zapłacić. Woda się kończy. Ludzie zbudowali sobie życie na pieniądzach z ropy, spodziewając się, że ta też będzie płynąć wiecznie. Ropy już coraz mniej. Mówili nam, że Ogallala jest niewyczerpana. A na to wychodzi, że Ogallala też się kończy.

– Jedno jest pewne – wtrącił Charles Winiak. – Potomkowie tamtych dawnych, nieugiętych osadników sprzedają ziemię i przenoszą się do Dallas.

– Wszystko się zmienia – powiedział Bob. – Czy nie jest prawem natury, że nic nie pozostaje takie samo? A co z Indianami? Byli tu przed osadnikami.

As prychnął z irytacją.

– Byli, ale tu nie mieszkali. Byli koczownikami. Pojawiali się w panhandle na kilka dni, żeby zapolować. Przeważnie jednak wykorzystywali te tereny jako strefę buforową pomiędzy plemionami. Nie, pierwsi, co spróbowali tu żyć, to byli tamci farmerzy i ranczerzy. Pionierzy. Teraz jeden człowiek z odpowiednimi maszynami jest w stanie to wszystko zrobić... z wyjątkiem spłaty tych maszyn. Bo poza wysysaniem jajek maszyny umią wszystko.

Człowiek, do którego zwracano się, jak Bob usłyszał, Jim Skóra, rzucił się do stołu z jedzeniem, nałożył sobie dwa wielkie steki z szynki i przykrył je stosem krążków ananasa. Jego twarz miała w sobie coś wężowego, lśniąca i gładka, z zaokrąglonym podbródkiem, wysunięta do przodu, jakby badająca nieustannie otoczenie, z ustami, na których zastygł grymas robiący wrażenie uśmieszku. Przylegające do głowy małe uszy były niemal niezauważalne, a krótka, jasna czupryna spłaszczyła się pod czapką z napisem „Murphy Family Farms".

– Jasny gwint, jak ja lubię te ananasy – rzucił do siedzącego po drugiej stronie stołu mężczyzny, który przyglądał się z niedowierzaniem żółtym krążkom. – Są takie smaczne. Hej, wczoraj gapiłem się wieczorem w pudło, pokazywali specjalny program o astronomii, wszystko to, co można zobaczyć za pomocą teleskopu Hobble'a. *Ehe. Ehe. Ehe* – zakaszlał.

– Wierzysz w to? Przecie wszystko odrobili na komputerze. To nie jest prawdziwe.

– Słyszeliście, że młodego Fronka wykopali ze Szkoły Gospodarstwa Wiejskiego?

– Takem sobie myślał, że widziałem go w zeszłym tygodniu, jak pedałował na tym swoim durnowatym rowerze. A o co poszło?

– To akuratnie jedna z tych cudacznych spraw. Nie znam szczegółów. Słyszałem, że złapali go w uczelnianej oborze dla byków. Mają tam chyba te rozpłodowe czempiony, nie? Ano, podobno wciskał kawał rury bykowi do tyłka. Ja tam nic więcej nie wiem. *Ehe!* – Pociął krążek ananasa na małe kawałeczki i wrzucił je pomiędzy wężowe szczęki.

– Jezu, rety, wszechmocny!

– Ano, wedle mnie powinni go wysłać na pastwisko razem z tym bykiem. *Ehe!* To by sprawę załatwiło. – Przeciągnął palcem po krawędzi języka. – Cholera! Mam teraz afty od tych ananasów. Zawsze tak jest.

– No to ja wam powiem, jaki był tego powód. Ona od pierwszego dnia wpakowała chłopaka do żłobka. Sama prowadziła ranczo i pracowała dla tego czasopisma o nawadnianiu, jednym słowem, robiła karierę, a dzieciakiem zajmowali się obce ludzie.

– Ja tam nie wiem. Mnie się widzi, że chłopak był zawsze trochę narowisty. A potem zadał się z tą fałszywie chrześcijańską grupą, tymi na nowo narodzonymi czy jakoś tak, co to przyjeżdżali do miasta, stawali na skrzyni pickupa, prawili ludziom kazania i wrzeszczeli. Po prawdzie to byli kopnięci faceci. *Ehe!* Ćpali.

– No, ani chybi on brał na pewno. Narkotyki i wszystko inne.

– Widzieliście kiedyś te jego tatuaże? *Ehe! Ehe!*

– Dlaczego, do diabła, nie łykniesz sobie jakiegoś syropu na kaszel? I przestań zażerać się ananasami, jeśli puchnie ci od nich ozór.

– To kaszel ze świńskiej fermy. Robiłem na Murphy Farms przy transporcie odchodów. To choroba zawodowa. W zeszłym tygodniu mnie zwolnili i już mi się zaczyna powoli poprawiać. – Jim Skóra wstał i ruszył ponownie w kierunku jedzenia, tym razem jednak ominął krążki ananasa i nałożył sobie łagodny makaron z serem.

As Kurcz zwrócił swoje gorzkie, starcze spojrzenie na Boba.

– Ostry kaszel związany jest z tymi wielkimi chlewniami, panie Dolar. A te sadzawki gnojowicy, które napełniał Jim Skóra, zatruwają wody podskórne i na pewno przesączają się do Ogallala.

Bob, przywołując informacje z broszury Globalnej Skórki, oświadczył mu na to:

– Czytałem, że te zbiorniki z nawozem wyłożone są nieprzepuszczalnym plastikiem i że są opróżniane, a gnój wywożony na pola, żeby zwiększyć żyzność gleby.

Starzec roześmiał się rozbawiony.

– Synu, ludzkość nie zna takiej wykładziny, która by nie przepuszczała. A nawóz na polach, cóż, jest go tyle, że aż strach bierze. Trochę nawozu to jedno, ale kiedy rok po roku jest go na stopę głęboko, to przecie ten nadmiar azotu musi się gdzieś podziać. I jeśli ci się widzi, że te zbiorniki i to powietrze wyciągane z chlewni przez wentylatory śmierdzą, to poczekaj, aż zaleci cię powietrze z pól świeżo nawiezionych świńskimi kupami. Amoniak wyżre ci oczy z głowy. Włosy ci wypadną. Mogliby złagodzić ten fetor, nakrywając zbiorniki z odchodami albo je napowietrzając, ale to przecie kosztuje. Taniej jest po prostu zostawić je tak, jak są. A władz stanowych to nie obchodzi.

– Ale przecież te świńskie fermy dają miejsca pracy dla miejscowych. Chodzi mi o to, że w tym regionie jest niewiele miejsc pracy, to i te coś znaczą. Pomagają ekonomicznemu rozwojowi i w ogóle. Pan Skóra miał przecież u nich pracę.

– No rzeczywiście, Bob, jesteś całkiem nieświadom, jak się rzeczy mają. Jedna taka ferma daje zaledwie kilka miejsc pracy i to z minimalną płacą. Pracują tam, co prawda, na trzy zmiany, ale wszystko jest zautomatyzowane i komputerowo sterowane. Poza tym te korporacje nie zaopatrują się na miejscu. Biorą wielkie dostawy ze światowego rynku, przywożą je ciężarówkami. Świetny interes. Kiedy te świńskie fermy się pojawiają w jakimś regionie, to sprawiają wrażenie, jakby w ten region miały wnieść dużo pieniędzy, i miejscowi przyjmują to za dobrą monetę. Dają im ulgi podatkowe. Potem tam, gdzie było osiem tysięcy świń, ni stąd, ni zowąd jest ich pięćdziesiąt tysięcy. Zanieczyścili wodę w całym Teksasie. Zatruli rzeki w Karolinie Północnej. Rozszaleli się w Oklahomie i dopiero całkiem niedawno Oklahoma zaczęła wprowadzać jakieś przepisy. Dlatego zaczęli się pojawiać w teksaskim panhandle. Jak sądzisz, jaki wpływ mają te świńskie fermy przemysłowe na ludność zamieszkującą panhandle?

– Nie mam pojęcia – odparł Bob, myśląc, że ten stary spec od wiatraków od lat już pewnie duma nad stosownymi argumentami. W duchu postanowił odwiedzić taką świńską fermę i osobiście zobaczyć, co jest w niej takiego strasznego.

Jim Skóra wrócił do stolika z talerzem makaronu. Nie potrafił oprzeć się ananasowi i jeden krążek ozdabiał jego danie.

– Aha, As znów się zerwał z łańcucha – odezwał się Jim do Boba. – Jak raz chciałby rozdnieść te świńskie fermy na strzępy.

Była to prawda. Oczy Asa świeciły niczym ślepia zbliżającego się do upatrzonej ofiary wilka. Głos grzmiał.

– Fermy świńskie stwarzają nie nadające się do zamieszkania strefy, zupełnie jakby się położyło tam miny. Kto tym korporacjom dał pozwoleństwo, żeby szarogęsić się w panhandle i niszczyć okolice zakorzenionym tu ludziom?

– As, oni tu są i nie dasz rady się ich pozbyć. Ludzie mają prawo prowadzić interesy. – Jim odkroił klin z ananasowego krążka i mrugnął do Boba.

– Do pewnego punktu. To sprawa, jak to ujął brat Jadłoszyn, „geografii moralnej". Dawniej nie było hodowli trzody chlewnej na skalę przemysłową. Może jakichś pięćdziesięciu czy sześćdziesięciu farmerów i ranczerów hodowało po kilka świnek w tradycyjny sposób. Każda z tych rodzin robiła zakupy na miejscu. Dzieciaki chodziły do miejscowych szkół. Ludzie spotykali się na tańcach i kolacjach, trzymali pieniądze w miejscowym banku, a te pieniądze wzbogacały cały region.

– Czy świniaki na małych farmach nie śmierdzą? – Bob nie dawał za wygraną, czując, że uda mu się zdobyć jeden punkt w tej wymianie zdań.

Starzec rzucił mu ostre spojrzenie.

– Jasne, że tak, tyle że są bardzo rozproszone i na otwartym powietrzu. Ten zapach to nic w porównaniu z tym, co czujemy, zbliżając się do ogromnej ciżby zwierząt. Przejeżdżasz obok pasącego się na otwartym terenie stada bydła. Nijakiego smrodu. Przejeżdżasz obok przepełnionej tuczarni... cuchnie. W przypadku ferm świńskich mówimy o wielkiej liczbie zamkniętych zwierząt. Jest jeszcze czynnik zdrowotny. Mój brat, Tater, mieszka po nawietrznej takiej świńskiej fermy i z tego powodu często choruje. Rodzina Shattle'ów mieszka przy niej tuż-tuż i Shattle leży w szpitalu. Popatrz, jak Jim Skóra wykasłuje do cna swoje płuca.

– Amen. *Ehe! Ehe!* – skomentował jego słowa Jim.

– Bóle głowy, gardła, zawroty głowy. Te wieprzki są napompowane antybiotykami i hormonami wzrostu. Jesz wieprzowinę i wszystko to ze szczętem przedostaje się do twojego organizmu. Bakterie i wirusy przystosowują się do antybiotyków, zbliża się więc dzień, kiedy zachorujemy i żadne antybiotyki nam nie pomogą.

– Do diabła, As – powiedział Jim Skóra – nie myśl o świniach jak o zwierzętach... to jest „masa wieprzowa”, cóś jak kukurydza czy drewno. Tak nam gadali, kiedy tam robiłem. – Na brzegu jego talerza pozostał nietknięty krążek ananasa.

– Jimie Skóro, brzydzi mnie podejście tego rodzaju. Nie widzisz na własne oczy, że świnie to żywe stworzenia, a nie kukurydza czy drewno. Po prawdzie, niedobrze mi się robi na myśl o nieludzkim traktowaniu tych zwierząt przez hodujące je korporacje.

– Ale to przecież są świnie, nie? To znaczy, to chyba są tylko zwierzęta? – Bob ośmielił się zaryzykować takie pytanie, tonem żartobliwym, jakby był gotów wybuchnąć śmiechem.

As zignorował żartobliwy ton, choć nie samo pytanie.

– Świnie są rzeczywiście zwierzętami, ale jednocześnie są inteligentne i lubią świeże powietrze i ładny krajobraz, przygotowują sobie legowiska i swawolą, i dobrze opiekują się młodymi. Tymczasem te tam... stłoczone, żeby się tylko rozmnażać i rozmnażać, żadnej podściółki ani zielska, żadnych przyjaciół. Świnie to zwierzęta towarzyskie, ale nie w tych cholernych świńskich bunkrach. Rzygać się chce. – Co oświadczywszy, wstał i poszedł do toalety.

Były dni, kiedy panował wielki ruch i Cy, klnąc na całego, pośpiesznie napełniał opróżniane błyskawicznie przez gości talerze. Bob, który zawsze pomagał wujowi Tamowi przy robotach domowych, nie potrafił usiedzieć spokojnie, przyglądając się, jak tamten uwija się niczym w ukropie, wobec czego podnosił się, sprzątał ze stolików i załadowywał zmywarkę. W spokojniejszej chwili Cy wziął go na bok. Popatrzył na niego.

– Przyda mi się pomoc. Jak mi będziesz pomagać, to masz jedzenie za darmo.

W ten sposób Bob zaczął nosić naczynia i obracać steki na grillu, zawsze jednak wracał pospiesznie na swoje krzesło, żeby usłyszeć jeszcze więcej o kłopotach na farmach i na ranczach, z nadzieją uzyskania informacji o potencjalnych transakcjach. Atmosfera ożywiała się, kiedy pojawiał się As Kurcz, żeby pomstować przeciwko agrobiznesowi i świńskim fermom, a Bob wysłuchiwał jego tyrad z niepokojem i podnieceniem (bo co, jeśli go zdemaskują?). Charles Winiak narzekał właśnie na los oraz błędy poczynione przez przodków i Bob w żadnym razie nie zamierzał stracić żadnej z jego uwag.

– Ludzie zaczęli ciągnąć na te ziemię, jak wielkie hodowle bydła się skończyły – oświadczył Winiak, który uprawiał piętnaście tysięcy akrów pszenicy i sorgo – i wierzyli w stare powiedzenie, że „po orce przychodzi deszcz". Gość, który je wymyślił, złamał wiele serc i grzbietów. Bo po orce żaden ci deszcz nijak nie przychodzi.

– Zgadza się – potwierdził Bill Koźla Skórka, pociągając ze swojego kubka z kawą.

– Praca? – ciągnął Winiak. – Mój Boże, nie macie pojęcia, jak ludziska wtenczas harowali. Niektóre padali ze zmęczenia. Pomyślcie, co musieli zrobić, żeby w ogóle zacząć uprawę.

Najsamprzód musieli wykarczować pola, z grochodrzewu i jadłoszynu, w większości ręcznie, tydzień za tygodniem. Po karczowaniu musieli wyorać korzenie i grabić. Zaprzągali konie do pługów z głęboko sięgającym lemieszem, który przecinał pozostałe korzenie.

Bill Koźla Skórka, który dzieciństwo spędził na farmie, dodał:

– I musieli cięgiem te lemiesze ostrzyć.

– Zgadza się, Bill. Jak już to zrobiłeś, zaprzągałeś konie do ciężkiej zgrabiarki, żeby wyrwać te korzenie. Potem szłeś tam z dzieciakami i ze swoją kobitą, żeby ułożyć te korzenie w stosy, dać im wyschnąć. Najlepiej było, jak się te kupy drewna paliło. Potem trzeba było wyrównać pole, ciężkim lemieszem, wyrównać garby i zagłębienia. I trzeba było użyć prawdziwie ciężkiego pługa, coby obrócić przynajmniej ze stopę gleby i tak dużą bronę, jaką tylko konie uciągły.

– Nie zapominaj, że jak chciałeś nawadniać, to musiałeś kopać rowy.

– Tak. A potem, jak jeszcze zipałeś, już było łatwo... sadzenie, nawadnianie tam, gdzie się dało, wyrywanie chwastów, pielęgnowanie, turbowanie się plagą pasikoników, gradem, suszą, powodzią, pożarem prerii. Dzisiej ludzie nie umią już tak pracować. Tamte dawne chłopaki... całe ich życie to jeden kryzys. Nigdy nie było tu niczego innego, tylko hodowla albo orka.

Bill Koźla Skórka przypomniał im o ropie, o dniach zmiennej koniunktury, kiedy chłopcy z rancza mogli wynająć się na pomocników czy jako niewykwalifikowana siła robocza do ekipy wiertniczej, awansować na narzędziowego, a ostatecznie nawet na kierownika robót wiertniczych, mogli zobaczyć świat, a przynajmniej tę jego część z okolic Niecki Permskiej, przenosząc się z jednego zbudowanego wokół odwiertów miasteczka do drugiego, razem z włóczęgami, szulerami i dziwkami.

Charles Winiak wolał pominąć czasy ropy.

– Teraz wciąż mamy cięgiem kryzys. Są w panhandle farmy, na których musieli powrócić do upraw na sucho. Te farmy mają przed sobą może jeszcze jakieś dwadzieścia pięć lat i koniec. W ubiegłym roku moja lucerna osiągnęła raptem cztery cale. I tyle. Powiadam wam, to koniec.

Pełna zainteresowania postawa Boba nie pozostała niezauważona.

– Na miłość boską, Winiak, każdemu będziesz gadał, co ci ślina na język przyniesie, co? – spytał jakiś chudzielec. Bob słyszał, jak mówiono do niego „Francis".

– Do diabła, nie mówię nic, co by nie można przeczytać w gazecie.

– No to niech sobie przeczyta w gazecie. – Mówiąc te słowa, mężczyzna podniósł egzemplarz „Amarillo Daily" i cisnął na stół przed Boba, potrącając przy tym jego filiżankę, tak że wylała się z niej kawa. Podniósł się, gotów na wszelką reakcję, brudny, gibki, z napiętymi, twardymi mięśniami. – Nie wiesz, kim ten gość jest. Nie wiesz, czy nie paplasz wszystkiego do jakiegoś przedstawiciela rządu czy do wywiadowcy tych świńskich korporacji, co? Albo do kogoś, kto ma haka na kogoś na tej sali?

Cy Frease obserwował wypadki spod miejscowego odpowiednika wykrochmalonego nakrycia głowy szefa kuchni, czyli swojego wyświechtanego kapelusza, którego perłowa szarość ściemniała od potu i sosów do naturalnej burości.

– Francis – odezwał się – chcesz mieć robotę przy zmywaniu naczyń i sprzątaniu ze stołów?

– Wolałbym raczej żreć krowie łajno. – Rzucił na pytającego wściekłe spojrzenie.

– No to zostaw Boba w spokoju. Pracuje tu na godziny, a ja mu powiedziałem, żeby zapoznał ludzi, co tu przychodzą. Przez twoją wredną gadkę mogę go stracić, no i ty będziesz musiał go zastąpić.

– Mam nadzieję, że nie pożałujesz kiedyś, żeś go zatrudnił – odparł ranczer, przesuwając kapelusz na tył głowy. Podszedł do stołów z jedzeniem, gdzie Cy stał z patelnią pełną gorących babeczek, wziął jedną z nich, zanurzył w bitej śmietanie i połknął w całości. – Tak świetnie pichcisz, że to jak raz cud, że błyskawica nie wystrzeli ci z tyłka. – Na zewnątrz wsiadł do pozbawionego zderzaka pickupa ciągnącego osiodłanego konia na otwartej przyczepie i odjechał.

– Któregoś dnia – odezwał się Jim Skóra, beknąwszy oparami z ananasa – ehe! ktoś mu przyładuje fangę prosto między te jego rogi.

– Kto to taki? – spytał Bob.

– Ha! – sapnął gniewnie Winiak. – Francis Scott Kita, zawzięty ranczer, który na wszystko ma odpowiedź. Urodzony w Bumelii, skąd nigdy nie wyjeżdżał, ale najmądrzejszy z całej wsi. Lepiej go nie wkurzać. No, nie ma co, trzeba iść. – Zaszurał nogami krzesła o podłogę i wyszedł.

– Jest wiela takich farmerów i ranczerów – As powiedział cicho do Boba – co ci powiedzą, jak to kochają te ziemie, a potem sprzedają ją tym świńskim fermom, albo kiedy człowiek pójdzie i popatrzy na ich bliskie sercu miejsce, to się okaże, że jest ono kompletnie wyeksploatowane przez zwierzęta i uprawy, że woda wyschła, wszędzie tylko nędza i chwasty. Chybabyś nie zdzierżył, jakbyś się dowiedział, ile rządowych dotacji ściągają te ptaszki.

Bill Koźla Skórka potwierdził jego słowa skinieniem głowy. Nabrał w płuca powietrza i odezwał się do Boba:

– Nasze ranczo całkiem podupadło. To, co z niego zostało, kilka lat temu przeszło na mnie.

Jim Skóra trącił Boba w bok i powiedział:

– Chłopcze, on w tym kierunku zmierza... zamiaruje ci opowiedzieć, jak doszło do tego, że nazywają go „Buffalo Bill". – Parsknął śmiechem.

– Zostawiłem ranczo w spokoju, takie, jak było – podjął cicho Bill Koźla Skórka. – Nie wiem, czego się spodziewałem, ale to cholerne miejsce w ogóle się nie zmieniało, wciąż było zarośnięte chwastami, może tylko trawa trochę urosła. Kiedy mój pradziadek przyjechał tutej z Alabamy, napisał do rodziny, jaki to obfity w trawę teren udało mu się znaleźć. Sinolistna do pasa, trawy niskie i trawa preriowa. Co czyniło te ziemie taką żyzną? Nie miałem pojęcia, wobec czego pogadałem z Waltem Sunbale'em, prawdziwie rzetelnym miejscowym doradcą rolniczym, a on mi powiedział, że pewności nijakiej nie ma, ale to pewnie sprawa bizonów. Powiada mi, że ludzie uważają je za takie same jak bydło, ale że one są ze szczętem inne. Cały ich tryb życia był inny i zmieniały się razem z pokrytymi trawą równinami, musiały robić coś, co tej ziemi pasowało. Po prostu całe ich zachowanie było inne.

Bob czekał na dalszy ciąg opowieści, gdy tymczasem przed lokal zajechała kabrioletem BMW ciemnowłosa kobieta, zatrąbiła i kiedy zobaczyła starego Billa, wskazała ręką na niebo.

– To moja ślubna – oznajmił Bill Koźla Skórka, podnosząc się. – Zapowiada deszcz. Tak sobie myślę, że cię jeszcze tu zobaczę.

– Jasne – odparł Bob, próbując nie wytrzeszczać oczu na zmysłową, piękną brunetkę w kabriolecie, jakieś pięćdziesiąt lat młodszą od swojego sędziwego małżonka.

Niebo przybrało głęboki odcień brudnej żółci. Odległy grzmot wstrząsnął Poczciwym Psem. Powoli zaczął się podnosić dach kabrioletu.

Ledwie stary William zniknął w drzwiach, Jim Skóra zajął jego miejsce.

– I jak ona ci się widzi? Niezła ślicznotka, co nie?

– Prawda – odparł Bob. – Troszkę młodsza od niego.

– Żeby troszkę! Na to wychodzi, że ci nie powiedział, jak to na jego starym ranczu jakieś sześć lat temu natknęli się na gaz ziemny. Teraz jest jednym z bardziej bogatszych ludzi w hrabstwie Bumelii, on, co to kiedyś robił w fabryce pigmentu. Dlatego ma taką rozkoszną młodą żonkę i to auto. Dlatego może na tamtym ranczu trzymać bizony, bo nie musi się martwić o sprawy podstawowe. W tym względzie przypomina Teda Turnera. Nie jest biedakiem jak ja. Ja mam tylko kawałek wyschniętej ziemi w Oklahomie.

– Myślałeś kiedyś, żeby ją sprzedać? – spytał Bob.

– Tylko o tym myślę. O tym i jakiejś panience w łóżku.

O szyby frontowego okna zabębnił grad.

11

Tater Kurcz

Przez pierwsze kilka tygodni każdego ranka Bob Dolar biegał przez czterdzieści pięć minut, zaczynał do należącej do rancza drogi, potem biegł publiczną, starą drogą z wapienia, która wspinała się na wzgórze z jednym jedynym drzewem na szczycie, a wreszcie mijał najstarszy w hrabstwie cmentarz. Na tych wapiennych nawierzchniach odnosił czasami wrażenie, że otaczają go obłoki pudru wysypanego z puderniczek, jedwabisty pył o różnych odcieniach i różnych nazwach: rumiany, przyćmiony, księżycowy, brzoskwiniowy; koło południa biały, kredowy kurz okrywał trawę poboczy, a w dni deszczowe przybierał kolor, który w poprzednim stuleciu zwano bladoliliowym.

Wielokrotnie widywał na drodze spłaszczone sploty drutu do wiązania słomy, skręconego w przedziwne zwoje i pętle. A co, pomyślał, jeśli nocą przyjdzie trąba powietrzna i to właśnie będzie jego ostatnim wspomnieniem, ten poskręcany drut do wiązania słomy?

Lubił poranki w chacie z bali niemal tak samo jak leniwe wieczory. Długi ganek był usytuowany od wschodu i tam szedł z filiżanką herbaty, przygotowanej na małej turystycznej kuchence, którą sobie kupił, obserwował należące do Pękniętej Gwiazdy konie, zmęczone źrebaki rozciągnięte na trawie jak dywaniki. Podkowy biegnących koni migotały niczym wirujące monety. Nawet wzniesiony przez nie kurz iskrzył się tak, że myślał o tych zwierzętach jak o nieustannie poruszających się obłoczkach i okruchach odbitego światła. Niektóre z nich znane były z tego, że zdarzało im się wymknąć przez półotwartą bramę i powędrować w nieznane, czasami nawet o siedem mil na zachód, do niewielkiej posiadłości Rope'a Klą-

ba, obecnie już po dziewięćdziesiątce, a przecież nadal sprawnego. LaVon powiedziała mu, że powinien pogadać z Rope'em.
– Teraz hoduje koguty bojowe. Organizuje walki w starym hangarze lotniczym, tuż za granicą z Oklahomą. Tam jest to legalne, jako tak zwany „obyczaj tej krainy".

W rzeczywistości Bob spotkał już kiedyś i wysłuchał Rope'a Kłąba Pod Poczciwym Psem, gdzie tamten rozprawiał swoim starym, zgrzytliwym głosem o zaletach brabantów, gołoszyjek, bojowców malajskich, orpingtonów, wajandotów, o przypinanych im ostrogach i o rozbojach puchacza wirgińskiego. Wtedy też widział blizny na dłoniach starca i jadąc potem bocznymi drogami, natknął się na jego dziwaczny ogród pełen odwróconych do góry dnem plastikowych beczek, ustawionych w długie rzędy, każda z nich więziła spętanego koguta bojowego. Z oddali te ustawione w równe rzędy beczki przypominały kurhany.

Tamtego też tygodnia postanowił pójść na walkę kogutów, jeśli nadarzy się taka sposobność, jednak dopiero wówczas, kiedy obejrzy sobie jakąś świńską fermę oraz znajdzie kogoś, kto zechce sprzedać swoją ziemię. Na liście ułożonej w pamięci umieścił Kasztanowatego Billa i Jima Skórę. Napisał do Ribeye'a Klukwy:

Szanowny Panie,
Świadom jestem faktu, że dotychczas nie przedstawiłem jeszcze żadnych konkretnych propozycji, nadal jednak jestem w trakcie analizowania sytuacji. Dużo czasu spędzam w miejscowym lokalu, próbując uzyskać informacje na temat tego, którzy to ranczerzy znajdują się w kłopotach i w rezultacie byliby skłonni do transakcji. Większość zresztą ma kłopoty, finansowe i małżeńskie (pogarszające się związki wydają się równie dobrym powodem do sprzedaży własności jak każdy inny), niemniej, jeśli chodzi o trzymanie się ziemi, są to ludzie bardzo uparci. Mam oko na kilku, którzy być może dadzą się przekonać do rozstania się ze swoimi gruntami. Moja gospodyni, pani Fronk, była wielce pomocna w dostarczaniu mi informacji na temat miejscowych obywateli. Jest do przesady gadatliwa, ale to istna kopalnia wiadomości. Opowiedziała mi, na przykład, o jegomościu, który kilka lat temu dzięki dochodom z ropy stał się bardzo zamożny, ale który ostatecznie stracił swoją własność na skutek nadmiernych wydatków i obecnie pracuje w elewatorze zbożowym. Jego ranczo

zostało jednak przejęte przez bank. Czy uważa pan, że powinienem porozmawiać z miejscowymi bankami na temat przejmowanych przez nie za długi terenów? Niełatwo mi było uchwycić rytm tego miejsca. Na początku nie wiedziałem, czy to zmiana pór roku napędza tę rolniczą społeczność, czy rynkowe wahania cen wołowiny i wieprzowiny, czy jeszcze coś innego. Każde ranczo i każde miasteczko ma całe akry zużytych maszyn. Myślę, że przetrzymywanie tego złomu ma związek z niemieckim zwyczajem przesadnego oszczędzania, niepozbywania się niczego, co kiedyś może się przydać. Te wraki robią na mnie wrażenie skansenów rolnictwa. Jest tutaj wiele rodzajów pojazdów – są siewniki rzutowe, składane siewniki rzędowe, glebogryzarki, czyszczarki do tuczarni, przyczepy do przewożenia żywego inwentarza, ciężarówki do ziarna, przewoźne piece, cysterny do przewożenia substancji żrących, ciężarówki do remontów i konserwacji maszyn, wszyscy natomiast jeżdżą srebrnymi pickupami albo białymi furgonetkami. Nie zdziwiłoby mnie, gdyby owa różnorodność pojazdów odzwierciedlała tutejszą, regionalną inklinację do pracy w kilku fachach naraz. Wielu miejscowych para się bowiem jednocześnie dwoma albo i trzema zawodami. Specjalizacja nie wydaje się w panhandle normą.

Uświadomiłem sobie również, że pogłębiłoby to znacznie moje rozumienie przemysłowej hodowli trzody chlewnej, gdybym mógł zwiedzić jedną z ferm należących do Globalnej Skórki. Tyle się tutaj przeciw nim gada, że odnoszę wrażenie, iż byłbym w stanie zbić ich argumenty, skoro jednak nigdy nie byłem we wnętrzu takiej fermy, to przecież nie znam podstawowych faktów. Czy może pan załatwić dla mnie taką wizytę?

W swoim *Kompendium* LaVon poświęciła wiele stron temu, co nazywała „obyczajami tej krainy"; przewracaniu wychodków, kiedy ktoś w nich siedzi, uśmiercaniu węży, powtarzaniu „królik, królik, królik" przed udaniem się na spoczynek ostatniej nocy miesiąca (ponoć ma to przynosić szczęście), podglądaniu sąsiadów. Bob Dolar, na którego regularnie donoszono szeryfowi Hugh Miazdze jako na podejrzanego obcego, w bolesny sposób przekonał się, że ludzie nieustannie obserwują drogę zza firanek frontowych pokoi i nie zwlekają z telefonicznym powiadomieniem przedstawicieli prawa, kiedy coś wyda im się podejrzane. A w panhandle były przeróżne sprawy, o których koniecznie należało meldować: jogging, dziwny strój, odbiegający od standardu pojazd, tablice rejestracyjne spoza stanu, ciemniejszy odcień skóry, kłócące się albo pozostające bez opieki dzieci, wałęsające się psy, duże koty domowe (niezmiennie nazywane „panterami"), ludzie, którzy zatrzymali się na szosie, bo złapali gumę albo mieli kłopot z silnikiem, bo przecież mogli być zbiegłymi więźniami wabiącymi w pułapkę niewinnych obywateli. A jednocześnie padłe krowy całymi tygodniami leżały w rowie, czekając na ciężarówkę utylizacyjną.

LaVon nie podzielała entuzjazmu Boba w stosunku do Kowbojskiej Róży. Powiedziała mu, że w latach dziewięćdziesiątych dziewiętnastego wieku Kowbojska Róża i Bumelia toczyły długą batalię o to, które z nich będzie stolicą hrabstwa. Kowbojska Róża wygrała plebiscyt po to tylko, by uzyskaną legitymację szybko stracić, a to za sprawą kradzieży – pośrodku nocy, tuż przed oficjalnym ogłoszeniem wyników – dokumentów urzędu w Bumelii. Głosowanie też zresztą sfałszowano. Sędziwy przewoźnik French John Bullyer głosował czterdzieści jeden razy, raz pod swoim nazwiskiem, czterdzieści zaś razy udając własnych synów, istną procesję Billów i Tomów, i Bucków, a kiedy zabrakło mu już pomysłów, podając jako imiona nazwy wszystkiego, na co padło jego oko we własnej chacie, i tworząc w ten sposób katalog nie kończących się dowcipów dla całego regionu. Anonimowy żartowniś zamówił kamień nagrobny z wyrytymi czterdziestoma imionami, nagrobek skradziony zresztą kilkadziesiąt lat później przez odwiedzającego te okolice profesora historii Ameryki z Dartmouth College w New Hampshire.

Tu spoczywa Wielki Klan Bullyerów,
Wszyscy żywo interesowali się lokalną polityką
Abraham, Abner, Barney, Bill, Szilo, Ormy, Pobudka,
Królicze Oczy, Szczyt, Talerz, Zapałki, Ostroga, Byczek,
Cebrzyk, Palenisko, Filiżanka, Whisky, Mądrala, Kaleb,
Kopacz, Nerwus, Garry Owen, Herkules, Ichabod, Król
Jakub, Beczułka, Miarka, Forsa, Pniak, Dziewiątka, Książę,
Dutka, Robert, Robercik, Picuś, Tom, Kalendarz, Świeca,
Burek, Ezekiel, Moniak i Palenisko Jr.
4 kwietnia 1887 – 7 kwietnia 1887

Pewnego ranka, kiedy niebo wypełniał jeszcze niczym nie skalany świeżutki błękit, a powietrza nie poruszał najlżejszy powiew wiatru, Bob Dolar wsadził przez uchylone drzwi kuchni głowę i zawołał, LaVon jednak nie odpowiadała.

– Przyszedłem po wodę – rzucił w ciszę i wszedł do środka, pozwalając przy tym, by siatkowe drzwi lekko załomotały.

Kiedy pojemnik napełnił się do połowy, przed dom zajechał pickup LaVon, a ona sama, dźwigając wielki karton, skierowała się ku jadalni, którą zamieniła już kiedyś na swój gabinet. Upuściła karton na podłogę, co zabrzmiało, jakby ten wypchany był betonowymi bloczkami, weszła do kuchni, położyła na stole małe zdjęcie i sięgnęła po dzbanek z kawą.

– Ani chybi to mój szczęśliwy dzień – oznajmiła.

– Niby dlaczego?

– Dopadłam albumy ze zdjęciami Tatera Kurcza. Tater jest już stary i to istny cud, że mi je w ogóle dał. Ale tylko na tydzień. Przyjdzie się migiem przez nie przeorać i w najbliższy piątek mu oddać. Pewnikiem wymyślił sobie, że tyle to jeszcze pożyje. Grymaśny staruszek. Popatrzy teraz człowiek na niego, zgięty wpół ze szczętem, kulawy, twarz jak wysuszone jabłuszko i wszystkie te żałosne bruzdy, a potem spojrzy na to zdjęcie, które cyknęła jego siostra w roku 1931, kiedy przejmował ranczo, dwudziestolatek, a jaki robotny, doskonale radził sobie z bydłem. – Popatrzyła na fotografię, mały czarno-biały kwadracik, z szerokim, białym, ząbkowanym marginesem. – Taki duży chłopak o świeżej twarzy; po prawdzie świetnie wyglądał. Szerokie ramiona, twarde mięśnie, smukły, długonogi. Widzisz te półotwarte usta, zupełnie jakby zamiarował coś powiedzieć albo się roześmiać? Każde jego zdjęcie, jakiem widziała, wygląda tak samo. Nawet te, na których jest jeszcze dzieciakiem. Usta ma nadal półotwarte, bieda tylko, że odkąd skończył trzydziestkę, nie było w nich już ani jednego jego własnego zęba, a teraz na dodatek odwidziało mu się nosić sztucznej szczęki. Zobacz, jak równiutko robił sobie rozdziałek po lewej stronie, włosy miał sztywne i proste, opadające na blade powyżej linii kapelusza czoło. Duże uszy, ale przylegające, dzięki temu, że kiedy był malutki, matka przyklejała mu je do głowy taśmą. Tak robili, przyklejali niemowlakom uszy na płask, żeby im potem nie odstawały. Swojemu chłopakowi też tak robiłam. Frymuśnie tu wygląda w białej koszuli i świeżo wyprasowanych dżinsach i w swoich najlepszych wyglansowanych wysokich butach, co? Szkoda, że te dżinsy są trochę przykrótkie i przyciasne. Miał tu dwadzieścia lat, a widzi mi się, że jeszcze rosnął. Tak ciasne, że można zobaczyć wszystko, co miał po lewej stronie. Powiadają, że mężczyzna trzyma swoje skarby po tej stronie, na której robi rozdziałek, pewnikiem zależy to od tego, czy jest lewo- czy praworęczny. Tater jest praworęczny, ale założę się, że można by go teraz owinąć w przezroczysty plastik, a i tak by się nic nie zobaczyło. Bardzo się toto kurczy, kiedy faceci się starzeją. To jego powinieneś spytać o te zaprzągi.

– Jakie zaprzęgi?

– Pokazałam ci taką fotografię. Chciałeś wiedzieć, jak woźnica radził sobie z takim zaprzągiem.

– A tak. LaVon, kiedy tutaj szedłem, widziałem jakiegoś siwka na należącej do rancza drodze. Nie dojrzałem znaku. Przypuszczam, że to jeden z twoich, ale chyba go wcześniej nie widziałem. Może kupiłaś jakieś nowe konie i to jest jeden z nich?

– Siwek? Na pewno żaden z naszych. Mój dziadziuś, jak wielu dawnych kowboi, gadał, że jasno umaszczone konie przyciągają pioruny, nie chciał takiego u siebie. Coś jakby tradycja. Sama trochę w to wierzę. Tam, w okolicy skrzyżowania, mieszkała rodzina, jakieś sześć lat temu, przyjechali z Houston, on miał cosik wspólnego z ropą, troje dzieci, kupili każdemu po koniu i jeden był z tych naprawdę jasnych siwków, drugi był kasztan, a ten trzeci gniadosz. No i uwierzysz, przyszła burza, piorunów przy tym niczym much na cukrze, no i jednego z koni trafiło, jak raz tego siwka. Tak że teraz to ja już nie wiem, może i jest coś w tym starym powiedzeniu. Zastanawiam się, czy piorun kiedykolwiek uderza w ptaki. Są takie, co cięgiem latają podczas burzy, jakby się nią w ogóle nie przejmowały. A ten koń to może być od Sandersonów, tych, co to mieszkają tam dalej, przy drodze. Zadzwonię do nich i spytam. Tak czy siak, założę się, że znasz wnuczkę Tatera, Donnę Kurcz... pracuje w biurze przy elewatorze zbożowym.

– Postawna, wysoka blondynka z końskim ogonem?

– Nie, to Lou Ann Bemis. Ta, co w weekendy prowadzi razem z mężem knajpę Java Jive w Waka. Donna jest niska, ma rude włosy z przedziałkiem pośrodku, nosi duże okrągłe okulary, nigdy się nie odzywa.

– Do jutra, LaVon.

– Ano, miłego dnia, Bob.

Następny dzień zaczął się od ciskającego piaskiem cuchnącego wiatru, który z upływem czasu stawał się coraz gwałtowniejszy i coraz bardziej kłujący. Bob wszedł do kuchni, uderzając dzbankiem na wodę o udo. LaVon grzebała w fotografiach.

– Nalej nam, proszę, kawy, Bob. Dzięki.

Podniosła do góry wykonany w zakładzie fotograficznym portret chłopca z kręconymi blond włosami; chłopak nie mógł mieć więcej niż piętnaście lat. Odziany był w strój kowbojski, który zbyt dobrze na nim leżał, żeby być jedynie rekwizytem studyjnym.

– Nie mam nijakiego pojęcia, co to za chłopak. Przypomina trochę ciebie, te kręcone włosy, duże błękitne, dziecinne oczy. Tater powiedział, że zapisywał na odwrocie, kto jest kto, ale widzę, że kilka opuścił. I bieda z tym jego charakterem pisma. Zrobiłam, co mogłam, ale i tak kilka fotek pozostaje dla mnie kompletną tajemnicą. Ano. Jadę jutro do Płomykówki, siądnę se z nim i każę powiedzieć o tych kilku, co to nic nie wiem. Jeśli uda mi się oderwać go od telewizora. Jak chcesz, możesz ze mną pojechać. Z niego był prawdziwy autentyk, no wiesz, dobry, solidny ranczer, taki, co to znał się na krowach i na ludziach. Dalej się zresztą zna. Zna też różniste opowieści, jeśli tylko namówi się go do gadania.

Podniosła następną fotografię, przedstawiającą grupę mężczyzn i koni stojących wokół kopca świeżego grobu. Napis wykonany białym atramentem informował: „Pogżeb Kowboja". Spojrzała na odwrotną stronę.

– Jak raz nijakiej wskazówki, kogo chowają. Och. Tu mam jedno, które ci się spodoba. Główna ulica Kowbojskiej Róży w 1911 roku.

Podała Bobowi sepiową fotografię, ukazującą kilka budyneczków za fałszywie dużymi i okazałymi frontami, warsztat kowalski pod rzucającą cień rozłożystą koroną drzewa, z kowalem zgiętym nad końskim kopytem, będący główną ulicą trawiasty trakt, który prowadził na wschód, ku odległej równinie. Dwa budynki rozpoznał; nadal tam stały, warsztat kowala oraz maleńki bank.

Wieczór spędził z porucznikiem Abertem, korzystając z mapy drogowej Teksasu, żeby zlokalizować w panhandle faktorię Bentów, notatki bowiem mówiły mu, że około roku 1840 nad rzeką Canadian bracia zbudowali coś, co nazywano Fortem z Suszonej Cegły, a wiosną 1844 inną placówkę handlową, odległą od tamtej o kilka mil. Nawet za pomocą indeksu nazw geograficznych *Drogi Teksasu* nie był w stanie umiejscowić tych stanowiących punkty odniesienia strumieni: Bosque Grande i Jeleń. Przypuszczał, że albo mapa nie jest dość dokładna, albo od tamtego czasu nazwy strumieni się zmieniły. Później LaVon potwierdziła to, co podejrzewał, mianowicie, że ten „fort z suszonej cegły", po opuszczeniu go przez Bentów stał się „Murami z Suszonej Cegły", scenerią bitwy z roku 1874 pomiędzy wojennym zgrupowaniem kilkuset Komanczów, Kiowów i Czejenów (włącznie z młodym Quanahem Parkerem), dowodzonych przez wojownika Komanczów Kojocie Bobki (który utrzymywał, że jego czary uczyniły go i współtowarzyszy odpornymi na kule), a dwudziestoma ośmioma wyborowymi strzelcami – myśliwymi polującymi na bizony dla ich skór. Traktat z Medicine Lodge z roku 1867 zabraniał białym polować na południe od rzeki Arkansas, biali jednak robili, co im się żywnie podobało. Ten sam traktat zabraniał Indianom napadać na osady w panhandle, Indianie jednak nie zaprzestali ataków. Właśnie tamtego pięknego wiosennego poranka Indianie przeprowadzili klasyczny atak o świcie. Wcześniej tej samej nocy, o drugiej, myśliwych polujących na bizony obudził trzask łamiącego się podłużnego drążka w dużym namiocie. Naprawili go i pokrzepieni kawą postanowili już nie kłaść się ponownie, tylko zebrać się i rozpocząć ten dzień wcześniej niż inne. Kiedy zabrzmiał okrzyk „Indianie!", byli całkowicie rozbudzeni i czujni. Odpierali indiańskie ataki przez trzy dni z rzędu. Kiedy część atakujących padła na polu walki, ich główne siły wycofały się na pasmo wzgórz powyżej Murów z Suszonej Cegły, po którym wojownicy jeździli w tę i z powrotem, poza zasięgiem strzelb. Trzeciego dnia mieszkaniec równin Billy Dixon wystrzelił ze swojej strzelby w kierunku jednego z tych odległych jeźdźców. Indianin spadł z konia martwy i wkrótce po tym wydarzeniu, utraciwszy wiarę w ochronną moc czarów, Indianie odjechali. Był to początek końca, bo po roku panhandle było pod względem etnicznym czyste, całkowicie pozbawione tubylców. Daleki strzał Billy'ego Dixona stał się filarem westernowego mitu.

Jechali do Płomykówki ciągnącą się milami drogą o bladej wapiennej nawierzchni, a poobijany chevrolet pickup LaVon wzbijał mleczny pył, który zawisał nieruchomo w powietrzu, półprzezroczysty woal zasnuwający mgiełką drogę za nimi. Dzień był rozmigotany, słońce co chwilę wyzierało zza szybko przesuwających się po niebie obłoków. Odległy wiatrak za każdym obrotem błyskał nową łopatką śmigła. Kiedy Bob zwrócił na to uwagę, usłyszał, że sowy łamały pojedyncze łopatki, wpadając na nie z rozpędem, i że panhandle było pełne sów, i że Tyci Fischer, który układał sokoły, strzelał do nich, kiedy tylko miał okazję. Bob mógł się ponownie przekonać, jaka to piękna kraina, kiedy ponad chaosem zbiorników i pomp spoglądał na krajobraz zabarwiony żółtym światłem, bladym, delikatnym i przejrzystym. Spływało z nieba szerokimi snopami, a wąziutkimi słomkowymi promieniami rzucało refleksy na przelatujące ptaki i szyby samochodów. Była to też kraina nieokiełznana, jedna z najbardziej płaskich na tej planecie, posiekana i przeżuta przez traktory, a jednocześnie pełna urwisk, rdzawych, leniwych rzek, białych jak kości dróg i zrudziałych traw... zwanych zupełnie osobliwie sinolistnymi. Wiatr ucichł tymczasem i LaVon wskazała gestem na nieruchomy wiatrak stojący pośród wyeksploatowanego bez litości pastwiska. Na tle nieba wyglądał jak maszynka do mielenia

163

mięsa na trójnogu. Na krawędziach łopatek siedziało skosem kilka ptaków, a kiedy ponownie zawiał lekki wiatr i śmigło zaczęło się obracać, ptaki ześlizgnęły się w dół o kilka cali i odleciały.

– W czasach, kiedy te wielkie rancza zaczęły wyprzedawać ziemię – powiedziała LaVon – była to kraina sucha, bardzo sucha. Ranczo XIT miało setki wiatraków i pracowników na stałe do roboty przy nich. I kiedy pojawili się osadnicy, to bez wiatraków też nijak by nie dali rady. Ani jeden. Na to wychodzi, że i tak nie dali rady. Nie mieli zielonego pojęcia, co znajduje się pod ich nogami. Mam na myśli Ogallala. Te całą wodę, o której nic nie wiedzieli. W tamtych czasach każden jeden ranczer musiał mieć naturalną, bieżącą wodę albo ręcznie wykopaną studnię, jakoś te wodę wypompowywać z głębi ziemi. Jeśli miał trzodę i dzieci, to musowo potrzebował setki galonów dziennie. Do końca lat sześćdziesiątych były to więc te płytkie studnie i wiatraki. Doskonale to pamiętam. Dorastałam w epoce wiatraków. Tylko dzięki nim można było w ogóle żyć na Zachodzie.

– Co robił twój mąż? Był ranczerem? – spytał Bob.

– Na początku nie. Zajmował się handlem ziemią. Urodził się i wychował w panhandle i słyszał opowieści o tym, co pan Borger zrobił w latach dwudziestych – kiedy ledwo co odkryli ropę, pan Borger kupił kilkaset akrów ziemi i podzielił na działki, po półtora tysiąca dolarów jedna, mówił, że to są miejskie działki budowlane. Nazwał nawet ulice pomiędzy nimi. Kiedy mój małżonek zajął się handlem ziemią, też to robiłam. Bardzo mi się widziało takie zajęcie. Żadna tam dla mnie ulica Główna czy te wszystkie Pierwsze, Drugie i Trzecie... wymyślałam nazwy fikuśne, takie jak Rozpalony Pogrzebacz, Zaułek Głogowy i Mehikański Kapelusz. Pan Borger w jednym dniu zarobił sto tysięcy dolarów. To natchło pana Fronka i dlatego wziął się za takie coś. Po prawdzie, nie ma w tym nic nowego. Wszystkie te miasta zostały w ten sposób zaplanowane... ktoś, zazwyczaj z dyrekcji kolei, decydował, gdzie zamiarują mieć miasto, po czym wysyłali mierniczych, żeby sporządzili plany działek, albo korzystali z usług agenta ziemskiego, a potem je sprzedawali. Były w tym spore pieniądze.

Pan Fronk nie był związany z koleją, ale miał wielu przyjaciół pośród nafciarzy i kiedy tylko ktoś zgłosił odkrycie ropy, natychmiast się zjawiał i kupował ziemię. Sam sporządzał plany. Jest w panhandle kilka miasteczek, które on zapoczątkował: Świder, Odwiert, Dostatek i Morski Widok.

– Morski Widok?

– Dobrze mu to brzmiało, a jeśli ktoś się prześmiewał, to zaraz go ustawiał i powiadał, że chodzi o morze traw albo że pod ziemią jest dość ropy, żeby było z tego całe morze. A dla osłody handlował również drewnem. Dwa lata po naszym ślubie mieliśmy dość pieniędzy, żeby kupić to ranczo. W pewien sposób, Bob, przypominasz mi mojego małżonka.

– Niby jak?

– Bo ty też wierzysz w to, co robisz. On szczerze przejmował się nowymi miastami. Chciał, żeby im się powiodło. Zupełnie jak ty i te twoje tereny pod luksusowe osiedla.

Bob trzymał karton ze zdjęciami na kolanach i w drodze ponownie je przejrzał. Fotografia Tatera Kurcza jako młodzieńca była mu dziwnie znajoma, a jednocześnie sprawiała komiczne wrażenie, chociaż nie wiedział dlaczego. Potem uświadomił sobie, że za małe dżinsy Tatera, kończące się sporo nad kostkami, były tak samo przykrótkie jak spodnie, które Jacques Tati nosił w filmach o panu Hulot, ulubionych filmach wuja Tama.

Do Płomykówki wjeżdżało się po luźnych deskach mostku nad Dwurocznym Strumieniem. LaVon pokazała mu stary barak dla pracowników, chatę z desek i żerdzi, z pochyłym dachem, z przybudówką od wschodniej strony. Drzwi nie było, w gontowym dachu widniały dziury, komin był nadwerężony, szyby w oknach potłuczone. Przez ziejący otwór po drzwiach widać było bele siana, ułożone aż pod sufit; wystawione na działania atmosferyczne pociemniały i pokryły się pleśnią. Przechylony krzyż, jedyne, co pozostało z konstrukcji do suszenia odzieży, stał pośród jadłoszynu. Przed budynkiem na małym skrawku trawy leżała, zwrócona łopatkami do ziemi, głowica wiatraka. Opodal, na tle rudego krajobrazu, stał następny wiatrak, jednak śmigło miał nieruchome, a zbiornik u jego podstawy iskrzył się dziurami po pociskach. Teren tu wznosił się i opadał, nie dość płaski dla opartego na irygacji rolnictwa; w wątłej, gęsto porośniętej jadłoszynem trawie przeświecały plamy nagiej, piaszczystej gleby niczym ślady kocich pazurów na materiale.

Na słupie elektrycznym siedział jastrząb i LaVon powiedziała, że kiedyś właśnie jeden z takich wzniecił pożar traw, gdy jego skrzydła dotknęły dwu przewodów i spadł martwy i płonący jak pochodnia na suchą trawę.

– Tater próbował skarżyć firmę energetyczną, ale niewiele zdziałał.

Minęli traktor ciągnący przez jadłoszyn kosiarkę obrotową, która wzbijała za sobą układający się w pióropusz obłok z gałązek i pyłu. Kiedy się z nim zrównali, traktorzysta podniósł rękę. Po przejechaniu mili LaVon pokazała mu pierwotne zabudowania mieszkalne rancza, dwa wąskie domy z piaskowca, stojące frontem do siebie i połączone wysokim, kamiennym murem, co razem tworzyło coś na kształt patio, z dwoma czy trzema posadzonymi, by zyskać trochę cienia, drzewami. LaVon powiedziała, że sto lat temu stary Kurcz, ojciec Tatera, ściągnął ten projekt z ilustracji, jaka widniała na torebkach z kawą w ziarnach firmy Arbuckle. Bliźniacze domy porzucono w 1974 roku, kiedy to Kurczowie przenieśli się do pozbawionego wszelkiego charakteru prefabrykowanego „ranczoburgera", wyposażonego we współczesną kanalizację oraz ogrzewanie, z garażem na trzy samochody.

Kiedy zajechali na podwórze, LaVon poinstruowała Boba:

– Ani słówka o pani Kurcz. Zmarło się biedaczce w zeszłym roku. Okrutnie przedtem się nacierpiała. Czas już był na nią, ale Tater strasznie to przeżył. Wcześniej stracił swojego jedynaka. Ujeżdżał byki na rodeo i wielki brahman, zwany Węzłem Babskim, zrzucił go z siebie i zdeptał na miazgę.

Drzwi otworzyła im mocno wymalowana kobieta w zaawansowanym wieku średnim.

– Cześć, Louise – powiedziała LaVon, na co kobieta odrzekła:

– Proszę wchodzić, pani Fronk.

Bob domyślił się, że to gospodyni. W środku dom, który spokojnie mógł zostać tu przeniesiony z przedmieścia jednego ze słonecznych stanów, był równie pozbawiony wyrazu jak na zewnątrz; niskie sufity miały to nierówne, chropawe wykończenie, z tkwiącymi w tynku iskrzącymi się ułomkami plastiku, w korytarzu, na brązowej wykładzinie, zobaczył wydeptaną ścieżkę do kuchni. Pod ścianami salonu stały stoliki zawalone stosami ksiąg rachunkowych, zestawień, ksiąg głównych oraz map i gazet, bo, jak mu powiedziała po drodze LaVon, Tater Kurcz opracowywał zarys historii Płomykówki, którą jakaś jego młoda krewna, studiująca na uniwersytecie Southwest Texas twórcze pisanie, miała latem wygładzić w profesjonalną prozę.

Bob pomyślał sobie, że znalazł się chyba w najbrzydszym pokoju, jaki w życiu widział. Ściany pokrywała tapeta w ogromne czerwone kolibry. Na niej wisiała kolekcja małych poroży, ledwo rozgałęzionych, niewiele większych od różków. Zasłony gryzły się z wytłaczanym obiciem mebli, kwiecistym bieżnikiem i wzorzystym dywanem; odnosiło się wrażenie, jakby każda powierzchnia miała przypisany sobie jakiś wzór. Były tam też dwie ławy obite białym plastikiem. Wielkie lampy, z abażurami ozdobionymi frędzlami, stały na bocznych stolikach.

Tater Kurcz siedział na wózku inwalidzkim przy oknie wychodzącym na południe, skąd mógł obserwować podjazd.

– Tater! Przyszła LaVon! LaVon jest tutej! Tater! – krzyczała gospodyni.

– Wiem przecie. Chyba widziałem, jak podjeżdża, nie?

Starzec odwrócił ku nim twarz, przypominającą piłkę futbolową, z której wypuszczono powietrze, nos niemal zupełnie płaski, krótko przystrzyżone białe włosy, białe bokobrody niczym futerko laboratoryjnego szczura. Oczy natomiast miał typowe: teksaski błękit w czerwonej obwódce. Zaczął pokasływać i spluwać w chusteczkę.

Bob był wstrząśnięty. Przyniósł do tego domu obraz dwudziestoletniego młodzieńca w przykrótkich dżinsach, a teraz miał przed sobą rezultat sześćdziesięcioletnich zmian. W tym wraku człowieka nie dostrzegał nic z tamtego młodego mężczyzny o przejrzystym spojrzeniu. Nie może pozwolić, żeby jego samego dopadł podeszły wiek.

– No cóż, Tater – odezwała się LaVon. – Mam nadzieję, że nie masz grypy. Bo wygląda mi to niedobrze.

– Diabła tam, to żadna grypa. To ta cholerna świńska ferma przy Coppedge Road. Włączają te wentylatory, wydmuchują amoniak i siarczany, a kiedy jest wiatr, jak dzisiejszego ranka, to prawie nas to zabija. Załatwią nas ze szczętem. Powiadają ludzie, że ma się od tego zapalenie płuc i atretyz. Że żółkną człowiekowi oczy.

Gospodyni, kiwając dla potwierdzenia głową, przysunęła wózek do jednego ze stolików, przełożyła leżące tam papiery, robiąc miejsce na fotografie LaVon.

– Tater, te świńskie fermy to istna zbrodnia. Ale nie widzi mi się, żeby co można było z tym zrobić. W każdym razie przyprowadziłam ze sobą Boba Dolara. Odwiedził Bumelię i mieszka w baraku na Pękniętej Gwieździe. Pomyślałam sobie, że jak raz chciałby cię poznać. I jak powiedziałam przez telefon, mam ze sobą te tajemnicze fotografie. Wygląda na to, że przeoczyłeś przy opisywaniu jedno czy dwa nazwiska. Czy pamiętasz tego chłopca? – LaVon wyciągnęła ku niemu studyjny portret młodego blondynka w czarnym kapeluszu. – Nijakiego nazwiska nie ma z tyłu.

– Przecie to młody Fanny. „Ubłocony Fan" żeśmy go nazywali, po tym jak koń go zrzucił w kałużę i upaćkał od stóp do głów. Był ulubieńcem wszystkich. Pięciu wyrywnych twardzieli, niewyparzone gęby, a na pogrzebie każdy z nich cięgiem ryczał za tym chłopakiem. Ano już takich jak on nie uświadczysz, takich jak tamci też zresztą nie. To było akuratnie bardzo smutne.

– Czy to ten pogrzeb? – spytała LaVon, wyciągając zdjęcie z pogrzebu kowboja.

– Tak, ten. Och, jak nas to bolało, że musieliśmy chować tego chłopca. To ja, tam po lewej. Stałem z pochyloną głową, żeby fotograf nie złapał mnie ryczącego jak cielę. Niewiele byłem starszy od Fanny'ego. To ja mogłem tam leżeć. – Rozległ się jego trzeszczący śmiech, niczym płonący w ognisku martwy krzak, trzaskanie pękających gałązek. – W tamtych czasach kowbojowanie było ciężkie. Te młode teraz nijakiego pojęcia o tym nie mają. Weźmy taki zespół do znakowania, dwudziestu, dwudziestu pięciu chłopa – nadzorca, kucharz, paru łapaczy z lassami, koniuch, ośmiu czy dziesięciu takich, co to przewracali i przytrzymywali gadzinę, kilku do obsługi żelazów do znakowania, gość od szczepień, od obcinania rogów, jeden do smarowania miejsc po obciętych rogach, obtarć czy innych skaleczeń i ludzie do trzymania stada w ryzach. Trza się było zabierać do roboty przed świtem i pracować do zmroku, a potem spać na ziemi, i od nowa. Wstawało się o ciemku, a kowboj musiał się położyć na ziemi, żeby odnaleźć konie na tle nieba. Znakowaliśmy zawsze po czwartym lipca. Czterdzieści pięć dolarów miesięcznie za taką robotę.

– A kim był ten Fanny, o którym każden jeden miał takie dobre zdanie?

– Ano zwyczajnie, był młodziakiem, przywędrował skądsik, nie pamiętam już skąd, ale miał prawdziwą smykałkę do koni, był rzadko udatnym jeźdźcem. Fanny Koniuch my go zwali. Nie było lepszego. Giętki ci był jak plaster surowego bekonu. Taki sprawny, że zdałby się do zawodów. Zawsze kontent, uważający, a koszulę by ściągnął z grzbietu, żeby innemu dać. I dorzeczny był. Myślał, jak najlepiej rozwiązać problem, nie robił niczego na łapu-capu. Zanim ścięła go ta z kosą, przez dwa lata pracował dla mojego taty.

– Nie był więc krewnym nikogo z miejscowych?

– Nie. Był z Missouri albo z Montany czy innego stanu zaczynającego się na M, mogło to być Maine albo i Minnesota. Może to być, że Minnesota, bo miał taką jaśniutką czuprynę i białą skórę. Gdyby żył, byłby starcem jak ja, ale na to wychodzi, że go pamiętam, jakby to było dziesięć minut temu. Widzę, jak przechyla głowę na jedną stronę i maca językiem zęby, co zawsze robił. A zęby miał popsute i musieliśmy mu kilka wyrwać.

– Czy to go właśnie wykończyło, te chore zęby? Słyszałam o chłopakach, co pomarli od popsutych zębów.

– Byli tacy, ale nie on. Umarł z miłości do dziewczynki z maleńkim warkoczykiem, siedmiolatki. A na popsute zęby to zmarł Red Poarch; głowa mu spuchła jak arbuz. Takiej śmierci nie życzyłbym najgorszemu z hodowców świń.

Starzec pogmerał w zdjęciach, wyjął na chwilę jedno, przedstawiające jakąś srogą kobietę, odłożył zdecydowanie i ponownie podniósł portret Fanny'ego.

– Właśnie odbywały się tańce. O, mieli my w tamtych czasach tańce, trwały od kolacji po śniadanie. Te akuratnie zrobili w budynku szkolnym w Kowbojskiej Róży, kiedy to rzeczywiście była szkoła, a nie jak teraz ze wszystkim wyszykowana na dom dla jakichś dwóch odmieńców, a dzieciaki muszą jechać autobusem do odległej szkoły, i były te tańce z pudełkową kolacją. Po drugiej wojnie światowej te pudełkowe kolacje się skończyły. W Bumelii nastało kino i knajpa i to właśnie ludziom pasowało, wyjść se z domu i się zabawić. Kobiety tego chciały. A wracając do tamtych tańców. Niewieleśmy tamtego dnia zrobili, tak my byli zajęci myciem się, czyszczeniem ubrania i szczotkowaniem kapeluszy, i pastowaniem butów. Droga do Kowbojskiej Róży była kiepska i trzeba było wyruszyć konno zaraz po południowym posiłku, żeby zjawić się na czas i wziąć udział w licytacji pudełek. Kilka chłopaków pojechało automobilem, chociaż tych niewiele jeszcze było w okolicy, większość z nas trzymała się koni. Jeden czy dwaj pojechali na traktorze. Wiecie, na czym polega ta zabawa z kolacyjnymi pudełkami – dziewczęta przygotowują frymuśne dania, wkładają je do frymuśnych pudełek i mężczyźni licytują te pudełka, a który wygra, przebijając innych, ma prawo zasiąść z tą, która to wykonała. Dziwnym sposobem kowboj zawsze wiedział, jak miało wyglądać opakowanie jego wybranki – a to błyszczący papier ze znaczącym supłem, a to drewniana skrzyneczka z garnkami obłożonymi słomą, żeby trzymały ciepło, czy też różowa bibułka i dzwoneczki oraz całe mnóstwo przeróżnych cudactw. Jak raz, Fanny przyszedł później i licytacja już się rozpoczęła. Wchodzi właśnie po schodkach, kiedy ta smarkata, ledwie sięgająca do sprzączki przy jego pasie, wychodzi, niosąc miskę, a po jej piegowatej buzi strumieniami płyną łzy.

„Co się stało, malutka?" „Nie wiedziałam, że to musowo trza opakować", odpowiada dziewczynka i dalej ci buczeć. Była najmłodszym dzieckiem Jake'a Ahrna, z Podwójnego Kręgu, rancza na północ od Białego Jelenia, w pobliżu terenów Franklyna. „Nie mam tego w co opakować". „No dobrze, a co to takiego?" – pyta Fan. „Poziomki ze śmietaną", odpowiada dziewczynka. A musicie wiedzieć, że w tamtych czasach bardzo trudno było dostać śmietanę, Ahrnowie trzymali jednak mleczną krowę, a różnych jagódków mała zawsze uzbierała w okolicy, kiedy był na nie sezon. Musiały ci być jakoś zakonserwowane, bo te tańce odbywały się tak bliżej zimy. Przecie w tamtych czasach nikt nie miał zamrażarki.

„No cóż", powiada nasz Fan, „mam coś jak raz dla ciebie" i ściąga z szyi te nową, czerwoną bandamę, co to ją ma na tej fotografii, i przewiązuje nią miskę małej. „Chyba będę musiał na nią licytować, żeby dostać z powrotem moją chustkę", mówi i uśmiecha się do dziewczynki. A jak się ten chłopak uśmiechał, to jakby słonko wychynęło zza chmur.

I wchodzą do środka, i mała stawia te swoją przybraną czerwoną bandamą miskę obok tamtych frymuśnych pudełek i rozpoczyna się licytacja. Aukcję prowadził pan Kresskatty, a był w tym dobry, używał tego samego młotka, co przy licytacji krów, i paradnie było słuchać, jak wychwala pod niebiosa zalety opakowań i smakowite wonie, jakie spod nich się dobywają. Po pięciu minutach podnosi miskę małej, zawiniętą w chustę Fanny'ego, i mówi: „Ile za te piękną bandamę oraz zawartość, nie za ciężką, nie za lekką i razem z dwiema łyżkami, prawdopodobnie też z mnóstwem cukru". Ledwie skończył mówić, kiedy Fan zrywa się i daje dwa dolary. A trzeba wam wiedzieć, że zwyczajową sumą za kolacyjne pudełko był jeden dolar albo troszkę więcej. Nikt się nie odezwał, z wyjątkiem pana Kresskatty'ego, który migiem zawołał: „Dwa dolary po raz pierwszy, dwa dolary po raz drugi, sprzedane! Sprzedane kowbojowi, wyglądającemu podejrzanie bez chustki na szyi", i wszyscy wybuchli śmiechem, a Fanny usiadł z tą małą i jedli razem poziomki ze śmietaną. Później powiedział nam, że przypominała mu jego własną siostrzyczkę z Missouri czy z Minnesoty. Ano, najbliższej niedzieli przejechał ten szmat drogi do Podwójnego Kręgu, żeby odwiedzić te małą. Nie miała więcej jak siedem lat. Sally czy Susy jej było. Rozmawiał z nią, zabierał na przejażdżki, grał z nią, jej braćmi i siostrą w domino, bo tak po prawdzie sam był jeszcze na wpół dzieciakiem i wedle mnie, to okoliczności zmusiły go, żeby wcześniej dorosnął. Ani chybi poczuł się jak jeszcze jeden dzieciak w tej rodzinie. Potem, któregoś dnia, usłyszeliśmy, że dzieci Ahrnów mają śkarlatynę i że ta mała też jest chora i że woła Fanny'ego. Nic go nie mogło powstrzymać. Nawet jak byśmy go związali. Pojechał bez pozwoleństwa i przez tydzień my go nie widzieli. Tato powiedział, że go zwalnia. A my się wszystkiego dowiedzieli. Ta dziewuszka Ahrnów umarła, a przez calutką ostatnią godzinę Fanny trzymał ją za rączki, a jej ostatnie słowa były: „Fanny, przyjdziesz do mnie w przyszłym tygodniu?"

Starzec zaczął mówić coraz szybciej, dosłownie wyrzucał z siebie resztę opowieści.

– Ano zrobił to. Równo po tygodniu pochowaliśmy Ubłoconego Fanny'ego, zmarłego na te samą zarazę, która zabiła tamtą dziewczynkę. Ułożono o tym piosenkę i każden jeden ją znał i wiedział, o kim ona jest. – I załamującym się głosem, przez nos, zaczął śpiewać, chociaż jak brzmiał tekst, poza „...jakich oczy nie widziały," Bob Dolar nie był w stanie powiedzieć.

– Proszę pana – odezwał się Bob, wyjmując z szarej koperty należące do LaVon zdjęcie zaprzęgu. – LaVon pokazała mi tę fotografię, a ja zastanawiałem się, w jaki sposób woźnica mógł zapanować nad tyloma zwierzętami pociągowymi naraz.

Starzec po raz pierwszy zwrócił spojrzenie na Boba, zbliżył zdjęcie do oczu i przyjrzał mu się uważnie.

– Widzi mi się, że woźnicą tutej był Hefran Wardrip. Przewoźnik. Przewozy towarowe to był interes pierwsza klasa, zanim pojawiła się kolej, szczególnie kiedy wielkie rancza zaczęły grodzić swoje tereny. A skończyło się to, kiedy byłem jeszcze chłopcem. Mój dziadek robił w tym fachu, a mój ojciec mógłby opowiedzieć, jak to widział, kiedy był mały, te zaprzągi wozów, jak ciągły na północ, inne zaś na południe albo na wschód. W tamtych starych czasach byli króle przewozów, tak jak później byli króle bydła.

– Myślałem że Szlak Santa Fe był jedynym szlakiem – zdziwił się Bob.

Tater Kurcz prychnął lekceważąco.

– To było pierwej i akuratnie całkiem inaczej. W regionie panhandle głównym szlakiem był Szlak Jonesa i Plummera, wpierw droga wojskowa, wnet się rozrósł i biegł potem z Dodge City do Mobeetie i do Tascosy. Poruszający się nim mieli stracha przed przeprawą przez rzeki Cimarron i Canadian. Obie były zdradliwe i obie miały ruchome piaski i potrafiły raz dwa przybierać. Obie też mają bardzo miękkie dno.

Ponownie spojrzał na zdjęcie, popukał w nie paznokciem.

– Zaprząganie, a potem powożenie takim dużym zaprzągiem wymagało umiejętności i trzeba się tego było uczyć latami, jak człowiek nie miał drygu od małego. Wtedy wielu się tego naumiało. Dzisiej po prawdzie nie ma już wśród żywych takich, co wiedzieliby, jak to robić, poza tymi starymi głupcami, których widuje się od czasu do czasu na rodeo, jak chełpią się swoimi umiejętnościami i potrafią cofnąć taki zaprząg do umyślonej rampy. Tamte woźnice znali te ziemie jak własną kieszeń. Powożący furgonami pocztowymi – P. G. Reynolds miał taki kontrakt – stosowali konne zaprzągi, to były te konie morgany, jak powiadają, a i diablo niepewny żywot wiedli tamte chłopaki. Jeden z nich w zamieci śnieżnej roku 1886 zamarzł na śmierć, siedząc na koźle, a pasażerowie w ogóle tego nie zauważyli, póki nie dotarli do Fort Supply i wtenczas woźnica nie zszedł na dół, żeby otworzyć drzwi. Ano nie mógł zejść. Był zamarznięty na śmierć. Powiem wam jeszcze, że do wozów towarowych używano mułów i woźnica zawsze siedział po lewej stronie, na pierwszym od wozu mule, prowadził cały zaprząg pojedynczym lejcem, takim, co to zwał się szarpanka. Ta szarpanka biegła przez wędzidło każdej pary zwierząt i łączyła się z wędzidłem tego muła przodowego. Ciągle mam gdzieś taką właśnie uprząż, na strychu czy na górce w stajni, nie pamiętam już gdzie.

– LaVon opowiadała mi o XIT i o drucie kolczastym – odezwał się Bob.

– Ach, XIT. Jak się rozchodzi o ten drut kolczasty, to XIT pokazało rancerom, że może on być pożyteczny. Pierwej była wielka niechęć do tego drutu. Ciachał on wspólne pastwiska na kawałki, a chłopcy uważali, że powinny one służyć wszystkim, po prawdzie ten pierwszy drut był drański – nazywali go zresztą „drańskim drutem" – paskudnie kaleczył zwierzęta i potem te larwy giezów je żarły. XIT użyło innego rodzaju drutu, wstążkowego, szerokiego i płaskiego, z przygiętymi kolcami. Kłuł bydło, ale nie ranił jak tamten od Gliddena. Jednak to nie XIT pierwsze użyło drutu kolczastego w panhandle. Pierwsi zastosowali go na Patelni, na ranczu finansowanym przez pana Gliddena, ale to jego komiwojażer, Henry Sanborn, namówił go do zainwestowania pieniędzy w ten interes. Najsamprzód nazwali je Rączką Rondla i na żelazie do znakowania mieli rondel z długą rączką, tyle że jakiś stary kowboj popatrzył na żelazo i palnął: „Diabła tam rondel, przecie to patelnia" – i taka nazwa się przyjęła. Pan Glidden był już wtedy stary i nie lubiał życia na ranczo, wolał mieszkać w De Kalb w stanie Illinois. Pomógł jednak Sanbornowi finansowo, pieniędzmi uzyskanymi z tego drutu kolczastego. Majątek na tym drucie zrobił. Sanbornowi się tutej spodobało i został na dobre. Straśnie był pewny siebie, ten Sanborn, miejscowi nie bardzo go lubieli. Brał się za wszystkie roboty publiczne, ale niewiele mu to pomogło. To on dał początki Amaryli. O, tam na ścianie wisi kawałek tego drutu z XIT. Sam go przywlekłem. Znalazłem calutki zwój w dolinie.

Niespodziewanie starszy pan zasnął i zdjęcie wysunęło się z jego dłoni. Bob podniósł je, a LaVon, odczekawszy kilka chwil, powiedziała:

– Już starczy. Możemy iść.

Kiedy jednak byli za drzwiami, starzec podniósł głowę i zachrypiał:

– Powiedziała ci kiedyś, skąd jej dziadek miał te ślady na plecach?

– Jeszcze nie – odparł Bob.

– No chodź już, idziemy – popędzała LaVon, popychając go.

– Chwileczkę. Cosik wam pokażę – powiedział starzec, gramoląc się z wózka. Podszedł do drzwi, złapał Boba za rękaw i wskazał mu mały krążek przymocowany do ściany pojedynczą śrubą. Z dworu dobiegło ich wycie wiatru. Tater Kurcz palcem odsunął krążek na bok. – Widzisz te dziurę?

– Owszem. Tak, proszę pana.

– To otwór na łom. Jak wiatr zacznie dąć, wtykasz tu łom,

trzymasz go z minutkę, potem wyciągasz z powrotem. Jeśli jest zgięty, to ani chybi bezpieczniej zostać w domu. – Roześmiał się suchym starczym, świszczącym śmiechem.

– Idziemy – powtórzyła LaVon.

Kiedy byli już na podjeździe, Bob oświadczył, że historia o Fannym był smutna i wzruszająca. La Von prychnęła z irytacją.

– To największa porcja końskiego łajna, jaką od lat słyszałam. Tak się składa, że kiedy byłam dziewczynką, to Sal Ahrn była zdrową i silną kobietą, pożenili się zresztą z Darwinem Lawsonem. Nigdy nie słyszałam ni słóweczka z tej historii o Fannym i o jego bandamie. Sprawdzę to.

– Chciałbym, żebyś mi opowiedziała o tamtym zdjęciu pleców pana Harshbergera.

– Wszystko w swoim czasie – odparła LaVon.

Kiedy mijali stary barak, Bob opuścił szybę, żeby lepiej się mu przyjrzeć, i już po krótkiej chwili pożałował tego, wiatr bowiem zmienił kierunek i przyniósł pełną porcję woni ze świńskiej fermy, odrażający smród dziesięciu tysięcy gnijących skarpetek, rozkładającego się mięsa, stęchłej uryny i bagiennych gazów, kwaśnych rzygowin i gnojowicy, upiorny, ciężki odór, od którego zebrało mu się na wymioty.

– Ani się waż zrzygać w moim samochodzie, Bobie Dolar – powiedziała LaVon, naciskając pedał hamulca.

– Jedź dalej! – wychrypiał Bob. – Zwiewajmy stąd.

Kilka dni później, kiedy Bob przyszedł po wodę, LaVon oznajmiła:

– No i sprawdziłam te historyjkę o Ubłoconym Fannym. Poszłam na cmentarz baptystów i odszukałam nagrobek Sarah Ahrn Lawson, zmarłej w 1962 roku w wieku czterdziestu dziewięciu lat. Urodziła się w roku 1913. Na miejscu pochówków rancza Płomykówka znalazłam nagrobek Fanny'ego Wallace'a Meersa, 1904–1920. Udałam się do Domu Prerii, gdzie rozmawiałam z sędziwymi mężczyznami i kobietami i niektórzy pamiętali Sal Ahrn. Kilku mężczyzn, szczególnie zaś Gardaman Purt, brat Vivian, nazywaliśmy go Gardie, pamiętał Ubłoconego Fanny'ego, powiedział, że po prawdzie miał talent jeździecki. Potem poszłam do biblioteki w Kowbojskiej Róży i przeszukałam stare egzemplarze „Wiwatu Kowbojskiej Róży" i nie było tam ani słowa o szkarlatynie, choć i owszem, znalazłam tam wzmiankę, że kowboj z Płomykówki zmarł w rezultacie „nieszczęśliwego wypadku". Podano, że nazywał się Fane Wallace Moors. „Nieszczęśliwy wypadek" mógł znaczyć cokolwiek, od nagłego ataku jakiejś choroby do rewolwerowej kuli. I nie żył już dziesięć lat przed tą słynną pudełkową kolacją z gadki Tatera.

W kuchni zapadło długie milczenie. Zadzwonił telefon.

– Och, witam cię, Tater. Właśnie o tobie rozmawialiśmy. Tak? Tak, tyle znalazłam sama.

Bob słyszał skrzeczący w słuchawce głos starego.

– Co ty powiesz? No cóż, Tater, jestem ci wdzięczna za telefon. Tak dobrze jest, w miarę możliwości, wyjaśnić sobie pewne sprawy. – Odwieszając słuchawkę, miała zmarszczone brwi. – Szkoda, że nie przypomniał sobie tego wszystkiego, zanim zmarnowałam dwa dni na bieganinie. To był Tater. Powiedział, że przeglądał listy swojego taty i znalazł jeden od rodziny Fanny'ego, z podziękowaniami dla taty za jego list kondolencyjny, i wtedy mu się wszystko przypomniało. Ani chybi ktoś inny umarł z powodu miłości do małej dziewczynki. Na to wychodzi, że Fanny'ego spotkała gorsza śmierć.

Nie opowiedziała mu jednak tej poprawionej wersji Tatera. Ani też, pomyślał Bob, nie wyjaśniła sprawy zdjęcia blizn na plecach swojego dziadka. Zastanawiał się, czy *Kompendium* miejscowych rodów autorstwa LaVon zawiera nie dokończone historie, pozostawiające czytelnika w niepewności.

Nim zasnął, w jego głowie zaświtała nagła myśl: Płomykówka Tatera Kurcza byłaby znakomitym miejscem na świńską fermę. Smród już tam jest.

12

Rope Kłąb

Okrakiem na linii rozdzielającej jezdnię jechał bezlitośnie poobijany pickup z przyczepą na konia. Kierowca, Rope Kłąb,
splunął przez okno, wygłosił wspaniały i smętny poetycki wers,
który o świcie przyszedł mu do głowy, „Mówią, że stary kowboj to niedojda nieboże". Nie przymuszał się do poszukiwań
następnego wersu; sam się objawi. W regionie, który niegdyś
tworzyły wspaniałe rancza, pozostały jedynie ich nędzne resz-
ki, krzaki bawełny obrastały fundamenty domów mieszkalnych, werandy przysypała ziemia, pociski z broni palnej strza-
skały kosztowne, importowane witraże. Rope Kłąb, chociaż
miał ponad dziewięćdziesiątkę, uważał siebie za jedynego żyją-
cego fachowego kowboja, jaki nadal zamieszkiwał panhandle.
Mimo swojego zaawansowanego wieku, wciąż mógł wykonywać całodzienną ciężką robotę i wciąż cieszył się reputacją całkiem dobrego pracownika, jako że niedostatki siły fizycznej
nadrabiał doświadczeniem i intuicją. Kiedyś był prawdziwym
twardzielem, teraz natomiast był starym, bardzo starym wil-
kiem, osamotnionym, zgorzkniałym i faktu tego świadomym.
Krewki i wybuchowy, łatwo się obrażał, nie tolerował po-
uczeń ani przeciwstawiania się mu. Wolał pracować, niż prze-
siadywać w swoim malutkim, trzypokojowym domu. Kiedy
był młodszy, byle drobiazg mógł doprowadzić go do porzuce-
nia aktualnego zajęcia i przeniesienia się na inne ranczo. Tak
często wybuchał gniewem i odchodził, że widok jego pickupa
z przyczepą na konia inspirował dowcipnisiów do uwag w stylu:
„Rope Kłąb znów ma odchody". Niemniej od czasu, kiedy pracował „na pełen etat" przy znakowaniu bydła, minęło ze dwadzieścia lat, niewielu bowiem ranczerów w tych dzisiejszych
czasach dbałości o zdrowie i zagrożeń procesami sądowymi

miało ochotę wynajmować kowboja w staromodnym stylu. I dlatego, żeby się utrzymać, zajmował się końmi i w mniejszym stopniu hodowlą kogutów bojowych. Bolało go to, że większość ranczerów zredukowała drastycznie liczbę posiadanych wierzchowców na korzyść pickupów i pojazdów terenowych. Pamiętał czasy, kiedy na Odciętym Ranczu trzymano trzysta koni. Teraz to ranczo należało do firmy ubezpieczeniowej z Minneapolis i było na nim trzydzieści koni, z których połowy rzadko kiedy używano. Wezwanie do Rope'a, żeby zastąpił jakiegoś pracownika, który zachorował albo też musiał stawić się w sądzie, zdarzało się nie częściej niż raz w miesiącu, dlatego zwracał on swoje ponure myśli ku poezji.

W rytm kiwającego się na drodze pickupa pojawiły się w jego głowie dwa następne wersy. Najpierw powtórzył ten udany pierwszy: „Mówią, że stary kowboj to niedojda nieboże".

Potem dodał: „Wygasa mu ognisko, choć robi, co może".

Jedynym rymem do „ognisko", jaki zdołał przywołać, było „psisko", któremu jakoś brakowało poetyckiej wzniosłości. Właściwy wers pojawi się w stosownym czasie. Tak właśnie jest z poezją. Sama wypełza z zakamarków umysłu.

Poznał już w swoim życiu ludzi najlepszych i najgorszych. Panhandle przyciągało dziwne indywidua, od absolwentów Harvardu do zbiegłych kryminalistów. Nie podobało mu się tych dwu zniewieściałych typków, którzy ostatnio przyjechali z Dallas, był jednak skłonny żyć i pozwolić żyć innym, jako że pewne barakowe związki nie były dla niego niczym nie znanym, choć niewiele się o nich mówiło. To Francis Scott Kita nienawidził tych dwu – Franka Owsleya i Teddy'ego Paxsona – z jakąś zaraźliwą intensywnością i gadał o smole i pierzu i o znacznie gorszych rzeczach. „Bumelia nie potrzebuje żadnych cholernych ciot", powtarzał. „Bardziej by mi się widziało, żeby ten stary, szkolny budynek, w którym tyle dzieciaków naumiało się abecadła, zamieniono w chlewnię, niż oddano tym homoseksistom". Rope natomiast kupił w ich pracowni szkła czerwoną miseczkę, z której codziennie rano jadł kukurydzianą papkę, zauważając przy tym, że jej płonący na stole kolor poprawia mu samopoczucie. Wyobrażał sobie, że Francis musi jeść prosto z garnka.

Z racji tego, co wydarzyło się w latach późniejszych, zapamiętał szczególnie szalonego Holendra, Habakuka van Melkebeeka, który pewnego wiosennego dnia roku 1930 zjawił się na Odciętym Ranczu w poszukiwaniu pracy. Twierdził, że pochodzi z miasta Kampen w Holandii i że pracował w Oklahomie przy uprawie pszenicy. W tym czasie brygadzistą na Odciętym był Hermann Slike, stary, humorzasty Teksańczyk niemieckiego pochodzenia, z ogromnymi, ziejącymi nozdrzami przypominającymi wejścia do bliźniaczych pieczar. Wychowywał się w przeludnionej ziemiance, skąd udało mu się uciec, zanim sypnął mu się wąs.

– Znasz się choć trochę na wiatrakach? – spytał Holendra, taksując wzrokiem jego długie, cienkie nogi, pajęcze ramiona. Jak na jego gust gość miał zbyt wielką kufę – spęczniałe wargi, wielki, krzywy nos z mięsistą kulą na końcu, powieki grube jak skorupy, brwi niby kępy chwastów. W całym zespole nie było ani jednego kowboja, który z własnej woli zechciałby pracować przy wiatrakach, a kiedy już któregoś zmuszono, by wchodził na wysoką konstrukcję, obciążony pełnymi smaru bańkami, to przeklinał on Slike'a od świtu do nocy, a po tym jak jednego z takich przymuszonych trafił piorun, wystarczyło, że kowboj z Odciętego usłyszał słowo „wiatrak", i natychmiast rezygnował z roboty. Wokół wiatraków rosły wysokie chaszcze, doskonała kryjówka dla grzechotników, i dlatego upuszczone w te chwasty narzędzie zostawało już w nich na zawsze. Powiadano, że Odcięte miało trzy zespoły pracowników – jeden przychodzący, jeden odchodzący i jeden pracujący. Dlatego sam Slike spędził wiele samotnych godzin na śliskich drabinach, zdzierając sobie o szorstki metal i o zużyte mechanizmy skórę z knykci.

– Ja. Znam się nie najgorzej.

Slike rzucił w kierunku Rope'a Kłąba szybkie, porozumiewawcze spojrzenie.

– Ano, sprawdzimy cię. Potrzebny mi jest dobry wiatrakowy. Cholera, wezmę i kiepskiego. Dla kogoś, kto widział padłe z pragnienia krowy, to najważniejszy człowiek na ranczu. Bo krowy muszą pić. Mamy tutej czterdzieści jeden wiatraków na dwudziestu ośmiu pastwiskach. Rope ci pokaże, gdzie one są. Będziesz odpowiedzialny za utrzymywanie tych urządzeń w ruchu, za dobry stan zbiorników na wodę. Hodowla bydła to interes, a woda jest treścią tego interesu.

– *Ja* – oznajmił Habakuk. – Potrzebuję ołówek, papier. Zapisuję te młyny, gdzie one, pastwisko, numer, jaki stan, inne rzeczy. Młyny dają pieniądze. *Daar moet de molen van malen* – to właśnie młyn musi wymielić, nie? – Chociaż Habakuk pochodził z Kampen, które miało reputację miejsca przysparzającego światu osłów, sam uważał się za człowieka bystrego i był wobec innych nieufny, bo podejrzewał, że w jakimś celu próbują go przechytrzyć. Był sprytny, jednakże był to spryt Jasia z bajki, któremu dobre rzeczy przydarzały się dzięki szczęśliwemu trafowi, a nie za sprawą inteligentnego rozumowania.

– No niby tak. – Slike nie był pewien, co tamten miał na myśli. – Rope, pokaż Mlekobykowi, gdzie może złożyć swoje manatki, i daj mu dwa porządne wierzchowce. Daj mu też ołówki i jeden terminarz z tych, co to leżą na półce w kantorku. To powinno mu wystarczyć. Zabierz go tam po obiedzie i pokazuj wszystkie wiatraki po kolei. Tak długo, aż zobaczy ostatnie cholerstwo. Twoja w tym głowa, żeby nie przeoczył żadnego. Może tym razem nam się poszczęści. – I odszedł, z twarzą wykrzywioną jakimś przedziwnym grymasem; minę miał częściowo kwaśną, jakby podnosił w górę kieliszek, podejrzewając, że ten zawiera ocet, częściowo rozanieloną, jakby właśnie wypił haust szampana. Po kilku jardach odwrócił się i dodał: – Pokaż mu składzik z narzędziami i warsztat. Pokaż mu też kryty wóz na sprzęt. Diabła tam, pokaż mu po prostu wszystko. Może tym razem nam się poszczęści.

Z biegiem czasu Slike miał coraz lepszy humor. Habakuk van Melkebeek był iście natchnionym wiatrakowym, znakomitym i kompetentnym, nawet jeśli nieco osobliwym. Choć wysoki, był przy tym zwinny jak kot i sprężysty jak stalowa struna. Owszem, zrobiono mu w baraku parę głupich dowcipów, żartowano z jego śmiesznego akcentu, podejrzewano, że „Holender" oznacza Niemca, miano mu za złe, że dostaje niemal dwukrotnie więcej od zwykłego pracownika, jednak poczucie humoru żartownisiów przybladło, kiedy ten wysoki mężczyzna zareagował własnym figlem, mianowicie wstrzyknięciem smaru do ich butów, kiedy spali, i wygłoszoną łagodnym głosem uwagą: „Jak ja pójdę na inne ranczo, wy reperujecie wiatraki. A jak wy miłe, zostaję, reperuję, jak trza". Niewiele czasu potrzebowali, żeby zauważyć, że ten bocianonogi Holender jest nieco szalony, ale jednocześnie niezbędny i wart swoich siedemdziesięciu pięciu dolarów miesięcznie. Jeźdźcy często widzieli z daleka jego kościstą postać balansującą na szczycie trzeszczącego wiatraka albo też jego rozklekotany wóz wzbijający tumany kurzu na pastwisku i dziękowali Bogu, że są siedzącymi na końskim grzbiecie kowbojami, a nie jakimiś wiatracznymi małpami.

Po tym, jak Rope oprowadził go wszędzie, gdzie trzeba, Habakuk został sam ze swoją robotą i często z powodu jej nadmiaru, zamiast wracać do baraku, spał na prerii, nie chciał bowiem marnować czasu na dojazdy. Zgodnie z tradycją, miejscom, gdzie stały wiatraki nadawano nazwy zależnie od okolic i rodzaju wypadków, jakie się tam kiedyś zdarzyły – Straszny Szwed na pastwisku przy kanionie, Czerwony Młyn (ze względu na kolor ziemi), Krótkie Palce, w miejscu, gdzie wiertacz okaleczył sobie dłoń, Pech, gdzie niefortunny kowboj spadł z wysokiej konstrukcji. Tymczasem Habakuk na łopatce śmigła każdego z nich oraz na ściance towarzyszących im zbiorników wody wymalował numery i każdemu z osobna poświęcił kilka stron w swojej księdze.

Wiatraki Odciętego Rancza cierpiały na wszelkie możliwe dolegliwości: nieszczelne, przeciekające zbiorniki, zużyte, skórzane, miseczkowe natłoczki, popękane żerdzie pompowe (w wielu miedziane nity zastąpiono zagiętymi gwoździami), popękane druty odciągów, brakujące łopatki śmigła, podziurawione rewolwerowymi kulami ochronne obudowy, rozpaczliwie wymagające oliwienia przekładnie, zatkane błotem rury, wytarte sworznie płetwy steru, zużyte podkładki, koła zębate i łożyska, popękane korpusy łożysk, łańcuchy steru popękane i oplątane wokół masztu, srocze gniazda na kilku spośród nie funkcjonujących wiatraków, zatrzymanych, bo wibracje łopat spowodowały, że te ptasie skarby – kulki, śrubki, kawałki kości, błyszczące kamyki – wypadły z gniazda do cylindra, zrujnowały jego gładź. Wokół niektórych wiatraków wyrosły wiązy, topole albo wierzby i czort z cieniem, oznajmił, one muszą zostać usunięte, bo ich korzenie wyniuchają źródło wody, skupią się wokół niego i zaduszą. Pośród wiatraków wiele było mających drewnianą konstrukcję modeli Eclipse, z łożyskami wykonanymi z miękkich stopów, wymagających cotygodniowego smarowania, które od lat stanowiło dla kowbojów na ranczu najgorszą robotę. Te, jak oświadczył Habakuk Slike'owi, muszą być zastąpione przez konstrukcje stalowe, z zębatymi przekładniami, z ruchomymi częściami zamkniętymi w metalowej obudowie, którym wystarcza smarowanie raz na miesiąc. Slike odpowiedział mu jednak, że te Eclipse muszą jeszcze czas jakiś popracować i tylko wtedy, kiedy któryś zużyje się „dokumentnie", zastanowi się nad zastąpieniem go przez nowszy.

Pod koniec przeglądu Habakuk powiedział Slike'owi, że na tym ranczu jest dość roboty na pięćdziesiąt lat dla dziesięciu wiatrakowych i że on nie jest w stanie wykonać całej tej pracy sam, tym bardziej jeśli ma wymieniać te miękkie łożyska ze starych Eclipse'ów. Musiałby przecież wymontowywać z każdego wielki, osiemnastostopowy wirnik oraz dwustufuntową głowicę, co jest zajęciem dla dwóch silnych mężczyzn, wytopić z głowicy stare łożysko i odlać nowe. Musi mieć jednego, a nawet i dwu pomocników. Slike pokiwał głową i powiedział, że załatwi mu jednego... kogoś tam. Miał na myśli Rope'a. Ten jednak, wówczas akurat dwudziestoośmiolatek postrzegający siebie jedynie w roli pełnokrwistego, teksaskiego kowboja, zaparł się.

– Lubię Habakuka – oznajmił – nie na tyle jednak, żeby skakać po wiatrakach. Nie zrobię tego. Prędzej rzucę robotę. Dlaczego nie weźmiesz tego chłopaka, co to wczoraj wieczorem tu się przypałętał?

Bo rzeczywiście chudy jak tyka młodzieniec szukał u nich pracy i pod wpływem pierwszego impulsu Slike odesłał go do domu, do mamusi; zrobił to całkiem obcesowo, tym swoim gniewnym głosem każąc mu się wynosić, teraz jednak doszedł do wniosku, że chłopak mógłby popracować przy wiatrakach. Trochę za mało mięśni jak na pomocnika Habakuka, ale przecież je sobie wyrobi. Owszem, był szczupły, ale pewnie silny jak większość wychowanych na ranczu chłopaków.

– Ile on według ciebie ma lat? Kręci się tu gdzieś jeszcze?

– Powiedziałbym, że z piętnaście, szesnaście. Nie, nie ma go już tutej, sam kazałeś mu się zabierać. Widzi mi się, że wiem, gdzie go szukać. Pewnie wrócił do domu. On jest od tych Kurczów, co to mieszkają za należącym do Coppedge'a Ranczem Dwadzieścia Mil. To wygwizdów. Duży, kamienny dom i mnóstwo chwastów. Oprócz niego są tam jeszcze inne dzieciaki.

– W porządku. Jedź tam rano i zobacz, czy uda ci się go sprowadzić do tej roboty. Jak go zwą?

– Zwą go As. As Kurcz – odparł Rope Kłąb. – Sympatyczny chłopak.

– Jeśli razem z Mlekobykiem zajmie się naprawą wiatraków, to dla mnie będzie jeszcze bardziej sympatyczniejszy.

W tym to mniej więcej czasie Rope Kłąb napisał swój pierwszy kowbojski wiersz, dwanaście linijek, których ułożenie zajęło mu cztery godziny. Pozostał na zawsze wyryty w jego pamięci.

> Jadąc na swoim gniadym doliną
> jedną krowę żem minął
> dziwny jakiś pysk miała
> jakby go w pół przedziabała
> mógłbym go wyrychtować, bylebym miał śrubę
> i kleju tubę.

> Za sprawą krowy przypomniałem sobie
> o swoim wuju Leonie Żłobie
> cztery siodła w swym życiu zużył
> i cztery żony obsłużył
> kiedyś scyzoryk mi dał
> co ciachał jak chciał.

Nazajutrz pojechał do Kurczów. Ten chłopak, As, był zadowolony i podniecony myślą o pójściu do pracy i nie wydawał się rozczarowany tym, że ma być pomocnikiem gościa, który skręca angielskie słowa w holenderskie precle. Rope domyślał się dlaczego. Gospodarstwo Kurczów było zapuszczone, trawa nadmiernie wyeksploatowana, ogrodzenia naprawiane tyle razy, że stanowiły istną plątaninę drutów, krowy wychudzone, z żółtymi grzbietami i infekcją wywołaną przez larwy gzów. W pobliżu budynku mieszkalnego stał wiatrak, stara drewniana konstrukcja, który – Rope był przekonany – przeszedł już niejedną awaryjną naprawę. Funkcjonował co prawda, ale z braku smarowania i za sprawą innych przypadłości zgrzytał i piszczał przy tym przeraźliwie. Rope pomyślał sobie, że kurs naprawy wiatraków będzie istnym dobrodziejstwem dla rancza Kurczów.

Tymczasem, podczas gdy As zbierał swoje rzeczy, stary pan Kurcz, z twarzą wysuszoną i pomarszczoną jak zwiędłe jabłko, pokazując każdym słowem i gestem, jak to on trzyma krótko swoich synów, targował się o płacę młodego Asa, nalegając przy tym, żeby trzy czwarte pieniędzy szło bezpośrednio do rodzinnego domu.

– Pozbywam się rąk do pracy. A przydaje nam się tutej każda ich para. – Machnął ręką w nieokreślonym kierunku. – Zresztą, po kiego jemu pieniądze, skoro ma utrzymanie i miejsce do spania. Tylko by go spsuły, nie?

Rope zdusił w sobie chęć powiedzenia tamtemu, że dzieciakowi przydałaby się nowa koszula i spodnie, które nie byłyby dziurawe i pełne łat, że ucieszyłyby go buty odpowiedniego rozmiaru i że mógłby odłożyć nieco grosza na nowe siodło albo na konia, albo na zaliczkę na dom, gdyby chciał się za kilka lat żenić, zamiast tego zauważył jedynie, że pan Kurcz będzie musiał się pofatygować do pana Slike'a, by z nim porozmawiać o płacy syna. Normalnie bowiem pracownik bierze zapłatę i pieniądze należą do niego, jako że to on wykonuje tę płatną robotę. W tej właśnie chwili wpadł na ganek chłopak z naręczem swojej obszarpanej odzieży na zmianę i z jakąś staromodną podróżną sakwą, która wyglądała tak, jakby pozostawiły ją tutaj przechodzące przez okolicę oddziały hiszpańskich konkwistadorów.

– Najsampierw twój tata musi porozmawiać z panem Slikiem o zapłacie dla ciebie – oświadczył Rope Kłąb, współczując dzieciakowi, bo przecież widać było, że jedynym jego pragnieniem jest wyrwać się jak najprędzej z rodzinnego domu.

Był środek nocy, barak, wypełniony powietrzem gęstym od wiatrów produkowanych przez kowbojów, którzy objedli się fasolą, rozbrzmiewał chrapaniem, kiedy Rope'a obudził skrzyp zawiasów u drzwi, potem usłyszał czyjeś niepewne kroki, dźwięk czegoś, co osunęło się na podłogę – pisknięcie skóry wskazywało na siodło – wreszcie znużone westchnienie. Ktoś wszedł do środka i układał się do snu na podłodze. Nie miał pojęcia, kto to może być – jedyny, którego brakowało, Habakuk van Melkebeek, przebywał na pastwiskach ze swoją derką i z kluczem łańcuchowym. A potem Rope pomyślał: Wiatrakowemu mógł przecież przydarzyć się wypadek i może przyczołgał się tutaj po pomoc medyczną.

– Habakuk? – spytał cicho. – To ty?
– To ja, As. As Kurcz.
– Na miłość boską – rzucił Rope i macając ręką w poszukiwaniu łańcuszka od światła, zaczął się gramolić z posłania.

Dzieciak wyglądał okropnie, opuchnięty nos był dwa razy większy niż normalnie, warga rozcięta, oczy podbite; skórę na głowie miał rozpłataną, po czym na pewno zostanie biała blizna.

– Tata cię tak urządził? – spytał Rope.

Chłopak skinął głową.

– Zrobił to, ale ani chybi to ja jestem wygrany. Wydostałem się stamtąd i nie będzie się mnie już więcej czepiał. A pieniądze, które zarobię, będą moje.

– Świetnie – powiedział Rope Kłąb. – Chyba go nie zabiłeś, co?

– Miałem chętkę, ale myślę, że nie. Zdzieliłem go łopatą po łbie, dźwięk był taki, jakby ktoś walnął w czajnik, i on upadł. Klął i brał się do wstawania, ale ja już nie czekałem i dałem dyla.

– Miło mi to słyszeć – powiedział Rope Kłąb. – Bo nie ma litości dla dzieciaków, które posyłają swoich ojców do krainy

wiecznych, szczęśliwych łowów. Rano zabiorę cię do Habakuka. Masz derkę i co tam trzeba do spania?
– Nie – odparł chłopak.
– Wszawy? Znaczy się masz wszy?
– W życiu. My ludzie biedne, ale czyste.
– No tak. To teraz jesteś w takim miejscu, gdzie będziesz
i biedny, i brudny. Jeśli nie masz wszy, to możesz rozwinąć
moje stare posłanie. Parę miesięcy temu sprawiłem sobie nowe. A nigdy niczego nie wyrzucam. To stare jest cienkawe, ale
widzi mi się, że pogoda ma być jak raz łaskawa, to nie zamar-
zniesz. Po wypłacie pojedziesz do Bumelii i kupisz sobie nowe
razem z brezentem.
– Dzięki – powiedział chłopak. I to było wszystko.

Rano Rope zabrał go na pastwisko przy kanionie, gdzie zasta-
li Melkebeeka, odzianego jak zwykle w czyściutki, pasiasty
kombinezon i wyprasowaną białą koszulę, mocującego się
z zablokowanym zaworem cylindra. Nikt nie potrafił wymyślić, w jaki sposób udaje mu się prasować koszule na prerii,
a w baraku prowadzono długie dyskusje na temat przeróżnych
możliwości rozwiązania tego problemu, poczynając od jakiejś
mieszkającej nieopodal, pomocnej wdowy do deski do prasowa-
nia oraz baterii żelazek*, wożonych pośród części do wiatraków
na skrzyni pickupa. Habakuk ucieszył się na widok młodego
Asa i odezwał się do chłopca, jakby od lat z nim pracował:
– Cześć, As. *Ik ben Habakuk van Melkebeek.* Mamy tu robotę. Ja myślę, że ty jesteś *een goede werker, ja*? Dużo roboty
przy wiatrakach, dużo kopania. Wielka, głęboka dziura, coby
się nie przewalił. Tak jak tutej, tej studni nigdy nie oszalowa-
li, a teraz jest tam dziura w kolumnie do wody. To my ją wy-
ciągamy. Dobrze, że jesteś.
– Habakuk, jak ty, do diabła, to robisz, że tak schludnie
wyglądasz? – spytał Rope, spoglądając na jego białą koszulę.
Na Boga, pomyślał w duchu, ona rzeczywiście wygląda na wy-

* Ang. *sad iron*, dosł. „smutne żelazko"; wynalazek z 1871 roku. Zdejmo-
wana rączka, korpusy żelazka (bez rączki) rozgrzewają się na piecu i korzysta się z nich po kolei, przymocowując do nich tę jedyną rączkę.

prasowaną. Rozejrzał się po obozowisku, nie zaśmieconym, jak większość, puszkami po sardynkach i butelkami, ale utrzymanym w surowym porządku, bez najmniejszego nawet śmiecia na widoku. Zapasowa łopata śmigła, leżąca na dwu skrzynkach i obciążona kamieniami, służyła za stół. Zrolowane posłanie schowane było w kabinie pickupa, a Habakuk zdążył już wykopać dołek pod ognisko i obłożyć go kamieniami. Na gorących węglach stał dzbanek z wrzącą kawą.

– Woda. Zawsze mam wodę, wkładam mydło i wodę w wiadro, wkładam brudne ubranie, jeżdżę dookoła, zupełnie jak pralka, wszystko się pierze. To łatwe. Holenderskie ludzie lubią czyste. *Waar of niet waar?*

– Masz tu też baterię żelazek?

– *Ja*, pewnie. Pasta do butów, brzytwa. No dobra, panie As, jest robota do zrobienia. Mam listę z usterkami dla każdego wiatraka, wiem, co im dolega. Będziemy reperować jeden po drugim. – Przyjrzał się chłopcu. – Po wypłacie kupisz sobie nową spodnicę.

– Spodnicę?

– *Ja*, spodnicę. – Palcem wskazał nogawkę spodni.

– Spodnie – poprawił go As. – Panie Melkebeek, to są s p o d - n i e. Dziewczęta noszą spódnice. – I gestem wyrysował wokół swych kolan wyimaginowaną spódnicę, zakręcił się.

Rope Kłąb pomyślał nagle, że chłopak ma wrodzoną umiejętność zaprzyjaźniania się z każdym. Walnięcie własnego taty w łeb musiało być wbrew jego naturze.

Habakuk roześmiał się.

– W każdym razie, *een overhemd*. Spódnica, spodnie. Kupisz, co zechcesz.

Lista Habakuka była potężna; sporządził ją w pierwszych tygodniach przeglądu, który obejmował sprawdzanie oczepów i wzmocnień samej konstrukcji, jej wszystkich śrub; sprawdzanie śmigieł od nitów do piasty; wzięcie pod uwagę dziur po kulach w obudowach; kontrolowanie każdego fragmentu odciągu, łopatki i płetwy sterowej; ostrożne testowanie drewnianej podstawy, zaglądanie pod nią w poszukiwaniu gniazd os i pszczół.

Łapacz oleju, przekładnia, złączki, bolce oraz zawleczki wymagały drobiazgowego oglądu. Habakuk był dokładny.

Na początek polecił młodemu Asowi mocować łopatki śmigła za pomocą zielonej, nie wyprawionej skóry.

– Jak wyschną, są *zo hard als staal*. Chcesz je przeciąć, musisz mieć piłka do metal.

Wraz z umiejętnością naprawiania wiatraków młody As uczył się od Habakuka porządku. Był chłopcem cichym, solidnym, pracowitym jak mrówka, a w miarę upływu czasu ramiona mu się poszerzyły, mięśnie pogrubiały od tego kopania, wspinania się, ciągnięcia i podnoszenia oraz od smakowitej, aromatycznej kuchni Habakuka, który, oprócz czystych, białych koszul i pedantycznych zapisków na temat każdego wiatraka, lubił indonezyjskie curry oraz *sambal*, których tajemnicze składniki każdego miesiąca przysyłano mu w wielkich pudłach. I zawsze na koniec każdego posiłku spoglądał surowo na Asa i mówił: *Wij zullen afwassen*, wręczając mu przy tym czystą ścierkę do naczyń.

Kiedy chłopiec zmywał, Habakuk wygłaszał wykład na temat wiatraków.

– Pan Ranczer nie chce mieć wysoka konstrukcja – boi się, że musi się wspinać. Ale czym wyższa, tym lepsiejsza. Turbulencja nad ziemią przełamie wiatrak. Jak wiatrak stoi koło budynku, musi być wysoki. Buduj wysoki. Nigdy nie stawiaj w kanionie. Złe prądy zstępujące.

Dwa lata po tym, jak As Kurcz zaczął pracować na Odciętym Ranczu, pan Slike wziął jego młodszego brata, Tatera, na koniucha. Z początku Tater próbował sił przy wiatrakach, razem z Asem i Habakukiem, ale cienka strużka wody, jaka wypłynęła z rury studni, nad którą trudzili się przez wiele dni, nie zrobiła na nim większego wrażenia.

– Do diabła, potrafię sikać większym strumieniem od tego tutej.

– Ale nie tak długo – oświadczył Habakuk i już wiedział, że z Asowego brata nie wyrośnie miłośnik wiatraków. Odesłał go do Slike'a.

As i Tater rzadko się widywali, poza weekendami, kiedy uważali za stosowne razem jechać do miasta. As zabrał kiedyś Tatera do Dance & Saloon Hall Murphy'ego, gdzie Tater, w wieku lat czternastu, osobiście doświadczył tego, co widywał jedynie w wykonaniu byków i krów. Habakuk van Melkebeek nigdy nie jeździł do miasta; wolał zamiast tego prać, cerować i prasować swoje ubranie, czytać holenderskie gazety i dodawać długie kolumny liczb.

Kiedyś w baraku, w którym rzadko tylko sypiał, usłyszał pytanie:

– Po kiego się tak sztyftujesz, Hab? – rzucone przez Ercela Dulleta, który nerwowym tasowaniem kart przypominał psa drapiącego się nieustannie w swędzące miejsce. – Planujesz ożenek? Nie widziałem cię z nijaką paniusią, no to musi to być któraś z dziwek, zgadza się?

– Diabła tam – rzucił Hawk Śmietanko – on nigdy nie łazi do burdelu, to jak niby miałby taką spotkać? Ciekawość, co robisz, żeby se ulżyć? Nakładasz smaru wiatrakowego i walisz konia?

Roześmiali się, a Habakuk śmiał się razem z nimi, po czym rzekł łagodnym głosem:

– Na nic mi żona. O żonach wiem już wszystko.

Niewiele było uciechy z docinania komuś, kto śmiał się tylko i nie tracił spokoju.

– As, trza musowo położyć solidne, betonowe chodniczki wokół zbiorników – oznajmił któregoś dnia Habakuk. – Na tym piachu kopyta krów nie mogą się zetrzeć i rosną za długie. Pan Slike się frasuje. A tak to przyjdą się napić, przejdą po betonie, będzie dobrze dla kopyt.

Tak więc spędzili całe miesiące na wylewaniu betonu.

Przez kilka z tych miesięcy mieli pomocnika, Glena Corngaya, ale ten nie był w stanie wytrzymać intensywnej pracy, nie lubił curry i uważał, że mnóstwo wie o świecie, wiedzy na temat wiatraków nie wyłączając. Jego karierę zakończył dziwaczny wypadek.

Od wielu dni wiał wiatr niosący ze sobą piasek i z sykiem

bił o wielkie stalowe konstrukcje wiatraków, matowił lakier pickupa, niczym papier ścierny ścierał jego przednią szybę. Piasek znajdowali w posłaniach, w jedzeniu, które trzeszczało w zębach, nawet na dnie kubków do kawy osiadały jego drobiny. Podjechali do wysokiej, stalowej konstrukcji, którą rok wcześniej Habakuk wraz z Asem doprowadzili do porządku. Od samego jednak początku strumień wody był tutaj słaby i Habakuk chciał sprawdzić, jak się rzecz ma obecnie. Corngay wysiadł z pickupa pierwszy. Pomaszerował prosto do wiatraka.

– Corngay – zawołał Habakuk – nie tykaj konstrukcji, za dużo na niej piasku. To niedobre. Elektryczność statyczna.

Tymczasem Corngay, rzuciwszy mu pogardliwe spojrzenie, jakby chciał rzec, że żaden wiatr, piasek ani metal nie są dlań straszne, sięgnął do kołowrotka, którym naciągało się odciążki. Nawet nie zdążył go dotknąć. Ładunek elektryczny, który za sprawą tarcia zbierał się tam od wielu dni, przeskoczył pustą przestrzeń i cisnął nim w pobliski kaktus.

Habakuk wybuchnął niepohamowanym śmiechem.

– *Hij heeft een klap van de moelen gehad.* Dostał *klap* od wiatraka. – Dla niego każdy z wiatraków miał własną, odrębną osobowość i było oczywiste, że ten tutaj jest źle usposobiony do kogoś, kto nie okazuje mu należytego szacunku.

Było ich w ten sposób o jednego mniej, kiedy bowiem Corngay ponownie stanął na nogach, zrezygnował z dalszej współpracy i poszedł, zataczając się, przez otwarty krajobraz ku pokrytej kurzem drodze gruntowej, gdzie miał nadzieję złapać jakąś okazję.

Mimo że Habakuk nigdy nie popełniał błędów, As popełnił ich kilka i przydarzyło mu się parę wypadków. Odkrył na przykład, że najgorszym miejscem na leczenie kaca jest szczyt wiatraka w upale. Jednak nic, co go dotknęło, nie przypominało fatalnego końca, jaki spotkał pewnego domorosłego wiatrakowego na Ranczu ZZ, w Druciance, przy granicy z Oklahomą.

Ranczer, Archie Frass, kiedy tylko było to możliwe, szedł na łatwiznę. Kiedyś znalazł jakieś używane rury i wmontował je, tymczasowo, w konstrukcję, wtykając jedne odcinki w mokry beton, a inne wykorzystując na podstawę; pospawał je najpierw na krzyż, punktowo, minimalną liczbą punktów, co miało trzymać w kupie czterdziestostopową wieżę. Nie zawracał sobie głowy zbudowaniem stosownego fundamentu, nie zamontował żadnych drutów cumujących, nie sprawdził nawet, czy konstrukcja trzyma poziom. Rury były naturalnie puste w środku i Archie nie pomyślał, żeby czymś zatkać ich końce. Woda deszczowa dostawała się zatem do środka, a ponieważ rury tkwiły w betonie, nie mogła z nich wyciekać. Zimą srogi mróz osłabił, a nawet rozerwał niektóre ich odcinki. Konstrukcja przechyliła się nieco na południowy wschód. Po kilku latach trzeba było wymienić zużytą głowicę. Frass, wraz z niechętnie biorącym udział w tym przedsięwzięciu synem, usiłowali wciągnąć nową turbinę wiatrową za pomocą wciągarki z całym systemem bloczków, zapomnieli jednak przeciągnąć linę wciągarki przez krążek znajdujący się u podstawy wieży, przymocowali ją natomiast do Frassowego pickupa. Syn Frassa miał kierować samochodem, a ojciec zarządzać całą operacją ze szczytu konstrukcji. Kiedy lina spadła z bloczka, syn podjechał do przodu, a Frass, który wcześniej spodziewał się, że turbina ruszy w górę, ku niemu, zawołał: „Hola!", przerażony i zdumiony, bo konstrukcja zaczęła się zapadać, jej osłabione nogi nie wytrzymały obciążenia. Frass, wiatrak, wciągarka, pickup, turbina oraz syn Frassa, wszystko to utworzyło jedną splątaną masę z ludzkich ciał i zakrwawionych fragmentów stalowych rur.

— Ano wszystko zrobił nie tak — oznajmił Habakuk van Melkebeek z satysfakcją człowieka, który robi wszystko poprawnie. — Jak chodzi o zakotwienie nóg w betonie, pokażę ci sztuczkę. Trza mieć pewność, że konstrukcja trzyma poziom, zanim się ją ze wszystkim umocuje.

Poszedł do pickupa i przyniósł swoją strzelbę na kojoty. As patrzył zdziwiony, jak Habakuk opiera lufę o maskę samochodu i spoglądając przez lunetę, mierzy do wiatraka.

– Rura poprzeczna musi się pokrywać z poziomą kreską celownika, a żerdź pompowa z pionową. W ten sposób możesz szybko sprawdzić, czy konstrukcja trzyma poziom.

W roku 1938, po pięciu latach pracy przy wiatrakach Odciętego Rancza, Habakuk przedstawił Asowi Kurczowi propozycję założenia wspólnego interesu. Siedzieli na odwróconych do góry dnem skrzynkach po owocach, popijając kakao, specjalność Asa, który przyrządzał je ze skondensowanym mlekiem i białym cukrem, wrzucając dodatkowo do każdego kubka kostkę pianki żelowej. Jeśli pianki zestarzały się i stwardniały, As opiekał je w piecyku albo nad biwakowym ogniskiem, gdzie karmelizowały się w grafitową masę przypominającą żużel.

– *Goed* – oświadczył Habakuk, wciągając do ust słodką pianę z powierzchni napoju. – As, odkąd zacząłem pracować dla Odciętego, przychodziły mi do głowy różne pomysły. Pan Slike to porządny człowiek i dobrze nam się współpracuje, jednak odkąd tylko przyszłem na to ranczo, myślałem o własnym interesie, a nie o pracy dla inszych. Pierwej myślałem, przyjadę do tego kraju i wrócę, ale się odmyśliłem. Podoba mi się panhandle. Podoba mi się ta płaska część Teksasu. Po prawdzie jedno lustro wody pod nami coraz bardziej się obniża. Kiedy tu nastałem, studnie były na dwadzieścia, trzydzieści stóp. Teraz musimy głębiej zapuszczać rury i niektóre studnie mają po osiemdziesiąt, sto stóp. Wiatrak nie jest w stanie wyciągnąć wody z tej głębokości i musimy wstawiać pompy. Lustro wody stale opada. Pamiętasz numer czterdzieści trzy na północnym pastwisku? Sto dwadzieścia duże stopy. Założę się, że będziemy sięgać jeszcze głębiej. I tak jest w całym panhandle... teraz wszyscy muszą sięgać po wodę coraz głębiej. Takem sobie umyślił, coby odejść z Odciętego i założyć interes polegający na wierceniu studni, stawianiu wiatraków i dokonywaniu napraw. Pracować dla siebie. Od dawna już oszczędzam pieniądze i mam dość, żeby nakupić przyzwoitego sprzętu wiertniczego.

Rzeczywiście, Habakuk spędzał mnóstwo czasu na dodawaniu długich kolumn liczb na odwrocie kopert, dokonywaniu jakichś obliczeń, wymazywaniu jednych liczb, wpisywaniu w ich miejsce nowych. Chociaż opuścił szkołę, kiedy miał osiem lat, oznajmił, to do dodawania i odejmowania miał wrodzoną smykałkę. Niewiele wiedział o ułamkach dziesiętnych czy zwykłych i nie zależało mu na tej wiedzy, bo komu niby była ona tak naprawdę potrzebna? Akumulacja i strata, to dopiero były wielkie matematyczne działania.

– Chciałbym, cobyś ty został mój wspólnik. Byliby my van Melkebeek i Kurcz. Więcej pieniędzy byśmy w taki sposób zarobili. Szybko bym miał własne ranczo. A może chcesz tutej zostać i pan Slike da ci moją pracę i siedemdziesiąt pięć miesięcznie. Jak ci się to widzi? Zostajesz ze Slikiem czy idziesz ze mną? Pójdziesz ze mną, to nie pożałujesz.

As Kurcz powiedział Habakukowi tak, bo nie potrafił sobie wyobrazić, że miałby sam zostać na ranczu, samotnie zmagać się z wiatrakami albo mieć za pomocnika jakiegoś niechętnego kowboja. Już sam pomysł udziału w przedsięwzięciu pobudzał jego wyobraźnię. No bo skoro w kilka zaledwie lat przeszedł od picia z blaszanej puszki kawy z dodatkiem korzenia mniszka oraz innych zielsk i od unikania ojcowskich pięści do stania się młodym biznesmenem z partnerem, to przecież robił postępy, niewątpliwie awansował.

W tym samym czasie kowboj Rope Kłąb miał poczucie, że mu się nie wiedzie. Nic nie szło dobrze. Ogromne przestrzenie pocięto drutem kolczastym na prostokąty, a farmerzy przejmowali należącą do rancz ziemię, zaorywali pastwiska. Nie znosił jedzenia, jakim go karmiono na tym czy innym ranczu, nienawidził marnych szkap, jakie mu się trafiały, nie bawiły go figle i zabawy. Interesował go tylko alkohol, obstawianie koni i walk kogutów oraz własna poezja. Miał dwie byłe żony, w dwu różnych hrabstwach, z każdą po kilkoro dzieci. Jedyne, co mógł zrobić, to zrezygnować z obecnego zatrudnienia, przenieść się w inne miejsce, popracować czas jakiś, znów zrezygnować i znów ruszyć dalej.

A teraz, kawał życia później, jadąc samochodem i spoglądając wstecz poprzez głębię minionego czasu, ponownie zadumał się nad swoim własnym pechem oraz uśmiechem losu do Habakuka van Melkebeeka. Co lub kto zadecydował, gdzie spadnie deszcz złota, a gdzie będą kłuły kolce kaktusa? Po sześćdziesięciu latach nadal nie był w stanie zrozumieć, dlaczego Holendrowi przypadła kraina obfitości, podczas gdy on, Rope Kłąb, nie miał nic poza kilkoma kogutami i artretyzmem.

Po czym, jak zresztą się spodziewał, pojawił mu się w głowie końcowy wers jego wiersza: „Czas już rzucić to wszystko".

13

Habakukowi los sprzyja

Habakuk i As mieli więcej pracy, niż byli w stanie wykonać, ostatecznie zatem zatrudnili i wyszkolili dwa zespoły terenowe. Działali na całym obszarze panhandle Teksasu i Oklahomy, zapuszczali się też do Nowego Meksyku. Habakuk spędzał coraz więcej czasu nad papierami w biurze, w Bumelii, podczas gdy As pracował z obydwoma zespołami na każdym owiewanym piaskiem, upstrzonym kaktusami pastwisku w promieniu stu mil, śpiąc na ziemi albo na przednim siedzeniu pickupa, niepokojąc grzechotniki, na wpół zamarzając w lodowatym, północnym wietrze, zwijając obozowisko, kiedy zagrażały burze, znane były bowiem przypadki, kiedy pracownicy ginęli na stalowych konstrukcjach od uderzeń piorunów. Habakuk sprzeciwiał się stawianiu konstrukcji drewnianych – nawet kiedy ranczerzy powtarzali, że jedynie takowej sobie życzą – gdyż stawianie drewnianej konstrukcji trwało dłużej, wymagało większego fizycznego wysiłku, na dodatek, po jakimś czasie, próchniejące elementy strzelały drzazgami, podobnie jak sypią iskrami płonące w ognisku szczapy.

Dwa wydarzenia przekonały miejscową opinię do konstrukcji stalowych. Najpierw wędrowny budowniczy wiatraków Daisy Boy Pocock, chcąc zwiększyć własne obroty, podpalał konstrukcje drewniane. Potem przyszła plaga szarańczy, które opadły ogromną wirującą chmurą na dwa stare, drewniane wiatraki na pastwisku Siedem i do cna je objadły.

Przybywało pracy przy coraz głębszych studniach i potężniejszych pompach. Pieniądze napływały cały czas i do roku 1939 Habakuk, który był z natury oszczędny, uciułał ich tyle, że mógł wreszcie kupić swoje wymarzone ranczo. Znał już panhandle bardzo dokładnie, znał też każde dręczone i doświadczane przez ciężkie czasy oraz suszę ranczo. Pewnego dnia, kiedy As zjawił się w mieście po rury, zajrzał do magazynu, skąd tamten brał towar, i zawołał:

– *Kom binnen.*

As przyszedł do biura, w którym każda kartka papieru leżała równo i porządnie, gdzie na lśniących parapetach nie było ani ziarnka piasku. Habakuk kręcił się przy stojącym na płytce do podgrzewania potraw dzbanku z kawą.

– *Wil je koffie of iets sterkers?* Mam trochę dżinu. Jak wolisz.

– Kawa wystarczy. Niezwyczajny jestem pić rano. Wiesz, jak to jest być ździebko przyćmionym na wiatraku.

Wobec tego Habakuk sam popił kawę szklaneczką czystego dżinu, po czym sapnął niczym lokomotywa:

– *Uff!* No i jak tam u Wilcoxa, bo w zeszłym roku były kłopoty. Z wjazdem.

– No tak. Teraz też bramy były ze szczętem pozamykane, wszystkie pięć. Poszłem do domu, ale go nie było, nikogo nie było, tylko jego żona. Powiedziała, żeby robić, co trza, bo przecież krowy muszą pić. No to przecięliśmy kłódki.

– *Ja*, przecięliście, a kiedy skończycie, zaświejsujecie bramy na fest. Ten Wilcox nie zapłacił nam za zeszłoroczną robotę.

– Jezu – jęknął As, przywołując w pamięci ranczo Wilcoxa, ten chaos zrujnowanych, niskich budynków, pożłobiony koleinami podjazd, prażące słońce, które zamieniało zderzaki pickupa w skwierczące patelnie. – Trochę się nie godzi tak zaświejsować komuś bramę. Na to wychodzi, że gość nie ma pieniędzy. Chodzą słuchy, że ranczo jest na sprzedaż. Jak raz, kiedy tam byłem, panował taki skwar, że dzikowi wypadłaby od tego szczecina, a pani Wilcox poczęstowała mnie zimną maślanką. Najsmaczniejszy napój, jaki w życiu piłem. Tak po prawdzie to nie chcę sprawiać im kłopotów.

– Nieźle dostaje w kość – stwierdził Habakuk z satysfakcją. – I za dużo chce za swoje gospodarstwo. Rozpatrzyłem się za ziemią. Na własne ranczo. To dobry czas na kupowanie ziemi. Widzi mi się, że tanio kupię posiadłość Wybój – rzucił od niechcenia. – Rozpytałem w biurze nieruchomości, gdzie powiadają, że całe miasto należy do jednej rodziny, jedynej, jaka została po rozbiciu syndykatu z Ohio. Mieli te ziemię od roku

1885, ale po wyjątkowo ciężkiej zimie załamała im się hodowla bydła. Napisałem do tych ludzi z pytaniem: „Ile?" Czekam na odpowiedź. Wracaj więc do Wilcoxa, wyszykuj krowom wodę. A bramy zaświejsuj.

Kiedy jednak As udał się na to ranczo, postanowił po raz ostatni postarać się o klucze, w związku z czym zajechał przed chałupę Wilcoxów. Nim zdążył wejść po schodkach na ganek, usłyszał gdzieś z góry hej-hej i zobaczył, że na platformie wiatraka pompującego wodę dla domu siedzi sobie pani Wilcox i robi na drutach coś niebieskiego. Nie miał pojęcia, jak mogła się tam wspiąć po powyginanej siatce zbrojeniowej, która w tej konstrukcji służyła za drabinę. Był to żałosny wiatrak, z jesionową żerdzią pompy przymocowaną do czegoś, co wyglądało na fragment starego łóżka.

– Co pani tam robi, pani Wilcox?

– Ano, jak raz usłyszałam straszliwy ryk, jakiegoś dzikiego zwierza, po mojemu to czarna pantera abo jeszcze cosik gorszego, ani chybi siedzi w domu, tom wylazła na górę, coby nie mogło mnie dostać. Czekam, aż wróci mąż i toto zastrzeli.

– Chce pani, żebym zajrzał do domu?

– Pięknie dziękuję, As. Byłabym bardzo wdzięczna. I weź ze sobą strzelbę. To może być w tym pokoju od tyłu. Drzwi są otwarte, bo właśnie wietrzyłam.

Nie spodziewał się znaleźć niczego, ale okazało się, że we wnętrzu siedzi wielki i bardzo rozdrażniony borsuk, z zatrzaśniętą na łapie pułapką na myszy, wciska się w kąt, drze pazurami tapetę. Wygonił zwierzaka na dwór i zastrzelił; zaniósł do wiatraka, żeby kobieta mogła go zobaczyć.

Zaczęła schodzić, z zawieszoną na szyi torbą na robótki, zadyszana i zaczerwieniona od słońca. Stał i spoglądał na nią z dołu, pod jej sukienkę, na blade nogi, na różowe majtki ze sztucznego jedwabiu.

– Należy ci się nagroda – oświadczyła. – Wybierasz szklaneczkę maślanki czy wizytę w sypialni?

– I jedno, i drugie – odparł As, który nigdy nie zrezygnował z żadnej nagrody, która mu się należała.

Do Habakuka przyszedł list od adwokata z Chillicothe, reprezentującego interesy pani Gladys Armenonville. Pani Armenonville, pisał prawnik, jest skłonna sprzedać Habakukowi van Melkebeekowi siedemnaście tysięcy akrów, które składają się na jej udziały w Wyboju, po pięćdziesiąt centów za akr, wyłącznie za gotówkę. Następnego ranka Habakuk wsiadł do pociągu do Ohio i tam dobił targu.

Przez wzgląd na swoje rodzinne miasto nazwał ranczo Kampen, a wykorzystując skojarzenie związane z tym słowem, uproszczony wizerunek trójkątnego namiotu zarejestrował jako jego znak.

– Widzisz? – spytał. – „Kampen" na dworze w namiocie.

Zaciągnął dwa porzucone domy z przedmieść Bumelii na swoją ziemię i po ich renowacji oraz nałożeniu wielu warstw farby (kładzionej następnie dwa razy do roku, jako że wiatr zdzierał ją niemal tak samo szybko, jak ją nakładano), nazwał jeden z nich kwaterą główną, a drugi *slaapverblijf*. Wynajął pięciu nie mających fartu kowbojów, którzy, choć zadowoleni, że dostają zapłatę, nie byli zachwyceni, kiedy ich nazywano *boerenknechten* i codziennie rano sprawdzano, czy mają czyste koszule. Zagonił ich do pracy przy budowie zbiorników do pojenia bydła przy każdym z wiatraków. Krów nie było, bo najpierw musiała być woda. Kowboje dowiedzieli się, że w nadchodzących miesiącach będą pomagać przy wierceniu studni oraz, razem z zespołem terenowym, stawiać wiatraki, całą ich dziesiątkę, wszystkie stalowe, wszystkie najlepsze. Kiedy protestowali, że nie są młyńskimi małpami, Habakuk obrzucił ich gniewnym spojrzeniem i oznajmił: „Albo będziecie to robić, albo się żegnamy". Tylko jeden odszedł, niemniej Habakuk nie ufał tym, którzy pozostali, bali się oni bowiem wysokości, a ich zapewnienia, że są twardzi i wytrzymali, okazały się bez pokrycia, kiedy przyszło do pracy wysoko na pomostach i na śliskich, stalowych drabinach. Dezertera zastąpił człowiekiem z dużą praktyką przy stawianiu ogrodzeń, bo miał przecież do rozciągnięcia całe mile kolczastego drutu.

Te gorsze chwile w stosunkach z zatrudnionymi ludźmi miały dopiero przyjść. Kuzyn Habakuka, Martin Eeckhout oraz jego żona Margriet, przyjechali w odwiedziny z Jawy, przywożąc ze sobą skrzynki i kosze wiktuałów i sznapsy, przyprawę curry, ćatni z mango, rybki mórz południowych, kokosy i banany, migdały i ryż oraz setkę innych niezbędnych produktów potrzebnych, żeby przyrządzić *rijsttafel* na dwadzieścia osób. Margriet miała gotować, ale co z podawaniem do stołu, z owym rządkiem odzianych w sarongi chłopców, z rozsiewającymi wokół aromat półmiskami na głowach?

– *Boerenknechten* – oświadczył Habakuk.

I tak do stołu podawali kipiący wściekłością kowboje, buńczucznie ubrani w swoje skórzane ochraniacze na spodnie oraz w wysokie buty z ostrogami. Wciskali brudne paluchy w curry z cietrzewia preriowego, łypali gniewnie spode łba i bekali, ciskając przed biesiadnikami naczynia (miednice kupione pośpiesznie w sklepie Steddy'ego w Bumelii) z potrawami. As Kurcz, który już od kilku lat był na wikcie Habakuka, wcinał z ogromną przyjemnością, kładąc sobie na talerzu górę ryżu, przybierając go curry i pełnymi łyżkami innych dodatków. Jeden z kowbojów zauważył na głos, że wolałby już raczej jeść łajno skunksa.

– Możliwe, że pewien *boerenknecht* będzie jutro szukał sobie pracy – oznajmił Habakuk ponuro.

Słychać było rzucane pod nosem groźby i obelgi, kiedy podający do stołu dowiedzieli się, że ich własna kolacja ma się składać z resztek. A przecież ostatecznie zjedzono wszystko, słój z ćatni opróżniony został do czysta paluchami kowbojów i nikt nie musiał odchodzić. Uczta przeszła do miejscowej legendy jako „cholernie dobre, piekące holenderskie żarcie". Kilka dni później Margriet Eeckhout przyczyniła się walnie do kulinarnej historii rancza, przyrządzając *sambal* tak okrutnie ostre, że jedzącym puchły od niego wargi. Zatrudniony na stałe kucharz przysunął się do niej i ściszonym głosem poprosił o przepis, który zapisała mu cienkim, delikatnym europejskim charakterem pisma, obiecując jednocześnie, że przyśle mu ogniście ostre strączki chili. Upłynęło zaledwie kilka miesięcy, a na półce w sklepie u Steddy'ego stanęły puszki z przyprawą curry oraz słoje z mangowym ćatni, a kilku spośród kucharzy gotujących na ranczach bez wahania skorzystało z okazji, dając w ten sposób początek sławnemu bumelijskiemu curry chili, potrawie serwowanej zawsze podczas Święta Drutu Kolczastego, na którą przepis stanowił zazdrośnie strzeżoną tajemnicę.

Praca przy wiatrakach na ranczu Habakuka zaczęła się pewnego cichego, choć pochmurnego poranka, który nastąpił po przypominającym wypływ gorącej lawy wschodzie słońca. As, razem z jednym zespołem terenowym, przywiózł sprzęt do wiercenia w postaci potężnego, starego modelu A półciężarówki Forda, który mógł dojechać praktycznie wszędzie – i rzeczywiście dojeżdżał – oraz wżerającego się w głąb gruntu obrotowego świdra maszyny wiertniczej. Van Melkebeek z Kurczem mieli drugą, podobną maszynę, której używali w glebach piaszczystych, hydrauliczną, z ciężarkami, które uderzając raz za razem w rurowy łącznik, wbijały rurę w ziemię. Wewnątrz zewnętrznej rury znajdowała się druga, o mniejszej średnicy, w którą wtłaczali pod ciśnieniem wodę, wymywając piach i żwir, które w rezultacie wypływały na powierzchnię. Mimo iż część Habakukowego rancza leżała na piaszczystej glebie, to wiele z zaplanowanych studni miało sięgać wody poniżej wapienia oraz iłołupków. Po wywierceniu każdej kolejnej studni As umieszczał na rurze wielki kamień, który służył zarówno jako oznaczenie miejsca, jak i pokrywa studni, po czym przenosił się na następne miejsce. Same konstrukcje mieli postawić po wykonaniu wszystkich odwiertów. Trzem spośród płytszych studni mogły wystarczyć wieże trzydziestostopowe, ze śmigłami niewielkich rozmiarów, były jednak i takie, na odległych pastwiskach, gdzie ze względu na głębokość studni wieże musiały być odpowiednio wysokie.

Praca przebiegała gładko aż do siódmego odwiertu. Tam teren był równy i suchy. Zaplanowano dla niego wyjątkowo głęboką, może dwustu- czy nawet trzystustopową studnię pompową. Czwartego dnia z odwiertu niespodziewanie zaczął wydobywać się gaz, a dwadzieścia minut potem gulgocąca ropa. As obserwował jej wypływ przez półtorej godziny, a kiedy po tym czasie strumień cieczy nie osłabł – ba, wręcz przeciwnie, jeszcze się wzmocnił – wskoczył do auta i popędził do domu, który Habakuk tymczasem pokrywał dachówką.

– Habakuk, twoja siódemka pluje ropą. Sprowadź fachowca od ropy naftowej, bo to wygląda interesująco. I nie widzi mi się, żeby krowy chciały to pić.

Habakuk van Melkebeek pojechał do numeru siedem i przyjrzał mu się dokładnie. Był mocno poirytowany, bo przecież chciał rozpocząć nowe życie jako ranczer.

– Dzisiej pozwolimy jej płynąć. Rano się rozeznam. Nie potrzeba nam tutej nafciarzy. Jak będzie cięgiem płynąć, zrobimy sobie odwiert w innym miejscu.

– Ależ Habakuk, ropa to forsa.

– Zobaczymy.

Przed świtem Habakuka obudził dziwny dźwięk, mianowicie ryk wielu silników półciężarówek i samochodów osobowych pokonujących z wysiłkiem piaszczystą drogę. Wstał i wyjrzał przez okno. Rządek reflektorów podskakiwał i mrugał zgodnie z ruchem pojazdów po wyboistym szlaku. Niektóre światła podrygiwały szaleńczo, co świadczyło o tym, że kierowcy porzucili drogę i jechali otwartą prerią. Naliczył siedemnaście zestawów świateł. Włożył spodnie i buty, zszedł na dół, rozpalił piec i wstawił kawę. Potem wyszedł na ganek, żeby wypić zaparzoną kawę, wypalić poranne cygaro i poczekać, aż pojawi się pierwszy pojazd. Niebo na wschodzie pobladło.

Pierwszy samochód zatrzymał się przed gankiem i wysiadł z niego mężczyzna średniej budowy i wzrostu. Zobaczywszy ognik Habakukowego cygara, odezwał się:

– Witam szanownego pana. Jestem H. H. Potts, przedstawiciel Nafta Kondor z Oklahoma City. Podobno ma pan studnię, która tryska ropą.

– Tak było wczorajszego popołudnia. Teraz już może nie tryska.

– Właśnie po to tutaj jestem, żeby zorientować się w sytuacji, pozwolić geologom i fachowcom od formacji skalnych rzecz sprawdzić. – Machnął ręką w kierunku reflektorów, które teraz zaczęły wypełniać podwórze. – Niedługo stare Sol da nam trochę światła, to sobie popatrzymy. Dziwne uczucie, ta jazda tutaj. Tak ciemno. Większość terenu panhandle jest nieźle oświetlona pióropuszami płonącego gazu. Tutaj jednak jest całkiem ciemno. Być może to zmienimy, hę?

Habakukowi nie podobał się ten człowiek, widział, że ma

on w zanadrzu mnóstwo różnych sztuczek. Teraz stał na jego ganku, kołysząc się w przód i w tył.

– Ma pan może jeszcze filiżaneczkę tej kawy? – spytał H. H. Potts. – Wyjechałem z Oklahoma City w środku nocy, zjadłem jedynie hamburgera i popiłem lemoniadą.

– Nie – odparł obojętnym tonem Habakuk.

Nastąpiła cisza zakłócona jedynie delikatnym szmerem przestępowania z nogi na nogę. Po chwili całe podwórze wypełniło się ziewającymi i przeciągającymi się mężczyznami, a niebo przybrało kolor soku z arbuza i H. H. Potts rzucił bezbarwnym głosem:

– No cóż, jedźmy sobie popatrzeć. Jeśli jest tam ropa, to złożymy panu ofertę dzierżawy.

Habakuk nalegał, że to on poprowadzi tę karawanę na miejsce. Nie miał ochoty jechać w jednej kabinie z H. H. Pottsem. I ktoś przecież musiał wskazywać drogę. Studnia znajdowała się w odległości niemalże dwu mil od jego ganku, prawie dokładnie pośrodku jego posiadłości. Drażniły go światła podskakujące w lusterku wstecznym. Podejrzewał, że spokój oraz niezmącona cisza Rancza Kampen zostały poważnie naruszone. Jak mógł ten człowiek, tam, w Oklahoma City, dowiedzieć się o tej ropie? Po co mu ci wszyscy geolodzy? Jak jest ropa, no to jest. Nie ma potrzeby odgadywać czy oceniać coś, co jest widoczne. Kiedy minął ostatnią bramę, którą As pozostawił otwartą, jako że na pastwisku nie było jeszcze żadnego bydła, na tle różowego nieba dostrzegł czarną sylwetkę wieżyczki wiertniczej, a bliżej jeziorko ropy – rozświetloną promieniami wschodzącego słońca atłasową powierzchnię. Zatrzymał się na jego krawędzi i wysiadł. Za nim zatrzymał się H. H. Potts. Obaj usłyszeli syk przebijającego się poprzez ropę gazu.

– Mój Boże, co za smród – powiedział Habakuk.

– To smród pieniędzy – powiedział tamten. – Widzę, że płynęło całą noc. Na Boga, to chyba za daleko na wschód, żeby być częścią Łuku Amarillo, chociaż czym innym miałoby być? Nieźle płytko się to panu trafiło. Jak głęboko wiercicie?

– Nie wiem. Mój wspólnik tu wiercił. Obliczyliśmy studnię

na jakieś dwieście, trzysta stóp i pewnie tyle tu jest. Nie wiem. Nie powiedział. Może cztery, pięć dni wiercenia.

– To niezwykle płytko. Odwierty w waszym panhandle sięgają na ogół trzech tysięcy stóp. Urządzenie do wiercenia linowego potrzebuje na to od sześćdziesięciu do dziewięćdziesięciu dni. Może to jakaś boczna, płytka komora. Chyba powinniśmy porozmawiać o interesach. Kto wie, co tam jest?

– Po kiego niby jest mi pan potrzebny? – spytał Habakuk. – Przez całe życie sam wszystko robię. Odwiert został już wykonany. Nie potrzebuję do tego pana.

Za nimi szczebiotali geologowie.

– Panie Mlekobyk – zaczął H. H. Potts. – Ma pan trochę ropy z płycizny, ale nie ma pan żadnych zbiorników terenowych, żeby ją pomieścić, żadnego sposobu, żeby przemieszczać tę ropę do tych zbiorników, co to pan ich i tak nie ma, żadnych rurociągów, żeby doprowadzić ropę do rurociągu zbiorczego, nie ma pan nikogo, kto by kupił pańską ropę, nie ma pan obudowy odwiertu, a przecież mogą tam być jamy i wszystko się zapadnie. I co pan zrobi, kiedy przyjdzie krzywa spadkowa, kiedy będzie ją trzeba pompować? Nie zna pan też stosunku ilościowego ropy do gazu ani nie wie, jakie jest ciśnienie tej formacji. Zagospodarowanie pola naftowego kosztuje tysiące i setki tysięcy dolarów. Nie ma pan pojęcia, jaki jest jego rozmiar. Na pewno jest tego więcej niż to tutaj sikanie. Musi się tutaj pojawić Teksaska Komisja Kolejowa, zebrać dane dla dokonania szacunku. Nie wolno, żeby ropa tryskała sobie dookoła, jak to jest tutaj. Szanowny panie, ropa to skomplikowany i kosztowny biznes, i wymagający współpracy.

Habakuk przygasł. Potts miał rację, on nic z tych rzeczy nie wiedział. Nie był nafciarzem. Będzie musiał współpracować z tym facetem, do którego czuł wyraźną antypatię. Nie pozwoli się jednak oskubać.

– Ile? – spytał.

– No cóż, szanowny panie, moglibyśmy podpisać umowę dzierżawną na pięć albo dziesięć lat, a potem na tak długo, jak długo będzie płynąć ropa czy gaz w ilościach przemysłowych. Pan, jako właściciel terenu, otrzymuje tantiemy. Nafta Kondor ponosi wszelkie koszta związane z wierceniem i instalacją szybów, buduje zbiorniki, montuje pompy, kładzie rurociąg i...

– Ile?!

– Standardowe tantiemy w interesie naftowym wynoszą jedną ósmą.

– Przecież ziemia jest moja. I ropa pod ziemią też jest moja!

– Jednak firma ponosi znaczne koszty związane z samą budową i późniejszym utrzymywaniem urządzeń w ruchu. Ropa pod ziemią to nie to samo co ropa w rurociągu.

– Nic mnie to nie obchodzi. Jedna ósma to za mało. Chcę jedną dziesiątą! – Ha, pomyślał sobie, dostrzegając wyraz najwyższego zdumienia na twarzy H. H. Pottsa, mnie nie wykołuje. Dziwny wyraz twarzy rozmówcy potraktował jako przyznanie się ze strony tamtego, że dał się przechytrzyć, a kiedy Potts powiedział: „Panie Mlekobyk, chyba będę zmuszony się zgodzić. Pojedźmy zatem do pańskiego domu, przestudiujmy i opracujmy kontrakt, zanim pan się rozmyśli i zażąda jednej dwudziestej", Habakuk uśmiechnął się szeroko.

Dwie godziny później gość odjechał, nadal bez filiżanki kawy, wykreśliwszy najpierw wszystkie odniesienia do „jednej ósmej (1/8)" i zastąpiwszy je „jedną dziesiątą (1/10)" oraz uzyskawszy parafkę Habakuka przy każdej zmianie, na marginesie sześciostronicowej umowy dzierżawy. I podpis Habakuka na wykropkowanej linii.

Do południa ekipa zakończyła mocowanie rury na głowicy oraz instalowanie pompy do przepompowywania ropy. Inna kładła w tym czasie rurociąg. Umorusany błotem mężczyzna szedł za broną ciągniętą przez zaprzęg mułów i formował zbiornik z ziemi.

Około południa As zajechał przed dom.

– Słyszę, że miałeś tu rano spory ruch. Jak sobie poradziłeś?

– Mój Boże, to nie byle co. Siedemnaście samochodów. Geolodzy nadal tam tkwią. To szyb naftowy. Był też ten facet z Nafta Kondor, twierdził, że jest z Oklahoma City. Nie podobał mi się, ale ktoś, kto nie siedzi w naftowym interesie, nie da rady sam tego zrobić. Podpisałem dziesięcioletnią umowę dzierżawną na ropę i gaz i zrobiłem przy tym niezły interes.

– Czyżby?

– Żebyś wiedział! Zamierzał mi dać tylko jedną ósmą w opłacie dzierżawnej, ale ja mu powiedziałem, że chcę jedną dziesiątą, i po krótkich wahaniach ustąpił.

– Habakuk, on ci zaoferował jedną ósmą, a ty zażądałeś jednej dziesiątej?

– Zgadza się.

Habakuka wyraźnie zaniepokoiła ta sama dziwna mina na twarzy Asa, jaką wcześniej widział u Pottsa.

– O co chodzi? Czy coś jest nie tak?

– Habakuk, musowo jedziesz ze mną do miasta. Bez gadania. Oszczędzi ci to wiele przykrości w najbliższych latach.

Pojechali zatem do Bumelii. As prowadził. Zajechał przed cukiernię Uciecha, wszedł do środka i po krótkiej chwili pojawił się z dwoma kartonami. Wyjechali z miasta, zatrzymali się na przydrożnym parkingu, As milczał, ignorując coraz bardziej natarczywe żądania o wyjaśnienie ze strony Habakuka, który zaczął już podejrzewać, że coś jest bardzo nie w porządku, tyle że za nic nie mógł się zorientować co.

As otworzył te dwa kartony na piknikowym stole, ukazując ich zawartość, dwa placki, jabłkowy i wiśniowy. Położył wiśniowy przed Habakukiem, jabłkowy zaś po swojej stronie stołu, po czym wyjął stary scyzoryk w rogowej oprawce.

– Patrz – powiedział. Pokroił jabłecznik na osiem kawałków i wręczył scyzoryk Habakukowi. – Teraz ty pokrój ten wiśniowy na dziesięć kawałków, to zobaczymy, kto będzie miał większe porcje.

Krojąc placek, Habakuk zapoznał się z istotną różnicą między ułamkami a procentami. Jego wściekłość, wywołana faktem, że na własne życzenie dał się przechytrzyć, była ogromna, tupał i wykrzykiwał holenderskie przekleństwa, podczas gdy As przyglądał się tylko, kręcił głową i jadł placek, kawałek za kawałkiem, przy czym wyraźnie wolał te z podzielonego na osiem części.

– Tak czy owak, choć tym razem się wygłupiłem, to już drugi raz tego nie zrobię. Koniec z hodowlą bydła. Teraz będę nafciarzem. Tylko poczekaj. Pobiję tych drani ich własną bronią.

– To lepiej wstań jutro jak najrychlej. Bo nafciarze to cwaniaki.

Habakuk potraktował rzecz poważnie; odkrył, że pod równiną panhandle leży ukryte pasmo granitowych gór, Amarillo Mountains, ogromnie bogate w ropę, gaz ziemny oraz hel, obszar, gdzie w 1916 roku odkryto wielkie złoża ropy. Wprost pożerał literaturę na temat ropy, wyciągał informacje od napotykanych nafciarzy, jeździł za ekipami prowadzącymi roboty wiertnicze, gnębił firmę dzierżawiącą teren i zainwestował swoją jedną dziesiątą udziałów w Kondorze w jakiś tuzin związanych z ropą przedsięwzięć. Po koniec drugiej wojny światowej Nafta Kampen było niewielką, ale znaczącą firmą.

Pięć lat później Habakuk odwiedził kuzyna na Jawie, a że miał dobrego nosa, kupił tam obiecujące tereny, by po kilku latach wydzierżawić je Shell-Royal Dutch, który to koncern wyciągał stamtąd dwa miliony baryłek rocznie. Odwiedził Kuwejt i Katar, zainwestował w Wenezueli. W roku 1961 w rezultacie wrogiego przejęcia Kondor przeszedł w posiadanie Nafta Kampen. W tym czasie H. H. Potts już od dawna spoczywał w ziemi, niemniej Habakuk udał się na cmentarz Baptystów Wolnej Woli w Oklahoma City i odnalazł jego nagrobek.

– Zwalniam cię – oświadczył w kierunku kosza wyblakłych, sztucznych lilii.

14

Młoda para

Na Odciętym Ranczu bardzo mocno odczuwało się brak Habakuka van Melkebeeka i Asa Kurcza. Zamiast przydzielić do tej roboty dwójkę jakichś kowbojów, Slike zakontraktował serwisowanie wiatraków nowo powstałej spółce.

– Do diabła, przecie oni znają wiatraki Odciętego jak własne palce. Na dłuższą metę okaże się to tańsze – wyjaśniał właścicielowi. Dla Habakuka i Asa był to w tych trudnych latach stały dochód.

As miał dwadzieścia dwa lata, był silny i zwinny, na swój szorstki, nieokrzesany sposób całkiem przystojny, nie pozbawiony uroku, pomimo nieco za blisko osadzonych oczu i opadających na czoło wiotkich, ciemnych włosów. W każdym razie był wysoki i mocny, miał szerokie, kościste bary, muskularną pierś i często się uśmiechał. Zaczął chodzić w soboty na tańce w Kowbojskiej Róży, rzadko jednak pił alkohol, jako że nadal w jego pamięci tkwił ten dzień po przepiciu spędzony na szczycie wiatraka. Poprzestawał na jednym piwie i tańczył, podczas gdy inni młodzieńcy kręcili się przy pickupach, popijając, co popadnie, rechocząc i tocząc ze sobą bójki jak niezdarnie poruszające się żuki, które wymachują odnóżami, nacierają, cofają się i wywracają na plecy. Tak długo tańczył ragtime, polkę, swing i two-stepa, aż poznał każdą dziewczynę, wszystkie kroki taneczne, każdego skrzypka w promieniu wielu mil. W owym czasie królował teksaski swing, odwiedzał więc w sobotnie wieczory różne stodoły, tancbudy oraz knajpy, odległe nieraz i o sto mil, żeby posłuchać Billy'ego Briggsa i jego Chłopaków z XIT, Ripa Ramseya i jego Teksaskich Wędrowców, Grajków z Samotnej Gwiazdy, Duba Adamsa i Parobków z Rancza K na Belce. Wspaniałe kapele grywały w tamtych latach, na przykład taki Shorty Bates i jego Teksascy Kumple z Siodła. Często spał w samochodzie, a w uszach ciągle dudnił mu *Grzechotnikowy papcio* czy *Motelowy blues*.

Pewnego wieczoru poznał niejaką Valentine Eckenstein – Vollie – dziewczynę o bujnych piersiach, córkę niemieckiego farmera, hodowcy pszenicy z Dwugroszka. Pracowała w ośrodku rozdawnictwa żywności rządowego biura pomocy społecznej, gdzie przygotowywała paczki z produktami spożywczymi dla biednych rodzin, a jej największą przyjemnością, podobnie jak jego, były cotygodniowe tańce. Przyciągana jak magnesem stawała tuż przy estradzie i wpatrywała się zachwyconym wzrokiem w muzyków, kiedy śpiewali „Poczciwa Tascosa i CanAJdian, daa-da-daa-da-daa".

W zasadzie nie była ładna, niemniej była jakaś świeżość w jej wyrazistej twarzy o kształtnych ustach i orzechowych oczach, podkreślonych równymi, wąskimi łukami brwi. Niezwykła symetria i idealna równowaga rysów przydawały jej twarzy pewnego rodzaju niezatartego uroku. Już sama ta fizyczna symetria była czymś wystarczającym dla Asa, który, jako pracujący na wysokich konstrukcjach wiatraków, miał nabyte, wpojone umiłowanie równowagi. Vollie miała włosy gęste i kręcone, koloru toffi; ich niesforność skrywała pod beretem. Była silna; śmiała się serdecznie i szczerze. Miała poczucie humoru i dostrzegała ironię losu w sprawach życiowych. Po dwu miesiącach pląsów w takt *Bandżo boogie* i *Dziur w podeszwach* As pojechał na farmę poznać jej rodziców.

Papa Eckenstein nie był, czego się As obawiał, typem zadzierzystego i agresywnego niemieckiego ojca, wierzącego, że każde jego zdanie nadaje się do wyrycia na kamiennej tablicy; był natomiast jednym z tych, którzy podrzucają w powietrze fistaszki i łapią je wprost do ust. To tutaj znajdowało się źródło tego oślepiającego uśmiechu Vollie. Eckenstein powitał go czymś w rodzaju krzepiącej wesołości. Z kolei matka Vollie, typowa reprezentantka przygasłych farmerskich żon w wieku średnim, w okularach w drucianych oprawkach, z których dość często wypadały szkła, wywołując ogromne poruszenie, trwające do momentu ich odnalezienia i wstawienia na miejsce, obrzucała Asa pytającymi spojrzeniami. Miał ochotę ją spytać, o co chodzi, ale instynkt kazał mu zmilczeć.

Cała rodzina lubiła lody i dlatego w niedzielne popołudnia jej członkowie mieszali pokrojone świeże owoce albo konfitury domowej roboty ze śmietaną i z cukrem, po czym umieszczali to wszystko w maszynce do robienia lodów, wrzucali lód i wsypywali do pojemnika sól kamienną i kolejno kręcili rączką. Zalecając się do Vollie, As przytył cztery funty.

Pozostawał w dobrych stosunkach z siostrami Vollie: Maxine, najstarszą, zawsze odzianą w sukienki z żorżety i w pantofle na wysokich obcasach, strój stosowny do jej pozycji sekretarki w urzędzie miejskim; Honey, dość otyłą posiadaczką jedwabistych warkoczy, mistrzynią wypieku chleba; i z Hildą, najmłodszą, brzydulą o jasnych rzęsach i ściągniętych ustach, która bardzo chciała zostać lotnikiem i wierciła ojcu dziurę w brzuchu, by ten pozwolił jej uczyć się pilotażu pod kierunkiem Ruperta Baylissa Rigga, szalejącego za sterami samolotu opryskującego pola. W rodzinie było jeszcze jedno dziecko, zaczynająca dopiero samodzielnie chodzić mała Emily, z prostymi czarnymi włosami i kapryśną buzią skrzata. As zorientował się, że pani Eckenstein była tylko opiekunką dziewczynki, a nie jej matką. Dopiero po ślubie, który odbył się w maleńkim luterańskim kościółku w Dwugroszku w roku 1936, Vollie powiedziała mu, że to jej siostra Maxine jest matką Emily i że dziecko nie było zaplanowane.

We wrześniu 1939 roku w Europie wybuchła wojna. As uważał, że Stany Zjednoczone nieuchronnie zostaną w nią wciągnięte. Habakuk oznajmił natomiast, że jeśli do tego dojdzie, trudno będzie zdobyć części zapasowe do stalowych wiatraków, wobec czego zaczęli obaj gromadzić w swoim wielkim magazynie przekładnie, pręty kratownic, głowice oraz śmigła. Roosevelt przeniósł Święto Dziękczynienia na czwarty czwartek listopada, pod wpływem opinii, że większa liczba dni na zakupy przed Bożym Narodzeniem pomoże krajowej gospodarce. W sklepach można było zobaczyć świecące rurki napełnione neonowym gazem, rzekomo wydajniejsze i tańsze w użyciu od tradycyjnych żarówek. Nowością były papierosy king-size oraz różne rozmiary miseczek przy stanikach. Świat pędził naprzód. Przybyło pracy dla van Melkebeeka i Kurcza – kiedy panhandle zaczęło zyskiwać miano Złotego Rancza, potrzebne były głębokie odwierty i wydajne pompy. Wszelkie rozmowy dotyczyły nawadniania oraz zwiększania zbiorów i czasami na jednym tylko polu stało osiem albo dziesięć wiatraków pompujących wodę do zbiorników, które zasilały rowy irygacyjne, a i to nie wystarczało.

– Powiadają, że bardzo dużo wody jest pod nami, głęboko pod nami. Głębiej, niż potrafi wyciągnąć jakiś nasz wiatrak – informował As Habakuka.

– No cóż, przyjdzie jej tam pozostać, dopóki nie wymyślą lepszych pomp od tych, co teraz mamy.

As i Vollie mieszkali w starym baraku dla pracowników na farmie Eckensteinów. Pewnego pamiętnego dnia As przeciągnął do nich kabel telefoniczny z głównego domu.

Któregoś dnia zadzwonił do żony.

– Jestem na ranczu Kręt – powiedział. – Ano, chcę, żebyś się zabrała i pojechała do Amaryli, do magazynu z częściami i wzięła cylinder O'Bannona. Habakuka tam nie będzie, ale José przygotuje go dla ciebie. Ledwo co z nim rozmawiałem. Wsadzi ci do bagażnika. Przywieziesz tutej. Jak raz nie ma nikogo, kto mógłby to zrobić. José nie naumiał się jeździć, a nawet gdyby umiał, to nie miałby czym pojechać. Akuratnie wszyscy są w terenie. Wychodzi na to, że tylko ty możesz mi przywieźć te cholerną część. Jedziesz drogą publiczną J i skręcasz na północ w drogę do Kręta. Patrz na ślady, znaczy się ślady pojazdów. Przecinasz Strugę Kręt. Nie powinnaś mieć z tym żadnych problemów, daj tylko ostro po gazie i nie spuszczaj nogi z pedału; tam jest twarde, żwirowe dno. Woda ma ledwo czternaście cali. Skręcasz przy tablicy Ranczo Kręt. Tam jest taka przeszkoda dla bydła, rów przykryty kratownicą, a tuż za nią kawałek mokradła, potem wielka kępa wierzb, a tuż za wierzbami zdechnięta krowa w cholernym rowie, tam właśnie skręcasz w lewo. Po jakiejś pół mili zobaczysz bramę.

Kłopot ją otworzyć, więc przyślę takiego jednego, żeby miał oko na twój samochód i ci z nią pomógł. Jedź ostrożnie, ale musimy mieć ten cholerny cylinder jak najszybciej.

Droga do Amarillo, a potem na Ranczo Kręt zabrała jej dwie godziny, niemniej Vollie była zadowolona, że może się wyrwać z ciasnego baraku, oderwać od pralki, od osadzającej się w niej tłustej piany po tych wiatracznych smarach. Zajechała przed bramę. Ta wykonana była z maksymalnie napiętych skręconych kawałków drutu kolczastego, przybitych do żerdzi, a utrzymywana w miejscu za pomocą zakładanych od góry i od dołu pętli ze zwykłego drutu, pętli łączących pionową żerdź bramy z sąsiadującym z nią słupkiem ogrodzenia. Była to najszczelniejsza brama w całym hrabstwie i ten, który ją zrobił, najwyraźniej czerpał powód do dumy z faktu, że zaledwie jeden na stu mężczyzn może ją w miarę łatwo otworzyć. Ona nie była w stanie poruszyć górnej pętli; nawet podważanie jej wielkim śrubokrętem, wyjętym ze stojącej przed fotelem pasażera skrzynki na narzędzia, nic nie dawało. Nie widziała w pobliżu nikogo, kto by otworzył to cholerstwo. Naparła na słupek i ten ustąpił o jedną tysięczną cala. Wyjęła z pickupa łom i zaczęła podważać pętlę z drutu. Był tak napięty, że za każdym poruszeniem łomu podzwaniał wysokim tonem.

Potem zobaczyła w wysokiej trawie zbliżającego się ku niej jeźdźca. Zdyszana, z ubraniem w nieładzie, z zaczerwienionymi od szarpania drutu palcami, czekała na niego.

Kiedy się zbliżył, dostrzegła na jego niebieskiej koszuli plamy od potu; wilgotna tkanina była w tych miejscach niemalże czarna. Zatrzymał się przy bramie, zsiadł z konia, puścił luzem wodze. Chwycił żerdź, przyciągnął ją do słupka stanowiącego fragment ogrodzenia, kantem dłoni wybił w górę pętlę, choć dopiero za trzecim czy czwartym uderzeniem. Druty bramy, pozbawione naciągu, zwisły luźno. Uśmiechnął się do niej.

Spojrzała na niego i pociemniało jej w oczach. Niebo buchnęło smugami czerni, kiedy bezwolnie postąpiła ku niemu.

Był najpiękniejszą istotą ludzką, jaką w życiu widziała, odpowiednią dla niej. Barczyste ramiona w kraciastej koszuli, foremna, męska twarz, pobłyskujący w słońcu, czterodniowy rudawy zarost, skryte pod ciemnymi rzęsami oczy, na tyle przymrużone, że nie było widać ich koloru. Gęsta, ciemnoruda czupryna sterczała niedbale spod czapki. Był brudny i spływał potem, na koszuli widziała zaledwie kilka suchych miejsc w okolicach ramion, twarz miał zaczerwienioną, spływający strużkami po policzkach pot zbierał się w zagłębieniu na szyi. Z lekkim uśmiechem odciągnął bramę tak, żeby mogła przejechać. Patrzyła na odsłonięte dzięki podwiniętym rękawom umięśnione, gęsto owłosione przedramiona.

– Nieźle szczelna ta brama – powiedziała.

Miała ogromną ochotę dotknąć tego wilgotnego zagłębienia, miała ogromną ochotę powiedzieć: „Słuchaj, to wszystko dotąd to pomyłka, nie wiedziałam, że ty się masz pojawić, proszę, dotknij mnie, proszę, popatrz na mnie". Krew miała wypełnioną stalowymi ułomkami napierającymi od wnętrza na jej skórę, pod wpływem siły jego przyciągania. Zbliżyła się do niego bezradnie, jakby zamierzała pomóc mu przy bramie, ale on już ją odciągnął i przytrzymywał, odwrócony tak, że mogła zauważyć doskonałe proporcje jego ciała, długie nogi i jędrne pośladki, odziane w brudne dżinsy. Ciągle przytrzymywał bramę, nie pozostało jej nic innego, jak wsiąść do auta i przez nią przejechać. Przejeżdżając powoli, zrównała się z nim. Właśnie wciskał jakieś narzędzie do górnej pętli z drutu, nieco ją poszerzając. Wilgotne od potu zagłębienie na szyi ukazywało cieniutką jak włos linię brudu.

– Dziękuję... – Paliły ją oczy, jak od dymu, nie miało to nic wspólnego z tą bramą.

– Założę się, że teraz da radę ją otworzyć – powiedział.

– Ta brama to na pewno twoja robota – oświadczyła.

Nic nie odpowiedział, a ona pojechała przez burą trawę ku wieży wiatraka, ledwie co muskając dłońmi kierownicę, obserwując w lusterku wstecznym, jak mężczyzna przez chwilę szarpie coś przy bramie, a potem podchodzi do konia, dosiada go, zdejmuje kapelusz i przesuwa dłonią po twarzy.

Wieczorem, siedząc z Asem na najwyższym schodku baraku, popijając z nim z jednej butelki piwo, odezwała się:

– Co to za jeden, ten, co otworzył mi bramę?

– Och, Ruby? Ruby Kochaniec. Czasami śpiewa na tańcach u Spearmana. Pracuje na tym ranczu, jest zwykłym pracownikiem, tyle że ostatnio sytuacja ździebko mu się odmieniła. Bo dwa tygodnie temu machnął się za córkę właściciela rancza.

Wciągnęła gwałtownie powietrze, pod wpływem bólu wywołanego tą wiadomością; zamaskowała zaskoczenie pośpiesznym haustem piwa. Przez jej ciało przelała się fala jadowitej nienawiści do nieznanej córki ranczera.

– Dotąd nie miało to nijakiego znaczenia, bo nadal stawia jak przedtem ogrodzenia, ale widzi mi się, że to się zmieni. Któregoś dnia pewnikiem to ranczo dostanie się w jego ręce. A czemu pytasz? Chyba nie ociągał się z otwarciem bramy czy coś takiego?

– Nie. Skądże. Był miły. Był naprawdę miły. Tyle że się nie przedstawił i byłam ciekawa.

– Ruby. Ruby Kochaniec.

Cóż, nazwisko po prostu doskonałe. Nie wyobrażała sobie, by ktoś bardziej niż on był stworzony do kochania.

– A jak ma na imię córka ranczera?

– Skarbie, nie mam zielonego pojęcia. Po mojemu to na nazwisko musiała mieć Lilian. Bo jej ojciec nazywa się John Lilian. Jest właścicielem Rancza Kręt. Ale nie wiem, jak ona ma na imię.

Dowiedziała się za dzień czy dwa. Oczywiście tamta musiała mieć na imię Lillian – Lillian Lilian – i oczywiście nazywali ją Lilijką. Niewiele ponad metr pięćdziesiąt, płaskie piersi i kręcone włosy o pomarańczowym odcieniu. Dzięki Bogu.

Zobaczyła go ponownie dopiero pod koniec miesiąca. As prawie się już uporał z robotami przy wiatrakach Rancza Kręt. Maj był gorący i duszny, nieustannie smagany piaskiem niesionym przez skwarny wiatr. Usłyszała dochodzący z podwórza silnik półciężarówki i wyszła na ganek. Wnętrze kabiny było ocienione i z początku nie rozpoznała jego twarzy; nie znała zresztą pojazdu. Wysiadł i w chwili, w której zobaczyła, że rusza w jej kierunku, poczuła nagły ucisk w żołądku. Ciemność w oczach, ten porywający ją czarny nurt. Zeszła po schodkach, stanęła naprzeciwko niego po ocienionej stronie samochodu.

– Hej, pani Asowo – zwrócił się do niej. – As kazał powiedzieć, że musiał pojechać do Amaryli, że wróci późno i żeby się o niego nie martwić.

– A niby po co? Po co pojechał do Amaryli?

– Chodzi o dwie dodatkowe studnie. Szef zażyczył sobie jeszcze dwie studnie, skoro już ma Asa u siebie.

Oparł się o samochód, skrzyżował muskularne ramiona na piersi, wysunął jedną nogę do przodu. Na głowie miał czapkę bejsbolową i nie pocił się tak jak poprzednio, choć zagłębienie pod tą wspaniałą, ogorzałą szyją połyskiwało, a pod pachami widniały półksiężyce wilgoci. Żuł gumę o zapachu golterii. Czuła jej słodką woń, widziała różowe błyski pomiędzy jego dużymi, białymi zębami. Niebieska robocza koszula była rozpięta do połowy. Na zewnętrznej stronie jednej dłoni widziała zaschniętą strużkę krwi. Mówił o czymś, o pogodzie, jak się domyślała, ale jego wygląd tak bardzo przyciągał jej uwagę, że nie potrafiła się skupić na rozmowie, mogła jedynie wpatrywać się w niego – i tego tylko chciała. Przesunęła wzrokiem kolejno po jego kowbojskich butach ze startymi czubkami, w górę zakurzonych, opiętych dżinsów do wąskiej talii i ciężkiego nabijanego ćwiekami pasa, po trójkącie torsu od pasa do ramion, po rozpalonej, nagiej skórze i ciemnych włosach, po pokrytych kilkudniowym zarostem szczękach, soczyście żujących gumę i poruszających się w rytmie mówienia, kiedy brodą wskazywał chmury na południowym zachodzie, kiedy spoglądał na to białe kłębowisko pęczniejące ku górze i mówił coś o tym, że trzeba mieć na nie baczenie.

Zrobiła to bez zastanowienia. Na kilka chwil pochwycił ją w swą paszczę jakiś zwierzęcy popęd, całkowicie pozbawił rozsądku. Zrobiła krok do przodu i przycisnęła lekko gorącą dłoń do wewnętrznej strony jego uda, do podłużnej wypukłości. Zamilkł, ale nie poruszył się, przeniósł jedynie wzrok z obłoków na nią. Jego twarz nie wyrażała nic. Nadal żuł gumę bardzo powoli, patrząc jej prosto w oczy. Znieruchomieli jak na obrazie, on oparty o pickup, ramiona na piersi, nogi skrzyżowane, ona, na wprost niego, patrzy mu w oczy, z ręką w jego kroczu. Czuła, jak wypukłość na jego udzie twardnieje i wydłuża się pod jej dłonią. Wszystkiego się mogła spodziewać, ale na pewno nie tego, co nastąpiło.

– Zgrzany – odezwał się całkiem konwersacyjnym tonem. – Spocony.

Pot był właśnie tym, co jej się u niego podobało; i zapach, silny, kłujący, słony, przemieszane zapachy tytoniu, konia, brudnych włosów. As często wracał do domu zgrzany i brudny, ale zapach ciała męża był ostrzejszy, wzmocniony odorem łańcucha i metalu, smarów i stęchłej wody. Ruby Kochaniec był inny.

Mężczyzna zamrugał, odsunął się, wsiadł do samochodu i odjechał.

Trzy miesiące później zobaczyła go ponownie. Właśnie była z Asem w Borger, na zakupach, i tam go ujrzała, w nowym, czarnym filcowym kapeluszu z plecioną, skórzaną opaską, wychodzącego z baru z jakimś drugim kowbojem. Jej ciało natychmiast oblało się żarem, po czym powoli ogarnęła je ospałość. Zobaczyła, że towarzyszący mu mężczyzna wszedł do fryzjera. Ruby szedł dalej, aż do apteki. Kilka chwil później znalazł się ponownie na ulicy, trzymał w ręku niebieską torebkę, taką, w jaką aptekarze pakują przepisane na receptę lekarstwa. Zastanawiała się, co też takiego kupił... czy jest chory, czy boli go głowa, czy też może w torebce znajduje się coś tak intymnego jak gumki. Szedł ulicą w jej kierunku. Wbiła w niego wzrok, otworzyła już usta, żeby coś powiedzieć, kiedy ich oczy się spotkają, tymczasem on w ogóle jej nie zauważył i szybkim krokiem przeszedł obok.

Siedziała w samochodzie, kiedy As wyszedł ze sklepu żelaznego.

– Może byś była nie od tego, żebyśmy coś przekąsili w zajeździe Greune'a, weźmiemy sobie chili?

– W porządku.

I znowu on, kapelusz zsunięty na tył głowy, jak u Caseya Tibbsa*, siedział przy ladzie, popijał wodę z lodem i czekał na swoje danie, stek w cieście z białym sosem.

– Hej, Ruby – powitał go As. – Jak leci?

– As! Nieźle. Całkiem nieźle.

– Pamiętasz moją żonę, Vollie? Otwierałeś jej bramę, kiedy my stawiali te wiatraki u twojego teścia?

– Szanowanie. – Uniósł rękę i palec wskazujący, jakby się nigdy nie spotkali, w geście odrzucenia jej śmiałej dłoni z tamtego skwarnego dnia sprzed miesięcy.

– Chodź i zjedz razem z nami – zaprosił As, przesuwając nieco swoje krzesło. – Cięgiem śpiewasz?

– Taa. Jest taka nowa grupa, Teksascy Kowboje Kawowi. Kilku przyszło od dawnych Jeźdźców w Szyku z Dalhart.

Niósł swój talerz, wodę z lodem, filiżankę kawy, rozlewając przy tym kawę i ochlapując blat sosem. Był tam. Myślała, że zemdleje, kiedy tak siedziała naprzeciw niego, niezdolna do jedzenia, kiedy przyglądała się, jak jego czerwone dłonie, z kurzajkami na palcach, gniotą ten biały chleb, wycierają nim sos. Nie patrzył na nią, rozmawiając z Asem o wodzie i o wiatrakach. Na koniec As zapytał:

– Chodzą słuchy, że powiększacie rodzinkę. Po prawdzie gadają?

– Ano, na to wygląda. Pewnikiem można się było tego spodziewać.

Lata minęły, nim udało jej się wyzwolić od tego uczucia, być może miłości, czy cokolwiek to było. Kiedy po deszczu czy we mgle brała do ręki zerwaną z drzewa śliwkę, owoc pokryty niczym paciorkami kropelkami wilgoci, myślała o nim, myślała o tamtej skwarnej, wyciskającej pot teksaskiej porze roku.

W roku 1942 urodziło się jedyne dziecko Asa i Vollie, Phyllis, niemal od urodzenia niesforna, nieokiełznana i uparta dziew-

---

* Casey Tibbs (1929–1990) – wielokrotny zwycięzca rodeo, znany działacz charytatywny.

czynka o twarzyczce w kształcie serca i słabym, piskliwym głosiku. Nim skończyła sześć lat, potrafiła wyśpiewać z pamięci teksty czterech piosenek – *Jesteś moim słoneczkiem*, *Bob od grilla*, *Rozróba w panhandle*, *Pal! Pal! Pal!* (*tego papierosa*). Każdego sobotniego wieczoru, po kolacji, Vollie przyrządzała pełną misę prażonej kukurydzy i w trójkę słuchali po ciemku Parady Przebojów, latem na ganku, zimą w sypialni Vollie i Asa, gdzie leżeli na ich wielkim łożu i As nieustannie upominał Phyllis, żeby nie rozrzucała kukurydzy, narzekał, że dość ma wstawania rano z odciskami na całym ciele. Na ganku As i Vollie, przez pamięć weekendowych tańców, podnosili się czasem, by zatańczyć na skrzypiących deskach, wysuszonych przez słońce i wypaczonych, i wtedy Phyllis obejmowała ich nogi i tańczyła razem z nimi, śpiewając znane sobie teksty.

– Widzi mi się, że będziesz piosenkarką, jak dorośniesz – zauważył As.

– Aha. A ty będziesz chodzić ze mną, podnosić mnie i stawiać na estradzie.

– Pewnie, byłbym z tego dumny – oświadczył As, kiedy jednak dziewczyna miała siedemnaście lat, uciekła do Tulsy, z nadzieją, że dostanie tam pracę jako piosenkarka z takim czy innym zespołem.

Dziewiętnastoletnia Phyllis siedziała na brzegu cienkiego materaca, z twarzą białą jak kreda, z trzęsącymi się rękoma, znosząc męki wywołane zabójczym przepiciem. Mężczyzna wciągnął dżinsy i zapiął ozdobną sprzączkę, miał z tym nieco kłopotów, bo metalowy sztyft był zgięty.

– Oglądasz mnie w najgorszym możliwym stanie – powiedziała dziewczyna.

– Wątpię. – Miał już sporo doświadczeń z kobietami w kiepskim stanie. Sięgnął pod prześcieradło, szukając czegoś.

– Słuchaj no. Muszę cię o coś zapytać. Czyś ty przypadkiem...

– Po kiego? Byłaś za bardzo pijana. To jak pieprzyć trupa. – Naciągnął wysokie buty na gołe stopy. Wyjął z kieszonki koszuli grzebień, przeczesał zmierzwione włosy, zdjął kapelusz z abażura, delikatnie nałożył na głowę, nasunął na oczy.

– Właśnie że tak. Przecie tu jest mokro.

– Nie. – Pokuśtykał ku drzwiom, wziął futerał od gitary, który stał oparty o zepsuty kaloryfer. – Do zobaczyska.

Drzwi zamknęły się cicho, a ona usłyszała, jak schodzi po drewnianych schodach. Wstała, z głową dudniącą od wypitego alkoholu, wyjrzała na nie wybrukowany parking. Widziała go z góry, w skrócie. Pomyślała, że pewnie wróci do miasta stopem. Ten motel znajdował się na zachód od wszystkiego, był miejscem ostatecznej ucieczki. Szedł szybko; w jego dłoni dostrzegła metaliczny błysk. Podszedł wprost do mercury'ego z wgiętym zderzakiem, wsiadł. Z rury wydechowej wydobył się kłąb sinego dymu. Ona zaczęła szarpać się z oknem.

– To moje auto! Ty skurwielu, to moje auto!

On był już na autostradzie, jechał na północ w kierunku Oklahomy, a ona wciąż nie mogła otworzyć tego okna.

Ponownie usiadła na brzegu łóżka, zastanawiając się, czy ma zadzwonić na policję. Ostatecznie zadzwoniła do Asa.

– Tato. Wpadłam w tarapaty. Nie zadawaj mi żadnych pytań, w każdym razie jestem teraz w motelu Pod Dębowym Liściem w Lubbock. Chyba już czas, żebym wróciła do domu, jeśli ty i mama mnie przyjmiecie. Narobiłam różnych głupot. I jestem kompletnie spłukana. Wychodzi na to, że mnie obrabowali. I zniknął mój samochód. Co? Ano jest ukradniety.

W następnych latach było więcej podobnych telefonów i As zawsze jeździł, żeby ją ściągnąć do domu, do Vollie i do tej małej, Dawn. Myślał sobie w duchu, pamiętając siostrę Vollie, Maxine, że ciąża to u Eckensteinów coś całkiem naturalnego. Choć Vollie nie urodziła już więcej dzieci.

15

Abel i Kain

Ten ranek pod koniec kwietnia dyszał wyjątkowym skwarem. Bob wyszedł z baraku na rozjarzone, zamglone powietrze, przypominające oświetlone bursztynową żarówką wnętrze sauny. Pręgowany kocur, przegnany z domu przez LaVon, po tym jak strącił ze stołu pudełko z tarantulą, umożliwiając tym samym ucieczkę – nadal zresztą przebywającej na wolności – złowrogiej Tonyi, leżał na boku, ciężko dysząc. Bob otworzył drzwi saturna. Już teraz kierownica parzyła w dłonie. Powinien był wieczorem założyć przeciwsłoneczną osłonę na przednią szybę. Trzymając ster przez bejsbolówkę, ozdobioną logo firmy produkującej paszę, które to nakrycie głowy dostał w elewatorze zbożowym, pojechał najpierw do miasta po pocztę, a potem do domu LaVon, żeby pomóc jej przy przestawianiu mebli.

Na fotelu pasażera leżał list od Ribeye'a Klukwy. Pomyślał, że z przeczytaniem go poczeka do wieczora.

We wtorkowe popołudnia Kółko Wspólnego Szycia Kap Koła Baptystek Biblijnych zbierało się w domu którejś ze swoich członkiń. Po wielu miesiącach przerwy przyszła kolej na LaVon i dlatego przez calutki poniedziałek kobieta gotowała, piekła i szykowała kostki lodu, zapewniwszy sobie wcześniej pomoc Boba przy usuwaniu z salonu kartonów z przeznaczonymi do *Kompendium* papierami i zdjęciami, a także wszystkich mebli.

– Czy wszystkie należycie do tego samego Kościoła? – spytał Bob.

– Prawie wszystkie, ale nie sto procent. Większość to członkinie Sielskich Baptystów, ale są też i inne. Rella Nooncaster należy do Ewangelii Łaski, a pani Stinchcomb jest filarem Baptystów Wolnej Woli, a Freda Salonik metodystką, ale po prawdzie uczestniczy jedynie w zgromadzeniach baptystów.

W opróżnionym pokoju ustawili ogromny stół do pracy, złożony z dwu pomalowanych arkuszy sklejki, leżących na kozłach do piłowania drewna. Bob zniósł ze strychu składane krzesła, po cztery naraz, myśląc sobie, że to, co się znosi, musi być przecież wniesione z powrotem. Drewniany dach trzeszczał i trzaskał pod wpływem gromadzącego się pod nim ciepła i młody człowiek był przekonany, że LaVon dałaby radę upiec tam, na górze, ciasto. Poszedł do kuchni i wypił szklankę wody z lodówki, słodkiej, zimnej wody ze złoża Ogallala, wypompowanej stamtąd przez wiatrak. Była tak zimna, że aż zabolało go w skroniach; błogie uczucie chłodu przy tym potężniejącym na zewnątrz skwarze. Dzień pulsował żarem niczym żyły krwią, złowrogie, piekące słońce tkwiło na niebie przypominającym cieniowaną, ciemniejszą u góry przednią szybę auta.

Poczęstunek zostanie podany na ocienionej werandzie, oznajmiła LaVon, bo prognozy podają, że ochłodzi się dopiero późnym popołudniem, a jeśli Bob rzeczywiście chce posłuchać o ludziach z Bumelii, to powinien zostać, pomóc ustawiać przekąski i herbatę z lodem. (Zamierza, oświadczyła, podać sorbet z pływającymi na powierzchni wysepkami lodów, ostrygi z puszki i sałatkę z ryżu na zimno, na podstawie przepisów z wydanych przez magazyn „Esquire" w roku 1955 *Wytwornych przyjęć*.)

– Usłyszysz akuratnie dużo więcej o dawnych czasach i o życiu miasteczka, niż gdybyś mieszkał w Bumelii przez pięćdziesiąt lat. To kółko założyłyśmy w piątkę w 1978 roku. Teraz jest nas jak raz dwadzieścia. Spotykamy się co tydzień na trzy godziny. To sześćdziesiąt roboczogodzin tygodniowo razy pięćdziesiąt tygodni – nie spotykamy się w bożonarodzeniowy i wielkanocny – co daje ponad trzy tysiące roboczogodzin na każdą kapę. Nie da się powiedzieć, ile jest warta. Ta najsampierwsza przedstawiała raj i nie wyobrażasz sobie, jaka była piękna. W Bumelii była tylko chwilkę. Sprzedano ją na loterii – wszystkie są sprzedawane – coby zebrać pieniądze na nowy dach w kościele i jak raz wygrał ją ojciec Christopher, ksiądz z Organkowego Katolickiego Kościoła w Popeye w stanie Oklahoma. Potem sprezentował ją pewnym ludziom, których nazwiska tu nie wspomnę, a którzy praktycznie nie mieli czym się w nocy przykryć, nijakich koców, a był środek zimy.

Ano, chybaby ci to do głowy nie przyszło, ale tamci tak se umyślili, że sprzedali ją za pięćdziesiąt dolarów, za które podobnież kupili papierosy i piwo. W końcu kapa wylądowała w Dallas, w jakiejś galerii sztuki, i kiedyś nawet pokazali jej zdjęcie na okładce jakiegoś wytwornego magazynu o sztuce. Mam gdzieś jeden egzemplarz, ale nawet żebyś mnie dźgał śpikulcem do poganiania bydła, nijak se nie przypomnę gdzie.

– Gdzieżbym śmiał – wymamrotał Bob.

– Wpierw sprzedawaliśmy je z okazji Nowego Roku, w sylwestra. O, to było w hrabstwie Bumelii wielkie święto. Ludzie niemieckiego pochodzenia zawsze robili wielkie halo w związku z Nowym Rokiem. Teraz sprzedajemy je, kiedy skończymy. Te, nad którą pracujemy, musowo trzeba skończyć do czerwca. Będzie fantem na loterii podczas Święta Drutu Kolczastego. Nawet mnie samej się widzi, że te kapy są rzeczywiście śliczne. Mamy szczęście, że w naszej społeczności są tak uważające kobiety, które umieją szyć najrówniejszym, najdrobniejszym ściegiem, jaki jesteś sobie w stanie wyobrazić, prawie że niewidocznym, do tego nitką jedwabną, która przecie jest cieńsza wedle innych. Co mi przypomina, że powinnam przynieść z tamtego pokoju od podwórza pudełko z jedwabną nicią. O proszę, mamy magazyn, co to myślałam, że go nie znajdę, „Sztuka w Ameryce", zabawny tytuł jak dla czasopisma. Wrócę za chwilkę. – Zniknęła w którymś z małych pokoików na tyłach domu.

Bob przyjrzał się przedstawionej na okładce magazynu kapie. Nawet on był w stanie zauważyć wspaniały efekt osiągnięty ściegami, haftami i aplikacjami. Pośrodku rajskiego ogrodu widniała wspaniała jabłoń, obsypana mnogością satynowych owoców, a wokół gałęzi owijał się przerośnięty grzechotnik diamentowy z językiem z maleńkich, czarnych paciorków, które zdawały się migotać. Z ziemi, koloru kakao, wyrastała jeżówka, dzikie astry oraz złocień, a purpurowa miechunka płożyła się wokół dwu chropowatych głazów. Adam był nagi, nie licząc kowbojskich butów oraz trzymanego na wysokości przyrodzenia kapelusza. Całe ciało pokryte miał czarnymi, kręconymi włosami. Ewa, gawędząca wesoło z wężem, odwrócona plecami do patrzącego, ukazywała wydłużone, różowe pośladki. Miała na ręce bransoletę z talizmanami, każdy z osobna tak szczegółowo oddany, że Bob dostrzegł wśród nich dyndający kontur stanu Teksas. Na ziemi leżał ogryzek jabłka.

– Adam wygląda na nieźle owłosionego – zawołał do LaVon, która znajdowała się w przyległym pokoju.

– I owszem, bo wzorem był Cy Frease, teraz właściciel Poczciwego Psa, a wtedy jeszcze zwykły tutejszy kowboj. Nie wiem, która to se umyśliła, żeby Adama zrobić takiego owłosionego, ale wydawało nam się to wtenczas właściwe. A Cy, cóż, na to wychodzi, że jest najbardziej owłosiony w całym naszym hrabstwie. Dlatego nigdy tam nie jem. Po kiego mam znaleźć któryś z tych włosów w swoim sosie.

Wróciła, potrząsając drewnianym pudełkiem.

– A potem te drugą kapę wygrał Doll McJunkin, nasz listonosz, i sprzedał ją za tysiąc dolarów Chrześcijańskiemu Muzeum Teksasu w Wichita Falls. Jak pamiętam, przedstawiała Jonasza i wieloryba. A ten wieloryb miał takie tyciuchne oczko, jak pestka arbuza. Z jakiegoś starego dżeta, którego Freda Salonik znalazła w swoim pudełku do szycia. W tamtych czasach robili piękne guziki. Nie dziwuje się, że ludzie je kolekcjonują. Wieloryb, który właśnie zabierał się do nurkowania, wypełniał sobą całą kapę. Jedyne, co było widać z Jonasza, to sterczące z paszczy lewiatana nogi. A jego pusta łódź unosiła się na powierzchni wody. Były inne kościelne grupy, szczególnie Misyjni Baptyści, które próbowały robić podobne kapy, ale brak im było *know-how*. Nie miały wyczucia. Jak już obejrzałeś którąś z naszych, to nawet byś nie zechciał spojrzeć na tamte.

– Jaką tematykę obrałyście sobie w tym roku?

– W tym roku to będzie Kain zabijający Abla. Poczekaj, aż zobaczysz.

Punktualnie o trzynastej zajechał pierwszy pickup, nie najnowszy: szary ford z końca lat czterdziestych. Dwie siwe panie skierowały się ku wejściu, niosąc za drewniane rączki zszyte krzyżykowym ściegiem torby z przyborami do szycia. Trzeciej, która siedziała za kierownicą, wysiadanie zajęło sporo czasu, a potem, w drodze do domu, pomagała sobie laską. Wszystkie były ubrane w kwieciste, sięgające połowy łydki sukienki, a kiedy wiatr wydął do przodu ich spódnice, wydawały się starszą wersją (w stylu panhandle) *Trzech Gracji* Botticellego.

Właśnie skończyły głośno wyrażać zachwyt nową, kobaltową, zdobną w irysy podstawką pod półmisek, kiedy zajechały dwa następne pickupy i z każdego wysypało się po kilka kobiet. Kierowcy mężczyźni ustawili pojazdy porządnie pod ogrodzeniem, po czym wysiedli i stanęli obok siebie, opierając się łokciami o jego poprzeczne żerdzie. Po chwili jeden z nich zapalił papierosa. W ciągu kwadransa dom zapełnił się kobietami, w podeszłym lub co najmniej średnim wieku, ale znalazła się też pośród nich jedna śliczna, czarnowłosa dziewczyna, która nie wyglądała na więcej niż dwadzieścia lat. Była w zaawansowanej ciąży, tak obrzmiała i ociężała, iż Bob miał obawy, że zaraz zacznie rodzić. LaVon przedstawiła ją jako Dawn Kurcz, wnuczkę Asa Kurcza, tego od wiatraków, i powiedziała, że zrobiła ona kiedyś dla swoich dziadków, Asa i Vollie, piękną kapę zdobioną w skrzydła wiatraków.

– Aha, a całość obramowałam zygzakami błyskawic – oświadczyła dziewczyna. Bob zauważył, że nie nosi obrączki.

Imiona starszych pań zapominał natychmiast po ich usłyszeniu, z wyjątkiem Fredy Salonik, niskiej kobiety o mocnych, kabłąkowatych nogach, która, jak zgadywał, mogła już przekroczyć siedemdziesiątkę – starsza pani zaszczebiotała w końcu, że ma „zaledwie dziewięćdziesiąt trzy". W rękach dzierżyła skórzaną kasetkę rozmiarów pudełka po dziecięcych bucikach.

– No tak, widzę, że znów nie ma Archbell – skonstatowała ze złością, opadając na fotel

– Zgadza się – przyznała LaVon. – Ona już od miesięcy ma problemy. Zapomina, jest zagubiona do cała, często wpada w kiepski nastrój.

– Stara dziwaczka. Nigdy zresztą nie była za bystra. Pamiętacie, jak kiedyś syn i synowa podarowali jej ten ładny, różowy koc elektryczny, a ona spędziła nad nim wiele godzin, dopóki nie wyciągnęła wszystkich przewodów? Nie miała zielonego pojęcia, co z nim zrobić. – Otworzyła kasetkę, ukazując setki igieł ułożonych wedle rozmiarów, naparstki, nożyce przypominające żurawi dziób.

– Nigdy nie doszła do siebie po poparzeniu. Kiedy wybuchł ten jej piecyk gazowy. Wtopił biedaczce nylon w nogi.

– Ano, dlatego ja nigdy bym nie założyła rajstop. – Podała wybraną igłę La Von, żeby ta ją nawlekła, oświadczając, że jej własne oczy są za słabe, by mogła dostrzec ucho igielne.

Kobiety złożyły na stole poszczególne fragmenty kapy z Kainem i Ablem. Tło stanowiło wielkie, brunatne pastwisko, usiane porozrzucanymi krzewami jadłoszynu i juki. W oddali widać było ogrodzenie dla zwierząt oraz jakąś postać pochyloną nad ogniskiem, w którym rozgrzewało się żelazo do znakowania bydła. Na pierwszym planie zwalisty farmer z wykrzywionym wściekłością obliczem stał nad leżącym pasterzem, szykując się do zmiażdżenia mu twarzy (przypominającej zresztą twarz Jamesa Deana) ogromnym kamieniem. Przyglądały się temu trzy błękitnookie owieczki. Jakieś ciosy już najwyraźniej zadano, bo krew zdążyła obficie splamić ziemię. Czerwona, satynowa posoka zbryzgała niebieskie spodnie ogrodniczki zabójcy.

– Wieleśmy dyskutowały, czy odziać Kaina i Abla w te pasiaste stroje i w sandały, jak to się zawsze widuje na różnych biblijnych obrazach – wyjaśniła Bobowi LaVon – ostatecznie jednak przegłosowałyśmy, żeby ubrać ich tak, jak ubierają się tutejsi ludzie. Żeby bardziej przypominało rzeczywistość.

– Żeby było bardziej zrozumiałe – uzupełniła Rella Nooncaster, chuda jak patyk kobieta o ziemistej cerze; siwe, sterczące włosy miała przycięte po męsku. Mówiła jękliwym głosem, zlewając ze sobą poszczególne dźwięki – jej górna warga pozostawała nieruchoma, za to dolna zwijała się i wykrzywiała bez miary.

Do pokoju weszła następna kobieta; w średnim wieku, z ufryzowaną, przypominającą tapicerską wyściółkę czupryną.

– A oto i pani Boles. Pani Boles jest naszą artystką, Bob – oznajmiła LaVon. – Rysuje nam projekty. Chodziła do szkoły artystycznej. I wykonuje przecudne hafty białą nicią na białym tle oraz sztukę. O, ten Jezus w kuchni z ziaren kukurydzy i z nasion. To ona zrobiła.

– Owszem – powiedziała pani Boles, zwracając się do Boba. – To sztuka plonów. Nazywamy to sztuką plonów. Przeważnie obrazki religijne, sceny rodzinne czy lokalne ciekawostki, charakterystyczne miejsca... zrobiłam już bank, szkołę z autobusami szkolnymi, wszyściutko z kukurydzy, a zamiast farby używam nasion, wszystkich rodzajów nasion, całe bogactwo dane nam przez Boga. Korzystam z ponad trzystu ich rodzajów. Niektóre są od dziko rosnących roślin. Lubię pestki śliwek na sprzączki do pasów. – Rozwinęła część kapy, ukazując wyszyty w połowie kwitnący kaktus, nawlekła szybko igłę, którą wyjęła z kołnierzyka własnej sukienki, przez chwilę szukała nitki jedwabnej o właściwym kolorze, by wreszcie rozpocząć pracę nad mięsistymi liśćmi rośliny.

W części głównej uśmiercony pasterz, Abel, ubrany był w dżinsy i kraciastą koszulę z perłowymi guzikami. Zgnieciony kowbojski kapelusz leżał na splamionej krwią ziemi obok kilku wybitych zębów. Opodal pies pasterski szczerzył kły na Kaina.
– Abel przypomina trochę Jamesa Deana – odezwał się Bob.
– Nie widział pan filmu *Na wschód od Edenu*? – spytała Dawn Kurcz. – To ja wyszyłam jego twarz i chciałam, żeby wyglądał jak James Dean. *Na wschód od Edenu* było przecież oparte na historii Kaina i Abla. Uczyliśmy się tego na lekcjach angielskiego. Kiedy chodziłam do szkoły. – Uśmiechnęła się do Boba w taki sposób, że poczuł się nieswojo, i wróciła do pracy przy owieczce: by osiągnąć efekt kędzierzawego runa, stosowała ścieg supełkowy.
– Nie widziałem go – odpowiedział Bob, przypominając sobie nagle *Kobiety szczury* oraz te inne filmy, które oglądał z Orlandem: *Mudhoney, A jednak żyje, Psych-Out, Dreszcz* i *Grzech na przedmieściu*.
Kobiety pracowały nad poszczególnymi, osobnymi fragmentami, które miały być później dodane do sceny głównej.
– Te liście jadłoszynu są do szycia najgorsze – odezwała się kobieta o ziemistej cerze. – Łatwiej by je wyhaftować.
– Och, Rella, a pamiętasz te jelenie rogi, kiedy robiłyśmy Arkę Noego? Te to ci dopiero były okropne – pani Stinchcomb, szara i skromna, odezwała się przepraszającym tonem.
– O tak. Po prawdzie były gorsze od liści jadłoszyna. Bieda

tylko, że tych taka gęstwa, ani chybi oślepnę przed końcem roboty.

– Ciekawe, czy będzie burza, taka spiekota jest na dworzu – powiedziała Jane Ratt, krzepka kobieta o żółtych włosach, zebranych z boków na górę i tam, na czubku głowy, nastroszonych. – Rella, pozwól, że pożyczę te twoje małe nożyczki. Swoje zostawiłam w zeszłym tygodniu u Hattie. – Obcięła ciągnący się koniec nitki.

– Może być. Coś wisi w powietrzu. I czuję ten znajomy ból w kościach.

– Może przyjść tornado.

– Odpukać w niemalowane.

Jane Ratt wyjrzała przez okno, zobaczyła, jak jej wnuk, Billy, otwiera paczkę chipsów ziemniaczanych i wkłada kilka do ust. Dziś ma dwudzieste drugie urodziny i ona nadal odczuwa boleśnie to, że odrzucił jej drobny podarunek.

Rozpytywała dookoła, gdzie można zdobyć metalową rybkę – z tych, które widziała przytwierdzone do tyłu samochodów wędkarzy; byłby to taki sympatyczny prezent. W warsztacie samochodowym dowiedziała się, że można je kupić tylko w Woodward, w Chrześcijańskim Hipermarkecie. Wydawało jej się to dość dziwnym miejscem na artykuły wędkarskie, pojechała tam jednak, znalazła sklep, znalazła rybkę, kupiła ją i kazała zapakować jako prezent. Papier do pakowania zadrukowany był maleńkimi krzyżami. Tego ranka wręczyła mu podarunek.

– Niby co to takiego? – spytał, wyczuwając przez papier twardość metalu.

– Otwórz. No proszę.

Rozerwał papier i chromowana rybka spoczęła w jego dłoni. Przyjrzał się jej.

– Niby do czego to? Do czego, do cholery, toto ma służyć?

– To dlatego, że lubisz wędkować, kochanie. Możesz ją przymocować do swojego auta, żeby inni wędkarze widzieli, że to lubisz. Taki przyjacielski znak. Znaczy: „Hej, wolałbym połowić rybki, niż jeździć tym starym, nagrzanym pickupem".

– Babciu, to nijak tego nie znaczy. Gdzie to dostałaś?

– W Woodward.

– Gdzie w Woodward?

– Och, nie wiem. W jakimś sklepie. Zobaczyłam ją i pomyślałam, że ci się spodoba.

– Na pewno by mi się spodobała, gdyby znaczyła to, co myślisz, że znaczy.

– No dobrze, jakeś taki mądry, to co ona, według ciebie, znaczy?

– Wiem, co znaczy. – I nic więcej nie chciał powiedzieć.

Mężczyźni na dworze nadal opierali się o żerdź ogrodzenia dla zwierząt, w którym żadnych zwierząt nie było. Niektórzy byli młodzi i Bob domyślał się, że to synowie lub wnukowie kobiet z kółka. Teraz trzymali w rękach papierowe kubki i jakiś starszy mężczyzna nalewał do nich coś z termosu. Bob nie przypuszczał, by była to kawa.

Freda Salonik zwróciła się wprost do Boba:

– Młody człowieku, nie jesteśmy przyzwyczajone do gości płci odmiennej podczas naszego wspólnego szycia i mam nadzieję, że nie wyniesiesz stąd niewłaściwego o nas wrażenia. Nie oczekuj, że będziemy rozmawiać o poezji i filozofii, i polityce, choć wiele spośród nas umiałoby to robić. Jesteśmy po prostu dobrymi przyjaciółkami i chrześcijankami, co to lubią razem tworzyć służące dobrej sprawie kapy.

– LaVon już mi to wyjaśniła – odpowiedział, czując, jak się czerwieni, zażenowany faktem, że go zauważono. Potem wstrzymał nagle oddech, na gorsie należącej do starej kobiety sukienki w groszki zauważył bowiem najbardziej szokującą broszkę, jaką w życiu widział. I na dodatek z jakiegoś plastiku. Wuj Tam gotów byłby zabić, żeby coś takiego zdobyć.

– Nie wprawiaj go w zakłopotanie, Fredo, bo pójdzie sobie i dołączy do tych durnowatych mężczyzn, żeby palić i żuć, i zachowywać się jak błazen. Widzę, jak tam zerka.

– Młody człowieku, mam dziewięćdziesiąt trzy lata i widziałam już więcej, niż mógłbyś sobie wyobrazić. Urodziłam się w Wyboju, w roku 1907. I nie zamierzam uczyć się komputera. Jako dziewczynka przez siedem lat uczyłam się gry na pianinie i to mi wystarczy.

– Prawdę mówiąc, mnie też nie bardzo interesują komputery – powiedział Bob, przesuwając nieco krzesło, żeby przyjrzeć się lepiej broszce.

– Wybój już nie istnieje – wyjaśniła LaVon. – Ano było to sobie takie spokojne miejsce. Jakieś szesnaście czy siedemnaście mil od Bumelii, kiedyś dawno, dawno temu pełne hodowców bydła i kowboi, potem przyszła bida, bo ominęła je kolej, i stało się miastem widmem. A jeszcze potem ten wysoki, stary Holender, co to przedtem robił jako wiatrakowy dla Odciętego, kupił cały ten teren na swoje ranczo i wiercił tam w poszukiwaniu wody, i jak raz trafił na ropę. Najsampierw byli kowboje, potem przyszli farmerzy, a potem temu Holendrowi przydarzył się ten traf z ropą i przyszli pracownicy naftowi, hazardziści i rabusie banków, i mordercy, i handlarze alkoholu, wszyscy przemieszani jak w jakowymś mieście grzechu. Gorzej niż w Wink czy w Borger. Pamiętam, jak wszystko upaćkane było tłustym brudem. Bierzesz talerz – lepi się, gałka przy drzwiach – lepi się, przednia szyba auta – lepi się. I ten smród siarki i ropy, i gnijących odpadków, i samogonu. Dokoła tylko poskręcane dęby i piasek, ciżba samochodów i pieszych, musowo w błocie po kostki, kiedy padało, a w kurzu, kiedy było sucho. Miasto się do cna zeszmaciło. Kobiety nocy też były. Prostytutki, bezwstydne i zuchwałe. Chadzały do salonu piękności, układały sobie włosy, a potem, kiedy wchodziła przyzwoita, chrześcijańska niewiasta, fryzjerka czy kosmetyczka musiała brać gazetę i kłaść ją na fotelu, na którym tamta wprzódy siedziała, bo inaczej nijak się nie godziło. Jakiś czas mieszkał tam Woody Guthrie... powiadają, że tam właśnie napisał tę znaną piosenkę *Wysmyrgnięte kapcie starego w sorgo*. No i pewnego dnia tornado po prostu zmiotło to miejsce z powierzchni ziemi. Nazajutrz trudno było się domyślić, że jeszcze dzień wcześniej było tam miasto. Zniknęło. Ludzie mówią, że to gniew Pana.

– Ten Woody Guthrie to był komunista – mruknęła któraś z kobiet.

Freda Salonik spojrzała na LaVon.

– Zmiotło Wybój. Ale wtedy ten Holender już miał większość ropy, a i z tucznikami szło mu nieźle. Miał wielkie ranczo niedaleko Amaryli oraz dom w Dallas. Tak, Wybój w swoim czasie był pełen życia. W sobotnie popołudnia przyjeżdżali kowboje z Rancza Ogrodzona Trójka i wtedy dopiero kurzyło się z desek do tańca! Wally Proch był ich nadzorcą.

– Ten, co to golił się siekierą? Moja matka to pamiętała. – Babe Vanderslice rozglądała się wokół za kimś, kto mógłby potwierdzić jej słowa. Ona również pracowała nad kolcami kaktusa z delikatnej, pojedynczej nitki.

– Bob – powiedziała LaVon – Babe jest reporterką pierwsza klasa w „The Banner". Rozeznaje się we wszystkim.

– Ten sam. Napuszony jak paw. Pisał wiersze. O koniach i o zachodach słońca. Człowiek dostawał gęsiej skórki, kiedy się słuchało, jak recytuje. Miał taki kobiecy głos. Mówią, że kiedy był chłopcem, koń kopnął go w jabłko Adama. Na to wychodzi, że znacznie niżej.

– Czy to nie kowboje z Ogrodzonej Trójki umyślili se pożenić się zbiorowo? Zamówili sobie panny młode hurtowo w jednym z onych magazynów matrymonialnych, co to istniały w tamtych czasach, dostali od P. G. Reynoldsa, tego od dyliżansów, zniżkę na dostawę. Matka mi o tym opowiadała. Czternaście czy piętnaście kobitek przyjechało trzema dyliżansami o r a z duchowny od metodystów do pożenienia ich, a niektóre z nich były paskudne, ale przecież można się było tego spodziewać. Jednak kowboje, wszyscy oprócz jednego, nie skrewili i się machnęli za nie. Nie wymienię tu nazwisk, bo niektóre z tych kobiet okazały się później podporą naszej społeczności – oświadczyła Freda Salonik, rozglądając się wokół, bez wątpienia robiąc przegląd potomków tych małżeństw na zamówienie pocztowe, zawartych pomiędzy rachitycznymi kowbojami i dziobatymi dziwkami. – Pewnego razu odbywała się właśnie jedna z tych tak zwanych zabaw tanecznych w tancbudzie grubego Papy Murphy'ego i dziewczęta zamierzały ubrać się w listki figowe i nic ponadto. Jednak panhandle nie jest krainą obfitującą w figowe liście. Jakiś durnowaty dowcipniś poszedł nad rzekę i narwał pełen kosz liści sumaka jadowitego i w te właśnie liście przyozdobiło się kilka z tych biednych dziewcząt.

Bob Dolar wpatrywał się w broszkę Fredy Salonik. Był to duży prostokąt w stylu art déco, z celuloidu w perłowym kolorze z czarną obwódką. Po bokach dwu szewronów z kryształu górskiego widniały wielokolorowe chorągiewki, ręcznie wymalowane i pocięte cieniutkimi, czarnymi liniami.

– Po prawdzie to tamto tornado, co zniszczyło Wybój, nie było tak straszne jak to z 1947 roku, co zaczęło się w Białym Jeleniu i zawędrowało aż do Woodward. Zmiotło Glazier, niemalże zmiotło Higgins i Woodward. Było jeszcze jedno takie groźne; w 1949 w Amaryli. Ludzie je mieszają ze szczętem. A potem, kilka lat później, jakaś teksaska linia lotnicza ogłosiła, że jeśli ktoś potrafi udowodnić, że przeżył tornado z czterdziestego dziewiątego, to sprzedadzą mu bilet do Las Vegas za czterdzieści dziewięć centów. Wally Ooly, ten, co to miał aptekę, był w Amaryli tamtego dnia i udało mu się przekonać te linię, że tak właśnie było, więc poleciał do Las Vegas, skąd wrócił dopiero w zeszłym roku. Jakoś nie może się na nowo przyzwyczaić do panhandle i nieustannie opowiada o wyjeździe. Jeśli mnie kto spyta, nie byłoby wielkiej straty.

– Myślałam, że tornado przeszło w roku 1947.

– Bo i tak było.

– I to, które uderzyło kilka lat temu w Pampę, to z fruwającymi w powietrzu jak moskity pickupami. Jednak najgorsze, jak gadają, było w Wichita Falls, w latach siedemdziesiątych. Zabiło pięćdziesiąt osób.

– Gdyby my miały spisać wszystkie okropności, jakie były w Wyboju, ani chybi pisałyby my całymi dniami – odezwała się Phyllis Kurcz, matka ciężarnej dziewczyny.

– Święta prawda. I w Bumelii. I w Kowbojskiej Róży. Wy, dziewczęta, jesteście za młode, żeby to pamiętać, ale w latach dwudziestych Joy Spide otworzyła salon fryzjerski i robiła trwałą ondulację mieszkankom Bumelii. Wszystkie tam ciągiem biegały, każda kobieta miała włosy ufryzowane w takie same fale. Istne szaleństwo. I w onych czasach Joy stosowała celuloidowe lokówki. A zdarzyło się, że kiedy jedna klientka, jej mąż miał wielkie rancho w hrabstwie Roberts, siedziała pod aparatem nagrzewającym – tak właśnie układali te trwałą, chemikalia i gorąca lampa – jedna z jej lokówek dotknęła elementu grzewczego i się zapaliła. Cóż, te z was, które pamiętają celuloid, wiedzą, jak szybko się pali. Jednym okropnym błyskiem. Zapaliła się cała głowa tej biednej kobiety. Była to jej pierwsza trwała i zarazem ostatnia. Zdaje się, że miała też uszkodzony mózg. W każdym razie musiała nosić perukę. Tragiczny przypadek. Stała się odludkiem. Jej mąż przyjechał do miasta i zdemolował ten zakład. Do dzisiej nie otwarto w mieście następnego. Ba, musimy jechać sto mil, żeby ułożyć sobie włosy – z żalem stwierdziła Rella Nooncaster.

Bob zauważył, że również ona miała na sobie ciekawy egzemplarz ozdoby z wczesnego plastiku, naszyjnik z kremowych i żółtozielonych wisiorków.

– Wedle mnie, najlepsze, co było w Wyboju, to sklep Steddy'ego – oświadczyła Jane Ratt.

Starsze panie przytaknęły jej zgodnym pomrukiem.

– Centrum handlowe Kufy w Bumelii też było niezłe – odezwała się cicho pani Pecan Flagg, pulchna kobieta z ufarbowanymi na sadzę włosami oraz z kręgami różu wielkości herbatników na policzkach.

– Bob – powiedziała LaVon, niczym łuk elektryczny przeskakująca z tematu na temat – dziadziuś mojego męża kupił sklep od starego doktora Kufy, który go założył. Nigdy nie zmienili nazwy na Fronk. Ten Kufa już został na zawsze. A pani Flagg interesuje się bardzo cietrzewiami preriowymi. Część ich rancza to azyl dla tych ptaków. Jak raz w ubiegłym roku dostali za to nagrodę.

Kobieta podniosła oczy na Boba.

– One świetnie się mają w dobrej wysokiej trawie, a nam sprawia radość oglądanie wiosną ich zabawnych tańców godowych.

– Emporium Kufy było bardzo porządne. U Jeda Steddy'ego był okrutny bałagan, ale jakeśmy wszystkie przepadały za tym miejscem.

Smuga słonecznego światła wpadła przez okno i igły rozbłysły.

– Pamiętam, jak spod sufitu zwisały te metalowe ramy do napinania bydlęcych skór i jak mój tata zamienił u niego używane siodło na sześć takich ram. Plus duże pudło tego tłustego, żółtego mydła.

Sunące po niebie chmury przyćmiły słońce; igły zmatowiały.

– Tak było. I gadają, że zawsze dobrze wychodził na każdej transakcji. Czegóż to on u siebie nie miał? Pamiętam łuski po nabojach, co to pan Steddy mówił, że pochodzą z walk z Indianami, jakieś stare obuszki z napisem Kawaleria Stanów Zjednoczonych oraz ogromną, stożkową szpulę szpagatu. Kupowali my ten szpagat, kiedy tata uprawiał sorgo. Pamiętacie ten wielki, pradawny, zakurzony ząb dinozaura, który znaleźli na Podwójnym Z? W kontuarze była specjalna gablotka z różnymi przedmiotami dla kowboi. Mój brat, Ivon, kupował taki specyfik na wzmocnienie włosów i wcierał go sobie w czuprynę, nim ruszył na tańce. Pachniał coś tak jakby migdały. Uwielbiał ten sklep, wszyscy kowboje za nim przepadali. Steddy nazywał ich „bydłobojami". Nigdy „kowbojami". Miał dla nich wszyściuchno, tytoń, używane siodła i uprząż, pułapki na robactwo i peleryny przeciwdeszczowe, płyny do nacierania i leki weterynaryjne, torby na obrok i juki.

– Jedno, co się tyczy tych dawnych czasów, a co dobrze, że już odeszło, to pożary. Zawsze gdzieś był dym i ogień, i płonące trawy. Ten zapach dymu dosłownie porażał człowieka jak piorun.

Zupełnie jakby w odpowiedzi na te słowa, w powietrzu przetoczył się łoskot grzmotu. Na podwórzu mężczyźni podnieśli wzrok ku niebu.

– Ale mogę jeszcze jedno o tych pożarach powiedzieć. Rzadko, żeby było coś piękniejszego od Teksasu wiosną po pożarze prerii.

– Amen.

– Ano nie były to same dobre czasy i wizyty w sklepie. Było też cierpienie i niegodziwość. Pamiętacie tamtą biedną dziewuszkę, której się zmarło na zakażenie nogi? Wbiła sobie cierń w stopę i dostała ciężkiego zakażenia. Po prawdzie te pożary miały też w sobie coś dobrego. Wypalały chwasty i pomagały trawie. Nikt nigdy w żadnym z nich nie spłonął. Nietrudno było umknąć. Wystarczyło przejść na miejsce już wypalone. Domy i budynki gospodarcze szły z dymem.

– Te chorą nogę to miała ani chybi Helen Leeton. Jej ojciec uprawiał sorgo i bida u nich aż piszczała. Pamiętam, że miała brata, Nutsy'ego Leetona. Ten klął straszliwie jak jakiś poganiacz mułów czy wiertacz, popalał, odkąd miał siedem czy osiem lat, popijał. Stary pan Leeton wyrzucił go, kiedy chłopak miał trzynaście lat, i wtenczas on zamieszkał w lasku nad rzeką. Helen zawsze powtarzała, że to nijak nie jest jej prawdziwy brat, że znaleźli go w krzakach, ale przecież chłopak to skóra zdarta ze Snise'ów – matka była ze Snise'ów – chudy i wysoki, z kruczoczarnymi włosami i indiańskimi oczyma. Wyglądał jak Lyndon Johnson.

– Trawa rosła rzetelna po pożarze, ale sklep Steddy'ego spłonął, nim jeszcze nastała dobra koniunktura, i tyle go widzieliśmy.

Pierwsze krople deszczu postukiwały delikatnie niczym skrzydełka obijających się o abażur ciem.

– Mój ojciec powiadał, że Jed Steddy podpalił go dla pieniędzy z ubezpieczenia.

– Po mojemu to on nie był ubezpieczony. Niewielu wtedy to robiło. Może kłopoty finansowe spowodowały, że skończył w zakładzie. Komisja do spraw zdrowia psychicznego uznała, że nie jest zdrów. Teraz wydaje się to człowiekowi takie dziwne, że w tamtych czasach mogli mieć tego rodzaju komisje.

– Przypuszczam, że były tak samo dobre jak ci kosztowni psychoterapeuci, do których teraz ludzie cięgiem latają.

– A mnie się widzi, że pomieszało mu się w głowie po tym strasznym wypadku, jaki przydarzył się jego synowi Duffy'emu i maleństwu.

– Mój Boże. Co za tragedia.

Janine Huske, która mieszkała w Bumelii zaledwie szesnaście lat i którą nadal traktowano jak nowo przybyłą, spytała:

– A co się stało?

– No cóż – odezwała się Freda Salonik i rzuciwszy spojrzenie na Boba, ściszyła głos do szeptu. Bob nie słyszał jej słów, dopóki ponownie nie podniosła głosu. – I później biedny Duffy, kiedy już podrósł, zbiesił się do cna. W latach trzydziestych został bandytą i rabował banki tu w panhandle i w Oklahomie. W końcu razem z gangiem wyniósł się gdzieś w okolicę Antelope Hills i tam wszelki słuch po nich zaginął.

– W tamtych dawnych czasach dzieci akuratnie często marły – powiedziała Rella Nooncaster.

– Prawdę mówisz. Ja sama straciłam maleńką Minę na nieżyt dróg oddechowych, zakaszlała się zwyczajnie na śmierć.

– Wiecie, a mnie się widzi, że mimo tych wszystkich lekcji baletu i muzyki, jakie dzieciaki teraz dostają, kiedyś rodzice byli bardziej dbający. Zwyczajni byliśmy różnych prac domowych. Chłopak czy dziewczyna znali swoją wartość.

– To prawda. Bieda, że teraz dzieci się nie szanuje. Te antykoncepcje i te aborcje pokazują, jak mało ważne są dzieci.

Ciężarna dziewczyna siedziała pochylona nisko nad swoim ściegiem supełkowym. Bob domyślał się, że czuje się nieswojo, słuchając takich rozmów. Czy sama rozważała kiedyś możliwość aborcji?

– Dawniej, nawet jeśli to było tylko rzucanie do celu kamieniami, dzieci wiedziały, jak się mają same zabawiać. Tato opowiadał mi, że kiedy on był chłopcem, mieli raz okrutnie srogą zimę, tak mroźną, że setki widłorogów zamarzły na śmierć. A dzieciaki, no one wykopywały zwierzaki spod śniegu, wlokły w jakieś miejsce i tam ustawiały. Mój tato ustawił je przed ziemianką dwadzieścia w jednym rzędzie. Opowiadał o nich, jakby były jego krowami. „Moje stado widłorogów", mówił. Przyszła wiosna, zaczęły gnić i przyciągnęły mnóstwo sępów. Jego siostry mówiły wtedy: „Twoje stado sępów".

– W tych gabinetach aborcyjnych.. biorą te biedne maleństwa i... – ściszyła głos do konspiracyjnego szeptu... – i tną na kawałki! A potem sprzedają bezbożnym naukowcom. Tym ewolucjonistom.

– Słyszałam jeszcze okropniejsze rzeczy.

– A co może być jeszcze okropniejsze?

Igły przestały się poruszać, wszystkie dłonie znieruchomiały.

– Słyszałam, że w Waszyngtonie ci lekarze aborcjoniści krają niemowlęta, odcinają dające się łatwo rozpoznać części ich ciała, a resztę sprzedawają chińskim restauracjom.

Nastąpiły głośne okrzyki obrzydzenia i oburzenia. Bob Dolar poruszony był faktem, że tym kobietom tak łatwo przychodzi uwierzyć w te makabryczne opowiastki. Tymczasem zaś Freda Salonik obrzuciła piorunującym spojrzeniem Parmenię Boyce.

– Jak kobieta w twoim wieku może wierzyć w takie bzdury?

– Przyjmuję je na wiarę. Słyszałam to od przyjaciółki, której kuzynka mieszka w Waszyngtonie, a jej córka jest tam kelnerką. To powszechna wiedza.

– Powszechna głupota.

– Winniśmy zawierzyć, że Pan wskaże nam drogę, i modlić się za naszych nieprzyjaciół oraz o to, żeby ci mordercy aborcjoniści przyjęli Jezusa i porzucili swoje obrzydliwe praktyki. W pokoju rozległo się powtarzane cicho amen. I wszystkie panie zgodziły się, że grad jest większy jak niegdyś, mężczyźni i wiatr silniejsi, a przyjemności w życiu rzadsze, choć bardziej intensywne.

Bob Dolar, który pod wpływem ateistycznego cynizmu Bromo Redpolla oraz neutralności wuja Tama uodpornił się na wszelką religię, pomyślał sobie, że być może Pan bywa złośliwy albo być może to, co przytrafia się ludziom, to wyłącznie pech oraz zbieg okoliczności. „Nie pojmuję – powiedział kiedyś Bromo – jak ktoś może wyznawać religię, której ośrodkiem jest scena kary śmierci".

– Palce mam sztywne jak kołki – poskarżyła się Freda Salonik, wstała i poszła do kuchni, gdzie polała gorącą wodą zdrętwiałe dłonie.

– A bratu mojego ojca zmarło się na gruźlicę – oznajmiła Jane Ratt. – Miał ją przez całe lata. Ale wiecie co, to, że choroba trwała tak długo, pozwoliło babci się przygotować. Widziała, co nadchodzi, i witała niemal z zadowoleniem, wiedząc, że śmierć zakończy cierpienia biedaka. Później powiedziała, że za każdym razem, kiedy wchodziła do pokoju chorego, słyszała łopot skrzydeł anioła śmierci. – Strąciła kawałki nitki ze swojego fragmentu kapy i wyjrzała przez okno na podwórze. Wszyscy mężczyźni siedzieli w samochodach, gdzie skryli się przed deszczem, który niczym jedwabne nitki spływał z nieba delikatnymi, cienkimi strużkami.

– To cud prawdziwy, że tyle przeżywało. Nawet drobne zadrapania mogły się skończyć zakażeniem, ale rzadko, żeby się nie goiły. Nie mieli my żadnych takich plastrów z opatrunkami, ale moja matka zrywała jakieś oleiste zielsko, przełamywała i kapał z tego gęsty sok i pokrywał pięknie skaleczenie.

Wróciła Freda Salonik, przebierając palcami.

– Pokój chorego. Takiego pokoju w dzisiejszych czasach ludzie nie mają. A na naszym ranczu zawsze ktoś przebywał w takim pomieszczeniu. Jeśli nie żadne z nas, dzieci, to jakiś ranny kowboj. Aż dziwne, że przeżywali tyle lat, ile przeżywali, tacy wyrywni, co to chętnie zabawiali się bronią, zawsze z tymi półdzikimi końmi.

Pani Vera Twombley, drobna, zasuszona kobieta, która do tej pory nie powiedziała ani słowa, teraz się odezwała. Wyglądała starzej niż Freda Salonik, choć faktycznie była od niej o cztery lata młodsza.

– Pamiętacie melony DesJarnett? – Zadała to pytanie z taką tęsknotą w głosie, że poruszyło to Boba; rozejrzał się wokół stołu, wyobrażając sobie te wszystkie kobiety jako młodziutkie dziewczęta, smukłe i zwinne, jak rozcinają słodkie melony, dziewczęta, którym przenigdy na myśl by nie przyszło, że mogą się kiedykolwiek zestarzeć.

Freda Salonik mówiła tymczasem:

– A potem Kryzys. Dla wszystkich ciężkie czasy. Te straszne burze piaskowe. Trzeba było ciągnąć za samochodem łańcuch, żeby pozbyć się elektryczności statycznej, bo jeśli nie, to silnik po prostu gasł. A od wiatru tyle jej się zbierało w trawie, że ta zaczynała się palić. Szczególnie sucha trawa preriowa. I ludzie dostawali fioła od nieustannego kurzu, przynajmniej niektórzy. – Odłożyła igłę do kasetki, najwyraźniej kończąc w tym dniu pracę, i ciągnęła: – Było mnóstwo nieszczęść, dziwne jednak, które z nich człowiek pamięta jako te największe. Myślę o tym okresie po pierwszej wojnie światowej. Pamiętam, byłam w szkole podstawowej, musiało to być gdzieś w okolicy Dnia Pamięci Narodowej, który zawsze był dużym świętem, bo miałam na sobie nową sukienkę i do cna ją zniszczyłam. Miałam pieska, zwał się Duży, a nazwaliśmy go tak, bo był taki mały i taki odważny. Nie wiem, co to za rasa. Taki trochę czarny, trochę biały mały psiaczek. Odprowadzał mnie do szkoły i wracał biegiem do domu. Po południu przychodził znowu i czekał na mnie przy szkolnych drzwiach. Jak powiedziałam, było to mniej więcej w czasie Dnia Pamięci i ludzie wtenczas umieszczali te małe flagi na grobach chłopców, którzy polegli na wojnie. Wiecie, jak w panhandle wiatr potrafi dąć. No więc, jak przechodziło się obok cmentarza, to na tym wietrze te małe flagi furczały i łopotały. Duży wprost oszalał. Nie mógł znieść tych dźwięków, wobec czego przebiegał szybciutko, żeby jak najkrócej być na nie narażonym. Wiecie jednak, że nie da się cięgiem mieć na oku ruchliwego psiaka. Któregoś dnia poszedł ze mną do szkoły i jak zwykle wrócił do domu. Po lekcjach wyszłam na zewnątrz, a jego tam nie ma. Ruszyłam do domu, a kiedy zbliżyłam się do cmentarza, zobaczyłam, że coś leży w trawie. To był on, martwy, zastrzelony. Cóż, z wrzaskiem i płaczem poniosłam jego małe ciałko do domu, plamiąc sobie krwią moją nową sukienkę. Pochowaliśmy go pod drzewem bumelii. Ktoś nam później powiedział, że zastrzelił go jakiś gość z miasta. Duży wpadł na cmentarz i zaczął rwać te małe flagi, rwał je po prostu na strzępy. Powiedzieli, że załatwił siedem, zanim ktoś go zobaczył i oświadczył, że to hańba dla flagi i obelga dla narodu. I go zastrzelił. Później ja sama nie lubiłam już tych małych flag i nigdy żadnej nie zostawiłam na grobie, nawet wtedy, kiedy tego ode mnie wymagano.

– Z czego widać, że nie tylko podczas Wielkiego Kryzysu było ciężko – oświadczyła pani Herwig – choć wtedy na pewno było bardzo ciężko.

– Wiecie, co w onych czasach, kiedy wydobywano tyle ropy, było najgorsze? Pranie. Poczciwa maytag* warkotała codziennie przez wiele godzin.

Phyllis Kurcz, matka brzemiennej Dawn, do tej pory milczała, teraz jednak odezwała się z udawaną irytacją:

– Z całym szacunkiem, wiem, że ci pierwsi osadnicy i inni ludzie, którzy żyli w czasie Wielkiego Kryzysu, rzeczywiście nie mieli lekko, ale moja babcia i mama w kółko opowiadały o tamtych czasach. Mama miała z siedem albo osiem tysięcy historyjek z Wielkiego Kryzysu o dzieciach porwanych przez wichurę, o zębach do cna startych, bo we wszystkim był piasek i tyle się go najedli, a tata znowu o wiatrakach tak przysypanych piaskiem, że nie były w stanie funkcjonować. Ale

* Firma założona w 1907 roku przez niejakiego Maytaga; istniejąca i produkująca pralki do dzisiaj.

dlaczego, na Boga, my musimy od nowa to rozgrzebywać, pojęcia nie mam. To było dawno temu. I tak sobie myślę, że ciekawiej będzie pogadać o tym, co dzieje się dzisiej.

Rozległ się ogólny śmiech i któraś z kobiet zajęła się przypomnieniem wszystkim jakiejś mającej posmak skandalu plotki.

Bob Dolar policzył najstarsze kobiety siedzące wokół stołu – siedem. Domyślał się, że wszystkie są wdowami, wszystkie właścicielkami solidnych posiadłości, z których przynajmniej część mogłaby się okazać szczytem doskonałości jako teren pod fermy świńskie. Postanowił odwiedzić każdą z nich, pod pretekstem dowiedzenia się czegoś więcej o przeszłości, sprawdzić przy okazji stan hipoteki oraz ewentualnych spadkobierców. Pomyślał też o złożeniu wizyty Taterowi Kurczowi.

LaVon poszła do kuchni, żeby wyjąć z lodówki przekąski. Deszcz osłabł: krajobraz pokrył się połyskującą aksamitną powłoką. Bob zaniósł talerze i potrawy na werandę. Delikatny, chłodny wietrzyk owiewał panie, kiedy sączyły sorbet z pływającymi na powierzchni wysepkami lodów. Mężczyźni opuścili kabiny pickupów i pokrzykiwali do matek i babek, żeby za wiele nie piły.

Bob zbliżył się do Fredy Salonik.

– Proszę pani, zafascynowało mnie to, co pani powiedziała. O dawnych czasach tutaj, w panhandle. Czy mógłbym kiedyś panią odwiedzić i usłyszeć więcej?

Spojrzała na niego i się uśmiechnęła.

– Panie Cent, czy Dolar, czy jak tam się pan nazywa. Już od bardzo dawna wiem, że kiedy jakiś młody człowiek szuka sposobności, by dotrzymać mi towarzystwa, to nie dlatego, że interesuje go moja osoba albo stare czasy, ale dlatego, że będzie przekonywał mnie, bym zainwestowała w jakieś głupie przedsięwzięcie, albo chce kupić moją posiadłość za bezcen. Odkryłam, że pochlebstwa młodych ludzi są zwyczajnie po prostu przesłodzone. Dlatego też odmówię pańskiej prośbie.

W umyśle Boba pojawiło się nagle słówko „skarcony". Właśnie został skarcony.

W drodze do domu Billy Ratt wyjaśniał babce, o co chodzi z tą metalową rybką.

– To znak, jaki niektórzy chrześcijanie umieszczają na swoich autach, coś tak jakby ta nalepka na zderzak: „Zatrąb, jeśli kochasz Jezusa". Ale to jest troszkę bardziej uczone. Wiąże się z Jezusem, jak to przemienił pięć bochenków chleba i dwie ryby w taką ilość jedzenia, że starczyło dla tłumów. Ryba jest lepsza od chleba. Bo niby jak mieli zrobić znak w kształcie chleba... miałby to być jeden z tych okrągłych i płaskich bliskowschodnich dziwolągów? Czy kromka tego białego, co go kupujesz w samoobsługowym? Albo jeden z tych długich francuskich, co to fasonem przypominają niedźwiedzią kupę? Nie dziwota, że zdecydowali się na rybę.

– No dobrze. I co w tym złego? Mnie się widzi, że byłbyś dumny, pokazując ludziom, że jesteś chrześcijanin.

– Babciu... – powiedział i zamilkł, uzmysłowiwszy sobie, że stoi na straconej pozycji, że kiedy wrócą do domu, przymocuje tę metalową rybę do swojego auta. Już się zastanawiał, w jaki sposób przymocować tam też jakiś kawał drutu, który wyglądałby jak żyłka. Rybę mógłby umieścić pod kątem, żeby pokazać, że jest złowiona, a do jej pyska przyspawać jakąś jaskrawą przynętę. Jeśli nie byłoby to świętokradztwo.

16

Ciekawość to pierwszy stopień do piekła

Kiedy samochód ostatniej z pań zniknął z podjazdu, Bob uderzył w koleżeński ton:

– No dobrze, LaVon, co to za historia z tą dziewczyną? – zupełnie jakby ta utrzymywała coś w tajemnicy przed nim. Byli oboje w kuchni i załadowywali zmywarkę do naczyń.

– O jaką dziewczynę ci się rozchodzi? – spytała niewinnym głosem LaVon, odmierzając łyżeczką kawę do ekspresu. – Nie mam nic przeciwko zimnemu, ale teraz musowo wypiję filiżankę dobrej, gorącej kawy.

– Tylko jedna tu była. Ta, która spodziewa się dziecka. Dawn.

– Dawn. A tak. No cóż, to stara historia. Po mojemu to Dawn nie mogła być ni trochę lepsza. Cieszę się, że Coolbroth nigdy się z nią nie zadał. Chcesz kawy?

– Tak.

– Napytała sobie biedy. To samo przydarzyło się jej matce, Phyllis, która tu dzisiej była. Dlatego obie noszą nazwisko Kurcz. Znaczy się nigdy nie miały mężów. Phyllis wcześnie drapnęła z domu, żeby zostać gwiazdą filmową czy aktorką, czy kimś takim. No wiesz, dziewczyńskie marzenia. I wpakowała się ze szczętem w tarapaty. As musiał jechać ją ratować do Houston czy do Tulsy, już nie pomnę. Ano jak nic ją z powrotem sprowadził, a kilka miesięcy później pojawił się on, ten gość, co ją tak urządził. As tylko raz na niego spojrzał i kazał mu się wynosić. Powiedział, że prędzej wysłałby onego do piekła, niż pozwolił dziewczynie odejść z nim czy też jemu zostać z nią. Tak to wyglądało.

Intensywna woń kawy wypełniła kuchnię; Bob wyjął z szafki ostatnie dwie czyste filiżanki i zaczął grzebać w lodówce w poszukiwaniu mleka.

– Weź te śmietanę, co ją ubiłam do tych pływających lodów –
powiedziała LaVon, wskazując dłonią salaterkę.

Filiżanki ustrojone pływającymi po powierzchni kawy kleksami bitej śmietany nabrały jakiegoś uroczystego wyglądu.
– A Dawn – jej córeczka – była najbystrzejszą, najsłodszą
dziewuszką. As rozpieszczał ją ponad miarę, kupował jej wszystko, co chciała... kucyka, wypchane zwierzaki, teleskop. Szkołę
ukończyła na pierwszym miejscu. Miała iść do college'u. I właśnie wtedy! Akuratnie jak matka.

W kuchni zapadła cisza.

– To sympatyczne, że te panie z kółka są dla niej takie miłe –
oświadczył w końcu Bob, nie całkiem przekonany, że tak właśnie jest. – No bo przecież niezamężna matka i w ogóle...

– Powiedziałam ci już, Bob, że to grupa kobiet chrześcijańskich i my naprawdę próbujemy wyciągać pomocną dłoń do
nieszczęsnych. Wtedy, lata temu, niektóre nie były takie miłe
dla Phyllis. Nie dziwota, że rzuciła te gorzką uwagę. Poza tym
Dawn świetnie szyje i jest pełna radości. Trza po sprawiedliwości przyznać, że ma dość odwagi i siły, żeby nosić to dziecko, a nie iść do jakiegoś ohydnego aborcjonisty.

– Jest bardzo ładna – powiedział Bob po chwili milczenia.

– Aha – skomentowała jego słowa LaVon kwaśnym głosem
osoby, która sama nigdy ładna nie była. – Widzisz, dokąd ją to
zaprowadziło.

I chociaż Bob miał więcej pytań, LaVon nie zamierzała na
nie odpowiadać. Położyła kres rozmowie.

– Ciekawość to pierwszy stopień do piekła – oświadczyła
chłodno i już w całkowitym milczeniu posprzątali naczynia.

W swoim baraku Bob przeczytał list od Ribeye'a Klukwy.

Bobie Dolar.
Mam przed sobą Twoją notatkę. Przyjmij uprzejmie do wiadomości, że polityka Globalnej Skórki zabrania wywiadowcom naszej firmy wizyt w zakładach produkcyjnych. Nie musisz nic wiedzieć na
temat aspektu produkcyjnego naszej działalności, żeby dobrze wykonywać swoją pracę. Nie płacimy Ci też za socjologiczne analizy panhandle. Bobie Dolar, jeśli chcesz się znaleźć w Lidze Ważnych Osobi-

stości Globalnej Skórki, musisz się pośpieszyć i zacząć działać. Koniec z kunktatorstwem. Jest ono użyteczne, jedynie kiedy bada się jakiś region pod kątem dotarcia do osób starszych w danej społeczności, tych, które posiadają potrzebną nam wiedzę, ale teraz nadszedł czas DZIAŁANIA. Oczekuję już wkrótce od Ciebie DOBRYCH WIADOMOŚCI. Pokaż nam, jak potrafisz współpracować.

17

Diabelska wstążka do kapelusza

LaVon zmyła filiżanki i talerzyki, Bob odniósł krzesła na strych i rozłożył ten duży stół, jej warsztat pracy. LaVon sprzątnęła odkurzaczem ścinki tkaniny oraz nitki, a Bob wniósł z powrotem, na dawne miejsce, jej meble, pudła, książki i papiery. Kiedy sortowali stosy papierów, LaVon mówiła o Jedzie Steddym, tym sklepikarzu, którego wiele starszych pań pamiętało.

– Mój dziadziuś znał dziesiątki historyjek o Jedzie Steddym, ale najbardziej nam się podobała ta o zakładzie pomiędzy sprzedawcą drutu kolczastego i Abem Skieretem, w tamtych dniach jednym z najpoważniejszych miejscowych ranczerów. Bob, trzeba by ściągnąć ze strychu etażerkę. Jest tam taka zielona. Byłbyś uprzejmy?

Kiedy etażerka stanęła na miejscu i została dokładnie odkurzona, w celu usunięcia ukrytego gdzieś ewentualnie pająka, pustelnika brunatnego, LaVon pociągnęła dalej swoją opowieść:

– Musisz wiedzieć, że do wynalezienia drutu kolczastego tutejsze tereny pozostawały całkowicie otwarte. Teksas był tym najpierwszym miejscem, gdzie na ranczach wypróbowano drut kolczasty. Ab Skieret, właściciel Spółki Bydlęcej w Bumelii, i nadzorca jego pracowników, Blowy Gdak, byli w Bumelii ważnymi osobistościami, i obaj wyglądali na to. Czarne sumiaste wąsiska Skiereta zwisały aż na jego pierś, a Blowy Gdak był jednym z tych czepiających się o byle co ważniaków; takich, co to nigdy nikomu ani niczemu nie odpuszczą; miał wielką, kulistą głowę, okrągłe, jakby niedźwiedziowe uszy, zęby ze szczętem zbrązowiałe od ciągłego żucia trzciny cukrowej.

Pewnego dnia ta dwójka podjeżdża pod sklep i przywiązuje konie do słupków. Pokryci kurzem jeden z drugim, Skieret, który miał niewyparzoną gębę, odzywa się: „Spłuczmy ten cholerny kurz z gardeł", używając rzecz jasna wulgarnego języka, którego tutej nie powtórzę. Część kontuaru Steddy'ego służyła za bar dla uprzywilejowanych klientów. Mężczyźni jednym haustem opróżnili swoje szklaneczki whiskey. Potem Blowy Gdak odwraca się, ogląda towar i zauważa szpule drutu kolczastego. A lubiał różne głupie dowcipy i takie tam. Znał osobiście legendarnego Willa Rogersa*, kiedy tamten, jako dziewiętnastolatek, zaczął kowbojowanie w Higgins.

Więc Blowy powiada: „Jakbyś się w to owinął i stoczył ze wzgórza, to niewiele by z ciebie tam na dole zostało. Osobiście nie pozwoliłbym żadnej krowie zbliżyć się do czegoś tak paskudnie niemiłego. Bo wiele by się poraniło i przyciągnęło gzy". Po następnej porcji spłukiwaniu kurzu Skieret wtrąca swoje trzy grosze. Spogląda Steddy'emu prosto w oczy i mówi: „Ciekawość, czy twoja fizjonomia nie piecze cię ze wstydu, kiedy sprzedajesz te diabelską wstążkę do kapelusza?" Kiedy dziadziuś opowiadał te historię i kiedy mówił, w jaki sposób Skieret wymawiał słowo „fizjonomia" – powoli i dokładnie – było to tak paradne, że tarzaliśmy się po podłodze ze śmiechu. W ustach ranczera było to wielkie słowo.

Steddy mu odpowiada: „Ani trochę, panie Skieret. Widzi mi się, że zdążył się już pan trochę z nim obznajmić... w okolicy jest ze sto mil drutu kolczastego. Chodzą słuchy, że wkrótce nie zostanie ni jedno otwarte pastwisko. Wszystko podzielą. Ogrodzą. Za dziesięć lat zniknie ostatnie". Skieret ani myślał tego słuchać, powiada zatem: „Te osadniki, te głupie farmery. Mam tych kmiotów po dziurki w nosie. Już ja im pokażę, potnę to ich ogrodzenie i owinę im wokół szyi. O, będą otwarte pastwiska, tak długo jak ja dycham". O Skierecie różniste krążyły opowieści: że kiedyś, na przykład, z linką w zębach pół mili pociągnął naładowany wóz. I ta straszna opowieść o tym, jak wykończył jakiegoś fińskiego farmera.

---

* Will Rogers (1879–1935), legendarny kowboj, aktor, pisarz, komentator radiowy itd.

Pan Steddy go uspokaja, powiada do niego: „Nie daj się pan ponosić nerwom. Akuratnie nadchodzi ten kupiec handlujący drutem kolczastym". I rzeczywiście na dworzu jakiś gość w pasiastym garniturku ściąga z kozła furgonu torbę komiwojażera. „To on, Billy Gates. Pracuje dla Drutu Kolczastego SA z De Kalb w stanie Illinois". „Do diabła, przecież to jeszcze dzieciak", mówi Skieret, „powinien siedzieć w domu i zbierać dla matki patyki na podpałkę, a nie kręcić się po świecie, udając komiwojażera". Tymczasem ten komiwojażer, Billy Gates, wchodzi do środka, skinieniem głowy wita wszystkich i prosi o butelkę napoju z korzenia sarsaparyli.

„Oho, chłopczyku, wciąż lubisz wodę sodową, co?" – zwraca się do niego Skieret, mrużąc te swoje przekrwione ślepia. „Owszem, szczególnie w taki upalny, suchy dzień jak dzisiejszy". I zwraca się do Steddy'ego: „Jak się pan miewa, panie Steddy?" „Właśnie opowiadałem temu tu panu Skieretowi, że powinien się musowo zapoznać z pańskim drutem kolczastym. Jest zwolennikiem otwartych pastwisk i przysięga, że nigdy nie przystanie na ich ogradzanie". „Diabelska wstążka!" – ryczy Skieret. „Popatrzcie na te cholerną cieniznę... chcecie, żebym uwierzył, że powstrzyma tysiąc pędzących na oślep longhornów? Nijak mnie nie obchodzi, czy ma toto kolce długości drutów do babskich robótek, jak ta gadzina zacznie gnać, to przejdzie przez taką zaporę jak przez pajęczynę. Daliście się otumanić jakowejś oszukańczej, jankeskiej sztuczce i cały ten biznes musi paść, bo jest zbyt wielu porządnych Teksańczyków, lojalnych wobec Wielkiej Sprawy oraz otwartych pastwisk, i my nie zamiarujemy brać żadnego jankeskiego drutu kolczastego". Takie to wtedy były pyskówki.

A komiwojażer rzecze mu na to: „Panie Skieret, szanuję pańskie uczucia, ale czasy otwartych pastwisk mijają. Wielu amerykańskich farmerów życzy sobie uprawiać te żyzną, teksaską ziemię, obawiają się jednak zniszczeń, niemożności opanowania bydła, które kiedy tylko zechce, może zadeptać ich zasiewy. Tego rodzaju ogrodzenie, najdoskonalsze w świecie, całe ze stali i na wiele mil długie, stanowi rozwiązanie, na jakie czekają. Chroni, proszę pana, ich ciężką pracę przed zbłąkanymi krowami, a poza tym stada wędrujące po równinach w sposób niekontrolowany coraz częściej traktowane są jako uprzykrzenie. To niezwykłe ogrodzenie z drutu jest w stanie powstrzymać najbardziej niesforne stworzenia. Ten drut kolczasty uczyni z Teksasu raj dla farmerów". „Nie godzi się nazywać nikogo łgarzem, ale nie widzi mi się, żeby ta wstążeczka do kapelusza zatrzymała dwie owieczki, a co dopiero rozjuszone longhorny. I za żadną cholerę nie przemieni Teksasu w raj", mówi Skieret. Komiwojażer kończy pić swój napój. „Miałby pan ochotę przeprowadzić test? Jeśli dostarczy pan longhorny i założy się o odpowiednią sumę, za pomocą demonstracji możemy się przekonać, jak trzyma taki drut".

Jed Steddy próbuje ostrzec Skiereta: „Człowieku, nie zakładaj się", mówi. „Bo on wygra, wygra jak nic". Ale Skieret, nikogo nie słucha, przyjmuje zakład. Ustalili, że ustawią na jego ranczu ogrodzenie z drutu kolczastego i wpuszczą do środka stado krów. Komiwojażer powiada: „Jeśli wyrwą się stamtąd, ja płacę pięćdziesiąt i zabieram się z moim drutem gdzieś indziej, gdzieś, gdzie są rozsądniejsi ludzie. Natomiast jeśli się nie wydostaną z ogrodzenia, pan płaci pięćdziesiątkę mnie i kupuje wagon towarowy drutu. A ja was potem przyuczę, jak ustawiać słupki i naciągać ten drut mocniej niż struny przy skrzypkach. Zbudowanie ogrodzenia do tej próby zajmie mi dwa dni".

Nawet z pomocą innych trzy dni zajęło mu ustawienie słupków i rozciągnięcie ośmiu pasem drutów, mocne ich naciągnięcie służącym za kołowrót kołem od furgonu. Pomocnikami, przydanymi przez Skiereta, były dwa obszarpane, starsze dziwadła, dobrze po pięćdziesiątce. Spluwali tytoniem i pomrukiwali, przeklinając kaleczący im dłonie drut. Jedna ze szpul ześlizgnęła się z furgonu i rozcięła któremuś z onych pomagierów but od góry aż do samej podeszwy. „Kiedyś jeszcze będziecie wyśpiewywać o zaletach tego drutu" – powiada komiwojażer. „To najlepszy przyjaciel kowboja".

LaVon zamilkła i zaczęła przestawiać stojące na kredensie przedmioty.

Po krótkiej chwili ciszy Bob spytał:

– Czy sprzedawca drutu kolczastego wygrał zakład? – bo raz jeszcze odniósł wrażenie, że LaVon zamierza przerwać opowieść w najciekawszym miejscu i już nigdy jej nie dokończyć.

– Mhm – mruknęła, ustawiając kartony na stole. Bob pomyślał, że na tym się skończy, jednak po długiej chwili milczenia mówiła dalej: – Tam, gdzie przeprowadzali ten test, teren był całkiem pusty, jeśli nie liczyć unieruchomionego wiatraka oraz pustego zbiornika na wodę. Bo widzisz, to był taki podstęp Skiereta. W dzień próby przyjeżdżają ludzie z miasta, zatrzymują się w bezpiecznej odległości od ogrodzenia, które wyglądało im na bardzo liche. Starzy kowboje odjeżdżają, a po godzinie wracają, pędząc przed sobą stado humorzastych longhornów. Jest z nimi pan Skieret. Nie zamiarował ryzykować, trzymał te krowy z dala od wody przez pełne dwie doby, aż zrobiły się mocno rozsrożone. Kiedy zwierzęta znalazły się już w ogrodzeniu, Skieret jak gdyby nigdy nic podchodzi do wiatraka i puszcza go w ruch. Pompa zaczyna tłoczyć wodę do zbiornika i naturalnie krowy ją czują. Biedne stworzenia widzą tylko te wodę i nic więcej, ruszają na druty, odskakują od ostrych kolców, znowu atakują, aż krew zaczyna spływać z ich porozcinanej skóry. Po jakimś kwadransie kręcą się już tylko i kotłują w miejscu, robią bokami i nie ruszają do przodu, pomimo że komiwojażer zachęca je okrzykami i kuksa długi kijem. Skieret też krzyczy i wrzeszczy, ale na to wychodzi, że musi tamtemu zapłacić.

Bob, pod wrażeniem elokwencji LaVon, zapytał:

– Chyba nie mam co liczyć na to, że opowiesz mi teraz o pokrytych bliznami plecach twojego dziadka, prawda?

– Może kiedyś tam – odparła enigmatycznie LaVon. – I dzięki za pomoc.

Bob wsiadł do saturna i pojechał do budki telefonicznej znajdującej się przed budynkiem pocztowym Bumelii. Obok stał pickup firmy telefonicznej, jej pracownik zaś, mężczyzna w średnim wieku, wykręcał bolce z podłogi w budce.

– Reperuje pan telefon? – spytał Bob.

– Reperuję? Zabieramy go. Firma likwiduje każden jeden automat w panhandle. Za dużo kosztuje ich utrzymanie. Niech pan dzwoni z telefonu komórkowego.

– Ale ja nie mam telefonu komórkowego.

– To niech pan sobie sprawi. Takie jak ten tutej należą już do przeszłości. Jeśli koniecznie musi pan zadzwonić, to jest jeszcze jeden, którego nie zdążyliśmy usunąć, ten Pod Poczciwym Psem.

– Nie może pan tamtego likwidować. Codziennie korzysta z niego z pięćdziesiąt osób.

– Hej, proszę nie winić za to mnie. To nie ja wydaję polecenia. – Zręcznie wysiąkał nos na ziemię obok stóp Boba Dolara i wrócił do przerwanej pracy.

Zadzwonił z telefonu Pod Poczciwym Psem.

– Cześć, wujku Tam. Likwidują tutaj automaty telefoniczne. Muszę sobie kupić ten obrzydliwy telefon komórkowy.

– Tu też mówią o likwidowaniu automatów. Nazywają to „postępem". Cieszę się, że cię słyszę. Czuję się bardzo samotny, kiedy cię tu nie ma. Ale, ale. Co tam dobrego w Teksasie?

– Steki wołowe w cieście. Niewiele ponadto. Towarzyszyłem starszym paniom przy ich wspólnym szyciu kapy. Wuju, powinieneś był widzieć te wszystkie plastikowe broszki i naszyjniki, jakie te kobiety miały na sobie. Coś fantastycznego. – Opisał broszkę Fredy Salonik i usłyszał w słuchawce przyspieszony oddech krewnego.

– Starsze panie? Czy możesz im złożyć ofertę kupna tych obiektów? No wiesz, pięć dolców. Starszym paniom zawsze potrzeba troszkę pieniędzy na pigułki i bambosze, i takie tam.

– No nie wiem. Mogę spróbować, ale nie wstrzymuj jeszcze oddechu. To bystre staruszki. Większość zamożna. To kobiety z panhandle. Dożywają stu pięćdziesięciu lat, a z każdym rokiem są bystrzejsze i bogatsze.

– Tak czy owak, złóż im ofertę. Nawet do dwudziestu. Jeśli będziesz musiał. W każdym razie spróbuj. A może ja powinienem tam przyjechać?

– Nie. To i tak jest dość skomplikowane. To bardzo podejrzliwi ludzie. Już pięć czy sześć razy nadali na mnie do szeryfa, że biegam po drodze. Jakby nikt tego tutaj nie robił. Wygląda na to, że kiedyś i owszem, ale teraz już nie. Tu jakby czas się zakrzywił.

– Bob, pamiętasz, po czym poznaje się bakelit? Jest mnóstwo przedmiotów z celuloidu i akrylu, które na bakelit wyglądają.

– Po zapachu, prawda?

– Tak, Bob. Znakomicie. Ale musisz być przy tym szybki. Potrzyj przedmiot mocno i szybko palcem, a potem błyskawicznie go powąchaj. Bakelit ma ten dziwny zapach stęchlizny. Za sprawą fenolu. Inny sposób to potrzymać go przez jakieś trzydzieści sekund pod bieżącą, gorącą wodą i wtedy powąchać. Albo zanurzyć we wrzątku. I jeśli postukasz nim o drugi przedmiot, wydaje charakterystyczny dźwięk, delikatne, stłumione stuknięcie, ale rozpoznanie tego przychodzi po latach praktyki. Inne plastiki i celuloid wydają wyższy, głośniejszy trzask. To wymaga doświadczenia.

– Aha, wujku, czy jesteś w kontakcie z Bromo?

– Tak. Często rozmawiamy. – Ton jego głosu stał się ostrożny.

– Przy najbliższej okazji spytaj go, proszę, czy zna jakieś inne książki podobne do tej, którą mi przysłał. To sprawozdanie Aberta jest bardzo interesujące, ale już przeczytałem ponad połowę. Ten Fort Benta i stary Szlak Santa Fe – wszystko w tej książce robi na mnie naprawdę duże wrażenie.

– Jasne, spytam go. Kiedy przyjedziesz na weekend?

– Prawdę mówiąc, niedługo. Muszę zabrać inne ubrania. Tu jest gorąco i robi się coraz goręcej. I chciałbym cię zobaczyć i dowiedzieć się, co słychać. Czy Orlando się pokazuje?

– Niewiele słychać. A twojego dużego przyjaciela nie widziałem od czasu, kiedy pojawił się tutaj zaraz po twoim wyjeździe. Pewnie kręci się gdzieś po okolicy. Nie tam, gdzie ja mógłbym go zobaczyć. Świetnie by było, gdybyś wkrótce przyjechał na weekend. Pokazałbym ci, jak to jest z tym bakelitem.

18

Kilka rzeczy do wyjaśnienia

Szeryf Hugh Miazga nie był zbyt zachwycony, kiedy pewnego wietrznego poranka, wyjrzawszy przez okno, zobaczył podjeżdżającego pod swój posterunek pickupa z przyczepką na konia, własność Francisa Scotta Kity. Zastanawiał się, czy koniowi zdążył już odrosnąć ogon po tym, jak Slauter przyciął mu go na wojskowy sposób. Słuchał stukotu zbliżających się po schodach kowbojskich butów Kity; po dwa schodki naraz, co oznaczało, że najwyraźniej tamtemu mocno coś dopiekło.

– Dzień dobry, panie Kita. – Zegarek Kity miał sporo cyferblatów i wskazówek i szeryf usiłował je wszystkie policzyć.

– Taa. Słuchaj, co wiesz o tym facecie, co to mieszka u La-Von Fronk? Wszędzie się kręci, a ja zupełnie nie mam jasności, co takiego tutej porabia. – Jego głos ociekał pogardą. – Pochodzi z Kolorado. Miastowy chłopaczek. Z Denver. Przesiaduje w elewatorze zbożowym i pomaga trochę Cyowi Frease'owi w barze, kiedy jest tam większy ruch. Cy twierdzi, że dla niego pracuje. Na godziny. A ten gość gada, że pracuje dla developera luksusowych osiedli i że szuka terenu z ładnymi widokami i z jakąś wodą. Słyszałeś kiedyś większe pierdoły?

– Cóż, może to prawda.

– Taa, a może to agent rządowy, zainteresowany czymś tam... cenami gruntu, stylem życia, analizą wykorzystywania zasobów wodnych. Cholera wie? Ja w każdym razie nie wiem, a chciałbym. Możesz się dowiedzieć, co to za jeden i co tutej robi? Nazywa się Bob Dolar. Jeździ najnowszym modelem saturna. Zapisałem numery. Do diabła, jestem przecie rdzennym Teksańczykiem, urodziłem się tutaj w panhandle, w samej Bumelii. My rdzenni Teksańczycy z panhandle nie jęczymy i nie skamlemy, kiedy przychodzą wichury i kurz, i ciężkie czasy... my po prostu brniemy do przodu. Ciężko pracujemy. Jesteśmy dobrymi sąsiadami. Wychowujemy swoje dzieci w czystym powietrzu. Rozumiemy zdrowotne znaczenie ruchu w otwartym terenie. Modlimy się i walczymy, żeby zostać tutej na zawsze. Jesteśmy chrześcijanami. Jesteśmy związani z panhandle jak w małżeństwie. W zdrowiu i w chorobie, w szczęściu i nieszczęściu, na dobre i na złe. Życie tutej czyni nas twardymi, silnymi i nieugiętymi. Kobiety też są twarde, zresztą tylko takie mogą to wszystko przetrwać. To kraina koni i krów i na Boga, człowiek zasługuje na każdego dolara, jakiego uda mu się z niej wycisnąć. Ten pajac przyjechał tutej i węszy dookoła. Niech zabiera swój nędzny tyłek z powrotem do Denver. Niech się pakuje i rusza w drogę.

– Popytam tu i ówdzie. – Pięć cyferblatów i siedem wskazówek.

– Dobra, dowiedz się czegoś, to może zagłosuję na ciebie w przyszłych wyborach. A jak się nie dowiesz, nikt na ciebie nie zagłosuje.

Bob Dolar jeździł na północ i południe, na wschód i na zachód ze stertą map na fotelu pasażera, poznawał boczne drogi i szukał podupadłych posiadłości, żeby następnie sprawdzić ich status w biurze nieruchomości hrabstwa. Kiedy znajdował obiecujący teren, odszukiwał właściciela i sprowadzał rozmowę z nim na temat sprzedaży i kupna gruntu, nigdy nie używając przy tym takich słów, jak „świńska ferma" czy „Globalna Skórka Wieprzowa".

Któregoś późnego popołudnia znalazł się poniżej skalnego grzbietu; jechał szlakiem pokrytym pomarańczowym pyłem tak drobnym, że kiedy jego obłoczki unosiły się w górę łagodnego zbocza, pośród krzewów oraz przypominających ostro zakończone krowie ozory fiołkowych kaktusów, sprawiały wrażenie jakiejś nadciekłej substancji. W podszyciu kardynały zaglądały pod liście i grzebały wśród opadłych gałązek. Nad nim wznosiła się kraina czerwonych, skalnych maczug, poprzedzona szarą, twardą skorupą, wycinek owego wapiennego pasma wijącego się skośnie przez teksaskie panhandle, krzyżującego się z rzeką Canadian, z którą tworzyło ogromne, zdeformowane X. Na północy i zachodzie ciągnęły się suche, płaskie i bezdrzewne równiny Llano Estacado, a na południu i południowym-wschodzie bardziej wilgotne typowe równiny Teksasu.

Szlak raz za razem przecinał wijący się strumień, głęboka zaledwie na kilka cali woda płynęła cienką strugą po żwirze w kolorze skórki mandarynki. Wysokie, skalne brzegi pokryte były pasmami kredowobiałych odchodów ptaków drapieżnych. Na jednym ze sterczących z brzegu głazów, kształtem przypominającym ludzką stopę, siedziały zbite w gromadkę gołębie skalne. Nadciągnęła chmura, cisnęła gradem i deszczem, rzeka podniosła się, czerwona woda zalała stromy, zerodowany szlak i w gęstniejącym mroku mignął charakterystyczny zad jelenia, który przez tę jedną króciutką chwilę wydał mu się wilczą paszczęką i głową. Kiedy Bob Dolar zawrócił i skierował się ku Bumelii, bażant obroźny poderwał się spośród traw i przeleciał nisko nad drogą.

Dojeżdżał do Bumelii biegnącą na wschód wapienną drogą, zabarwioną promieniami chylącego się ku zachodowi słońca na kolor nierafinowanego cukru, przechodzący w głęboką fioletową tonację w miejscach zacienionych. Wiedział, że posiadłość, którą mija, należy do pewnej swarliwej kobiety z Lubbock – kiedy raz do niej pojechał, żeby porozmawiać, zachowywała się tak, jakby nastawał na jej cześć. Wzdrygnął się, gdy nagle zawyła za nim syrena i zamigotały światła wozu patrolowego szeryfa. Nie miał pojęcia, dlaczego mogliby kazać mu się zatrzymać, więc jeszcze przez pół mili jechał dalej przed siebie. Jednak na drodze nie było nikogo oprócz niego, a w lusterku wstecznym widział, jak szeryf daje mu znaki i wskazuje na pobocze. Z obawy przed ostrymi pieńkami bylicy zjeżdżał z szosy bardzo ostrożnie.

– Karta rejestracyjna wozu – rzucił szeryf, w myślach licząc palce Boba, a potem, zagiąwszy każdy po kolei, przeliczając własne. – Nie, nie prawo jazdy. Karta rejestracyjna.

Wręczając dokument, Bob Dolar uzmysłowił sobie, że samochód bez najmniejszej wątpliwości zarejestrowany jest na Globalną Skórkę. Zdemaskowano go.

Szeryf milczał długą chwilę, po czym oznajmił:
– Proszę jutro przyjść do mojego biura. Musimy porozmawiać. – Odliczał sekundy – pięć – zanim Bob odpowiedział:
– Jasne.

Bob zatrzymał się przy Pękniętej Gwieździe, żeby wziąć wodę.
– Wiesz – odezwała się LaVon, która usłyszała trzaśnięcie drzwi i przyszła z jadalni do kuchni, żeby wsypać dodatkową porcję cukru do swojej filiżanki kawy – cosik żem sobie umyśliła. Tak po prawdzie, to interesującą osobą u Kurczów nie jest Tater, ale jego brat, As. As Kurcz to człowiek wiatraków; on je sprzedawał, stawiał nowe, reperował stare. As mieszka w Kowbojskiej Róży. Pokłócił się z ojcem i za młodu drapnął z jego rancza, więc przypadło ono Taterowi. Bo po prawie to miejsce przynależało się Asowi, ale jemu tata zostawił w spadku talię kart i stos żerdzi do pompy. As próbował obalić testament, ale nijak się nie dało. Ten ich tata to niszczył tych swoich synów ze szczętem, a jak kogoś znielubił, nijak go nie zadowoliłeś. Był już w starszym wieku, kiedy urodzili się As i Tater, i tak naprawdę nigdy nie rozumiał chłopców. Kiedyś, przed laty, wyjechał na budowę Kanału Panamskiego. Był specem od dynamitu, zajmował się tam dynamitem. Opowiadał, że tam wypadki były tak częste, że kawałki ludzkiego ciała fruwały w powietrzu jak ptaki. Jechałeś może tą drogą przy cmentarzu, na północ od Kowbojskiej Róży, i widziałeś taki nieduży, kamienny budynek? To warsztat Asa z czasów, kiedy był wspólnikiem Holendra. Zanim jeszcze mieli te wielką posiadłość w Amaryli. As zresztą do dziś mieszka w Kowbojskiej Róży. A jego zbereźny tata leży na cmentarzu tutej, w Bumelii. Mój mąż, jak był chłopcem, pracował dla niego. To znaczy dla Asa, nie dla jego taty. Dla Asa i Holendra. Żona Asa chciałaby sprzedać ich posiadłość. Chciałaby się przenieść do Kalifornii. Pewnie będzie musiała z tym poczekać, aż mu się zemrze. Ich wnuczka była na szyciu kapy tydzień temu. Może ją pamiętasz. To ta w ciąży. Dawn. Jej matka, Phyllis, też tu była, i ani chybi, za młodu było z niej takie samo ladaco jak z Dawn. As i Vollie dość mieli z nią kramu. Z Asem tutej się

liczono. W latach dwudziestych jego tata był ważną osobą w Klanie, powiadają, że był szefem lokalnego oddziału.

Zauważyła wyraz niesmaku na twarzy Boba.

– Posłuchaj, Bob, przyjeżdżasz tu z Denver i nie rozumiesz tego miejsca. A że się tutej nie wychowałeś, to pewnikiem nigdy go nie pojmiesz. Swego czasu Klan to nie była grupa nawiedzonych zwolenników supremacji; byli to przyzwoici ludzie, rzetelni chrześcijanie, patriotyczni i rycerscy. Jak raz to oni mieli oko na miejscową społeczność i propagowali moralność chrześcijańską. Na to wychodzi, że nie przepadali za Murzynami, ale nie przepadali też za katolikami i Żydami. Zresztą i tak nie o to w tym wszystkim chodziło. Oni po prostu chcieli, żeby ludzie zachowywali się przyzwoicie. Kobietom z Ku Klux Klanu moralność lokalnej społeczności mocno leżała na sercu. Same jej przestrzegały!

Członkowie KKK starali się poprawić sytuację. Zalecali budowę dwuizbowych chałup, coby oddzielić chłopców od dziewcząt. Rozmawiali z matkami. Jeśli chodzi o jakieś dziewczęta, co napytały sobie biedy, to przenosili je do Domu Samotnej Matki w Amaryli. Mieli oczy otwarte i umieli się rozpatrzyć, czy dziewczyna jest w tym stanie, zanim ona sama o tym wiedziała. Około Bożego Narodzenia przygotowywali kosze z prowiantem dla ubogich rodzin, nazywali to prezentem od „Świętego Mikołaja". Nie, nie godzi się, cobym rzekła choć jedno złe słowo o Klanie. Była to organizacja miejscowej społeczności szczerze oddana przyzwoitemu chrześcijańskiemu zachowaniu. Powiadam ci, że każdy chciał do niej wstąpić. I tak mi się widzi, że dzięki tamtym ludziom panhandle jest teraz lepszym miejscem.

Z werandy dobiegł odgłos kroków i po chwili ukazał się im wysoki młodzian z gęstymi blond włosami związanymi w kucyk. Miał na sobie karmazynowe spodenki i czarny sweter, na nogach znoszone kolarskie buty. Na jego szyi połyskiwał złoty łańcuch. Twarz miał szczupłą i pociągłą, opaloną w miejscach nie przykrytych nie ogolną szczeciną świecącą oleistą warstwą potu. Na zdartych do żywego prawym ramieniu i prawej nodze perliły się maleńkie kropelki krwi. Robił wrażenie rozsierdzonego.

– No, popatrzcie tylko, kogo tu przywlokło – odezwała się LaVon.

– Posłuchaj – powiedział młody człowiek, otwierając lodówkę i odrywając udko zimnego kurczaka – jestem zmęczony, jestem brudny, okrutnie zgrzany, głodny i obolały, bo jakiś sukinsyn zepchnął mnie z drogi, nie mam więc ochoty wysłuchiwać żadnych zgryźliwych uwag. Masz piwo? – spytał, a odwracając się, zauważył Boba. – A kto to taki, do diabła?

– Piwa nie ma. Coolbroth, to jest Bob Dolar, Bob, to mój syn Coolbroth. Rzeźbi. To on wyrzeźbił te figury przy baraku. Pojawia się tutej od czasu do czasu. Cool, Bob wynajmuje barak. Będziesz musiał spać w pokoju dziadka.

Coolbroth odwrócił się i przyjrzał Bobowi Dolarowi. Obaj natychmiast poczuli do siebie zdecydowaną, wzajemną antypatię.

19

W biurze szeryfa

Nazajutrz Bob zjawił się posłusznie w biurze szeryfa Bumelii. Nie było tam recepcjonistki, a jedynie dyspozytorka, Christine Logevall – akurat nakładała sobie zielony lakier na paznokcie u nóg; czyniła to z wyraźnym wysiłkiem, jako że nadmiar tłuszczu w pasie oraz artretyzm nie ułatwiały jej dostępu do stóp. Nie podniosła wzroku, kiedy Bob wszedł do środka, dlatego też, po krótkim wahaniu, zapukał w matową szybę z napisem SZERYF.

Dobiegło go obojętne „taa" i Bob otworzył drzwi.

Nigdy wcześniej nie był w biurze szeryfa, niemniej szybko się zorientował, że nie jest to miejsce przyjemne, chyba że jest się jego legalnym użytkownikiem albo też tamtego zastępcą. Ściany były pomalowane na bladą, pistacjową zieleń, ulubiony kolor wszelkich małych urzędów. Stara, wytarta obroża służyła za przycisk stercie papierów, których rogi trzepotały poruszane elektrycznym wiatraczkiem. Mimo tej wentylacji powietrze w pomieszczeniu było duszne i stęchłe. Jedyne okno przesłaniały kraty. Na ścianie wisiał topór, a na wieszaku dyndał kwiecisty krawat. Na drugiej ścianie za biurkiem Bob zauważył zdjęcie szeryfa przyciskającego do piersi jakieś trofeum rozmiarów nastolatka, a niżej, w gablotce, parę ogromnych rękawic bokserskich z listem wyjaśniającym, że wykonano je na zamówienie dla Jacka „Piąchy" Derridy. Dwa ogromne komputery z lat osiemdziesiątych, pokryte tłustym, czarnym kurzem, buczały na biurku szeryfa, a na rogu stołu stała drukarka, archaiczny faks oraz elektryczny czajnik od Searsa. Także telefon był reliktem przeszłości, gładki, czarny model Bell 500 z 1949 roku, z kręconą tarczą i przeraźliwym dzwonkiem, jakby przeniesiony z jakiegoś filmu, w którym gwiazda pozwala mu czterokrotnie zadzwonić, nim wreszcie podniesie słuchawkę.

Szeryf podniósł wzrok.

– ...co chodzi?

– Wczoraj. Kazał mi pan przyjść. Bob Dolar.

– No tak, tak. Siadaj.

Bob usiadł na jedynym krześle, była to poplamiona, plastikowa nędzna podróbka w stylu braci Eamesów. Zresztą wszystkie meble wyglądały na pięćdziesięcioletnie graty i wszystkie, wiecznie dotykane, aż błyszczały od tłustego nalotu.

– Ciekawość, jaki to masz interes w hrabstwie Bumelii, Bob? – spytał łagodnym głosem szeryf, świdrując go jednocześnie tak lodowatym spojrzeniem, że Bob natychmiast zaczął mu opowiadać swoją historię: jak rodzice zostawili go na progu domu wuja Tama, jak zniknęli na Alasce, o swoim ubogim życiu z wujem Tamem (pominął w swojej opowieści Bromo jako zbędną komplikację), o pierwszej posadzie. Kiedy jednak zaczął opowiadać o tym, jak zatrudnił się w Globalnej Skórce Wieprzowej SA, zboczył gwałtownie z kursu prawdy. Owszem, powiedział, jest rzekomo zatrudniony przez Globalną Skórkę Wieprzową, dla której ferm szuka to niby lokalizacji, ale w rzeczywistości działa na zlecenie Globalnych Nieruchomości Delux, zależnego od GSW towarzystwa akcyjnego, zainteresowanego terenami wiejskimi pod budowę luksusowych osiedli mieszkaniowych. W końcu zamilkł.

Przez jakiś czas szeryf nie odezwał się ani słowem. Niemniej jego spojrzenie nie zmiękło ani trochę.

– Pewnikiem masz powód, żeby mówić to, co mówisz – powiedział wreszcie – ale możliwe, że zapędziłeś się w kozi róg. Kilku miejscowych wyrywnych twardzieli interesuje się tobą i tym, co tutej robisz. Ano, jak chcesz wiedzieć, to już rozpytałem w GSW. Szukasz miejsc na świńskie fermy, proste jak drut. Nie ma to nic wspólnego z Globalnymi Nieruchomościami Delux, które w ogóle nie istnieją. Rzecz jasna, nie istnieje prawo zakazujące szukania ziemi pod hodowlę wieprzy, ale byłoby nierzetelnie opowiadać ludziom, że jesteś agentem developera, kiedy po prawdzie tak nie jest. Wedle mnie zresztą, różnica między ceną ziemi rolniczej a ceną gruntów budowlanych, na jaką ludziska liczą, jest na tyle duża, że niewiele ci się tu uda nakupić. Pewnikiem uważasz, że większość tutejszych mieszkańców to kmioty, co to w szkole daleko nie zaszli, i jak nic dadzą się łatwo wykiwać. Coś ci rzeknę. Ci niepiśmienni durnie potrafią się tak liczyć, że puszczą cię w skarpetkach. Nie wiem, dlaczego łgasz. Jest w panhandle jeszcze dwójka takich, co robią to samo co ty i udają, że pracują w zupełnie innej branży. Ano będę cię miał na oku.

– Kto? – spytał Bob. – Kim są ci inni?

– Jakeś taki mądrala, to się sam dowiedz – odparł szeryf. – Tak czy siak, jak bym ja był tobą, ani chwili bym nie poświęcił temu gównianemu interesowi ze świńskimi fermami. Ile ci płacą?

– Dwadzieścia cztery – powiedział Bob, przekonany – sądząc po przestarzałym sprzęcie w biurze – że szeryf tego miasteczka w panhandle musi zarabiać znacznie mniej.

– Jakbyś był tak cwany, jak ci się widzi, byłbyś już jednym z delionerów* w Austin – oznajmił szeryf.

– Bynajmniej – odparł Bob. – To już padło. Koniec.

– To wartałoby pomyśleć o więzieniach.

Przez chwilę Bob myślał, że szeryf grozi mu odsiadką, ale tamten ciągnął spokojnym głosem:

– W więzieniach jest pieniądz. Po mojemu są idealne dla znajdujących się w trudnej sytuacji mieścin. Przyjrzyj się naszej Bumelii. Garstka starych farmerów żyjących z rządowych zasiłków na podtrzymanie upraw i ranczerów wydających resztki forsy z ropy, coby utrzymać krowy. Więzienie to solidne, stałe źródło dochodów dla miasta i dla hrabstwa. Zatrudnia miejscowych, płaci podatki, płaci za wodę i takie tam, i za usługi, podatki od towarów i usług. I przyciąga inne przedsiębiorstwa. Odwiedzający więźniów muszą mieć motele, restauracje, stacje benzynowe, dworce autobusowe i hipermarkety. Byłbym zachwycony, gdybym mógł zobaczyć w Bumelii wspaniały, wielki hipermarket. To miejsce ożywiłoby się ze szczętem. A w Pampie sprawili sobie niekiepskie więzienie.

– Jak to się niby ma do mojej osoby?

---

* „Dellionaire” – osoba zamożna, której majętność jest rezultatem posiadania udziałów w Dell Computer Corporation.

– Ano tak, że niegłupio byłoby szukać dla korporacji budującej więzienia, a nie dla produkującej wieprzki. Jest taka w Nashville. Głowę dam, że godziwie płacą takim facetom, co to wynajdą im jakieś smętne miasteczko na końcu świata, w sam raz na więzienie. Najlepsze więzienia to te ulokowane poza dużymi miastami. Skontaktuj się z tą firmą z Nashville i powiedz im, że znasz kilka dobrych miejsc w panhandle, jak raz odpowiednich do trzymania skazanych. Niech posadzą ich obok świńskiej fermy, a przekonają się, jak szybko się tamci wyprostują. – Nagle wstał i nałożył kapelusz na głowę. – Tymczasem będę cię obserwował. A teraz spływaj.

Wyjeżdżając z miasta, zauważył szyld nowego lokalu, przy tej samej ulicy co Poczciwy Pies.

ZDROWA CUKIERNIA CHRZEŚCIJAŃSKA – oznajmiał napis, a w oknie mała tabliczka informowała:

Podwieczorki 15–17
Duży wybór drożdżówek

Wystawy, w przeciwieństwie do tych Pod Psem, całe się aż iskrzyły; koronkowe zasłonki po bokach, kuszące pelargonie pośrodku. Do lokalu wkraczał właśnie cały rządek dziarskich pań w podeszłym wieku, wiele z nich w kwiecistych sukienkach i w białych rękawiczkach, zwolnił zatem, żeby móc obejrzeć zatłoczone wnętrze, połyskujące czarki z napojami, kelnerkę w muślinowym fartuszku pchającą wózek ciastek z kremem, starszą panią podnoszącą malutką filiżankę do zwiędłych warg. Obok okna na dużej tablicy z czerwonymi, ruchomymi, plastikowymi literami widniał napis:

Witamy w Bumelii
Wszystkiego najlepszego z okazji urodzin TAMMY
Powinszowania
Specjalność Dnia – Ciasto Marchwiowe

A więc Pod Poczciwym Psem ma konkurencję, w pewnym sensie, pomyślał Bob. A ponieważ bardzo lubił ciasto marchwiowe, zaparkował auto i wszedł do środka, kłaniając się wielu obecnym kobietom, bo zapamiętał je z owej sesji szycia kapy. Mężczyzn w cukierni nie było. Zerknął na króciutkie menu, w którym figurowały kanapki z sałatką kurczakową i z sałatką jajeczną, zupa krem *du jour*, specjalność dnia, oraz różne rodzaje drożdżówek, podawane do kawy, herbaty albo do gorącej czekolady. Było oczywiste, że wszystkie klientki przyszły tutaj na coś słodkiego.

– Czy uchował się jakiś kawałek ciasta marchwiowego? – spytał ubraną w obcisły różowy uniform kelnerkę, która też wyglądała mu znajomo: pamiętał skądś te przedzielone pośrodku czarne połyskujące włosy.

– Ma pan szczęście. Zazwyczaj już go o tej porze nie było, ale teraz robimy go nieco więcej i dlatego znajdzie się spora porcja także dla pana. Jest też ryżowy pudding. I rurki z bitą śmietaną.

Kiedy przyniosła mu zamówienie, rozpoznał w niej Dawn, brzemienną wnuczkę Asa Kurcza, tę, która obdarzyła wyhaftowanego Abla twarzą Jamesa Deana.

– Już pani urodziła – powiedział. – Chłopiec czy dziewczynka?

– Bliźniaki. Chłopiec i dziewczynka. Dałam im imiona James i Jeanette. Moja babcia się nimi zajmuje, kiedy jestem w pracy. A jak się panu wiedzie?

– Nieźle – odparł Bob. – Tak z ciekawości, co to takiego ta dzisiejsza specjalność dnia?

– Dzisiej były to bułeczki zapiekane z pastą z tuńczyka i serem, niestety, już się skończyły. Naprawdę smaczne. Ale mamy jeszcze kanapki z serem.

– Nie, dziękuję. Kto jest właścicielem tego lokalu?

Roześmiała się.

– My wszystkie. To spółdzielcze przedsięwzięcie wielowyznaniowe. – Zniżyła konfidencjonalnie głos. – Ale prawdziwymi właścicielami są Pierwsi Pierwotni Baptyści. Podobnie jak w przypadku kapy. Właściwie to my wszystko robimy i same urządziłyśmy to miejsce. Jest całkiem ładne.

– Owszem – potwierdził Bob z przekonaniem. – Jest ładne. Bardzo ładne. Czy skończyłyście panie tamtą kapę?

– Wygląda na to, że za kilka tygodni zostanie ukończona. W trzecim tygodniu czerwca odbędzie się to wielkie rodeo podczas Święta Drutu Kolczastego i tam będzie fantem na loterii. Proszę nie zapomnieć o kupnie kilku losów. Panie baptystki podadzą smaczną kolację. Na ogół powtarza się to samo: pierogi, frytki, surówka z białej kapusty, fasolka w sosie pomidorowym, jakaś galaretka owocowa albo te cukrzone węże. I oczywiście Cy zajmuje się grillowaniem.

Bob nawet się nie domyślał, czym mogą być cukrzone węże, i już miał o to spytać, kiedy gdzieś na zapleczu rozległ się dźwięk dzwonka i Dawn poszła po tacę z kanapkami, zaniosła ją do stolika obok i już po chwili rozmawiała z grupą siedzących tam kobiet, które wydawały okrzyki na widok tych kanapek ozdobionych różyczkami z rzodkiewek, czarnymi oliwkami oraz bukiecikami zielonej pietruszki. Bob zauważył, że wystający po brzegach chleba ser jest z tego taniego gatunku sprzedawanego w supermarketach, w żółtym kolorze przypominającym ten, którym znakuje się nawierzchnię dróg.

20

Póki co wszystko jest OK

Droga na należące do Saloników Ranczo Obuch miała swój początek w pewnym liście z Houston, napisanym na grubym, szarym papierze.

Texola Petrolex

Szanowny Panie,

Nasz wspólny znajomy wymienił pańskie nazwisko w kontekście poszukiwań na terenie panhandle atrakcyjnie położonych działek pod budowę gustownie zaprojektowanych osiedli rezydencjalnych. Moje siostry oraz ja sam uważamy, że ranczo rodzinne, znajdujące się od śmierci naszego ojca, czyli od roku 1955, pod opieką matki, Fredy Salonik, doskonale odpowiadałoby pańskim potrzebom. To piękne ranczo, o powierzchni 8 000 akrów, z pofałdowaną powierzchnią, przez które płynie strumień Big Lobo, wpadający do jeziora (na terenie posiadłości) o tej samej nazwie. Obecnie większość pastwisk wynajęto miejscowym hodowcom bydła. Chętnie z panem porozmawiam na temat możliwości sprzedaży rancza, jeśli moim siostrom i mnie uda się przekonać matkę (dziewięćdziesięciotrzyletnią młódkę), że podobna transakcja będzie korzystna dla wszystkich zainteresowanych.

Zważywszy na typowe dla Bumelii zainteresowanie sprawami innych, byłoby najlepiej, gdyby pofatygował się pan do Houston, żeby przedyskutować tę sprawę ze mną i z moimi siostrami. Z przyjemnością podejmiemy pana prawdziwie teksaskim obiadem.

Proszę dać mi znać, czy sprawa jest aktualna. Mam nadzieję, że wkrótce się spotkamy, a nasza rozmowa przyniesie obopólną satysfakcję.

Z poważaniem,
Waldo Salonik

Telefon w Houston odebrała sekretarka Walda Salonika. Sam Waldo odezwał się po chwili chrapliwym głosem nieszczęśliwego wielbłąda, wyjaśniając, że właśnie dochodzi do siebie po operacji gardła.

– Z niecierpliwością oczekuję spotkania z panem, panie Dolar – wychrypiał. – Wydaje mi się, że już niemal przekonaliśmy naszą matkę, żeby przeniosła się tutaj i zamieszkała w bardzo sympatycznym domu dla osób w podeszłym wieku. Bardzo się nią przejmujemy. Bo przecież gdyby się przewróciła czy dostała zawrotów głowy... cóż, jest starszą panią o żywym, sprawnym umyśle, która nie przyzna, że już nie może jeździć konno czy pracować w ogrodzie tak jak niegdyś. Gdyby mógł pan przyjechać na jeden dzień do Houston, to omówilibyśmy ewentualną sprzedaż rancza.

– Owszem, myślę, że mogę – odparł Bob Dolar, który powoli odsuwał myśl o świńskich fermach, natomiast bardziej niż kiedykolwiek przedtem wierzył w luksusowe osiedla, wbrew upomnieniu szeryfa. Może Waldo Salonik okaże się człowiekiem rozsądnym, który rozumie, że świnie też muszą mieć na tej planecie swoje miejsce. A może Globalna Skórka Wieprzowa zajmie się budową luksusowych rezydencji. Zakonotował w pamięci, żeby napisać do Ribeye'a Klukwy i to właśnie mu zasugerować. Możliwe, że daliby mu podwyżkę za rozmyślanie nad kierunkami rozwoju firmy. – Może w przyszły czwartek? Wybrałbym się samochodem, obejrzał trochę Teksasu. Droga do Houston zabrałaby pewnie jakieś półtora dnia?

– Z Bumelii do Houston nawet dwa. Czy zna pan Houston? Nie? Wyślę panu informację, jak trafić do biur Texoli. Będziemy oczekiwać pana w przyszły czwartek około południa.

W drodze odganiał znużenie, licząc martwe skunksy na poboczu. (Szeryf Hugh Miazga naniósł kiedyś na większą część mapy stanu przeciętną liczbę skunksów zabitych na drogach pomiędzy poszczególnymi miastami, w zależności od pory roku. Sam powiększał tę liczbę, kiedy tylko zdarzyła się okazja, wierzył bowiem, że przejechanie skunksa sprzyja wyrabianiu u kierowcy zdrowego rozsądku.) Mijał boczne drogi o przedziwnych nazwach – Śliski Zakątek, Droga Pofalowana, Droga Trampoliny. W czwartek, krótko przed południem, wjechał na obwodnicę 610. Do tamtej chwili naliczył pomiędzy Bumelią a Houston siedemdziesiąt trzy martwe skunksy, co przewyższało nieco przeciętną szeryfa wynoszącą sześćdziesiąt osiem zwierząt.

Texola Petrolex mieścił się w pobliżu konsulatu Arabii Saudyjskiej na Post Oak. Bob wysiadł z saturna w parny skwar, od którego po kilku sekundach zaczął się pocić. Zanim dotarł do ogromnych, szklanych drzwi, cały był już zlany potem. W budynku silny podmuch arktycznego powietrza powlekł go cienką warstewką szronu. Na siedemnastym piętrze psikająca recepcjonistka połączyła się z gabinetem Salonika.

– Broszę zboczać – powiedziała. – Ban Salonik za chwilkę bana brzyjmie.

Usiadł i zaczął przewracać śliskie, kredowane kartki „Texas Monthly", a potem wielkiej i przez to bardzo nieporęcznej księgi zatytułowanej *Texola Petrolex, Budowanie większego Teksasu*. Po obejrzeniu fotografii prezentujących rozluźnionych na pokaz pracowników firmy z morskich wież wiertniczych zamknął i książkę, i oczy.

– Pan Dolar? – Usłyszał ten sam co w telefonie ochrypły głos. Przed nim wyrósł Waldo Salonik, ukazując swoje zaokrąglone, księżycowe oblicze, zwieńczone spiętrzoną masą siwych włosów, w stylu *Wielkiej fali* z ryciny Katsushiki Hokusaia. Szyję miał obwiązaną śnieżnobiałym bandażem. Wyciągnął szczupłą dłoń.

– Pomyślałem sobie, że na lunch wpadniemy do Pyłu Szlaku – zaskrzeczał. – Podają tam wspaniałe teksaskie steki. – Zjeżdżali windą w milczeniu. Na zewnątrz parny skwar okleił ich niczym gorący ręcznik golibrody. Jechali do restauracji cadillakiem Walda Salonika. – Wielu dyrektorów woli lexusa – oznajmił Waldo – powiadają, że cadillaki są staromodne, ja jednak będę się ich trzymał. Dołączą do nas moje siostry – dodał ochryple. – Pomyśleliśmy sobie, że najlepiej będzie, jak spotkamy się z panem wszyscy. Muszę przyznać, iż spodziewałem się, że jest pan nieco starszy. Pański głos przez telefon robił wrażenie starszego.

W restauracji skierowali się do stojącego w narożniku stolika, przy którym, popijając niebieskie koktajle, siedziały dwie uderzająco podobne do siebie kobiety.

– Bob, pozwól, że przedstawię cię moim siostrom, Eileen Moon i Marilyn Tyrell.

Kobiety spojrzały na niego i uśmiechnęły się. Ta chudsza, z ramionami przypominającymi bilardowe kije, spytała, czy jazda samochodem przez Teksas była nudna. Niewiele brakowało, a opowiedziałby jej o liczeniu skunksów, jakoś się jednak przed tym powstrzymał.

Obok, przy sześcioosobowym stoliku, siedziało trzech mężczyzn, ich teczki leżały na wolnych krzesłach, talerzyki z sałatkami służyły za przyciski do papierów, z najgrubszej teczki zwisała rozłożona mapa. Trupioblady mężczyzna z gładko uczesanymi mysimi włosami mówił do swoich współtowarzyszy, pokazywał im zdjęcia, wskazywał na niestarannie wyrysowany na mapie krąg. Bob wychwycił słowa takie, jak „środek chwastobójczy", „pojemność zbiorników", „erozja", „odzysk gruntów nadbrzeżnych" i „przywracanie do życia".

Waldo zatarł dłonie i otworzył kartę dań.

– Samo teksaskie mięso, Bob. Jesteś głodny? – Srebrzysta czupryna nachyliła się ku niemu.

– Umieram z głodu. Zjadłbym pewnie konia z kopytami.

– W takim razie polecam specjalność ujeżdżacza dzikich koni.

Kiedy przyniesiono jego talerz, przez jedną, wypełnioną przerażeniem chwilę myślał, że rzeczywiście znajduje się na nim większa część konia. Ogromny, czterofuntowy kawał mięsa zakrywał szesnastocalowy półmisek. Kelnerka, blondynka w uniformie restauracji, złożonym z kowbojskich butów, minispódniczki oraz obcisłego T-shirta z napisem Pył Szlaku, ustawiła całą masę dodatków – kaszę, ziemniaki purée, sos, buraczki w occie, chleb z mąki kukurydzianej, smażoną cebulę, nadziewane pieczarki, plasterki pomidorów, świeżo starty chrzan, duszone strączki okry oraz maleńkie strączki zabójczo ostrej chili.

Waldo zamówił dla siebie przecieraną zupę, a obie kobiety dłubały widelcami w sałatkach z homarów.

Jedna z nich, ta ze spękanymi wargami – już zdążył zapomnieć ich imiona – zwróciła się do niego:

– Jeśli chodzi o ranczo – spytała, mrugając raz za razem – czy widział je pan?

– Nie, proszę pani – odparł z ustami wypełnionymi krwistym mięsem. – Matka państwa była temu bardzo niechętna.

– Czeka zatem pana prawdziwa przyjemność. Jest piękne i uważamy, iż byłoby cudownie, gdyby te nowe, luksusowe rezydencje wzorowano na oryginalnych budynkach. Dom zbudowano w 1891 roku z miejscowego wapienia. Stoi nad jeziorem. Salon i kuchnia mają ręcznie ciosane belki sufitowe. Jest też osobno stojący domek dla gości, kiedyś wykorzystywany przez bardzo dystyngowane osobistości, jako że nasi rodzice znali w Teksasie wszystkich, a gości podejmowali z gestem, teraz, niestety, rzadko używany, chyba że przez któreś z nas, kiedy odwiedzamy matkę. Poza tym są tam ogrodzenia dla zwierząt, rynny zsypowe, stajnia, garaż dla maszyn, baraki. Rośnie tam też wiele rzadkich roślin i żyje mnóstwo dzikich stworzeń. Zawsze byliśmy strażnikami tej ziemi. Warunkiem sprzedaży byłoby naturalnie to, że ranczo, wykorzystane jako teren pod rezydencje, nadal będzie dawać ludziom radość.

Waldo Salonik zmarszczył brwi w udawanym gniewie.

– Ależ, Eileen, przystopuj nieco – powiedział. – Przecież jeszcze nie zdążyliśmy poinformować pana Dolara – Boba – o zaistniałych możliwościach. Czy raczej przekazać mu pomyślnej wiadomości. Jak smakuje stek, Bob?

– Pyszny – odparł Bob, przełykając boleśnie duży kęs i spłukując go szklanką piwa.

– Ta dobra wieść to to, że matka wstępnie zgodziła się na sprzedaż. Mówi, że przeniesie się tutaj, do Osiedla w Cieniu Dębów. Rozmawiałem z kilkoma ekspertami od nieruchomości na temat tego, ile możemy oczekiwać za tę posiadłość, która jest przecież wyjątkowa, jako że przepływa przez nią strumień, a jest też jezioro o powierzchni dwudziestu ośmiu akrów, jak zresztą i dom mieszkalny, który znajduje się w spisie zabytków, i budynki gospodarcze, i osiem tysięcy akrów pierwszej klasy pastwisk, no i są te naturalne przymioty, o których wspomniała moja siostra. Ci panowie powiadają, że rzetelna cena, jeśli uwzględnić podział i przekwalifikowanie gruntu, wyniosłaby dziewięć milionów dolarów.

Kiedy pan Salonik rzucił od niechcenia tę liczbę, Bob Dolar próbował właśnie chili. Nagłe, szybkie wzięcie oddechu pociągnęło za sobą chili i już po chwili młody człowiek dusił się i krztusił. Znajdujący się w pobliżu kelner, wyszkolony w manewrze Heimlicha, objął go od tyłu, ułożył zaplecione dłonie na wysokości jego przepony i kilka razy gwałtownie ścisnął. Chili wystrzeliło ponad stolikiem i wzmocnione śliną przyczepiło się do jedwabnego krawata Walda Salonika. Chociaż ów kęs potrawy został usunięty, to przecież palący ogień pozostał i Bob, lejąc łzy, wciąż się dławił. Chwycił zatem szklankę z wodą i jednym haustem opróżnił. Rzucił się na szklankę z piwem i jej zawartość również opróżnił. Rozpaczliwie szukając ulgi, zignorował wyraz twarzy rodzeństwa Saloników, porwał ze stolika sosjerkę i pociągnął spory łyk kojącej mikstury. Przeprosił współbiesiadników i udał się do toalety, gdzie zwymiotował, napił się wody z kranu, umył twarz, wypił jeszcze trochę wody, ponownie zwymiotował i wrócił do sali jadalnej. Przy stoliku zastał jedynie Walda Salonika. Bob zauważył z ulgą, że tymczasem zabrano resztki steku.

– Wszystko w porządku, Bob?

– Och, już lepiej – wychrypiał. – To było bardzo ostre chili.

– Siostry były umówione u fryzjera, wobec czego musiały już iść. A oto nasza propozycja. Wróć do Bumelii. Obejrzyj ranczo... powiem matce, że przyjedziesz. Steve Escarbada może cię oprowadzić... jest kimś w rodzaju zarządzającego ranczem, chociaż nie trzymamy już bydła. Wyrósł na ranczu i wie o nim wszystko. Fotografuj, co zechcesz. Wyślij zdjęcia do swoich przełożonych. Zaproś ich, żeby sami osobiście to wszystko zobaczyli. My jesteśmy przekonani, że w panhandle nie znajdzie się miejsce piękniejsze ani teren o większej wartości historycznej.

– Dlaczego pan sam tam nie mieszka, panie Salonik?

– Też coś! Mieszkać w panhandle?! – Pierwszy raz ten mężczyzna stracił zimną krew. Zupełnie jakby Bob zasugerował, żeby przeniósł się na Bliski Wschód i został poganiaczem wielbłądów. – Nie, panie Dolar, w żadnym razie.

– W porządku, obejrzę ranczo. Z tego, co słyszę, to piękne miejsce.

– Owszem. A to, jak sądzę, może być okazja, na jaką czekamy. W przeciwnym bowiem razie musielibyśmy chyba sprzedać prawa do wody T. Boone'owi Pickensowi i tym samym pozwolić, żeby ten teren zamienił się w pustynię.

– On jednak nigdy by nie zapłacił dziewięciu milionów za prawa do wody – odezwał się Bob Dolar zgrzytliwie.

– Czyżby? – Waldo Salonik uśmiechnął się, zwracając swoją księżycową twarz ku kelnerce i gestem ręki pokazując, że chodzi o rachunek. – Znam T. Boone'a od czasów, kiedy był dzieciakiem z Oklahomy, i uważam, że wiem lepiej od ciebie, co mógłby zrobić. A żeby przybliżyć ci trochę sprawę, to powiem, że w roku 1997 bracia Bass sprzedali prawa do wody na powierzchni czterdziestu pięciu tysięcy akrów za dwieście pięćdziesiąt milionów dolarów jakiejś kalifornijskiej spółce wodnej. Tam, w panhandle, jedyna pewna woda, jaka pozostała z Ogallala, znajduje się pod hrabstwem Roberts. A T. Boone ma kontrolę nad wodą znajdującą się pod stu pięćdziesięcioma tysiącami akrów hrabstwa Roberts. Tymczasem na sporych terenach panhandle zrezygnowano już z nawadniania i powrócono do uprawy roli na sucho. Woda to zatem atut. Ogromny atut.

Przed wyjściem z restauracji powiedzieli sobie do widzenia i uścisnęli dłonie. Bob, z bulgoczącym brzuchem, ponownie skierował się do toalety. Kiedy opuścił kabinę, trupioblady mężczyzna, który siedział wcześniej przy sąsiednim stoliku, mył właśnie swoje kościste ręce. Spojrzał na odbicie Boba w lustrze.

– Wyglądasz mi na przyzwoitego młodzieńca – odezwał się. – Dlaczego więc bierzesz udział w tej brudnej parcelacyjnej grze?

– Proszę?

– Słuchałem, jak omawiałeś interes z tymi dupkami. Nie wyobrażasz sobie, co robisz tej krainie, kiedy tak siekasz jedno z tych rancz? Sprowadzasz na nią linie energetyczne, drogi, zwiększone zużycie wody na luksusowe trawniki, wystawne domy. Sprowadzasz ludzi, którzy nie znają tego regionu i którym na nim nie zależy, byle tylko dostali, co chcą. A wszystko po to, żeby jakiś nic nie wart chciwy developer, taki jak ty, mógł szybko się wzbogacić. – Spoglądał groźnie na Boba.

– Nie jestem developerem – zaprotestował Bob.

– Słyszałem, jak mówiliście o „luksusowych rezydencjach", które mają stanąć na tej posiadłości.

– Może jakby pan nie podsłuchiwał – powiedział Bob – nie odniósłby pan niewłaściwego wrażenia.

Mężczyzna stał nieruchomo, piorunując wzrokiem Boba, który ruszył energicznie ku drzwiom, by po chwili odwrócić się i oznajmić głośno:

– Dla pańskiej informacji, szefie, robię w ŚWIŃSKICH FERMACH – rozkoszując się pełną niedowierzania i przerażenia miną tamtego.

Przy wyjściu z restauracji uświadomił sobie, że przyjechał tu z Waldem Salonikiem, w związku z czym teraz będzie musiał wziąć taksówkę, żeby dostać się do leżącego po przeciwnej stronie Houston parkingu, na co wyda resztę gotówki.

Do Rancza Obuch prowadziło kilka wejść, wszystkie z wyjątkiem jednego miały elektronicznie sterowane bramy, zamontowane pomiędzy wysokimi słupami, połączonymi na górze ręcznie wykutym łukiem, na którym widniał jego znak, umieszczony w trójkącie obuch topora. Za wszystkimi bramami widział zagrody dla zwierząt. Wjechał przez otwartą bramę główną i podążał dalej żwirową drogą, obok mostu, krótkim tunelem utworzonym przez gałęzie rosnących po obu stronach drzew. Kiedy wyjechał spod tego baldachimu konarów i gałęzi, daleko przed sobą ujrzał niski i długi dom z bladego kamienia. Nie wyglądał szczególnie okazale, nie robił też wrażenia dużego, kiedy jednak się do niego zbliżył, dostrzegł przeróżne skrzydła i przybudówki. Przed domem stał słupek do wiązania koni oraz poidło; sądząc po ilości nawozu, oba urządzenia wciąż jeszcze były w użyciu.

Przy drzwiach wisiał wielki, czarny dzwon; do serca miał przymocowany skręcony pasek z nie wyprawionej skóry. Szarpnął nim w bok i dzwon wydał z siebie dźwięczny głos. Nikt nie podszedł do drzwi, wobec czego zadzwonił ponownie. Mijały minuty. W końcu uchylił drzwi na kilka cali i zawołał:

– Halo? Pani Salonik? Czy jest tam ktoś? Tutaj Bob Dolar.

Nagle w korytarzu pojawiła się młoda kobieta w fartuszku.
– Proszę wchodzić, proszę wchodzić – powiedziała. – Ona
życzy sobie, żeby poczekał pan tam – wskazała na sklepione
łukiem przejście po prawej stronie. Zanim zdążył się odezwać,
zniknęła.

Wszedł do pokoju i rozejrzał się wokół. Na podłodze leżał
piaskowy dywan o orientalnym deseniu, z bordiurą barwy głębokiego indygo. Meble były staromodne; skórzane, klubowe
fotele, duży, kanciasty fortepian (pod nim skamieniała kość
nogi mastodonta), kanapa z wysokim oparciem z pikowanej,
czarnej skóry. Z boku, na stoliku, na mosiężnej tacy stała butelka wody sodowej oraz szklanki w kolorze bursztynu. Ścianę pokrywały malowidła scen rodzajowych z życia Zachodu.
Przy oknach wisiały aksamitne zasłony w kolorze suszonych
grzybów. Tykał zegar. Na tle okna dostrzegł starodawny, na-
kręcany gramofon; na jego talerzu leżała gruba, czarna, winy-
lowa płyta. Podszedł, żeby zobaczyć, co to może być: Wyclef
Peeler śpiewający *Zjadłem troszkę przypalonej koniny*. Gablotkę
z osobliwościami w rogu pokoju wypełniały kamienie i ska-
mieliny. Niewielka etażerka prezentowała wyblakłe, płócien-
ne grzbiety takich książek, jak *Bella Donna, Broncho Char-
lie, Tiger Smoke...* jednym słowem książek, jakie można znaleźć w antykwariatach. Jego wzrok padł na stojącą na stoliku
srebrną zapalniczkę w kształcie wyjącego kojota; wziął ją do
ręki, żeby sprawdzić, czy działa, wzdrygnął się, kiedy z pyska
kojota wystrzelił płomień. Oszklona szafa pełna była przedmiotów wyrzeźbionych z oklahomskiego alabastru: mnóstwo
przeróżnych wiewiórek oraz popiersie Sama Houstona.

Pokój był połączony z drugim, mniejszym i przez łukowate
wejście do tamtego dobiegał go głos Fredy Salonik. Widział ją,
choć twarz miała odwróconą ku niewidocznemu dla niego ką-
towi tamtego pomieszczenia. Zerknęła na niego i pomachała
dłonią, nie przestała jednak mówić.

– ...szczupły, ale szeroki w biodrach, co odziedziczył po rodzinie ze strony matki. Wszystkie kobiety w tej rodzinie łatwo rodziły. Moje obie córki to odziedziczyły. Matka OKeja była
staroświecka. Wierzyła w te wszystkie głupstwa na temat nie-
mowląt... w stylu pomasuj dzieciakowi kolana wodą po zmy-

waniu naczyń, a wcześnie zacznie chodzić; czytaj poezje i miej poczciwe myśli, a dziecko wyrośnie na dobrego człowieka. Miał takie duże stopy, że żadne buty na niego nie pasowały, nie mógł znaleźć gotowych, musiał robić na zamówienie. W Amaryli, u braci Oliverów. Drogie. Długo się trzymał. Duże dłonie, duże stopy, duże, mocne kości. Nigdy by człowiek nie pomyślał, że kiedy się urodził, to główkę miał jak filiżanka, przynajmniej tak utrzymywała jego matka.

Ponownie spojrzała na Boba i zawołała:

– Pozwoliłam panu tu przyjść, panie Cent, tylko dlatego, żeby uciszyć Walda. Bo on sądzi, że ja pójdę na rzeź niczym jagnię, a pan jest tym człowiekiem z toporem. Dlatego sobie ździebko pogawędzimy. Za chwilkę. Proszę usiąść i poczekać. – Podjęła ponownie konwersację z kątem tamtego pokoju. – A nazwali go OK dlatego, że na jego pierwszej posadzie, kowbojskiej, inni kowboje nazywali go OK, bo miał zwyczaj powtarzać „Póki co wszystko jest OK", zawsze próbował widzieć te jaśniejszą stronę, rozumiesz. Jakoś to do niego przylgnęło. Bo na imię miał Satrap, tyle że ja byłam jedyną osobą, która czasem tak do niego się zwracała, na ogół zresztą też mówiłam OK. Chyba że byłam na niego wściekła. Na OK zawsze reagował i dlatego to właśnie umieściliśmy na jego nagrobku. Miał zwyczaj udawać, że niewiele rozumie, co mu wielokrotnie pomogło uniknąć różnych rzeczy, głupich kawałów innych pracowników, pracy, odpowiedzialności. Nie lubił być na czele. Kiedy pojawiła się jakaś kryzysowa sytuacja, potrafił zrobić wszystko, co trzeba, jednak nigdy na ten temat nie gadał, a zwlekał do ostatniej chwili, w końcu zawsze wkraczał i robił, co należało, cokolwiek by to było, chłodno, spokojnie i dobrze. Stał się z tego znany.

Westchnęła i mówiła dalej:

– Robił też rzeczy niemądre, gustował w złośliwych psikusach, miał maniery starego kozła i lubił popijać whiskey. Tego jednak nie zapisuj. Niech umarli spoczywają w pokoju. Była cała długa lista rzeczy, których by nie zrobił, wręcz obrażał się, kiedy go o nie poprosiłaś, takich jak strzyżenie trawy. Był typowym kowbojem o sztywnym karku. Ale był dobrym człowiekiem, nikim szczególnym czy wybitnym, chyba że przyszło zajmować się końmi albo bydłem. Niewiele było zwierząt, które by pod jego ręką nie zachowywały się, jak trzeba, a w ogóle człowiek też wiedział, czego się po nim spodziewać. Popatrz tam, na tamten stolik, zobaczysz go w wieku dwudziestu dwóch lat, z twarzą, która zaczyna się rozjaśniać uśmiechem, zobacz, jaki był silny i chętny, idąc prościutko, on tak uważał, ku szczęśliwym czasom. Nie sądzę, żeby zasłużył sobie na baty, jakie od życia odebrał. Tu trzyma Walda, ośmiomiesięcznego i wiercącego się nieustannie, dlatego jest taki niewyraźny. Był naszym pierwszym dzieckiem, urodził się czwartego września 1939 roku, nasz jedyny syn. Nazwany Waldo od takiego proszku do pieczenia, który lubiłam używać. „Proszek Waldo". Pozostała dwójka to były dziewczynki. Ja tam wolę wychowywać chłopców niż dziewczynki. Dziewczyna będzie kręcić bezczelnie i kłamać, aż człowiek zupełnie nie wie, w co ma wierzyć.

Z przyległego pokoju dobiegł głos:

– Chyba na dziś wystarczy, pani Salonik. Muszę przed trzecią wykonać kilka telefonów, więc już pobiegnę. A co pani powie na jutro? Może porozmawiamy o pani synu, Waldzie? Jest ważną osobistością w biznesie naftowym.

Freda Salonik prychnęła.

– To jemu się tak wydaje. Ale to może i dobrze. – Zamilkła, a po chwili dodała: – Matka mojego męża zwykła mawiać, że Waldo jest za sprytny, żeby żyć. Bo jeśli dziecko było za bystre, mogło wcześniej zemrzeć. Jak widać, Waldo nie umarł wcześnie, można więc sądzić, że taki bystry to on nie jest.

W łukowym przejściu pojawiła się niewysoka, młoda blondynka. W rękach trzymała mały magnetofon i luźny plik kartek, wszystkie bez reszty wypełnione pochyłym pismem.

– Och, witam – odezwała się do Boba. – Jestem Evelyn Chine. Piszę pracę magisterską z socjologii na temat Bumelii. Pani Salonik jest jedną z najstarszych tutejszych obywatelek i pamięta to miasteczko z czasów, kiedy jeszcze jego ulice nie były wybrukowane. – Robiła wrażenie nerwowej, spoglądała ponad jego ramieniem, zamiast patrzeć bezpośrednio na niego, jednym słowem należała do tych, co to unikają kontaktu wzrokowego.

Bob uścisnął jej dłoń i coś tam wybełkotał. Zżerała go zawiść. Czemu nie pomyślał i nie powiedział, że to on jest magistrantem, piszącym pracę o, powiedzmy, wartości gruntów i ich wykorzystaniu? Cóż to by była za wspaniała przykrywka, milion razy lepsza od tego wybiegu z luksusowymi osiedlami.

Evelyn Chine odeszła; za nią ciągnął się przewód od magnetofonu.

– Proszę wejść – powiedziała Freda Salonik, przyzywając go do mniejszego pokoju. – Opowiadałam jej o swoim mężu, OKeju. Właśnie dochodziłam do miejsca, w którym zamierzałam jej powiedzieć, jaką śmiercią OK umarł, kiedy ta zerwała się nagle i pobiegła. A tamto stało się z powodu Walda. Waldo miał hyzia na punkcie pływania i brał udział w tych szkolnych mityngach, gdzie to chłopcy ścigają się w basenach. Osobiście uważałam, że to niemądre, ale OK bardzo się ekscytował, kiedy Waldo wygrał wstęgę czy jakieś trofeum w postaci na wpół nagiego gościa. Kiedy Waldo miał piętnaście lat, odbywały się te wielkie pływackie zawody, w których brały udział inne szkoły z panhandle i z Oklahomy. Może i z Nowego Meksyku. To było tak dawno. Odbywały się w college'u w Goodwell. Waldo wygrał pierwszy etap. Biedny OK tak się tym przejął, że zaczął podskakiwać i krzyczeć „Waldo! Waldo!", poślizgnął się na mokrym i wpadł do basenu z tego jego głębszego końca. Nie miał pojęcia o pływaniu i poszedł na dno jak kamień. Utonął, nim zdążyli go wyciągnąć. I to Waldo musiał go stamtąd wyciągać. Nie wziął udziału w następnym wyścigu i dlatego nie wiedział, czy miał szansę go wygrać. Chyba już nigdy więcej nie poszedł pływać.

– Waldo musi pewnie dźwigać przez życie olbrzymie brzemię winy – powiedział Bob.

– „Brzemię winy"? Nie sądzę. Nie sądzę, żeby Waldo kiedykolwiek czuł się z jakiegoś powodu winny. Teraz przysyła ciebie, żebyś przycisnął mnie w sprawie sprzedaży rancza; a ja zabawię się w to przez chwilę, chcę jednak, byś wiedział, że nie jest na sprzedaż. Nawet za milion dolarów.

– Waldo zażądał niemal dziesięciokrotności tej sumy za posiadłość – oznajmił Bob.

– Co?! A to padalec. Pewnie Eileen i Marilyn też w tym maczają palce?

– Były tam obie, kiedy spotkałem się z pani synem.

– To żmije! Aż mnie korci, żeby to przeprowadzić i zachować pieniądze dla siebie. Kazał ci się rozejrzeć czy jak?

– Powiedział, że ktoś o imieniu Steve oprowadzi mnie po ranczu.

– Aha, Steve? Masz na myśli Estefana Escarbadę. Od lat go nie widziałam. Myślałam, że się przeprowadził do San Antonio. Lepiej idź i rozejrzyj się sam. – Robiła wrażenie, że chce się go jak najszybciej pozbyć z pokoju. Ręce jej drżały, a na pobruždżoną twarz wystąpiły krople potu. Bob przestraszył się, że to może być udar.

– Czy mogę zaprowadzić panią na fotel? – spytał.

– Łóżko – wydyszała, wskazując na zieloną zasłonę po drugiej stronie dębowego stołu.

Poprowadził ją ku niej, odsunął materiał, odsłaniając ogromną sypialnię wyłożoną bladoróżową wykładziną. Środek pomieszczenia zajmowało rozesłane wielkie łoże, zdobne niczym tort weselny. Zauważył, że wszystko pokryte jest warstwą kurzu i zastanawiał się, czy nie ma tu pokojówki albo sprzątaczki. Podprowadził ją do łoża i niemalże w tym samym momencie, w którym jej ciało go dotknęło, zamknęły się jej oczy. Wychodząc, rzucił za siebie ukradkowe spojrzenie i zdążył zauważyć, że te wielkie okna wychodzą na jezioro, że kryty skórą stolik zarzucony jest pierścionkami oraz naszyjnikami, zauważył pełen papierzysk kosz oraz nie otwartą pocztę i czasopisma. Plastikowa broszka, którą zapamiętał, leżała w smudze pudru. Minąwszy zieloną zasłonę, nie zatrzymywał się już, wyszedł z domu, wsiadł do saturna i postanowił samotnie objechać ranczo dookoła.

Z samochodu zobaczył gruntową drogę, która okrążała jezioro i prowadziła dalej na zachód ku kępie drzew. Ponieważ dzień okazał się nadzwyczaj piękny, rześkie i przejrzyste powietrze pachniało upojnie, a wokół, niby na pastwiskach niebieskich, mieniły się miliony polnych kwiatów, opuścił szyby w samochodzie i czując, jak to wyborne powietrze napływa do wnętrza, nacisnął pedał gazu i skierował się na prowadzący wokół jeziora szlak.

Przebył około ćwierć trasy wokół jeziora, drogą wznoszącą

się coraz wyżej, aż do białego urwiska położonego sto stóp nad powierzchnią jeziora, kiedy do auta wleciała osa i w żaden sposób nie mogła się z niego wydostać. Latała wściekle wokół jego głowy, kreśląc ósemki. Czuł wywołany jej skrzydłami ruch powietrza. Machał ręką, usiłując przepędzić owada, kiedy całkiem niespodziewanie osa zapikowała i użądliła go tuż pod prawym okiem. Instynktownie uniósł dłoń do miejsca, które piekło go tak, jak gdyby oblano je kwasem, czym spowodował, że auto zjechało z trasy. Nacisnął co prawda natychmiast pedał hamulca, jednak przód auta i tak zdążył się znaleźć za krawędzią urwiska, tylne koła stały jeszcze na twardym gruncie, cały zaś pojazd chwiał się niebezpiecznie przy każdym jego ruchu. Oko zdążyło mu już tak spuchnąć, że przestał nim widzieć. Osa wciąż kręciła się wokół niego i nie było już żadnej możliwości jej przepędzenia. Nawet gdyby go miała użądlić i sto razy, nie ośmieliłby się poruszyć. Walące jak oszalałe serce podeszło mu do samego gardła. Będzie siedział spokojnie. To tylko kwestia czasu, nim ktoś go zauważy. Freda Salonik. Jak długo będzie spała? Czy wyjrzy przez okno na jezioro? Na pewno widać go przez te wielkie okna w jej sypialni. Dobrze byłoby czymś pomachać, żeby zwrócić na siebie jej uwagę. Podniósł ostrożnie swoją czapkę, tę z elewatora zbożowego i poruszał nią powoli w górę i w dół przed przednią szybą. Osa zaatakowała poruszającą się dłoń i użądliła go w kciuk. Samochód zadrżał groźnie. Krawędź urwiska zaczęła się powoli osuwać, pociągając za sobą pojazd w kierunku jeziora.

Nie było innego wyjścia, musiał się jakoś wydostać. Musiał przejść na tył auta. Pomiędzy fotelami było trochę wolnej przestrzeni i bardzo powoli, bardzo ostrożnie uniósł pośladki i wcisnął je w tę przestrzeń, przechylając jednocześnie łagodnie całe ciało do tyłu. Samochód prawie że nie drgnął. Ostrożnie ruszył ku tylnej kanapie, kiedy jednak podciągnął do góry nogi, odpadł następny fragment urwiska i przód auta przechylił się w dół o jeszcze jeden przerażający cal. Zmoczył spodnie i nawet tego nie zauważył. Był już jednak na tylnym siedzeniu, sięgnął ręką do klamki, otwierał drzwi najwolniej, jak potrafił, a potem przetoczył się na błogosławioną ziemię. Odczołgał się od krawędzi i usłyszał głośne plaśnięcia gliny o powierzchnię wody. Z zewnątrz pozycja jego samochodu robiła wrażenie bardziej niezdarnej niż niebezpiecznej, ten stał bowiem wychylony nad urwiskiem, jakby zerkał w dół przed skokiem do wody i odświeżającą kąpielą. W rzeczy samej, pomyślał sobie, gdyby sprowadził tutaj holowniczą półciężarówkę, mogliby go ściągnąć z powrotem na szlak. Ruszył zatem w stronę drogi i dopiero wówczas zdał sobie sprawę z tego, że ma zmoczone spodnie, które ocierają nieprzyjemnie jego uda, kiedy się porusza. Opuchlizna całkowicie zamknęła jego prawe oko. Ocenił, że do miasta jest z osiem mil. W tym wietrze spodnie wyschną mu, na długo zanim tam dotrze, a może też ktoś się zjawi i go podwiezie. Lepiej nie za wcześnie, kiedy spodnie są mokre. Miał naturalnie wybór. Mógł wrócić do domu Fredy Salonik i poprosić o możliwość skorzystania z telefonu, zamówić holowanie. Jednak co miałby rzec, gdyby rzuciła jakąś uwagę na temat jego mokrych spodni? Mógł też iść do miasta. Przez chwilkę zastanawiał się, czy osa nadal siedzi w saturnie, po czym postanowił, że pójdzie do miasteczka.

Doszedłszy do drogi głównej, ciągle się odwracał, za każdym razem, kiedy usłyszał albo zobaczył w rozedrganym od upału powietrzu jakiś pojazd, dawał znak, że prosi o podwiezienie. Minęła go rzężąca i terkocząca półciężarówka z trzema kowbojami, potem dwu Meksykanów w służącym do obsługi szybów wiertniczych pojeździe technicznym. Dopiero trzeci samochód się zatrzymał; szeryf Hugh Miazga otworzył drzwi od strony pasażera, zerknął na mokre spodnie Boba i spytał:

– Auto ci padło? – a potem, ujrzawszy jego oko: – Jakiś wypadek?

– Spadanie to właśnie część tego kłopotu – odparł Bob. – Jechałem wokół jeziora, żeby obejrzeć ranczo, kiedy do środka wpadła osa, użądliła mnie i straciłem panowanie nad kierownicą. Samochód jest, że tak powiem, na krawędzi. Omal nie zleciałem do jeziora. No i teraz potrzebuję pomocy drogowej z wózkiem holowniczym.

– Jak raz mam linki – oświadczył szeryf, ponownie zerkając na mokre krocze spodni Boba. – Wsiadaj.

Kiedy dojechali do saturna, okazało się, że skała raz jeszcze utraciła kilka cali i samochód zdążył przybrać postawę wychylonego do przodu tuż przed skokiem pływaka.

– No nie wiem – odezwał się z powątpiewaniem w głosie szeryf – ta licha, żółta ziemia w każdej chwili może się urwać. Chyba potrzebny jest wózek holowniczy.

– Tak właśnie mówiłem.

– Potrzebny ci wózek holowniczy i pacierz. A tak przy okazji, pani Salonik nie zamierza ci sprzedać Obucha, co?

– Nie całkiem. To dość skomplikowane. Naprawdę skomplikowane.

– No to możesz ponawijać, kiedy będziemy czekali na Alberta. – I połączywszy się przez radio z dyspozytorką, kazał jej wysłać Alberta na posiadłość Saloników. – Mamy tu auto zwisające z urwiska nad jeziorem. Niech zasuwa.

21

Potrójny krzyż

Wstał jeszcze jeden ponury ranek; nisko wiszące chmury wydymały się setkami szarych wymion, grożących gradem albo czymś jeszcze gorszym.

Spędził ten ranek, pisząc do wuja Tama oraz do pana Ribeye'a Klukwy, a potem pojechał do Bumelii, drogą w kolorze tej białej, podskórnej części grejpfruta, by wysłać listy. Powietrze zrobiło się nieznośnie ciężkie i parne; pociemniało. W swojej skrzynce pocztowej znalazł szarą kopertę ze stemplem Denver. Rozerwał ją. W środku były „Żeberka" – biuletyn Globalnej Skórki Wieprzowej SA.

Nagły poryw wiatru sypnął gradem w okno poczty. Błysnęło, kiedy biegł do auta. W drodze do baraku wiatr szturchał i tarmosił saturna. Grad połączył się z deszczem, kulki gradu były teraz jeszcze większe, chłostały samochód, drogę, odbijały się od wszelkich powierzchni z posępnym, purpurowym błyskiem. Wszędzie wokół oślepiającymi zygzakami strzelały błyskawice. Zatrzymał się w pobliżu mostu nad Derką i dla minimalnej choćby osłony zaparkował pod wierzbą. Wiatr straszliwie przybierał na sile. Niebo rozbłyskiwało zatrważająco raz po raz, ukazując poszarpane obłoki, błyskające bielą liście. O przednią szybę uderzał deszcz i grad, skrobały ją gałązki, tarły plastikowe torebki. Widział grad wielkości orzechów włoskich chłoszczący i spieniający powierzchnię strumienia. Mniej go przerażało przyglądanie się tej spienionej, pooranej bruzdami wodzie niż patrzenie na rozedrgany horyzont. Brunatna fala przetoczyła się przez Derkę – teraz już nie wąziutki jak ołówek strumyk, ale gniewną rzekę. Patrzył w zdumieniu i przerażeniu, jak woda występuje z brzegów i zaczyna się rozlewać po drodze za nim, po czym cienkimi językami przeciąga przez most. Zorientował się, że może zostać odcięty i porwany przez powódź.

Zapalił szybko samochód i opuścił schronienie pod wierzbą, natychmiast natykając się na pełną moc gradu i wichru. Szaleńcza nawałnica pchała saturna w kierunku biegnącego wzdłuż drogi głębokiego rowu, teraz wypełnionego wznoszącą się wodą już niemal równo z asfaltem. Kręcąc zaciekle kierownicą, w ciągłym poślizgu, parł naprzód pośród pokrywającego nawierzchnię drogi śmiecia. Strzeliła błyskawica, jej metaliczne światło ukazało skłębione podbrzusza chmur. Przed maską auta dostrzegł kilkanaście biegnących krów, popędzanych uderzeniami gradu, rozpryskujących kopytami wodę; cielęta muczały ze strachu i bólu. Arkusz blachy z jakiegoś dachu przefrunął obok i obracając się, potoczył przez prerię. Kawałki gradu były teraz jeszcze większe i Bob czuł, się jakby tuzin dekarzy z pistoletami do wstrzeliwania gwoździ zaatakował jego pojazd. Raptownie i niespodziewanie trzasnęła przednia szyba i powstała na niej siatka pęknięć. Nic przez nią nie widział, opuścił więc szybę w drzwiach i prowadził samochód, wychylając głowę na zewnątrz. Duży, ciemny kształt na drodze okazał się martwą krową, którą jakimś cudem udało mu się ominąć. Nic dziwnego, pomyślał, że mieszkańcy panhandle są pobożni, skoro żyją w takim zaskakującym i pełnym gwałtownych zmian klimacie. Pogoda uczy ich pokory.

Nim dojechał do Pękniętej Gwiazdy, grad zelżał. Wiedział, że saturn jest zniszczony, cała jego karoseria posiekana lodowymi pociskami. Do baraku przez strumień nie było można dojechać, wobec czego wcisnąwszy pocztę pod marynarkę, pobiegł schronić się w kuchni LaVon. Żałował, że nie może przebyć strumienia, ponieważ w baraku, na jego poduszce, leżała otwarta grzbietem do góry *Ekspedycja* porucznika Aberta.

– O, Bob – przywitała go LaVon. – W hrabstwie Hutchinson, zaledwie dwadzieścia mil stąd, szaleje tornado. Martwiłam się o ciebie.

Radio kuchenne było włączone, emitowało jakiś buczący dźwięk rogu, sygnał oznaczający, że należy udać się do schronu. Również telewizor błyskał czerwonymi ostrzegawczymi światłami. Dudniący głos zakończył informację na temat tornado słowami: „...Służby meteorologiczne wydały dla hrabstwa Bumelii ostrzeżenie aktualne do godziny 15.30. Burzom może towarzyszyć grad rozmiarów piłki golfowej lub bejsbolowej, nawałnice i wichury. Prosimy chronić się w solidnych budynkach".

– Mój Boże – zawołał Bob – jesteś aby pewna, że tornado tutaj nie doszło? Jest okropnie.

– To ledwie jego skraj – odparła LaVon. – Jakby to było tornado, tobyś fruwał w powietrzu. Pokazują je w telewizji. Możesz sobie obejrzeć. Widzisz tamtą czerwoną plamę? Dobrze, że tak niewiele ludzi mieszka w hrabstwie Hutchinson. Musowo zostajesz tu na noc, bo i tak nie przedostaniesz się do baraku, póki woda choć trochę nie opadnie, co nie stanie się wcześniej jak jutro. Będzie więcej burz. Mówią, że może ich być jeszcze kilka, jedna za drugą. Pościelę ci na kanapie.

Na zewnątrz z drżącym pomrukiem przetoczył się grzmot.

Bob kombinował, jakby tu skierować rozmowę z LaVon na temat pokrytych bliznami pleców jej dziadka. Żeby ją nieco zmiękczyć, pomógł jej poprzestawiać wszystkie kuchenne naczynia. Ona wskazała mu przez okno na podwórze drzwi prowadzące do burzowej piwnicy.

– Jakby przyszło takie p r a w d z i w e, to tam należy się schronić. Gdyby mnie tutej nie było, złaź tam i siedź, nieważne, czy będzie to dzień czy noc. Tam jest wszystko przygotowane. Jest stary telewizor i puszki z jedzeniem, i świece, i takie tam. Kilka rozkładanych łóżek, krzesła.

– Jak często z niej korzystałaś?

– Po prawdzie tylko raz – odpowiedziała LaVon. – Tornada nieczęsto uderzają w te okolice. Zawadzają o nas jedynie krańcami. Suną wzdłuż linii kolejowej. Dlatego za nic bym nie chciała, coby mój dom stał w pobliżu torów. Coś mi się widzi, że zaczyna się uspokajać.

I rzeczywiście, błyskawice przesunęły się ku północnemu wschodowi, a na południowym zachodzie ukazało się bezchmurne niebo.

Bob siedział przy kuchennym stole i popijał kawę, po czym przypomniał sobie o poczcie i wziął do ręki biuletyn Globalnej

Skórki Wieprzowej. W większości był on wypełniony diagramami kołowymi i finansowymi prognozami, jednak dwie ostatnie strony przeznaczone były dla ekip terenowych, które, jak zauważył Bob, rozsiane były po całym świecie. Dowiedział się też – bo Ribeye Klukwa mu o tym nie wspomniał – o istnieniu systemu nagród w Globalnej.

CZAS UCIEKA, WYWIADOWCY, NIEMNIEJ JEST GO JESZCZE DOŚĆ, BY ZAPEWNIĆ SOBIE POSIADANIE WŁASNEGO KOMUNIKATORA-ORGANIZERA W SKÓRKOWYM ETUI Z LOGO GSW! Po co żałować, kiedy nadejdzie koniec miesiąca i okaże się, że nie jesteś jednym czy jedną z grupy szczęśliwców cieszących się swoim szykownym, nowym PORĘCZNYM URZĄDZENIEM?

Na dole tej samej strony, w różowej ramce z karmazynowym obrzeżem, zamieszczono listę wybitnych wywiadowców z poprzedniego miesiąca, tych, którzy zdobyli dla Globalnej największą powierzchnię w akrach.

MISTRZOWIE ZAKUPU	ILE	GDZIE
C. N. Barker	900 akrów	La Junta, Kolorado
Evelyn Chine	6000 akrów	Guymon, Oklahoma
Freda Bigley	1600 akrów	Johnson, Kansas
Clay Leak	120 akrów	Blue Hill, Nebraska

Ci znakomici reprezentanci firmy cieszą się zdobytą w ubiegłym miesiącu nagrodą, mianowicie bardzo atrakcyjnym neseserem Calvina Cline'a. Brak miejsca nie pozwala nam wymienić tutaj wszystkich wybijających się, zdobywających nowe tereny wywiadowców. Jeśli twoje nazwisko nie pojawiło się w tym miesiącu, dopilnuj, żeby znalazło się tutaj w następnym. Evelyn Chine i Freda Bigley otrzymały, za przełamanie magicznej bariery tysiąca akrów, dodatkowo po zaawansowanym przenośnym radioodbiorniku krótkofalowym Global Explorer, który czyściutko jak kryształ odbiera Moskwę, Paryż i Londyn, po angielsku. Evelyn Chine, za swoje niesamowite osiągnięcie, dostała także cyfrowy aparat fotograficzny Megapixel, z futerałem i kartą pamięci Compact Flash! Brawo, Evelyn, pokaż chłopcom, jak to się robi!

LaVon nie była w nastroju do opowieści; sprawdzała książeczkę czekową i mamrotała coś pod nosem. Po południu, nie mogąc usiedzieć na miejscu w tej urządzonej w stylu francuskiej prowincji kuchni, Bob postanowił pojechać do miasta i załatwić wymianę przedniej szyby, zobaczyć też przy okazji, jakie szkody wyrządziła w Bumelii burza. Wyszedłszy na dwór, stwierdził, że saturn nie jest zbyt poobijany, ot kilka wgnieceń tu i tam. Najgorzej było z przednią szybą.

Zdumiało go, że świeci słońce, że kilka mil od Pękniętej Gwiazdy drogi są suche i białe niczym mleko w proszku. W Bumelii zaparkował przed Poczciwym Psem, wszedł do środka i pomógł Cyowi ustawić półmiski, na których widniały kotlety wieprzowe z ananasem, ziemniaczana zapiekanka z kwaśną śmietaną, szparagi z masłem i sokiem z cytryny, ciasto z rodzynkami.

– Tu nawet nie padało, prawda?

– Nie. Burzę było widać i wiatr trochę nabroił. Tak czasem bywa, za miastem pogoda zła, a tutej nic, albo odwrotnie. A wcześniej było niemożebnie parno, wystarczający gorąc, coby upiec niedźwiedzia. W każdym razie człowiek jest już zwyczajny tych gwałtownych zmian pogody. To jest część charakteru tego miejsca. Posiedzisz tu dłużej, to usłyszysz różne, związane z pogodą opowieści.

Tymczasem Bob myślał o opowieści LaVon o ranczerze Skierecie i jego prawej ręce, Blowym Gdaku.

– Cy, słyszałeś o dawnym ranczerze nazwiskiem Skieret?

– Jasne. Wszyscy znają historyjki o nim. Podobno rozwalił jakiegoś fińskiego farmera. W czasach, kiedy prowadzili wojnę o ogradzanie pastwisk. Znaleźli tego Fina, rozerwanego przez dynamit, o milę od rancza Skiereta. Kowboje, co to go znaleźli, gadali, że wyglądało to tak, jakby ktoś wetknął Finowi laskę dynamitu w pierduchę i podpalił lont – głowa i szyja, i ramiona były nienaruszone, nawet nie pokaleczone, podobnie jak nogi, od kolan w dół, ale wszystko pomiędzy nogami i cała zawartość klaty użyźniły prerię kawałkami mniejszymi od wykałaczki. Skieret był jednym z tych wyrywnych twardzieli, którzy robili to, na co mieli ochotę i do diabła z konsekwencjami.

– LaVon opowiedziała mi o tym przegranym zakładzie z drutem kolczastym – wtrącił Bob.

– Są dziesiątki historii o tamtej zgrai. Paradne towarzycho. Zresztą krewni Skiereta nadal tu mieszkają, nadal na tym starym ranczu. Janice Sue Place, mistrzyni golfa, jego prawnuczka, ciągle kieruje ranczem Skiereta. I niekiepska z niej ranczerka, żeby jeszcze tylko przestała ściągać na siłę mężów. Wspomniałeś Blowy'ego Gdaka? Tu wszędzie dookoła ma swoich potomków. Sam jestem z nim trochę spokrewniony.

Po drugiej stronie ulicy zatrzymał się niezwykły pickup. Bob aż wykręcił głowę, żeby mu się przyjrzeć. Był tak poobijany, że trudno mu było stwierdzić, czy któreś wgniecenia są świeże. Na drzwiach przyczepiany na magnes napis głosił: WIATRAK ASA. As, jeszcze bardziej niż zazwyczaj wyglądający na kogoś, kto spędził najważniejsze dla swojego rozwoju lata w prasowalni spodni, wysiadł, wyjął z tylnej kieszeni portfel i zbadał jego zawartość. Bob pomyślał, że sprawdza, czy może sobie pozwolić na lunch Pod Poczciwym Psem. Najwyraźniej mógł, bo ruszył ku drzwiom lokalu.

W jego wnętrzu rozejrzał się powoli, skinął głową Bobowi oraz kilku innym mężczyznom, ale stolik wybrał sobie pod oknem, z dala od reszty. Podszedł do stołów z potrawami, ale tam nalał sobie jedynie filiżankę kawy.

– Czekam na brata Jadłoszyna – poinformował Cya, który kiwnął głową, przewracając kotlety na ogromnej patelni. – Kiepska pogoda w hrabstwie Hutchinson. Nawiedziło ich małe tornado.

– Podobnież – potwierdził Cy.

Lokal zapełniał się szybko i Bob miał sporo roboty z wyciąganiem z piekarnika zawiniętych w aluminiową folię ziemniaków, nie na tyle jednak był pochłonięty tym zajęciem, by nie zauważyć pełnych podniecenia szeptów. Coś się działo. Kilkakrotnie uchwycił imię „Flores" i domyślił się, że w planie jest walka kogutów, jednak niczego więcej się nie dowiedział. Kiedy na sali się nieco przerzedziło, zauważył, że As wciąż siedzi nad swoją filiżanką kawy i rzuca łakome spojrzenia ku bufetowi z potrawami. Raz wstał, poszedł do drzwi, otworzył je i rozejrzał się po ulicy. Potem wziął następną filiżankę kawy i usiadł znowu.

– Widzi mi się, że coś go zatrzymało, As – powiedział Cy. – Albo złapała go burza. Lepiej zjedz obiad, póki coś zostało.

– Poczekam jeszcze trochę – odparł As, a po chwili dodał: –
Ano właśnie przyjechał.

Drugi pickup zaparkował za pierwszym. Kierowca – wygląda jak jakaś zjawa, pomyślał Bob – przebiegł przez rozświetloną słońcem ulicę i otworzył drzwi lokalu. Przedstawiał sobą niezwykły widok; brodaty mnich w utytłanym habicie, podciągniętym w pasie tak, że aż do kolan ukazywał nogawki dżinsów; kowbojskie buty, na głowie wyświechtany kowbojski kapelusz z dużym rondem.

– As! Naprawdę mi przykro, że się spóźniłem. Przez tę burzę wywaliła się ciężarówka i mieli na szosie wyciek chemikaliów. Wstrzymali ruch. Zawróciłem i pojechałem dookoła, drogami gruntowymi, co nie było takie łatwe, przy tej wysokiej wodzie i śmieciach, które naniosła. Człowieku, ależ jestem głodny. Weźmy coś do jedzenia. Pięknie tu pachnie, Cy.

Mężczyźni napełnili talerze i wrócili do stolika. Mnich kowboj pochylił głowę i coś wymamrotał, As powiedział „amen", po czym obaj rzucili się na kotlety. Z tego, co Bob był w stanie usłyszeć, As mówił o wymianie głowicy wiatraka na pastwisku Potrójny Krzyż. Mnich kowboj słuchał z uwagą, tylko od czasu do czasu zadając jakieś pytanie. Kiedy opróżnił talerz, wstał i podszedł do bufetu, nałożył sobie trochę sałatki i łyżkę kaszy kukurydzianej.

– Całkiem niezłe, Cy. Szczególnie ten sos sałatkowy. Podzieliłbyś się przepisem? A może byś tak przyjechał do nas na jeden dzień i spędził go w kuchni, ucząc nas tego i owego?

Cy, którego rzadko komplementowano za jego potrawy, zarumienił się i powiedział, że zapisze mu składniki tego konkretnego dressingu.

– Nic szczególnego, po prostu świeżutki majonez. Dodaję jedynie ździebko czosnku. Chłopcy by mnie zastrzelili, gdyby wiedzieli, że jedzą czosnek.

– Mówię poważnie o tym dniu nauki.

– Ano, wiesz, mając na głowie prowadzenie tego lokalu i pracę na ranczu, tak po prawdzie to nie mam czasu, żeby iść się wy... pójść do toalety. Nie mam pojęcia, kiedy mógłbym to zrobić.

– A może my przysłalibyśmy tutej praktykanta. Pomógłby ci w robocie, a przy okazji poobserwował, jak robisz różne rzeczy.
– Jasne. To, ani chybi, mogłoby się to udać. Bob mi pomaga, kiedy może, ale nie zaszkodziłoby mieć dodatkową parę rąk. Większość rzeczy robię bardzo wcześnie... czwarta, piąta rano. Wtedy właśnie jest mi ktoś najbardziej potrzebny.
– Siemasz, Bob – pozdrowił go mnich kowboj. – Brat Jadłoszyn z Potrójnego Krzyża. Wykonujesz tu pożyteczną robotę. – A do Cya powiedział: – Spytam, kto ma ochotę zaczynać dzień wcześnie. Brat Sammy wstaje przed świtem i pewnie z przyjemnością pojeździłby więcej na tym swoim rowerze. I jest całkiem niezły w kuchni. Przyrządza doskonałą pizzę.

Poszedł z talerzem do Asa Kurcza i podjęli przerwaną rozmowę. Bob wziął sobie filiżankę kawy, usiadł przy sąsiednim stoliku i słuchał.

Wszedł Jim Skóra, cały usmarowany.
– Witaj, As. Witaj, bracie Jadłoszyn. Cy, co masz dzisiej dobrego?
– Kotlety wieprzowe z sosem, ziemniaki purée, młodziutki zielony groszek, krem z rabarbaru.
– Niczego z ananasami?
– Jak raz coś się znajdzie. Kotlet z ananasem i pudding z ananasów i tapioki. Tylko trochę tego zgotowałem. Tam, na samym końcu stołu. Większość woli rabarbar.
– W porząsiu. Bo ten ananas jest tak niemożebnie smaczny, że powinno się go zabronić pod prawem. Wszystkim, oprócz mnie.

Przyszedł z talerzem do stolika Boba.
– Jak się masz? – pozdrowił go. – Jestem Jim Bob Bill Skóra. Mów mi po prostu Jim. – Miał zdeformowaną szyję, długą, jakby ją rozciągnięto na siłę, i grubą, z wielkim jak kolano jabłkiem Adama. Porastały ją kępkami i skręconymi kosmykami ciemne włosy, przechodzące na piersi w zbite, gęste owłosienie, przypominające pleśniejące, sczerniałe siano.
– Bob Dolar. W porządku. A ty?
– Jak świnia w bajorze. Próbowałeś tego ananasowego puddingu? Pycha. – Zaczął posiłek od niego, zupełnie jakby się obawiał, że mu gdzieś ucieknie.
– Nie przepadam za ananasem. Wolę raczej z rabarbaru.

– Krem z rabarbaru. *Ehe!* Moja matka go robiła. Jeśli nam dzieciakom udało się ukraść łodygi z czyjegoś ogródka. Wiem, coś za jeden. Mieszkasz u LaVon, zgadza się?

– Taa. W starym baraku.

– No to możesz mi coś powiedzieć. Słyszał żem, że ona trzymie w domu tarantule i skorpiony. Prawda to?

– Tarantule, owszem. Ale teraz ma tylko jedną. Kot strącił klatkę z tą drugą i gdzieś uciekła. Z tego, co wiem, skorpionów nie ma.

– Słodki Jezu. To znaczy, że teraz jest gdzieś na wolności. Ta tarantula. *Ehe!*

– Na to wygląda. Gdzieś w domu. Zawsze, kiedy tam jestem, poruszam się powoli i oczy mam szeroko otwarte. To ta gorsza się wydostała. Wielkie, szare cholerstwo z wzorkiem na grzbiecie.

– Powinna ściągnąć jednego z tych facetów od termitów i zagazować ją na śmierć – oświadczył Jim Skóra, pokasłując *Ehe! Ehe!*

– Nie chce jej zabijać. Chce ją odnaleźć. Mówi, że to bardzo cenne stworzenie.

– Dej se spokój! Kto by dał większą – *ehe!* – kasę za pieprzonego pająka?

– Pewnie LaVon. Teraz ja mam pytanie do ciebie.

– Jakie?

– Ktoś mi powiedział, żebym zapytał o twojego tatę... że niby był miejscowym oryginałem.

– Bo był. I nie tylko miejscowym. Bo – *ehe!* – widzisz, ja nie pochodzę stąd i mój tatko też nie był stąd. Urodziłem się w Guymon w Oklahomie. Mój tatko pochodził z Bójki. To też jest w Oklahomie, na zachód od Guymon. A tak po prawdzie to on urodził się w Arizonie. Jego rodzice pojechali tam w tych paskudnych latach trzydziestych zbierać bawełnę. W Oklahomie dzierżawili plantację bawełny – w hrabstwie Custer, nie w panhandle – ale cały ten system się zawalił i pojechali zbierać bawełnę w Arizonie. *Ehe!* W tamtym okresie wyniosło się z panhandle trzydzieści siedem z czterdziestu rodzin. Tam było jeszcze gorzej niż tu w Teksasie. Ano rzeczywiście znają go wszędzie, w Teksasie i w Oklahomie, w niektórych miejscach w Kolorado, w Nowym Meksyku. *Ehe! Ehe!*

– Dlaczego był taki sławny?

– Częściowo dlatego, że tyle razy się żenił. Czternaście. I każda jedna drapnęła mu z domu. Nie umiał zatrzymać przy sobie kobiety. Umiał je zdobyć, ale zatrzymać to już nie.

– To dotyczy chyba większości ludzi – stwierdził Bob.

– Miał takie paradne słówko lub więcej na każdą z nich, jak z jakiejś piosenki. Powiadał na przykład: „Harriet to morska nawałnica, pozrywała moje wszystkie – *ehe*! – żagle; Calvina była teksaskim handlarzem mułów; Josie metalową ozdóbką przy ostrogach i pitnym miodem; rudowłosa dziewczyna była rajem utraconym; Brigitte o końskiej twarzy pasowała do zagrody, ale moja jej nie odpowiadała; Jean była ze szczętem praktyczna, istny sznurek i ogórek; Lucy przypominała mi – *ehe*! – wielbłądzi zad; a Susie była blaskiem księżyca i butelką whiskey na białej skale”. Sypał tym jak z rękawa. To była moja – *ehe*! – mama, ta Susie. Wpierw lubiła sobie popić, ale wnet stała się taka pobożna, że spędzała cały swój czas w klasztorze. Z tych wszystkich kobiet tylko trzy dzieciaki przyszły na świat, ja i moja siostra przyrodnia, nazywaliśmy ją Małą Dziewczynką z Rozpuszczonymi Włosami, w skrócie, Małą. I mój brat Hoit. Zmarło mu się, kiedy miał dziewięć czy dziesięć lat. Miał zanieść tacie widły na łąkę i jakoś tak zaczął z nimi biec, popychał te widły na ścieżce przed sobą i jeden ząb zaplątał się w korzenie, a że biegł naprawdę szybko, stylisko wbiło mu się bardzo mocno w brzuch. Rozerwało wnętrzności. Nie dziwota, że wykrwawił się na śmierć, zanim przyszła pomoc. Doktór powiedział, że nawet jakby był tam na miejscu, z rozłożonymi wszystkimi instrumentami, nic nie byłby w stanie zdziałać. O mój Boże, ale my to byli biedni. Zresztą teraz, proszę, mam czterdzieści sześć lat i dopiero pierwszy własny rower. Siostra robi w rozrywce, w Vegas. Kiedy tato zmarł, pochowali go w – *ehe*! – Bójce. Leży na Żarówkowym Cmentarzu – *ehe*! – tym, gdzie to wartość człowieka widać po watach wsadzonych wokół jego grobu żarówek. Wiesz, co Susie dla niego wybrała? Trzy przepalone żaróweczki lodówkowe. Powiedziała, że na więcej nie zasługiwał. *Ehe! Ehe! Ehe!* Zawsze się tym trapiłem. Tak się nijak nie godzi. Mówiłem sobie, że pojadę i wetknę mu tam większe żarówki. Hoita też tam pochowali.

– A co to było, to drugie, z czego znany był twój ojciec?

– *Ehe!* Jego fiut. Dzięki niemu zdobywał te wszystkie kobiety. Miał zaganiacza jak ogier. Dlatego jest taki znany. Co poniektóry facet uważał, że sam jest nieźle wyposażony, podchodził więc do niego i mówił: „Słyszałem, że masz dużego. Stawiam dziesięć dolców, że mój jest większy". I wykładał forsę i inni też robili zakłady, a oni rozpinali spodnie. Mój tato zawsze wygrywał. *Ehe!* Nikt mu nie mógł nawet dorównać. Po prawdzie, powinienem coś z tego odziedziczyć, ale tak się nie stało. Mam całkiem przeciętnego. *Ehe!* To chyba nie jest sprawiedliwe.

– Chciałbym zobaczyć ten cmentarz – powiedział Bob.

– Ano, rzeknę ci tylko, że niektóre znają to miejsce jako cmentarz czarnuchów. Tato nie był czarnuchem, ale miał indańską krew i indańskich krewnych na tym – *ehe!* – kościelisku i tam chciał leżeć. Biali też tam są. A teraz to miejsce jest znane jako żarówkowy cmentarz czarnuchów. Ale gdybyś chciał – *ehe!* – go sobie obejrzeć, to byłbym kontent, że mogę cię tam zawieść. Zabrałbym też nowiutkie żarówki na jego – *ehe!* – grób.

– Dobrze. Kiedy chcesz pojechać?

– W sobotę? Wtedy mógłbym – *ehe!* – pojechać

– Cóż, ja chyba też. O której byśmy się spotkali?

– Może o dziewiątej. Tutej.

Uścisnęli sobie dłonie na znak, że są umówieni.

– *Ehe!*

– A przy okazji – rzucił Bob od niechcenia – kiedy jest ta walka kogutów?

– No chyba dzisiej wieczór, nie? – odparł Jim Skóra. – W stodole Floresa w Osie, tuż za granicą stanową z Oklahomą. Za tą starą stacją benzynową Esso. Bo co, wybierasz się?

– Bardzo możliwe.

Jechał powoli bocznymi uliczkami Bumelii; wiele z nich było niebrukowanych, ruch pojazdów zaś wzbijał tyle kurzu, że można by go nieustannie zbierać odkurzaczem. W mieście było wiele wolnych parceli, na których trzymano stare maszyny i pojazdy, na innych powstały tymczasowe ogródki warzywne, mieszkańcy pracowali w chłodzie wieczora przy pomidorach i fasolce szparagowej. Niektórzy nadal trzymali konie i dlatego nie był niczym nadzwyczajnym widok ludzi, którzy na ich grzbietach objeżdżali powoli miasto, udając się a to na pocztę (przed którą ciągle tkwiły słupki do wiązania koni), a to do sklepu z paszą. Pewien łysy mężczyzna, zwany przez wszystkich Rudym, był miejscowym ekspertem od chorób zwierzęcych i przypadłości nękających bydło, dlatego wielu jeźdźców zatrzymywało się na jego podwórzu, by poprosić o radę.

Nadeszła pora zbioru szparagów. LaVon zajęta była konserwowaniem tych cieńszych oraz zamrażaniem grubszych. Każdy miał jakieś specjalne przepisy na szparagi – smażone kawałki wołowiny ze szparagami, zupa-krem ze szparagów, szparagowy strudel, szparagi z makaronem. LaVon nalegała, żeby spróbował jej *salade de Saint-Jaques*: pagórka z rozmrożonych małży, ułożonego pośrodku talerza, z odchodzącymi od niego promieniście czternastoma szparagami, przystrojonymi paseczkami cieniutko pokrojonych surowych grzybków zimówek. Sos, skomponowany w równych częściach z chrzanu, ginu, przecieru pomidorowego oraz bitej śmietany, zaparł mu dech w piersiach.

– LaVon, to coś zupełnie wyjątkowego – zachwycił się, a ona, zadowolona, skinęła jedynie głową.

Kiedy wszystkie naczynia znalazły się już w zmywarce, Bob ruszył do Kowbojskiej Róży, bocznymi dróżkami, białymi, jakby posypanymi mąką. Znajdowała się tam mała piekarenka i we środę – dzień słodkich wypieków – mieli w sprzedaży ciasteczka z wafli przekładanych masą waniliowo-orzechową, które bardzo Bobowi przypadły do gustu. Piekarnia usytuowana była w strategicznym miejscu, naprzeciwko szkoły podstawowej, i gdyby nie udało mu się dojechać do niej przed godziną trzecią, po ciasteczkach nie byłoby śladu.

Kowbojska Róża robiła wrażenie, jakby omiótł ją silny wiatr, wszędzie bowiem walały się śmieci, a na jezdni, w pobliżu zatoczki parkingowej, leżały gałązki i duże konary. Niebo, gdyby nie liczyć delikatnego runa bladych obłoczków na horyzoncie, było całkowicie bezchmurne.

Wyszedł z piekarni z torebką pełną ciepłych jeszcze łakoci i pojechał do malutkiego parku, gdzie w cieniu drzew zamierzał nacieszyć się kilkoma ciasteczkami. Znalazł wolną ławkę w pobliżu placu zabaw, zmiótł z niej liście oraz gałązki i pojadając, obserwował bawiącą się gromadkę dzieci w wieku przedszkolnym, których matki siedziały na betonowym obramowaniu piaskownicy. Jakaś starsza dziewczynka, niewątpliwie już w wieku szkolnym, może piątoklasistka, trzymając za przymocowany do nylonowej linki skórzany pasek, kręciła się na czymś w rodzaju karuzeli grzybka. Za każdym razem, gdy traciła kontakt z ziemią, wołała „Iiii!", wysokim, nienaturalnym głosem. Natychmiast, z szybkością zatrzaskiwanych drzwi, Bob przeniósł się na huśtawkę z własnego dzieciństwa, huśtawkę ze starej opony, uwiązaną do konara rozłożystego drzewa, na której sam się huśtał i też pokrzykiwał „Iiii!", nie tyle z uciechy, ile dlatego, że tak należało wołać, kiedy człowiek się huśtał, i pamiętał, że był wtedy sam i skazany na samotność, pod stopami miał owal ubitej ziemi, w miejscu, gdzie wytarła się trawa, że robiło mu się niedobrze od huśtania, cały czas jednak wołał „Iiii!", jakby się świetnie bawił, choć nie było nikogo, kto by go widział czy słyszał. Czuł w nozdrzach zapach tamtego drzewa i tamtej opony z resztkami wody po ostatnim deszczu, a owo przykre uczucie pustki, bolesnego osamotnienia, przepłynęło przez niego i nasączyło ciasteczka, które, był o tym przekonany, już nigdy nie będą mu smakować.

Zamiast wrócić do Pękniętej Gwiazdy, pojechał dalej, do Osy, w poszukiwaniu tej walki kogutów. Po drodze wstąpił do sklepu spożywczego, gdzie kupił żeberka prosto z rusztu i zabrał to jeszcze parujące, czerwone mięso ze sobą. Osa była tak małą wioszczyną, że poza wiekową, rozpadającą się stacją Esso nie było tam praktycznie nic. Na błotnistym polu, pół mili za stacją, stała hala z ocynkowanej blachy, otoczona popsutymi maszynami i parkującymi wokół pickupami. Niektóre z tych pickupów widywał w pobliżu Poczciwego Psa.

Monstrualnie otyła kobieta, odziana w karmazynowy żakiet i takież spodnie, siedziała na składanym krzesełku przy wejściu. Wzięła od niego dziesięć dolarów, ostemplowała mu dłoń fioletowym kręgiem z napisem „członek". W środku panował półmrok. Blaszany dach pokryto od spodu jakąś grudkowatą plastikową izolacją, w którą wbito tysiące ptasich piór. Na podłodze stały rzędy zwykłych ławek. Siedziało na nich zaledwie około pięćdziesięciu mężczyzn, wielu z nich potężnie zbudowanych, w kombinezonach, ale było też ze dwudziestu niewysokich, smukłych i drobnych Meksykanów oraz Wietnamczyków w T-shirtach i dżinsach. Ci mieli szerokie szczęki i miękko zakończone podbródki, okrągłe jak guziki oczy oraz małe wąsiki, niewiele większe od skrzydeł ćmy. Wszyscy palili. Zapach dymu, piór, rozgrzanego ptactwa i spoconych ludzi był niemal namacalny. Było gorąco i smrodliwie. Usiadł obok ważącego ze sto osiemdziesiąt kilogramów farmera w wymiętoszonej wielokrotnym praniem kraciastej koszuli.

Poniżej znajdowała się prostokątna arena z dwoma mniejszymi, odgrodzonymi siatką wybiegami po obu końcach. Napis na ścianie obwieszczał, że jest to KLUB PRYWATNY. Inny brzmiał co prawda ZAKAZ HAZARDU, ale Bob widział wszędzie dookoła, jak garście pieniędzy przechodzą z rąk do rąk.

– Skąd tu tyle ludzi? – spytał Bob, rozglądając się, jako że Osa leżała w wyjątkowo słabo zaludnionej okolicy.

– Do diabła – odezwał się siedzący obok niego grubas – zewsząd. Dosłownie z e w s z ą d! Dodge City, Garden City, Amaryly, Texhomy, przyjechali nawet z Denver i Lubbock, z Wichity i z Oklahoma City.

Kiedy tak rozmawiali, ludzi jeszcze przybyło; Bob usłyszał też pianie kogutów. Mężczyzna przedstawił się jako Byrd Surby, agent ubezpieczeniowy z Fort Supply, i dodał, że właśnie sam zaczął hodować koguty bojowe.

– W całym kraju to jest popularne, nie tylko w Oklahomie, gdzie rzecz jest legalna, ale też w miejscach, gdzie jest nielegalna. Kalifornia to dla walk kogutów trudny stan. Will Rogers wprowadził ten sport do Hollywood. Sprawy jednak przybrały niepomyślny obrót, kiedy Williamowi Randolphowi Hearstowi, który próbował dziwnych sztuczek, nie pozwolono wziąć udziału w zawodach. Z zemsty udał się do ustawodawców i przepchnął najbardziej surowe w kraju prawo. A to jest Stick Flores – powiedział, wskazując wysokiego mężczyznę z króciutko przyciętymi włosami, o podłużnej, pobrużdżonej woskowej twarzy, z wyblakłymi, sinawymi wargami, szerokimi żółtymi dłońmi o zagiętych, krogulczych paznokciach, który wchodził właśnie do boksu prezentera. Tymczasem na arenie pojawił się jakiś nastolatek i mąką wysypywaną z butelki po keczupie wytyczył na piachu dwie linie startowe.

Rozpoczęła się akcja. Sędzia oraz dwu „treserów", obaj trzymający w rękach piękne ptaki, z których każdy miał krótkie ostrze przywiązane do jednej nogi, wstąpili na plac boju. Jeden z mężczyzn był typem rozlazłym i grubym, w farmerskiej czapeczce modnie odwróconej tyłem do przodu; drugi pod pomarszczoną skórą twarzy miał rozciągnięte, zwiotczałe mięśnie, co razem z obwisłymi jak indycze korale wąsami pozostawało w uderzającym kontraście z olśniewającym kogutem rasy blueface, którego trzymał w dłoniach. Ptak ten, mieniący się barwami orientalnego dywanu, pysznił się dumną, czerwoną główką, opalizująco zielonym ogonem, złocistym karczkiem przechodzącym na grzbiecie w kasztanowoczerwone pióra, ułożone jak wykończony frędzlami szal. Kogut młodego grubasa, rasy brown hennie, wydał się Bobowi mniej atrakcyjny od blueface'a. Mężczyźni uścisnęli sobie dłonie, po czym, nadal trzymając ptaki, zbliżyli je do siebie i pozwolili im, żeby się przez chwilę wzajemnie dziobały.

– To żeby zagotować im krew – oznajmił sąsiad Boba. – Widzi pan, używają swoich rogowych ostróg, nie noży. Są dobrane wagowo.

Następnie właściciele ptaków odsunęli się od siebie, wycofali za wyrysowane mąką linie, pochylili się i postawiwszy swoje ptaki na linii, uwolnili je z uchwytu. Koguty rzuciły się na siebie. Wszystko działo się tak szybko, że Bob niewiele był w stanie zauważyć. Brown hennie skoczył na blueface'a, zadając proste, zdecydowane dźgnięcie. Blueface skrzydłem uderzył henniego w nogę i Bob usłyszał głuchy trzask. Brown hennie, przechylony na jedną stronę, ruszył do przodu, ostroga na jego sprawnej nodze przypominała błyskawicę. Na widownni podniósł się krzyk. Ktoś wrzasnął: „Wykończ go, Malutki!" – i Bob poczuł, że otaczają go prawdziwi brutale. Piękny blueface opadł bezwładnie, jego dziób dotknął ziemi. Kaszlnął, a Bob zobaczył na piasku ciemne plamki. Obaj mężczyźni rzucili się przed siebie, podnieśli swoje ptaki, dmuchnęli im w dzioby, potem ponownie postawili na białych liniach. Hennie zatoczył się, spróbował uderzenia sprawną nogą, ale ogłuszony jeszcze jednym uderzeniem skrzydła, padł na ziemię w drgawkach. Blueface uniósł się z trudem, przeciągnął, i wtedy na czubku jego dzioba ukazała się kropla krwi i ptak padł. Był martwym zwycięzcą. Starszy mężczyzna podniósł swojego koguta za jedną łapę i rzucił go w ciemny kąt z tyłu stodoły. Bez chwili zwłoki pojawiła się ze swoimi ptakami następna para mężczyzn, jednym z nich był Rope Kłąb, nastolatek odświeżył linie z mąki i rozpoczął się nowy pojedynek.

Bob przesiedział tam niemal dwie godziny i obserwował jedną walkę za drugą, dopóki nie rozkichał się od unoszącego się w powietrzu puchu i pierza pomieszanego z papierosowym dymem. Było coś hipnotycznego i jednocześnie przerażającego w tych ptakach, smrodzie i spoconym tłumie. Stopniowo zaczął pojmować, że koguty te reprezentują swoich właścicieli, że najbardziej ordynarny gbur czy prostak, najchudszy Azjata identyfikuje się po części z tymi pięknymi, kształtnymi i niebezpiecznymi ptakami. Rzucił grubasowi do widzenia i przecisnął się do wyjścia. Na parkingu jakiś krępy farmer siusiał na koło samochodu. Podniósł wzrok na Boba.

– Przefiukałem dziewięćset dolców – poskarżył się.
– Przykro mi to słyszeć.
– Nie tak jak mnie. Coś mi się widzi, że moja stara mnie zabije.

Przez całą drogę powrotną do Pękniętej Gwiazdy Bobowi towarzyszyło uczucie, że oto był świadkiem jakiejś mrocznej, krwawej ofiary, starszej niż sama cywilizacja, boju o podtekście erotycznym, zakorzenionego w najgłębszych zakamarkach psychiki panhandle.

22

Ribeye pisze

Bob spędził w panhandle już prawie trzy miesiące. W tym czasie wysłał do pana Klukwy sześć listów, w których opisał kółko krawieckie miejscowych pań, interesujące rozmowy w elewatorze zbożowym i Pod Poczciwym Psem, napisał również długie wyjaśnienie na temat tego, jak to kapryśna pogoda nie pozwoliła mu naciskać na właścicieli, żeby sprzedali swoją ziemię. Zaprezentował nieruchomości, które brał pod uwagę – posiadłość Tatera Kurcza, ranczo Fredy Salonik oraz kilka innych, które, jak sądził, mogłyby wpaść w jego ręce. Nie napisał ani słowa na temat terenów pod luksusowe osiedla. W odpowiedzi otrzymał biuletyn GSW. Pewnego gorącego, pochmurnego, sobotniego poranka, kiedy wybierał się z Jimem Skórą, żeby umieścić silne żarówki na grobie jego ojca, znalazł w swojej skrzynce pocztowej dwa listy od pana Klukwy, obydwa krótkie, sarkastyczne i kąśliwe.

Szanowny Bobie Dolar,
Nie staraj się o kupno żadnych posiadłości. Poświęć natomiast cały czas na to, żeby ludzie mogli zobaczyć, jaki to z ciebie wspaniały gość. Nigdy nie wiadomo... może zdecydują się sprzedać z własnej i nieprzymuszonej woli. Naturalnie, jeśli do tego dojdzie, to prawdopodobnie się okaże, że skorzystają na tym Texas Farms, które mają tam bardzo bystrego agenta. Oczywiście ślij do biura listę nazwisk ludzi, którzy, <u>wedle twojej opinii</u>, poszliby na to. Możesz mi wierzyć, że liczba potencjalnych klientów, którą nam przedstawiłeś, wywarła na nas piorunujące wrażenie. Globalna Skórka Wieprzowa nie posiada się z radości, że ma swojego reprezentanta w osobie tak lubianego gościa jak Ty! Nie zapomnij poinformować biura, jak zdarzy się cud i któraś z tych osób zdecyduje się jednak na sprzedaż. Informuj nas nadal o tym, jak ciężko pracujesz, jaka to u ciebie jest zła pogo-

da. Komentuj wszystko, co ci przyjdzie do głowy, i powiedz nam, co zamierzasz robić w najbliższym tygodniu. Będzie pysznie, dostarczysz nam tym mnóstwo uciechy!

Drugi list był krótszy.

Bobie Dolar,

Więcej biznesu, a mniej listów. Myślałem, że pozbyliśmy się tej grafomańskiej choroby razem z poprzednim facetem. Za pisaninę płacą czasopisma. GSW płaci ci za znalezienie terenu pod budowę świńskich ferm. Może byś tak przycisnął do maty tych zapaśników i dał nam znać, kiedy mamy wysłać tam pracownika z ofertą finansową?

Po tych ciosach Bob pomyślał sobie, że chyba nie powinien odwiedzać grobu ojca Jima Skóry, decyzja ta jednak wymagała wypicia filiżanki kawy oraz zjedzenia pączka, a jedynym miejscem, gdzie można było te rzeczy dostać, był Poczciwy Pies, gdzie natknął się na Jima Skórę, siedzącego przy stoliku z pudełkiem halogenowych żarówek przed nosem. Nie mógł się wycofać, wobec czego kupił torbę pączków i dwie kawy na wynos.

– Weźmy twoje auto – powiedział Jim. – Mój stary pickup jeździ tylko z łaski Jezusa, takie ma już kiepskie opony. I okropnie strzela z rury. *Ehe!*

Jechali na północ; Jim Skóra raczył Boba historią własnego życia oraz przygód ojca...

– ...kiedyś wykorzystał pokrowiec od parasola jako kondom. Bob, wiesz dlaczego cię lubię?

– Nie. – Nie potrafił sobie wyobrazić powodu, dla którego ktoś miałby go lubić.

– Bo jesteś... jesteś... lubię cię, bo jesteś na luzie. Płyniesz sobie po prostu z prądem. A na początku to żem sobie myślał: „Ten facio ćpa".

– Skąd – zaprzeczył Bob, zastanawiając się jednocześnie, czy Jim Skóra przypadkiem sam czegoś nie bierze. Wydawał się taki podkręcony oraz ździebko szalony.

– Ojciec świetnie sobie radził z lassem. Ta historia zdarzyła się kiedyś, w latach pięćdziesiątych, kiedy takich trzech napadło na bank. Tata ciągle jeździł do miasta konno, nie miał wtedy jeszcze żadnego auta... osobowego ani pickupa. Jedzie więc ulicą, o niczym nie myśli, kiedy tamci faceci wybiegają z banku z torbami pieniędzy w rękach. Tata – nawet się chwili nie zastanowił – ruszył za nimi, zakręcił tą swoją ulubioną linką i złapał dwóch naraz w jedną pętlę. Trzeci umknął. Zanim zjawił się szeryf, nie ten, którego teraz mamy, ale jego paskudny tata, ten, co to kucharzył w Hunstville dla skazanych na śmierć, mój tato capnął jedną z tych torbów, schował za pazuchę, a szeryfowi powiedział, że zwiał z nią ten trzeci bandyta. Pierwsze, co zrobił, to sprawił se piękny automobil, wielkiego, białego studebakera. Jasne, że była to maszyna, na jaką by nie oszczędził żaden kowboj, i dlatego szeryf szybko się wszystkiego domyślił. Tata miał to auto ledwie dwa tygodnie, bo potem szeryf je skonfaskował. Zabrał je po prostu, z wielkim uśmiechem na gębie, kazał wymalować na drzwiach dużą gwiazdę, a tatko przeprosił się ze swoim koniem. Za resztę pieniędzy kupił ranczo. W Oklahomie. I tam się osiedlił, tam, gdzie nie mógł go tknąć ten podły, stary szeryf. A mnie kupił teriera, Woody'ego. Tak my go nazwali na cześć Woody'ego Guthriego. Już nie żyje. Zabił go strzelbą taki facet na rowerze. Zastrzelił.

Po przejechaniu pewnego dystansu w kierunku północnym Bob zauważył, że przylegające do siebie panhandle znacznie się różnią.

– Czymu nie? Inne ludzie, inne prawa. Oklahoma jest w pewnym sensie bardziej południowym stanem, Teksas bardziej zachodnim. W Teksasie każden jeden to cwaniak, cwaniacy tylko czekający na okazję. Powiadają, że Oklahomczycy są zapalczywi i nie znoszą nijakiej krytyki, ale jakby mnie kto pytał, to rzekłbym, że to ludziska szczere i bezpośrednie, ale wiedzą, że im się zawsze dostaje to, co najgorsze. *Ehe!* Kiedy ten McVeigh wysadził w powietrze budynek federalny w Oklahoma City, kiwali my tylko głowami i powtarzali: „No tak, zawsze się tak dzieje. Bidna ta nasza Oklahoma". I oczywiście tamten musical też się ludziom nie podobał, dopóki nie zrobili z niego filmu. *Oklahoma.* Ano wtedy im się spodobał.

– Czym zarabiasz na życie, Jim?

– Tym i owym, a głównie muzykowaniem. Gram na gitarze,

piszę piosenki. Jakby tak od jutra zabrakło country, to jak nic bym się zabił. Specjalizuję się w materiałach z Oklahomy. Stworzylimy se grupę, Naprzód Oklahomo. Gramy tu i tam. Trochę w Amaryli. W Guymon, Boise City, Beaver. Słyszy się wiele złego o Oklahomie i takem sobie umyślił, żeby to naprostować.

Po kilku godzinach jazdy, podczas której Bob tylko słuchał, wjechali na szczególnie jałowy, chłostany wiatrem, piaszczysty pas porosły rzadką trawą. Jim Skóra wskazał kciukiem na prawo.

– O to tam, to jest ranczo mojego taty – oznajmił. – *Ehe*!

Bob zwolnił i przyjrzał się. Była to zapewne najbardziej uboga ziemia, jaką w życiu widział, zerodowana, sucha i okrutnie wyeksploatowana. W trawie walały się przywiane wiatrem kartoniki po kurczakach KFC. Martwy wiatrak chylił się ku wschodowi, wyglądał, jakby za chwilę miał paść. Ogromnym wysiłkiem woli zaczął wyobrażać sobie pokrytą gęstą trawą równinę i wędrujące po niej bizony.

– Pracował tu kilka lat. Najsampierw nie było tak źle. Hodowali bydło. Na tamtym pastwisku przez wiele lat miał cielęta, tysiące ich. Potem przyszły te wielkie susze, to i nie dziwota, że ludzie nie zdzierżyli.

– Do kogo ono teraz należy? – spytał Bob, spodziewając się odpowiedzi, że ranczo stanowi fragment całego systemu Prerii Narodowej, w ramach owej rządowej akcji, mającej na celu uratowanie resztek tych wyniszczonych erozją ziem, poprzez odbieranie ich niegospodarnym właścicielom.

– No, przecie, że do mnie – odparł Jim Skóra. – Umyśliłem se go sprzedać, ale nie ma kupca. Jest dość nędzne i widzi mi się, że się już go nie pozbędę. Ani tu co uprawiać, ani co hodować. Nie, szanowny panie, ta ziemia jest już do cała sfatygowana. Ale kiedyś, szmat czasu temu, to było prawdziwe ranczo. I był tutej kawałek tego płotu, który pociągnęli przez panhandle Oklahomy, żeby powstrzymać krowy od przechodzenia do Teksasu. Ale wciąż były to czasy otwartych pastwisk. Nie wiem, do kogo wtenczas należało. Najpewniej do 101.

Bobowi przyszło coś do głowy.

– Byłoby odpowiednie na świńską fermę – rzucił obojętnym tonem.

– No tak, niby racja, tyle że żaden z tych gości od wieprz-ków nigdy do mnie nie zagadał. A bym się tego pozbył... bieda z nim tylko. Co z tego, kiedy choć tyle się o tych facetach słyszy, to przecie są jacyś tacy nieśmiali, nie jadają obiadów w Bume-lii i nijakiego pojęcia nie mam, gdzie miałbym ich znaleźć.

Bob otworzył usta, zamknął je, ponownie otworzył.

– Nie ma na nim żadnych obciążeń?

Jim Skóra rzucił mu przenikliwe spojrzenie i przez chwilkę milczał.

– Cóż, połowę udziałów ma As z Kowbojskiej Róży. To ten od wiatraków. Jest moim wujem, tak jakby. Spokrewnieni my są z obu stron. Po prawdzie to As ma sporo do gadania, jak się rozchodzi o to stare ranczo. Bo to on płaci podatki. – Ponownie machnął ręką w kierunku swojej ziemi. Po chwili kontynu-ował: – Nie są my tej samej krwi. On pożenił się z przyjaciół-ką siostry mojego taty... z Vollie Eckenstein. Jest też bratem Tatera Kurcza, właściciela Płomykówki. Po prawie to połowa Płomykówki powinna należeć do Asa, ale stary zapisał całość Taterowi. Wedle mnie, to ani chybi z powodu tej niesprawie-dliwości mój tata zostawił połowę swojego rancza Asowi. Oni zawsze byli dobrzy przyjaciele.

Bob doświadczył nagle uczucia, że świat się zdecydowanie skurczył. Podczas tej całej rozmowy obserwował rozkołysaną krawędź chmury; prężna masa zdawała się wciągać w swój ogromny tors wszystkie pozostałe chmury. Przypomniało mu to Timmy'ego Potelle'a, popisującego się pod prysznicem po lekcji wuefu, napinającego mięśnie w różnych pozach, gdy tymczasem kilku cherlawych nieszczęśników obserwowało go spod oka.

– Ano to właśnie on – oznajmił Jim Skóra, dźgając kciu-kiem w lewo.

Przejechali pod drewnianą arkadą z uplecionym z gałązek napisem „Cmentarz w Bójce", a potem wspięli się na niewiel-kie wzniesienie, ku ogrodzonej kolczastym drutem cmentar-nej parceli.

– No i jesteśmy na miejscu – oznajmił Jim – na cmentarzu. Jego grób jest chyba tam w rogu. Wysiądnijmy i zasuwajmy na piechotę. – Idąc, nieustannie pokasływał. – Każdej nocy duchy polatują stąd jak chmura nietoperzy – oświadczył.

Z przodu cmentarza, zwrócone ku wschodowi, ciągnęły się równe rzędy grobów, każdy z kamiennym obramowaniem, każdy posypany drobnym żwirem. W tylnej części mogił było mniej, niektóre z nich to zaledwie kopczyki nagiej ziemi, udekorowane plastikowymi paprociami i kwiatami, ułomkami kamienia, tu zepsutym akordeonem, gdzie indziej latarką.

Przy samej ścieżce Bob zauważył grób pani Venus Hogg, z kamiennym nagrobkiem w kształcie staromodnego telefonu z owalną podstawą i nieco złowieszczą inskrypcją: „Jezus wezwał..."

Minęli zdewastowaną, otwartą kaplicę; ze starych, narażonych na działanie zmiennej pogody ławek sterczały drzazgi. Zbliżała się ku nim pofalowana i strzępiasta kurtyna deszczu. Zgodnie z prawem przypadku w momencie, w którym znaleźli grób ojca Jima Skóry, spadły na nich pierwsze krople i ogarnął ich teksaski mrok. Grób znajdował się z tyłu, tuż przy ogrodzeniu z drutu kolczastego. U podstawy nagrobka rosła kępa roślin, ze względu na dziwaczny kształt liści zwana widłorogiem.

Jim kopniakiem pozbył się starych żarówek i wbił w mokrą ziemię te nowe halogeny, po czym obaj ruszyli biegiem do saturna. Pewien napis przyciągnął jednak oko Boba, który odwrócił się, żeby go odczytać:

Tutej spoczywa Fanny Walter Morris,
Młody Kowboj
Urodzony w Rockhard, stan Main, 1904
Zmarł w Bumelii, stan Teksas, 17 list. 1920

Wyglądało na to, że Ubłocony Fan miał więcej grobów, niż potrzebował. Odjeżdżali, uciekając przed nadciągającą burzą; napęczniałe chmury przypominały potężne, wypięte pośladki w białej bieliźnie.

– A na trumnę tatko miał specjalność myśliwego – oznajmił Jim. – Z maskującym wiekiem i materiałem wyściełającym też w kamuflażowy wzorek. Ubrany był w swoją maskującą kurtkę i czapkę. W ogóle pochówek miał niczego sobie, żeby nie te tycie żarówki.

23

Nadziany Orlando

Minęło kilka dni, nim strumień opadł na tyle, żeby dało się przejechać. Bob miał wrażenie, jakby po długiej nieobecności wracał do domu. Zasiadł na ganku z butelką wódki i czytał o spotkaniu porucznika Aberta z burzą, zadziwiająco podobną do tej, której doświadczył Bob. Burza opisywana przez porucznika pokryła ziemię grubą na półtora cala warstwą gradu, który wcisnął się między źdźbła traw, tworząc mrowie małych zapór, aż preria pogrążyła się w wodzie po kostki. Abert wykonał szkic owej wyjątkowej scenerii. Dodał jednak do niego podszyty irytacją komentarz: „Sądząc po wrażeniu, jakie ten surowy szkic zrobił na niewykształconym Indianie, dla postronnego obserwatora widok ten mógłby być wręcz zabawny".

Dni mijały, a Bobowi towarzyszyło stałe napięcie, wiedział bowiem, że czas doprowadzić do jakiejś transakcji. Kręcił się i rzucał nocami na łóżku, nie potrafił się skoncentrować na uwagach porucznika Aberta dotyczących poszarpanych skał oraz piesków preriowych, ponieważ nieustannie w jego głowie rozbrzmiewało zdanie: „Znajdź jakąś posiadłość, znajdź jakąś posiadłość". Chciał przyprzeć do muru Tatera Kurcza, jako że tam i tak już w powietrzu czuć było świński odór. Ranczo Saloników było zbyt piękne na fermę; prawdę mówiąc, była to nieruchomość idealna na luksusowe rezydencje. Pomyślał nawet przez moment, żeby skontaktować się z developerem z Denver, potem jednak wyobraził sobie, jak wyjaśnia, że ta posiadłość leży na terenie teksaskiego panhandle i że właściciel żąda za nią dziewięć milionów. A przecież, gdyby tak w przyszłym tygodniu pojechał do Denver, mógłby pogadać z gośćmi od nieruchomości o ranczu Saloników. Jeśli jednak chodziło o świńską fermę, to jego prawdziwym celem był Tater Kurcz. A po nim Jim Skóra i jego tak zwany wuj, As Kurcz. Ciekawe, jakby zareagował ten Ribeye, gdyby wniósł mu jednocześnie dwie posiadłości?

Automat telefoniczny Pod Poczciwym Psem nadal wisiał na ścianie, wobec czego Bob zadzwonił do Tatera Kurcza i spytał, czy może przyjechać do niego następnego ranka, żeby pogadać.

– Taa, możesz przyjechać, ale nie widzi mi się, żebym rzekł ci cosik o tych zaprzągach do furgonów. Możebnie na górce w stajni mamy jeszcze jakąś uprząż dla mułów. Możesz się tam rozpatrzyć.

– Chętnie bym ją zobaczył, ale prawdę mówiąc, chciałbym porozmawiać o czymś zupełnie innym.

– O czym?

– Cóż, najlepiej, jak przyjadę jutro i wyjaśnię rzecz osobiście.

– Rozumiem. – Nagle w głosie starego wyczuł nutkę przebiegłości.

Bob Dolar zjadł dwie miseczki ugotowanej przez Cya zupy z kukurydzy i chili, do której powrzucał sobie kawałki chleba z masłem. Pojechał z powrotem do Pękniętej Gwiazdy i zatrzymał się przy domu, żeby wziąć wodę. LaVon siedziała przy kuchennym stole, ogryzając rozmrożone i podgrzane kurze skrzydełka.

– Szkoda, że nie przywiozłem ci zupy od Cya – zmartwił się.

– A co to było... rosołek z puszki z wielkimi kawałami selera? – zadrwiła.

– Bynajmniej. On takich rzeczy nie robi. Kukurydza z chili, cebulką i kolendrą, i śmietanką oraz mnóstwem chleba własnego wypieku. Naprawdę dobra. Świetnie gotuje.

– Ano, brzmi nieźle. Nie widzi mi się jednak, cobym tam poszła. Powiadają, że pot kapie mu z nosa do wszystkiego, co pichci. Wolę nie. – Cisnęła wysuszone skrzydełko na talerz. – Za duszno na jedzenie. Co mi przypomina, że szukał cię jakiś facet. Powiedziałam mu, że pewnikiem wrócisz przed zmrokiem. Powiedział, że przyjedzie, jak nie dzisiej wieczorem, to jutro. Jeździ takim szykownym autem. Porsche.

– Kto to był? – Nie bardzo mógł wymyślić, kto oprócz szeryfa mógłby go szukać, ale ten na pewno nie jeździ porschem, a poza tym LaVon znała szeryfa Miazgę.

– Nie przedstawił się.

– A jak wyglądał? – Może to Orlando. Poczuł gwałtowny przybłysk nadziei.

– Ogromniasty, umięśniony facet, pokryty tatuażem i obwieszony pierścieniami. Jasne włosy. Groźny wygląd.

„Umięśniony" nie pasowało mu do Orlanda.

– Gruby? Czy był gruby?

– Ani odrobiny tłuszczu. Wyglądał jak jaki Charles Atlas.

– A kto to taki?

– Nieważne. Gość wyglądał jak ci zapaśnicy z telewizora i powiedział, że wróci z powrotem wieczorem albo jutro rano.

– Szkoda. Rano wyjeżdżam. Jadę do pana Kurcza.

LaVon uniosła się na krześle.

– Nie powiesz mi chyba, że Tater zamiaruje pozbyć się Płomykówki!

– Tylko tak sobie rozmawiamy. Jeśli ten człowiek jutro się zjawi, powiedz, żeby zostawił mi liścik.

Tego wieczoru obcy nie pojawił się, a następnego ranka Bob Dolar wyruszył do Płomykówki Tatera Kurcza.

Brązowe, metaliczne światło barwiło pastwisko, zupełnie jakby światło słoneczne przechodziło przez ogromną soczewkę. Zbite chmury połyskiwały czerwienią. Było gorąco i duszno, powietrza nie poruszał nawet najmniejszy powiew. Kiedy po klekoczących deskach przejeżdżał przez należący do rancza mostek, dotarł do niego zapach z odległej o milę świńskiej fermy przy Coppedge Road, zapach na tyle mocny, by wycisnąć mu z oczu łzy. W pewnym sensie polepszyło to jego samopoczucie; Płomykówka już podupadła, nie zaszkodzi jej dodatkowe pięćdziesiąt tysięcy świń. Taterowi Kurczowi lepiej by się powodziło w mieście, blisko uroków aukcji bydlęcej, magazynu z paszą i naturalnie Poczciwego Psa, gdzie spotykałby się ze swoimi znajomkami.

Pukał zatem do drzwi z miłym uczuciem, że nie tylko trans-

akcję ma już w kieszeni, ale że spełnia dobry uczynek, bo przecież powie Taterowi, że smród z pobliskiej świńskiej fermy nie
pozostawia mu żadnego wyboru, a potem wskaże na zalety
Bumelii, jakiekolwiek by one były.

Drzwi otworzyła gospodyni; szarpnęła nimi tak energicznie, że podmuch powietrza wessał przód koszuli Boba. Obrzuciła go spojrzeniem pełnym takiej wrogości, że aż się cofnął,
zaczepiając obcasem o wystający z deski gwóźdź.

– Jest tam – warknęła, łokciem wskazując ten szpetny salon.

Ledwie przekroczył próg, zatrzasnęła z hukiem drzwi i ru-
szyła w kierunku kuchni.

Tater Kurcz obrócił powoli wózek na kółkach i uśmiechnął
się do Boba. Na fotelach i stołach, na podłodze salonu, sięgając aż do przedpokoju, walała się cała masa zakurzonych skórzanych pasów, linek i sprzączek. Stara skóra była sztywna;
pozbawiona elastyczności skręcała się niczym węże z Grupy
Laokoona.

– Ano, panie Miedziak, będziesz pan ani chybi kontent. Wy-
słałem Louise na te górkę w stajni, coby poszukała te mułową
uprząż mojego dziadka. Nie znalazła i wtenczas sobie pomyślałem, że pewnikiem będzie na tym niziutkim poddaszu nad
siodlarnią, no i proszę, jak raz była. Próbowali my ją tutej
rozłożyć, tak jakby była użyta. A teraz trza tylko se wyobrazić, że ma się tutej zaprząg złożony z dziesięciu mułów.

Nic dziwnego, pomyślał Bob, że gospodyni patrzyła na niego z taką odrazą, skoro musiała spędzić ten upalny ranek na
kolanach, w ciasnej przestrzeni, wyciągając stamtąd sztywną
i brudną stuletnią uprząż dla mułów. Udawał zatem zainteresowanie tą plątaniną, odskoczył jednak gwałtownie, kiedy spod
jakiejś zapinki wylazł zwinny pająk i pobiegł po brązowym
dywanie, aż zniknął pod półkami, na których stały figurki
koni. Na próżno próbował zmienić temat z mulich zaprzęgów
i mulich uprzęży na rancza, świńskie fermy oraz na rozkosze
Bumelii, jako że Tater Kurcz bujał myślami w minionych latach i nic nie było w stanie sprowadzić go do teraźniejszości.
Bobowi udawało się co najwyżej odciągnąć go od mułów do
koni, a od koni do pana Skiereta, tego, który tak nienawidził
kolczastego drutu.

– Oczywista, to było na długo przed moim czasem – oznajmił Tater Kurcz – ale my wszyscy zwyczajni byli tych opowieści. Całego ich mnóstwa. Abner Skieret i Blowy Gdak. Słyszałeś kiedyś te o Blowym Gdaku i o gwizdku lokomotywy?

– Nie – odparł zrozpaczony Bob, zastanawiając się nerwowo, jak by tu skierować rozmowę na inne tory.

– To znana historia. Blowy miał te klacz, Starą Żyletę, która żadną miarą nie znosiła pociągów. Robiła się wyrywna i niespokojna, kiedy się znalazła w pobliżu któregoś. Po prawdzie, to ona ich nienawidziła. Konie wtenczas nie lubiały pociągów, tyle że większość nie szalała i nie dostawała pomieszania, kiedy jakiś zagwizdał na horyzoncie. A Stara Żyleta musowo. I tak jednego razu Blowy jechał sobie przez prerię, hen, hen, daleko od wszystkiego. Był tam do cała samiuśki, a wiesz pan, panie Miedziak, jak tu Teksas potrafi się ciągnąć, więc nie ma tam akuratnie nic, jeno to hen daleko. No i naszemu Blowy'emu znudziło się ździebko, że nie ma tam nic, tylko trawa i niebo, i te końskie uszy, umyślił więc sobie, że się trochę zabawi. Ano naśladuje gwizd lokomotywy, dochodzący z daleka, iiiii-iiii. Koń cały sztywnieje. Pewnikiem wszystko by było w porządku, gdyby Blowy na tym skończył, ale nie, on musowo gwiżdże znowu, jakby pociąg się zbliżał z szybkością czterdziestu mil na godzinę. No i patrz pan, to wystarczyło. Stara Żyleta wpierw skacze na piętnaście stóp w górę, a potem wali się grzbietem na ziemię, zrzucając te lokomotywę, i nawet nie czeka, żeby sprawdzić, ile w tamtej jest jeszcze pary. Wraca na ranczo cała złachana i spieniona i wszyscy myślą sobie, że Blowy leży gdzieś na prerii martwy albo co jeszcze gorszego. Kilka kowboi jedzie szukać ciała i widzą te lokomotywę, jak sapiąc i dysząc ciągnie do przodu na dwóch odparzonych kołach i klnie i wyrzeka jak nikt przedtem w Teksasie. „Do wszystkich diabłów, wcalem się nie spodziewał, że mnie w taki sposób odstawią na bocznicę", donderuje.

A jak się rozchodzi o tamte furgony, to wiedziałem, że jesteś ich ciekaw, więc zadzwoniłem do starego kumpla, Almonda Yuty, co to pracuje w Muzeum Panhandle w Canyon. On wiela się zna na takich krytych wozach. Kolekcjonuje to cholerstwo.

Paradne, ale rzekł mi, że nigdzie nie ma ni jednego zachowanego w całości furgonu z dawnych lat. Powiedziałem mu, że był taki studebaker w Guymon, ale burknął, że to tylko kawałki drewna i trochę osprzętu, i koło czy dwa złożone do kupy, ale że całych oryginalnych wozów już nigdzie nie uświadczy. Ni jeden nie ocalał, a przecie były ich tysiące, dosłownie tysiące przemierzały ten tutej kraj. Jak raz te wozy stworzyły Stany Zjednoczone. Russell, Majors i Waddell to były wielkie firmy – szesnaście tysięcy par wołów, tysiąc pięćset pracowników – woźnice od zaprzągów wołów, mułów i stacje końcowe w St Louis i w Nebraska City, i gdzie bądź jeszcze. To był wtedy wielki interes. Potem rozkręcili pocztę końską, dobry pomysł, ale to był koniec. Wykończył ich na amen. Przetrwała ledwie półtora roku, bo potem zaczął działać telegraf i nikt już nie miał potrzeby wysyłać jeźdźca z listem za pięć dolarów od znaczka. Tak, te kryte wozy zbudowały ten kraj od morza do morza.

– Zanim pojawiła się kolej – wtrącił Bob, przypominając sobie wykład LaVon.

– Ano. Przed koleją. Poniektóre muzea mają jedną czy dwie conestogi, mają amerykany i dearborny, i rockawaye, i jerseye, ale takich furgonów jak na tym zdjęciu, co mi pokazałeś, nie mają. Może jest jeden w Utah, ale w bardzo kiepskim stanie. W większości to tylko kawałki i jakieś tam części.

On powiada – ciągnął – że te dodatkowe furgony z tyłu to były przyczepy. Tak je zwali, przyczepy. Co teraz byśmy nazwali „ciężarówka z przyczepą". Powiedział, że jakby jaka znalazła się gdzieś w stodole u farmera czy na jakimś ranczu, to żeby dać mu znać. Ale dobiła je kolej. Weszła kolej, znikły zaprzągi mułów i towarowe wozy. Ludziska zwyczajnie zostawiali je na prerii, żeby tam się rozpadły. Palili nimi w ogniskach. Nikt nie wyjrzał przez okno na stary furgon i nie rzekł: „Na Boga, widzi mi się, że to przyniesie moim wnukom nielichy zysk", nikt nie odstawił go w bezpieczne miejsce. Więc Almond powiada, że jeśli kiedykolwiek natkniesz się na jeden z nich – powiedziałem, że jesteś ciekaw zaprzągów mułów i furgonów – to musowo do niego zadzwoń, bo na pewno słono za coś takiego zapłacą. Chyba że właściciel zechce przekazać to w darze jako część historii Teksasu.

W tym momencie Bob zaczął postrzegać siebie jako kogoś, kto wymyka się z tamtego świńskiego interesu i tego z luksusowymi rezydencjami, a staje się poszukiwaczem ładownych furgonów, znalazcą starych pojazdów, maszyn rolniczych i narzędzi. Kto bowiem może wiedzieć, co będzie cenne za pół wieku czy sto lat później? Czy w taki właśnie sposób działał jego wuj oraz Bromo, stawiając na przyszłą wartość obiektów? Któż mógł się tego domyślić? Poganiacze zaprzęgów mułów oraz woźnice tych bezpretensjonalnych a pożytecznych furgonów pękaliby ze śmiechu.

— No cóż, przynajmniej mamy zdjęcia.

— Nie tak wiele. Bo niby kto przy zdrowych zmysłach robiłby zdjęcia wozom?

— Woźnica dumny ze swojego zaprzęgu?

— Oczywista. Ci woźnice mieli dość pieniędzy, żeby se cykać fotografie swoich mułów. Pewnikiem nosili je potem na sercu.

— A tak w ogóle, to ile takie wozy mogły udźwignąć? — spytał Bob, próbując odciągnąć starszego pana od sarkastycznego nastroju, z nadzieją, że uda mu się odwieść go od dalszej rozmowy o krytych wozach i skierować na temat sprzedaży ziemi.

— Wychodzi na to, że wóz Santa Fe mógł wieźć około sześć i pół tysiąca funtów. Można było kupić używany wóz i zaprząg złożony z sześciu mułów za około osiemset dolarów. Wyobraź sobie, ile by to było teraz. Zwali je wozami Santa Fe, bo zawsze wyruszały z Kansas City i z Westport do Santa Fe. Tam to dopiero odchodził handel. Almond powiada, że większość tych wozów robiono w Filadelfii. Tam, na Wschodzie, mieli te twarde gatunki drewna niezbędne do ich produkcji — robinie i więzy, jesiony i topole i co bądź. I wszelakie specjalne maszyny. Tokarki i strugarki.

Starzec spojrzał na zegar i skinął głową.

— Czas na przedpołudniową drzemkę. Dziękuję za wizytę, panie Miedziak, i mam nadzieję, że odpowiedziałem na wszystkie pytania o zaprzągi mułów. Teraz się już położę. — I nieco tylko powłócząc nogami, pomaszerował energicznie w kierunku korytarza, zostawiając Boba siedzącego na białym, plastikowym krzesełku.

Weszła gospodyni, stanęła w milczeniu, czekając, aż pójdzie za nią do drzwi. Nie miał innego wyboru, jak tylko odejść.

– Przykro mi – odezwał się. – Przykro mi, że musiała pani... – ale ta zatrzasnęła drzwi i Bob został sam w smrodzie poranka.

Kiedy zbliżał się do szosy, musiał zjechać maksymalnie na prawą stronę, żeby ustąpić miejsca wielkiemu, zielonemu autu terenowemu, skręcającemu w kierunku bramy Płomykówki. Przemknęło obok niego, obsypując saturna piaskiem i żwirem. Jedynie przez króciutki moment widział kierowcę, blondynkę z gniewną miną, w dużych ciemnych okularach, tak niską, że jej głowa ledwie wystawała ponad kierownicę; dojrzał też jej poruszające się wargi, miotające, jak sądził, jakieś obelgi. Uważał, że jej złość jest niczym nie usprawiedliwiona, zerknął w lusterko wsteczne i zobaczył nad bramą napis, którego odbicia nie był w stanie odczytać. Zahamował, opuścił szybę i wystawiwszy głowę, spojrzał do tyłu: TYLKO WJAZD. Dopiero teraz przypomniało mu się, że poprzednio, z LaVon, wyjeżdżał stąd zupełnie inną drogą.

Kiedy zbliżył się do Pękniętej Gwiazdy, zobaczył srebrzyste porsche z tablicami rejestracyjnymi stanu Kolorado, zaparkowane przed domem LaVon. Ledwie kobieta usłyszała jego saturna, wybiegła na werandę i gestem nakazała mu opuścić szybę.

– Znowu przyjechał ten człowiek. Jest w baraku.

Bob pomachał jej ręką i pojechał dalej.

Już z daleka widział na ganku jakąś rosłą postać, potężnego mężczyznę, zbyt szerokiego w barach, by mógł przejść przez te wąskie drzwi, chyba że bokiem. Bob zaparkował, wysiadł i popatrzył na stojącego na ganku kolosa. Było w nim coś znajomego.

– Bob! – Basowy głos wydobył się z głębin szerokiej szyi tamtego. Stwór wyciągnął przed siebie monstrualną dłoń. Cały aż pęczniał od mięśni. Miał na sobie koszulę ze sztucznego jedwabiu z krótkimi rękawkami, ręcznie malowaną, ukazującą wnętrze baru z siedzącą przy kontuarze i pijącą martini blondynką o bardzo opływowych kształtach. Rękawki z trudem mieściły wielkie bicepsy.

– Orlando? Orlando! W życiu bym cię nie poznał...

Klepali się po plecach i zaśmiewali.

– Podnosiłem ciężary. Więzienie to idealne miejsce do pakowania, do wszelkich ćwiczeń, do dostarczania organizmowi węglowodanów. To cholerne pudło wygląda jak kraina konkursów na Mistera Ameryki. A po wyjściu zastosowałem sterydy. Słuchaj, jestem w drodze do Austin. Mam tam wspólnika, ale chciałem cię zobaczyć. Dostałem adres od twojego wuja. Starutko wygląda.

– To porsche... jest twoje?

– A jasne, Bob. Mam jeszcze jedno takie, tyle że czerwone. Patrzysz na bardzo zamożnego sukinkota.

– Ale jak? Kiedy wyszedłeś? To znaczy... czyżbym czegoś tutaj nie chwytał?

– W kiciu grałem na giełdzie za pośrednictwem swojego taty. Akcje firm najnowszej technologii. Sprzedaliśmy je, kiedy wszystko zwyżkowało, tuż przed tamtym krachem. Szczęśliwy traf. A potem, tam, w pierdlu, była nas taka grupka, co to lubiła robić różne niemądre rzeczy, no i nagraliśmy tą cudaczną płytę kompaktową, którą sprzedaliśmy poprzez mojego tatę do Internetu. Wypadła świetnie. Teraz każda korporacja studencka musi mieć coś w tym stylu.

– Co, śpiewaliście studenckie piosenki?

Kolos zarżał.

– Skąd. To się nazywa *Hity rocka pierdzioka na żywo z więzienia* i właśnie takie jest. W kryminale człowiek odkrywa zaskakujące właściwości swojego ciała, no i niektórzy z nas zauważyli różnice w wysokości tonu pierdzenia. Jeden z facetów był prawdziwą gwiazdą. Nie było rzeczy, których nie potrafiłby sprokurować – od basso profundo do koloratury, gwizdy i trele, tremolanda. Prawdziwy Louis Armstrong tyłka. Potem już było łatwo. Nagrałem próbki – miałem ze sobą to małe cyfrowe cacko, co to wygląda jak zegarek na rękę – i kiedy wyszedłem, połączyłem je wszystkie w numery. Ludzie za tym przepadają. Mamy na płycie *Więzienny rock* i *Wolnego ptaka*, a *Schody do nieba* trwają aż osiem minut i są super. Mnóstwo roboty w studio, ale warto było. Nie, żebyśmy zebrali się wszyscy razem w jakimś Kaplicznym Chórze Pierdzieli... nie, to technologia całą rzecz umożliwiła. Potem też miałem kilka hitów, nie z pierdzeniem, ale w podobnym stylu.

Bob nie miał ochoty zapoznawać się z naturą tych następnych, przynoszących sukcesy numerów. Był sobie w stanie wyobrazić sekwencje chrząknięć i splunięć, i śliskich mlaśnięć prezentowanych w formie melodii oraz uciechę, jaką podobne interpretacje mogły wywoływać w kołach akademickich korporacji.

– A co z komputerami? Myślałem, że to nimi chcesz się zajmować.

– Ach, do diabła, nie mam na to dość oleju w głowie. Te dobre czasy skończyły się w latach siedemdziesiątych razem z Kapitanem Crunchem i z Phone Phreaks*. Teraz jest całkiem inaczej. Od tamtego krachu. Teraz skupiam się na kompaktach.

– Chyba znajdzie się też na to rynek w różnych klubach rotariańskich i u weteranów wojennych? – spytał Bob. – U strażaków i u pracowników wież wiertniczych, i u tych gości z Gwardii Narodowej? A co z wojskowymi?

– Stary! Co za wspaniały pomysł. Nawet o tych facetach nie pomyślałem. Bob, posłuchaj, może do mnie dołączysz... będziesz naszym szefem sprzedaży. Mam w Austin wspólnika – kumpla spod celi, Smoko – ale dla ciebie miejsce się znajdzie. Masz świetne pomysły. Chcemy zmiksować ten materiał z pierdzeniem na Dolby 5.1, tak żeby dało się to odtwarzać na domowych systemach DVD, z obrazem. Możemy zgarnąć niezły szmal. Ale zebranie forsy na konsolę... cholera, ona jest naprawdę droga. – Popatrzył krytycznym okiem na zabłoconego i zakurzonego saturna. – Mógłbyś sobie kupić lexusa czy coś takiego. Co ty na to?

Bob nie chciał odmawiać staremu przyjacielowi w dziesięć zaledwie minut po ponownym spotkaniu, ale sprzedawanie weteranom czy rotarianom płyt z pierdzeniem wydawało mu się wstrętne. Pomyślał, że kłopoty Orlanda z zebraniem pie-

---

* Pierwszy i najsłynniejszy Phone Phreak (hacker korzystający za darmo z telefonów); Cap'n Crunch było jego pseudonimem wziętym z nazwy płatków śniadaniowych, do których w promocji dołączany był gwizdek, który, jak się okazało, przypadkowo wytwarzał częstotliwość pozwalającą dokonywać darmowych połączeń telefonicznych w sieci AT&T.

niędzy na konsolę są niczym w porównaniu z próbą nagrania nadającego się do oglądania wideo opartego na pierdzonej muzyce.

– Muszę się nad tym zastanowić – powiedział. – Mam niezłą pracę.

– Co? Czym jest ta twoja „niezła praca", Bob, skoro mieszkasz w tej dziurze w teksaskim panhandle? Daj spokój, człowieku, przecież to wygląda jak sceneria z *Teksaskiej masakry piłą mechaniczną*. Pamiętasz tamtą dziewczynę w szortach? I ten hak na mięso? – Lekceważącym spojrzeniem ogarnął drewnianą chatę, saturna, krajobraz, należące do Pękniętej Gwiazdy konie, chwasty w rowie, grzebiące w liściach indyki, zachmurzone niebo. – Posłuchaj, Bob, byłem w więzieniu i odniosłem sukces. Ty byłeś w szerokim świecie i czym się możesz wykazać?

Bob milczał. Nie sądził, by potrafił wytłumaczyć Orlandowi wszystko, co dotyczyło Globalnej Skórki Wieprzowej oraz konieczności wypełnienia czegoś, co powiedział, że wypełni, nieważne, jak by mu to było nienawistne.

– A niech tam, chodźmy gdzieś, zjeść coś z grilla i upić się.

– W tym celu będziemy musieli pojechać do Guymon w Oklahomie albo do Woodward czy do Amarillo. W hrabstwie Bumelii obowiązuje prohibicja i nie ma tu barów z alkoholem.

Na twarzy Orlanda odmalowało się szczere niedowierzanie.

24

Nocny wypad Violet

Ostatecznie, po długiej i bezowocnej jeździe do Woodward, wylądowali w Amarillo. W pobliżu Fort Supply reflektory oświetliły znak: AUTOSTOPOWICZE MOGĄ BYĆ ZBIEGŁYMI WIĘŹNIAMI. Skręcili na zachód, z rykiem pognali przez oklahomskie panhandle do Boise City, a potem przez Stratford i Cactus, gdzie zaplątali się w powolną, bardzo powolną paradę low-riderów. Orlando w kółko puszczał *Doskonały dzień na pogoń za tornadami* Jima White'a. Kiedy wreszcie dotarli do Amarillo, było po jedenastej, a Bob miał już mocno odciśnięty w pamięci następujący wers: „...czasami czuję się cholernie osaczony przez wszystko, co wiem".

Orlando nawijał przez calutką drogę; opowiadał o zbieraniu fanzinów przez Smoko, kolegę z celi.

– Miał ich z pięćdziesiąt czy sześćdziesiąt. Bo kapujesz, on też był zapudłowany za hakerstwo. Dostał jakoś stos fanzinów... nie „2600", tego by mu nie pozwolili zatrzymać, ale „Zmywarkę do naczyń", „Walnij kreta", „Świra", „Potykacza" i „Kanzaskiego Billa". Ten był najlepszy, ten „Kanzaski Bill". To taki jakby komiks, pokazujący, jak ten religijny wyrostek z farmy usiłuje pokonać naukę. Smoko zawsze czytał to najpierw, no i trochę psuł zabawę, opowiadając, o czym rzecz. Mówił na przykład: „Tym razem Bill ma prawdziwy problem. Został uwięziony w jaskini przez gang geologów, którzy chcą odebrać jego ojcu farmę. A ten tatko też nieźle się posunął. Nie chodzi już nawet na środowe, wieczorne modlitwy. No dalej, Bill", powtarzał. A ja musiałem dawać mu papierosy, żeby pozwolił mi przeczytać. Rysunki też były dobre. Bill to odrażający facio z początkami łysiny. Ubrany w roboczy kombinezon. Poczciwy Smoko. Ciekawe, co teraz porabia. Wyszedł miesiąc przede mną. Robił te swoje sztuczki, wiesz? Każdy ma jakiś talent fizyczny, chociażby taki jak to pierdzenie, który człowiek zazwyczaj odkrywa jako dzieciak, kiedy porusza uszami czy gwiżdże przez zęby, czy skręca się w pętelkę. Smoko potrafił przerobić odrobinę śliny na pianę, wyglądał wtedy, jakby miał wściekliznę. I robił to, kiedy ktoś chciał go dopaść. Pienił się wtedy i w ten sposób ratował przed mantem. Bo facet widział tą pianę i pytał: „Co z tobą?", a Smoko bulgotał przez tą pianę: „Taka tam choroba" i facet bardzo się wtedy wkurzał i mówił: „Odsuń się ode mnie, łachu".

– Droga numer 40 przecina Teksas u samej góry stanu – oznajmił Orlando uroczystym tonem. – A gdzie są kierowcy, tam są lokale – dodał, kiedy już wjeżdżali do Amarillo. Zanim wyruszyli, przebrał się w obcisły, czarny T-shirt z napisem: „Gdybym rozdawał gówno, byłbyś pierwszym obdarowanym".

– O, tam jest jeden – rzucił nagle, wskazując na niski budynek z pustaków, z czerwonymi drzwiami. – Wiedziałem. Trzeba było od razu jechać do Amarillo.

Neon rzucał czerwone światło na stojącego w wejściu mężczyznę, barwiąc na diabelski szkarłat dym z jego papierosa. KNAJPA TEXA, oznajmiał mrugający napis, ZAPRASZAMY. Bob postawił samochód na parkingu pomiędzy kilkunastoma pickupami w różnych stadiach rozkładu. Szli do czerwonych drzwi, przeskakując przez liczne kałuże na pokrytej żużlem nawierzchni.

– Musiało tutaj padać – powiedział Bob.

– Przez tą można by przepłynąć kajakiem – zauważył Orlando, obchodząc ogromną, brązową kałużę, na której obrzeżach połyskiwało tłusto błoto.

Zanim dotarli do wejścia, usłyszeli muzykę, głośną i dobitną, a także tubalny męski głos. Rytm bębna był powolny i wyrazisty. Otworzyli drzwi i weszli do wnętrza.

– Jezu! – zawołał Orlando, przekrzykując muzykę. – Zupełnie jak *Nocny wypad Violet*. Pamiętasz ten film? Pamiętasz Violet, tą dupiastą blondynkę, co to dostaje karton z kwiaciarni, otwiera go, a w środku jest wiązanka nawłoci? Kwiaty są od jakiegoś nieznajomego faceta? Na karteczce jest adres jakiegoś klubu i facet pisze, że jeśli ona przyjdzie, to przez całą noc będzie dostawać drinki za darmo? I ona tam idzie? I ten facet z wysadzanym brylantami paskiem przynosi jej drinka? I mówi, że to on wysłał kwiaty? I zabiera ją do pokoju na tyłach i robi jej zastrzyk? I ona wariuje? Na pewno pamiętasz! Jest tam taka scena, w której wpychają jej pod sukienkę małego krokodyla, pyskiem do przodu. Przepadałeś za tym filmem. Ta knajpa jest zupełnie taka jak tamta. Tak samo urządzona. I popatrz na barmana! Mógłby być dublerem tamtego.

Bob nie pamiętał filmu ani aktora grającego w nim barmana, spojrzał jednak na stojącego za barem mężczyznę, wychudzonego i bardzo starego, ze starannie uczesanymi włosami sięgającymi aż do pośladków. Miał na sobie wyświechtaną, ozdobioną sztrasami koszulę i wyglądem przypominał niejaką Gravel Gertie, postać z „Dicka Tracy'ego".

– Podać? – zwrócił się do Orlanda.

– Dwa bourbony, Maker's Mark – zadysponował Orlando, ignorując kręcącego energicznie głową Boba. – I dwa browarowe utrwalacze, Fat Tire.

– Tego nie prowadzimy. Może być Four Roses i Bud?

– Niech będzie – rzucił zrezygnowanym tonem Orlando. – Takie to już pewnie miejsce.

– A tak. Takie to już miejsce – zgodził się barman, przyglądając się tatuażom Orlanda. – Ale coś wam powiem. Dziesięć lat temu nie można było wejść do środka, tyle tu było luda.

Posłał ku nim drinki po śliskim blacie, a oni zabrali je i poszli do stojącego w rogu stolika.

– Nie mam pojęcia, jakim cudem pamiętasz tamte stare filmy – wyznał Bob.

– Pamiętam? Jak mógłbym je zapomnieć? To właśnie robiliśmy w ciupie, opowiadaliśmy sobie treść różnych filmów. Był taki facet, Reg Lok, i on specjalizował się w westernach. Widział ich setki i wszystkie nieźle pamiętał – gwiazdy, scenerię, imiona postaci, ale, tak naprawdę, to moje były najlepsze. Te wszystkie wspaniałe horrory i filmy o szajbusach. Pamiętasz *Zamkniętego w bankowym skarbcu z trzema nimfomankami*? Pamiętasz *Re-animatora*? Musieli chyba zużyć setki galonów sztucznej krwi, żeby go nakręcić. Po wyjściu widziałem tylko jeden film – *Księżną cyberprzestrzeni*. O takiej Japonce ubranej w poliester z przyklejonymi do niego żywymi mrówkami, co to wygrywa tytuł „księżnej cyberprzestrzeni", bo taka jest szybka w surfowaniu po sieci. Tyle że, widzisz, przez tą szybkość popełnia błąd przy zakupie elektronicznym i zamiast wysłać swojemu chłopakowi kartkę urodzinową, pakuje się w rozgrywkę z prawdziwymi, groźnymi przestępcami.

– To wspaniałe. Takie opowiadanie filmów. – Bob roześmiał się, pokręcił głową, po czym rozejrzał się wokół.

W lokalu było około piętnastu, dwudziestu osób, w większości nie najmłodszych już kobiet o dość dziwnych kształtach: jakaś koścista, koło pięćdziesiątki, bez stanika, z ufarbowanymi na czarno włosami patrzyła z uwielbieniem na piosenkarza, inna, pękata ze sterczącymi w górę jak kolce białymi włosami tańczyła samotnie. Wszystkie zdawały się spoglądać z tęsknotą o różnym stopniu natężenia w stronę ryczącego do mikrofonu mężczyzny, osiemdziesięciolatka w rudym tupeciku. Iskrzący się na krawędzi estrady napis głosił: RUBY KOCHANIEC. Korpulentna blondyna z wydętym brzuchem piwosza, wspierająca się na obleczonym w nędzną namiastkę tweedu ramieniu swojego towarzysza (o wyglądzie unikającego kontaktu z wodą i mydłem palacza CO na emeryturze, jeśli sądzić po wrośniętych na stałe czarnych krechach na jego twarzy), bez przerwy pokrzykiwała do piosenkarza:

– Och, Ruby, och, Ruby, ty pięknisiu.

– To mi wygląda raczej na *Noc żywych trupów* – oznajmił Bob.

Wielkie, obwisłe uszy Ruby'ego Kochańca były tak pomarszczone i poskręcane, że przypominały sznury suszonych grzybów. Był bezzębny, koszulę miał rozpiętą do pasa, a w gęstwie białych włosów na piersi iskrzyły się krople potu, kiedy wykrzykiwał: „Nie pozwól, by gwiazdy cię oślepiły..."

– Orlando – zaniepokoił się nagle Bob – przywiozłeś nas do klubu seniora. Nie ma tutaj nikogo poniżej sześćdziesiątego piątego roku życia. A barman musi mieć co najmniej osiemdziesiąt. To jak nic osiemdziesięciolatek.

– Taa – odparł Orlando. – Ale mnie się tutaj podoba. I mają

alkohol. Co, do diabła, czyżbyś miał ochotę jeszcze trochę pojeździć? – I zawołał do brzuchatej blondyny, pytając, czy ma na imię Violet.

– Eee. Della – odpowiedziała, przyglądając się z zainteresowaniem Orlandowi. – Byłeś już tutej kiedyś?

– W żadnym razie. Byłem w więzieniu. Ja i mój kumpel – gestem wskazał na Boba – właśnie wyszliśmy.

– Ależ Orlando – wymamrotał Bob.

Nie było jednak sposobu, żeby powstrzymać osiłka. Zaprosił kobietę, którą cały czas zresztą nazywał Violet, żeby się do nich przysiadła. Jej towarzysz, z pooraną czarnymi bruzdami twarzą, też do niej dołączył, bardzo skwapliwie, bez wątpienia licząc na darmowe trunki. Cóż, niech Orlando za nie płaci. Twierdzi, że jest bogaty.

– Jestem Della, a to jest Bob – oznajmiła kobieta, klepiąc po ramieniu swojego współtowarzysza.

– Chwileczkę – powiedział Orlando. – Tak być nie może. Jednego Boba już mamy. Ty jesteś Violet, a twój kumpel ma na imię... Bram. – Bob domyślił się, że Orlandowi przyszedł do głowy Bram Stoker*. – Violet i Bram. – Gestem zamówił drinki; zapłacił za nie, dając napiwek staremu barmanowi, który powłócząc nogami, przydźwigał do nich przechyloną niebezpiecznie na bok tacę.

Starszemu Bobowi nie spodobało się jednak imię Bram.

– Nazywam się Robert Bodfish – oświadczył głośno i wojowniczo, rzucając Orlandowi wściekłe spojrzenie. – I masz zwracać się do mnie Robert albo Bob, albo panie Bodfish. Kapujesz? – Energicznym ruchem wsadził dłoń do kieszeni.

Twarz Orlanda przybrała drwiący wyraz i zaczął właśnie otwierać usta, kiedy jednocześnie on i Bob dostrzegli, że tamten wydobywa z kieszeni coś metalowego.

– Jasne, Bob – zgodził się Orlando gładko. – Jak sobie życzysz. – Więc do ciebie – zwrócił się do Boba Dolara – do ciebie będę się zwracał Bram. Zatańczysz? – spytał Violet, która skinęła głową i zerwała się z miejsca. Kiedy szli w kierun-

---

[12] Bram Stoker (1847–1912) – irlandzki autor horrorów, m. in. *Drakuli*. Gra słów, „stoker" znaczy „palacz".

ku parkietu, Bob usłyszał, jak Orlando mówi: – Skarbie, wolałbym, żebyś usiadła po mojej stronie – i już po kilku chwilach wirowali w takt *Tycie tycie maciupeńkie bikini w żółte kropki*.

I jeden, i drugi Bob siedzieli w milczeniu, ze spuszczonymi oczyma. W końcu, kiedy piosenkarz zaczął śpiewać *Księżycową rzekę*, Bob Dolar zapytał:

– Aaa, panie Bodfish, w czym pan pracuje?

– W świntuchach. – Mężczyzna z ciemnymi bruzdami na twarzy zapalił następnego papierosa i wydmuchnął strumień dymu, jakiego nie powstydziłoby się żadne cygaro.

– Że co proszę?

– Powiedziałem „ŚWINTUCHY!" Wieprze. Knury. Maciory. Prosiaki. *Chrum-chrum*.

– Hodujesz je pan czy sprzedajesz, czy szlachtujesz, czy co? – Wiedział, że w Cactus jest zakład pakowania mięsa, przypuszczał jednak, że wołowiny, bo usytuowany był w pobliżu bukaciarni.

– Jestem kierownikiem. Kierownikiem świńskiej fermy. Dziennej zmiany. – Ostatnie dwa słowy wymówił nie bez pewnej dumy.

– Co pan powie? – zdziwił się Bob. – A jak się firma nazywa? To znaczy, dla kogo pan pracuje? Chodzi mi o to, czy jest pan niezależny? Czy działa pan w Texas Farms?

Drugi Bob nie odrywał oczu od Orlanda i blondyny. Orlando coś właśnie do niej mówił i ona zerknęła ku stolikowi, przy którym siedzieli dwaj Bobowie, i zmarszczyła brwi. W jej wyrazie twarzy było coś takiego... Bob usiłował skojarzyć go sobie z *Nocnym wypadem Violet*, jednak zamiast filmu przypomniał sobie, jak wyjeżdżał z rancza Tatera Kurcza, i w jego pamięci pojawił się obraz zakurzonego samochodu terenowego, w obłoku żwiru, za kierownicą blondynka o gniewnej twarzy, a następnie, niczym błyskawica, obraz ostatniej strony biuletynu Globalnej Skórki Wieprzowej oraz tamtej kobiety z magnetofonem przeprowadzającej wywiad z Fredą Salonik.

– Mój Boże – wykrztusił, kiedy te obrazy wskoczyły na swoje miejsca – toż to Evelyn Chine!

– Nie. Globalna Skórka Wieprzowa. Wielka firma z Tokio. Japońska własność. Ja zarządzam jedną z ferm. Wpierw byłem kontrolerem rur dla Texoli, ale to tutej jest lepiej płatne. I nie tak stresujące. Taki inspektor od rurociągów to ma wielką odpowiedzialność. Szczególnie przy rurociągach z gazem. Na przykład w takim Garland, kiedy była taka susza, że gleba popękała i były wycieki gazu. Ten gaz wędrował szczelinami, dostawał się do domów i te wylatywały w powietrze; zginęły tam trzy osoby. Świnie przynajmniej nie zabijają człowieka tak niespodziewanie. Mam też drugą robotę. W fabryce pigmentu w Pampie.

To by wyjaśniało, pomyślał Bob, te ciemne krechy na jego twarzy. Gotów był mu zadać setki pytań na temat świń, pomyślał też, że przynajmniej znalazł sposób, by dostać się na zamknięty teren fermy, ale zobaczył, że Orlando zbliża się już do stolika. Blondyna natomiast szła w kierunku drzwi z napisem DZIEWCZĘTA.

– Hej – zwrócił się Bodfish do Boba. – Byłeś kiedyś w kamieniołomach Alley Bates? Nad jeziorem Meredith?

– Nie – odparł Bob. – Zamierzałem go odwiedzić. A co tam jest? – Kiedyś wymawiał Alibates jak Ali-baa-tis.

– Krzemień. To krzemieniowy kamieniołom. Indiany łupały tam surowy materiał i robiły se z niego groty strzał, noże i takie tam. To naprawdę ładny kamień, wielokolorowy. Te Indiany, co żyły nad rzeką Canadian, były bogate w porównaniu z innymi plemieniami. Miały krzemień, a ten był wszystkim potrzebny. Sam se zaczełem kilka lat temu obłupywać krzemień. Takie tam hobby. Bardziej cięższa robota, niżby się niejednemu zdawało. Ale się wprawiłem i już se nieźle radzę. Akuratnie, z Alley Bates materiału dostać nie można; dla ludzi jest to miejsce zamknięte. Trza tam iść z przewodnikiem, który cały czas ma człowieka na oku. Tyle że są jeszcze inne miejsca wzdłuż Canadian i ja z nich korzystam. Bo widzisz, robię parę grotów, zakopuję na rok czy dwa, żeby wyglądały na stare, trzymam je potem w schowku w aucie. Jadę do jakiegoś miejsca, powiedzmy, w Michigan czy w Kentucky, gdzie są jakieś indiańskie ruiny i miejsca, co to je ludzie znają i tam kilka tych grotów podrzucam. A te archologisty całe się podniecają, myślą, że se odkryli jakiś wielki ślak handlowy.

Nim Bob zdążył zareagować na to karygodne wyznanie, Orlando opadł ciężko na krzesło.

– Stary, ależ z niej tanecznica – oświadczył. – I ta muzyka wciąga. Wiele razy w więzieniu pogwizdywałem i tańczyłem samotnie w celi. Żeby utrzymać sprężystość mięśni. Tyle że w taki sposób nowych tańców się nie nauczysz. I wiele z nich przeszło mi koło nosa. Ale jeśli chodzi o te stare numery, do diabła, przecież każdy potrafi to zatańczyć.

– Tu wszędzie była dobra muzyka. W dawnych czasach grali świetną muzykę taneczną. Bob Wills, zanim przeniósł się do Tulsy, grał ten teksaski swing. Znaczy się mnie tu jeszcze wtedy nie było, ale mam na kompaktach całą kolekcję muzyki z lat pięćdziesiątych, kiedy to swing zaczął się na powrót. Kto jak kto, ale to Merle Haggard rozruszał ten album *Drzemka za kierownicą* – rozczulał się Robert Bodfish.

– A Jim Skóra? Słyszałeś o nim? – spytał Bob.

– Ten oklahomski ciołek? A dej ty mi z nim spokój.

– Orlando, muszę już jechać – oznajmił nagle Bob. – Mam jutro do załatwienia bardzo ważną sprawę.

– Jechać? Przecież, do diabła, dopiero cośmy tu dotarli.

– Taa. Tak się zastanawiam. Może pan Bodfish mógłby mnie podrzucić. Bo i tak mam z nim coś do obgadania.

– A niby dokąd? – spytał Robert Bodfish. Najwyraźniej nie miał ochoty zostawić z Orlandem swojej blond towarzyszki.

– Do Bumelii – odparł Bob.

– Bumelia?! A to paradne, toż to jak nic po drugiej stronie panhandle. To prawie w cholernej Oklahomie. I to po drogach wąskich jak indycze ścieżki.

– Owszem, ale czy tam właśnie nie pracujesz?

– Diabła tam. Pracuję niedaleko, na północ od Amaryli, jakieś osiem mil stąd, blisko czadu i świateł. Poza wizytami w zakładzie w Pampie. A Bumelię to zamykają o szóstej po południu.

– Mniej więcej – przyznał Bob.

Blondyna wróciła do stolika z wargami połyskującymi świeżą warstwą metalicznej purpury.

– Usiądź tutaj – powiedział Orlando, klepiąc stojące obok siebie krzesło.

– Della! – zawołał do kobiety Robert Bodfish. – Ten gość chce, żebym go zawiózł na drugą stronę panhandle. Nie widzi ci się, że to bezczelne jaja?

– Słuchaj – zwróciła się kobieta do Boba Dolara – sam się tam zawieź. Już ja odwiozę Orlanda, gdzie bądź się zatrzymał. Chcę mu dokończyć opowieść o tym zabójstwie, co to jeden młodziak przejechał drugiego, takiego punkowca z fioletowymi włosami. – Popatrzyła na Boba i dodała: – Ten, co przejechał, wykręcił się kuratorem. W Amaryli nie lubieją fioletowych włosów.

– Ani mi się śni – oświadczył Robert Bodfish Bobowi Dolarowi. – Bo oni ani chybi się namówili. Ten – wskazał Orlanda – kombinuje więcej, niż po nim widać, i wiem, na jaki temat.

– Wyluzuj się – hamował go Orlando. – Dzisiejszą noc spędzam w Amarillo. Nie mam fioletowych włosów i coś mi mówi, że tu jest moje miejsce – i przysunął się bliżej blondyny. Spojrzał na Boba Dolara. – Odpuszczę sobie to twoje barakowe dziadostwo.

– A niech to wszyscy diabli – rzucił urażonym tonem Bodfish, po czym zwrócił się do Boba: – Dobra, mogę cię wywieźć do samego Oklahoma City, jeśli tak tego chcesz.

– Nie ma sprawy – powiedział Bob, wstając. – Skoro Orlando zamierza zostać w Amarillo... – Pomyślał, że bez przykrości rozstanie się z Orlandem, który nie był już tamtym niecnym dziwolągiem, z ustami pełnymi niesamowitych opowieści oraz wątków filmowych, stał się natomiast hałaśliwym, pokrętnym, zwolnionym z kryminału osiłkiem. – Z tobą jednak chciałbym się kiedyś spotkać – zwrócił się do drugiego Boba – chciałbym pogadać o tym świńskim interesie. Też w nim tkwię. Też pracuję dla Globalnej Skórki Wieprzowej. Tukam szerenów. To znaczy, szukam terenów. – Chciał namówić Roberta Bodfisha, by tamten oprowadził go po swojej fermie.

– Ano musisz wiedzieć – oznajmił Robert Bodfish – że wieczorem, kiedy idę się napić, niezwyczajny jestem gadać o interesach. A i oni nie lubieją, jak rozmawiamy o tym, co robimy.

Możesz kiedyś wpaść, bo przecie należysz do firmy. Jesteśmy w Spiekocie, dojazd powiatową drogą M. Lepiej najpierw zadzwoń, żeby cię wpuścili za bramę. I weź ze sobą naszą kartę identyfikacyjną. Nie pozwalamy tam sobie na żaden luz.

Na parkingu Bob, otumaniony nieco mieszanką muzyki i utrwalacza, wpakował się w jedną z ogromnych kałuż. Wsiadł do saturna z mokrymi stopami, włączył ogrzewanie, żeby je wysuszyć. Otworzył okno, żeby wyrównać temperaturę, i zobaczył wyblakły księżyc, mały jak dziesięciocentówka. Postanowił ruszyć na północ i pojechać bocznymi drogami.

25

Najlepsze transakcje

Jadąc przez ciemne, nocne panhandle, poczuł wyrzuty sumienia, że zostawił Orlanda samego, powtarzał sobie jednak, że jeśli ktoś w ogóle potrafi zadbać o siebie, to tym kimś jest na pewno Orlando i że pojawi się on nazajutrz, żeby zabrać porsche i pojechać do Austin na spotkanie ze swoją dalszą karierą. Bardziej męczyła go świadomość, że Evelyn Chine, wybijająca się agentka Globalnej Skórki Wieprzowej, przebywa na tym terenie i że poluje na Tatera Kurcza, którego Bob uważał za swoje znalezisko. I na Fredę Salonik... Bob nie dał się zwieść fortelowi z pisaniem pracy magisterskiej. Czy było to jednak jej terytorium? Czy swoich największych transakcji nie dokonała w Oklahomie, w pobliżu Guymon? Co robi na terenie Boba... kłusuje? Tak, zdecydował Bob, ta kobieta kłusuje. Zobaczyła w nim nowicjusza i dostrzegła szansę wepchnięcia się i sprzątnięcia mu kontraktu sprzed nosa. Będzie musiał rano przycisnąć Tatera Kurcza. Będzie musiał uzyskać zgodę Tatera. Chyba że Evelyn Chine już zdążyła wmanewrować starego człowieka w złożenie podpisu na kropkowanej linii jej własnej umowy. Przecież widział ją, jak wjeżdżała na ranczo Tatera. Bob nie wątpił, że stosuje kobiece sztuczki wobec starszych panów, tu błyskając kawałkiem nagiego ciała, ówdzie znacząco coś sugerując. Jak by powiedziała Freda Salonik: ta kobieta to żmija. Byli też jeszcze As Kurcz i Jim Skóra. Że Jim sprzeda, to wiedział, ale jak zachowa się As?

Znalazł się na Coppedge Road, na przedmieściach Bumelii. Samotna, oświetlona tablica oraz stojąca przy bramie mała budka z oszklonym okienkiem tworzyły wyrwę w niezmąconym dotąd mroku panhandle. KING KAROLINA FARMS SA.

Minął tablicę i dopiero po chwili napis dotarł do jego świadomości. Nacisnął pedał hamulca, cofnął się i wbił wzrok w oświetloną przestrzeń. Nie mogło być najmniejszej pomyłki, miał przed sobą świńską fermę i brama do niej była otwarta, a budka strażnika pusta. Na taką szansę czekał! Skręcił i zaparkował obok srebrnego pickupa z nalepką na zderzaku o treści: FARMERZY TEKSASU ŻYWIĄ ŚWIAT.

Szedł po żwirze ku drzwiom, jak najwolniej i jak najciszej. Budynek nie miał żadnych okien. Nagle, z odgłosem przypominającym dźwięk generatora, włączyły się wielkie wentylatory z tyłu budynku, ich narastające wycie skutecznie zagłuszyło jego kroki. Znajdował się zaledwie o dziesięć stóp od drzwi, kiedy włączone reagującym na ruch czujnikiem reflektory oblały go jasnym światłem. Z wnętrza dobiegł dźwięk alarmu. Odwrócił się i pobiegł do saturna, włączył silnik i zdążył wycofać samochód z miejsca parkingowego, kiedy zobaczył, jak automatycznie zamyka się metalowa brama. Na jej górnej krawędzi błyskały czerwone światła. Znalazł się w pułapce, bo innego wyjazdu nie było.

Z budynku nikt nie wyszedł, wobec czego po pięciu minutach oczekiwania nacisnął klakson. Nadal nikogo. Wysiadł i podszedł do drzwi budynku, szarpnął za gałkę. Drzwi były zamknięte na klucz. Spojrzał w górę i zobaczył kamerę. Zatem wiedzieli, że tu jest. Zapukał do drzwi i zawołał. Żadnej reakcji. Walił pięścią. Dalej nic. W końcu wrócił, wsiadł do samochodu i czekał. Będą go musieli wypuścić, kiedy zjawi się dzienna zmiana.

Po upływie kwadransa zobaczył daleko na drodze migające wiśniowe światła. Wiedział, z kim będzie miał do czynienia, zanim jeszcze pojazd się zbliżył.

Kiedy auto szeryfa podjechało do bramy, elektroniczny zamek zwolnił swój uchwyt i brama się otworzyła. Szeryf opuścił wóz patrolowy i dosłownie w kilka sekund znalazł się przy Bobie.

— Proszę, proszę, kogo to dopadliśmy na włamie do świńskiej fermy? I po kiego, Dolar? Chciałeś se smyknąć parę wieprzków?

— Posłuchaj, szeryfie, to może zabrzmi głupio, ale chciałem zobaczyć, co się dzieje tam w środku.

– To właśnie powtarzają obrońcy przyrody, to samo mówią ci od etycznego traktowania zwierząt, kiedy próbują włamów. Dla kogo pracujesz, Dolar, i tylko nie pieprz mi tutej o Globalnej Skórce Wieprzowej. Przewąchałem, co się święci. Robisz za zasłonę dymną dla takiej właśnie grupy działaczy. I ani chybi piłeś. Do tego wszystkiego jeszcze jazda po pijanemu.

– Nieprawda! – zaprotestował załamującym się głosem Bob.

Szeryf mówił tymczasem do telefonu komórkowego:

– Taa, znam faceta. Zajmę się nim.

Kazał Bobowi wysiąść z saturna, nałożył mu kajdanki i polecił siedzieć z tyłu wozu patrolowego, podczas gdy sam zjechał jego saturnem na pobocze i tam go zaparkował. Potem zabrał Boba do aresztu.

– O co ci w końcu chodzi z tymi świniami?

– To moje zajęcie. Moja praca. Myślałem, że powinienem obejrzeć jedną z tych ferm od środka, ale mój szef, ten, z którym rozmawiałeś, powiada, że jest polityką firmy, żeby wywiadowcy poszukujący lokalizacji dla nowych zakładów nie wchodzili na teren już istniejących. Pomyślałem sobie, że jednak spróbuję to zrobić.

– Nie uważasz, że musi być, oczywista o ile on jest twoim szefem, a ty nie jesteś reporterem albo żądnym krwi działaczem, że musi być jakiś powód, że cię tam nie chcą wpuszczać?

Nazajutrz Bob był z lekka oszołomiony i bolała go głowa. Wypuszczono go dopiero około południa, po tym jak szeryf odbył długą rozmowę z Ribeye'em Klukwą. Szeryf odwiózł go potem do saturna i wręczył kluczyki.

– Widzi mi się, że ten twój szef jest na ciebie cięty.

– Aha – zgodził się Bob.

– Już raz ci rzekłem, że powinieneś sobie znaleźć inną pracę. Do tej się nie nadajesz. A na przyszłość unikaj kłopotów.

W nocy padało i teraz wszystko było mokre; niskie chmury wisiały nad głowami niczym szara pokrywa, dzięki srebrzystym kropelkom krajobraz mienił się lśniącym blaskiem. Bob skierował się prosto do baraku, gdzie zaparzył sobie kawy. Była gorąca i smaczna; powoli rozjaśniło mu się w głowie i poczuł się lepiej. Myślał o szeryfie. Myślał o klubie seniorów w Amarillo. Myślał o nieuniknionym spotkaniu z Taterem Kurczem i o tym, co ma mu powiedzieć.

Włożył świeżą koszulę, uczesał się i wyruszył, zabierając ze sobą porucznika Aberta, jako że po spotkaniu zamierzał zjeść kanapkę w cieniu drzewa nad brzegiem rzeki Canadian, gdzie, być może, półtora wieku temu zatrzymał się sam Abert. Po drodze widział woskowe, żółte kwiaty na kaktusach oraz wznoszące się wysoko łodygi juki, zwieńczone wiechami rozwijającego się kremowego kwiecia.

– Co, znowu ty? – Starzec nie był zachwycony jego widokiem.

– Cóż, jest coś do przedyskutowania – oznajmił Bob. Nabrał powietrza i przeszedł wprost do sedna. – Poważna propozycja. Chcę kupić pańską posiadłość. Na świńską fermę. Reprezentuję tu Globalną Skórkę Wieprzową.

– Ano walisz prosto z mostu – skonstatował Tater Kurcz. – A po czym sądzisz, że mógłbym sprzedać swą własność na tak podły cel.

– Ponieważ, proszę pana, ten świński odór już tutaj dotarł i nie ma zamiaru się stąd ulotnić. Z powodu tego smrodu nie da się sprzedać tej nieruchomości nikomu, tylko na świńską fermę. I niech pan pomyśli, gdyby zamieszkał pan w mieście, codziennie mógłby pan bywać Pod Poczciwym Psem, jadać specjalność dnia i widywać się z przyjaciółmi. Mógłby pan prowadzić poszukiwania w bibliotece. – Biblioteka Bumelii była dla Boba miejscem magicznym i wyobrażał sobie, że każdy, kto pisze historię rancza, czułby się tam jak w raju. Z wyrazu twarzy Tatera wniósł, że tym razem wreszcie powiedział coś stosownego.

Biblioteka mieściła się w starym budynku Frontier Bank; pomieszczenia miała wysokie, słoneczne, wyłożone boazerią i wyposażone w orzechowe regały, przywiezione do panhandle z pewnej eleganckiej rezydencji w Galveston, po tym jak w roku 1900 wielkie tornado zrównało to miasto z ziemią. Mimo upływu lat zarządowi biblioteki udało się jakoś zapobiec zastąpieniu dobrej literatury romansami, westernami oraz sensacyjnym śmieciem. Na półkach stały setki rzadkich teksaskich egzemplarzy, jednak prawdziwe skarby, jak sądził Bob, kryły się w magazynie, w pudłach i w kartonach wypełnionych papierami, księgami rachunkowymi rancz, mapami, albumami fotografii, wielkimi, oprawionymi woluminami starych gazet z panhandle Teksasu oraz Oklahomy i z Kansasu, i z Nowego Meksyku, włącznie z „Crookly's Border Star", „The Weekly Western Argus", „Nowinkami Bumelii", „Spotkaniami miasta Wybój", „Council Grove Process" i tym podobnymi.

– Wtedy naprawdę mógłby pan pracować nad swoją historią tutejszych rancz – przekonywał Bob, po czym wspomniał o własnym ciepłym uczuciu wobec porucznika Aberta i oświadczył, że gdyby to on był na miejscu Tatera, bez chwili wahania przeniósłby się do Bumelii, żeby pracować nad książką o poruczniku Abercie.

Tater przyglądał mu się uważnie, a jego twarz powoli traciła surowy wyraz.

– Wiesz, kilka lat po tym, jak porucznik Abert przewędrował przez panhandle, Korpus Topograficzny wysłał innego jegomościa, niejakiego porucznika Jamesa H. Simpsona. Miał wyszukać dobry, południowy szlak do złotonośnych pól Kalifornii. W 1848 roku. To ten, którego z kolei ja lubię. Ten to ci był dopiero bystrzacha. Uważał, że panhandle jest zbyt słabo zaludnione, żeby puścić tamtędy linię kolejową, powiedział zaś, że najsampierw należałoby postawić tam wojskowe forty i wybudować wojskowe drogi, a dopiero potem powinno się zakładać miasta i wytyczać drogi dla krytych wozów... i tak właśnie się stało. To te wozy oraz dyliżanse otwarły region panhandle, nie myśliwi i nie hodowcy bydła, a już na pewno nie kolej. Szlaki, którymi podróżowały kryte wozy, utworzyły linię zaopatrzenia – towarów, poczty, łączności. Kolej pojawiła się dopiero pod koniec lat osiemdziesiątych dziewiętnastego wieku. Wpierw, w 1887 spółka Fort Worth and Denver City, a trochi później doszła do tego druga linia Rock Island, co to szła przez Kansas, i cała reszta. A tak po prawdzie, to gdzie niby miałbym pomieszkiwać, jakbym zjechał do Bumelii?

– Przypuszczam – tłumaczył Bob, starając się myśleć jak najszybciej – że mógłby pan przenieść swój dom na jakąś parcelę w mieście, gdyby nie spodobał się panu żaden z tamtejszych domów. – Przynajmniej to nie było takie trudne, pomyślał, kiedy już to powiedział.

– Ja tam bym był nie od tego, żeby mieszkać w mieście. Rzetelna, bieżąca woda, nie trza się martwić, że latem wyschnie studnia albo że elektryka to się włącza, to wyłącza. Mógłbym se też sprawić te telewizję satelitarną. Moja siostra, Ivy Basta, mieszka w mieście i chętnie bym ją czasem odwiedził. No i bliżej do domu Asa. A młodszy to już przecie nie będę. Wiem, że powinienem się trapić i frasować samą myślą o opuszczeniu rancza, ale przecie od dawna już to planowałem. Jedyny kłopot to As. Bo widzisz, ja bym to zrobił, ale najsampierw muszę pogadać z bratem. Połowa należy do niego. Niczego nie mogę zrobić bez jego pozwoleństwa.

– Podobno jest też właścicielem połowy nieruchomości Jima Skóry, tej tuż za granicą z Oklahomą.

– Naprawdę? Pierwsze słyszę. Bo, po prawdzie, to As nie ma nawet własnego nocnika. To dobry człek, ale zmarnował życie, naprawiając te wiatraki. Dlatego zrobiłem go współwłaścicielem rancza. Tata winien był podzielić je równo i po sprawiedliwości zostawić je nam obydwu, ale tego nie zrobił. Ja to zrobiłem po śmierci żony, tak że teraz połowa należy do Asa, a jeśli ja umrę pierwszy, całość przejdzie na niego.

– Czy chce pan, żeby z nim porozmawiał, czy woli pan zrobić to sam?

– Och, ja to zrobię, musowo ja. Bo wiesz, As jest zaparty. Ja sobie z nim dobrze radzę, ale nie o każdym jednym da się to powiedzieć. Nigdy nikogo o nic nie poprosił. Kiedyś spadł z jednego z tych przeklętych wiatraków i zawisł na wsporniku i wisiał tak przez godzinę, zanim się ktoś pojawił. Pomógł mu zejść i nawet nie usłyszał dziękuję. Bo As sam dba o siebie i nienawidzi być komukolwiek dłużnym. Pogadam z nim. Widzisz, As jest ten starszy, ale ja potrafię z nim gadać. Jaką cenę oferujesz?

No właśnie. Już byli przy dolarach i centach, a on nie miał najmniejszego pojęcia.

– Nie składam formalnej oferty – wyjaśnił Bob. – W tym celu przyjedzie ktoś z biura w Denver.

– Więc wcale nie szukasz ziemi pod eleganckie osiedla?

– Nie, proszę pana. Przyznaję się do kłamstwa.

Starzec klepnął się z rozmachem w kolano.

– Wiedziałem, wiedziałem, że łgasz. Miałeś to wymalowane na twarzy. I ani chybi ta tycia dziewuszka, co tu wczoraj przyjechała, łgała ze szczętem.

– Jaka dziewuszka? – spytał Bob, wiedząc, że chodzi o Evelyn Chine.

– Sięga ci pod pachę. Powiada, że pisze pracę o ludziach z panhandle. Patrzyła mi prosto w oczy. Stąd wiem, że łgała. Tak jest zawsze, jak patrzą człekowi prosto w oczy. A potem zaczyna te swoje pytania – a nieraz już mnie wypytywano – i jakosik wszystkie one prowadzą w kierunku pozbycia się rancza... czy nie chciałbym odwiedzić Dallas, czy myślałem o tym, żeby kiedyś zamieszkać w domu dla seniorów, och nie, jeszcze nie teraz, czy mam dzieci, czy jestem pożeniony i jeszcze więcej takich. Wiedziałem, że zdąża do transakcji handlowej, nie byłem tylko w stanie wykombinować, dlaczego czy po co albo za ile. Wreszcie rzeknę do niej: „Zmykaj panienko, nie zamiaruję ci sprzedać swojej własności". Zaczerwieniła się jak burak, ale poszła sobie.

Bob odczuwał zażenowanie z powodu Evelyn Chine. Jej podejściu brakowało subtelności. Jak mogło jej się udać złowić tamtą posiadłość w Oklahomie o powierzchni sześciu tysięcy akrów i zdobyć ten atrakcyjny neseser, przenośny odbiornik Global Explorer oraz cyfrowy aparat fotograficzny Megapixel?

– Wiesz – ciągnął Tater, spoglądając przez okno na horyzont – te stare, biegnące z północy na południe drogi pod każdym względem utrzymywały cały ten region w kupie. Tak było urządzone panhandle. Tak tutej było. Koleje kombinowały kierunkiem wschód-zachód. Tak właśnie kombinowały. A ludzie umyślili sobie, że ci od kolei postąpią rozsądnie i położą tory wzdłuż starych szlaków, ale nic z tego. Dobili te stare, ważne miasta, takie jak Mobeetie, Appleton, Tascosa czy Wilburn. Powstały nowe – Miami, Bumelia, Canadian, Panhandle City – a wszystkie wzdłuż linii kolejowej. Kiedyś cały region miał połączenie z Dodge, ale to się skończyło. To wtedy ludzie na tych wielkich przestrzeniach ze szczętem przestali się znać. To wtedy zaczęli mówić o starych, dobrych czasach.

Tater obiecał zadzwonić do Boba pod koniec tygodnia, kiedy już porozmawia z Asem.

– Żadną miarą nie wypytuj go o jego spółkę z Jimem Skórą. I tak to jest nic niewarte, bo nieważne, co mówi Jim Skóra, As nie jest właścicielem. Nie wierzysz mi, to idź i sprawdź w dokumentach sądowych. Nauczysz się nie dawać wiary wszystkiemu, co słyszysz. I przygotuj mi konkretną ofertę. Ja pogadam z Asem.

Bob Dolar posłuchał rady Tatera i odkrył, że jedynym nazwiskiem widniejącym na akcie własności nieruchomości z Oklahomy jest to, które należy do Jamesa Roberta Alamo Williama Skóry. Nie było żadnej wzmianki o Asie Kurczu ani o kimkolwiek innym. Udał się zatem najpierw na pocztę, gdzie w skrytce skwierczał już następny list od Ribeye'a Klukwy, a potem Pod Poczciwego Psa, żeby poszukać Jima Skóry, tam jednak Cy, który właśnie polewał tłuszczem piekące się żeberka, poinformował go, że Jim już był, zjadł dwa ciasteczka czekoladowe z ananasem i uciekł w popłochu tylnymi drzwiami, kiedy tylko zobaczył zbliżającego się Boba.

– Widzi mi się, że musiałeś go czymś rozsierdzić. Bo przecie Jim Skóra potrafiłby posąg zagadać na śmierć. Jest w tym względzie prawie tak samo okropny jak LaVon. Myślałem, że się nieźle dogadujecie.

– Ja też tak myślałem – przyznał Bob. – Ale chyba wystraszyłem go, wypytując o posiadłość, którą ma w Oklahomie.

– O, to stare ranczo Skórów? Słyszałem, że jakaś firma gazownicza też z nim na ten temat rozmawia. Mają mu złożyć ofertę. Powinien ją przyjąć, nawet jakby to było po pięć dolarów za akr. Na wysokiej klasy budownictwo to nie może ci się nadać. Ten teren to jak powierzchnia Marsa.

– Taa – zgodził się Bob, uświadamiając sobie powoli, że Jim Skóra wymyślił ową kluczową rolę dla „wuja" Asa podczas negocjacji z firmą gazowniczą. – Rzeczywiście. Pomyślałem sobie, że raczej nieźle by się nadawał na świńską fermę. Cy popatrzył na niego, ale nie odezwał się ani słowem.

Kiedy późnym popołudniem podjechał do Pękniętej Gwiazdy, był zmęczony, spocony i marzył o zimnym piwie na ganku w towarzystwie porucznika Aberta, zauważył, że porsche Orlanda nadal stoi zaparkowane przed słupkiem do wiązania koni. LaVon wyszła na swoją werandę i pomachała ścierką do naczyń.
– Bob. Bob, czy mógłbyś mi wyświadczyć przysługę?
– Jasne. A o co chodzi?
– O Coolbrotha. Ma jakiś problem z szeryfem. Szeryf wpakował go tam do... – nie mogła wykrztusić tego słowa.
– Aresztu? – podpowiedział Bob. Ten szeryf, pomyślał w duchu, to wyjątkowo pracowity facet.
LaVon skinęła głową.
– To taki wyrywny dzieciak – tłumaczyła – i czasami robi różne rzeczy, których ludzie są niezwyczajni. Byłabym wdzięczna, Bob, gdybyś go stamtąd odebrał i przywiózł do domu. A trzeba go przewieźć, bo szeryf skonfiskował mu rower, przynajmniej tak to zrozumiałam. Coolbroth był tak roztrzęsiony, kiedy rozmawiał ze mną przez telefon, że nie bardzo potrafił się wysłowić. Szeryf jest bardzo nieuprzejmy. Tak po prawdzie to z niego nędzne, kłamliwe byle co. Jego rodzina była podła i on sam jest podły do cna.
– Zmienię tylko koszulę, La Von, i już jadę.
Kiedy już znalazł się z powrotem w saturnie i zapalił silnik, pomyślał, że przy okazji przywiezie z Bumelii pizzę, którą po odstawieniu Coolbrotha z radością spożyje w samotności. W tym momencie ogromny pickup silverado, z podwójnymi kołami na tylnej osi, z kabłąkiem przeciwkapotażowym, z większą liczbą świateł niż u transatlantyka, zatrzymał się tuż za jego autem i wysiadł z niego Orlando, przesyłając całusy osobie siedzącej za kierownicą. Nie była nią brzuchata blondyna z poprzedniego wieczoru, ale wysoka brunetka w czerwonym, kowbojskim kapeluszu i w czerwonej bluzce.

– Zobaczymy się później, skarbie – zawołał Orlando, a kobieta, obdarzywszy go olśniewającym uśmiechem, nacisnęła ostro pedał gazu. Orlando zawołał do Boba: – Hej, poczekaj. Podrzuć mnie na drugą stronę strumienia, do tej swojej chałupki. Muszę zabrać swoje rzeczy. – Wskoczył na fotel obok Boba.

– Jakie rzeczy?

– Zostawiłem tam torbę. Na ganku. Zamierzam się ogolić, ogólnie ochędożyć i ruszyć na spotkanie z tą małą w Amarillo.

– Co zrobiłeś z blondyną?

– Blondyną? A, z tamtą. Dellą. Odeszła z tym szmodruchem, „Bobem", po tym jak zacząłem rozmawiać z Veronique... to tamto cudo z pickupa, które mnie tu przywiozło. Nieźle mnie rozpaliła.

– W barze seniorów?

– Skądże. Poszliśmy kawałek dalej do innego lokalu, który znał tamten szmodruch. Ten był w porządku. Powinieneś kiedyś ruszyć się i zbadać dokładniej Amarillo. Mnóstwo tam bezeceństw, jeśli tylko wiesz, gdzie ich szukać.

W baraku Bob popatrzył tęsknie na lodówkę turystyczną, w której trzymał piwo.

– A niech mnie! – jęknął Orlando. – Nie masz prysznica? Ani gniazdka, gdzie mógłbym podłączyć maszynkę do golenia?

– Tu nie ma prądu – oznajmił Bob. – Chcesz, żebym ci zagrzał wody? Mam też zwykłą maszynkę na żyletki, którą mogę ci pożyczyć.

– Jasny gwint, Bob, z ciebie to prawdziwie nowoczesny gość. Może używasz brzytwy i ostrzysz ją na skórzanym pasie? Wielkie dzięki, wezmę sobie pokój w motelu w Amarillo i tam doprowadzę się do porządku. I tak pewnie jutro albo pojutrze pojadę do Austin. To miasto na luzie. Całe chmary milutkich studentek i młodych, bogatych przygłupów z Teksasu. No i Smoko tam jest. Ruszymy z naszym interesem. Hej, zastanów się nad tą moją propozycją, żebyś został szefem sprzedaży. Przy mnie mógłbyś zrobić prawdziwą forsę. Jedziesz gdzieś jeszcze? – spytał, widząc, jak Bob zmienia koszulę i przyczesuje włosy.

– Taa. Muszę wyrwać synalka LaVon z łap szeryfa. Ma jakiś problem.

– No dobra, zawieź mnie tylko na drugą stronę tego cholernego strumienia, żebym nie musiał brodzić – zaśmiał się Orlando. – Miło cię było znów widzieć, Bob, i naprawdę chcę, żebyś przemyślał moją ofertę. Mogłoby ci się z nami powieść.

– Dzięki, Orlando. Zastanowię się. Możliwe jednak, że wrócę na studia. Albo coś w tym sensie. Tak czy owak, będziemy w kontakcie, zgadza się?

– To niezły pomysł. Nabrać jeszcze trochę rozumu. I jasne, że będziemy w kontakcie.

Kiedy ruszyli, żeby przejechać przez strumień, Orlando otworzył torbę i zaczął w niej grzebać.

– Chyba mam tu gdzieś jeden kompakt... chciałbym, żebyś... AAAAAAA.

Bob zahamował gwałtownie pośrodku nurtu i patrzył na Orlanda, który tak mocno wciskał się w oparcie fotela, że Bob słyszał trzask metalowej ramy. Z torby Orlanda wynurzył się jakiś szary obiekt, skoczył mu na pierś, przebiegł przez szyję, stamtąd na bark, w poprzek pleców na drugie ramię i po ramieniu w dół, w ciemną szczelinę pomiędzy fotelem a drzwiami. Tonya się odnalazła.

Bob przejeżdżał przez strumień w najwyższym napięciu, zerkając nieustannie w dół, pomiędzy własne stopy, żeby sprawdzić, czy pająk się tam nie przyczaił.

– Ukąsiła cię? – spytał Orlanda.

– Chryste, nie mam pojęcia! Muszę się stąd natychmiast wynieść. A w ogóle, co to u diabła było, tarantula?

– Tak – potwierdził Bob. – Jedno z domowych stworzonek LaVon. Nieobecna od kilku tygodni. Obejrzyj się, sprawdź, czy cię nie ukąsiła.

– Kiedy boję się ruszyć.

Bob tymczasem już parkował przed słupkiem do przywiązywania koni, po czym obaj wyskoczyli z samochodu, przetoczyli się po ziemi niczym kaskaderzy, drzwi zostawiając szeroko otwarte. LaVon wyszła na werandę i przyglądała się im z zaciekawieniem.

– Obejrzyj się dokładnie – powtórzył Bob i Orlando ostrożnie podciągał rękawy koszuli i oglądał ręce. – To Tonya – zawołał do LaVon. – Siedziała w torbie Orlanda. Nie mam pojęcia, jak się przedostała na tamtą stronę strumienia.

– Jest stworzeniem nadrzewnym – oznajmiła spokojnie La-Von. – A gdzie teraz siedzi?

Bob chciał właśnie wyjaśniać, że jest w saturnie, pod fotelem, kiedy wszyscy troje zobaczyli, jak Tonya wspina się na fotel pasażera (przed chwilą dopiero zwolniony przez Orlanda), zupełnie jakby czekała na swojego szofera.

– Przyniosę jej pudełko – powiedziała LaVon i zniknęła w domu.

Orlando natychmiast chwycił kamień i rzucił nim w siedzącego na fotelu pająka. Chybił, ale za to kamień pozostawił wgniecenie na karoserii.

– Nie rób mu krzywdy, Orlando. Ona za chwilę go zabierze. Ten pająk jest dość cenny.

– Niczego bardziej nie nienawidzę – wyrzucił z pasją Orlando, trzęsąc się na samą myśl, że przecież tak niewiele brakowało, ponownie dla pewności oglądając ręce i ramiona.

– Już byś to czuł – wyjaśnił Bob. – LaVon powiada, że to niebezpieczny pająk, z szybko działającym jadem.

– Dlaczego, na miłość boską, ktoś chciałby mieć jadowitego pająka jako domowe zwierzątko?

– Są interesujące – rzuciła ostro LaVon, która schodziła już po schodkach werandy, niosąc domek tarantuli.

Ta powitała tymczasem LaVon uniesionymi groźnie przednimi odnóżami, pozostałe sześć lekko napięte, jakby gotowe do skoku.

– Biedactwo – użalała się nad stworzeniem LaVon. – Już widzę, że jest odwodniona – i nacisnęła przycisk rozpylacza, wypuszczając na tarantulę obłok mającej przynieść jej ulgę wilgoci. Nagle Tonya, zupełnie jakby rozpoznała bezpieczną przystań, popędziła do pudełka, a LaVon zamknęła jego pokrywę. Spojrzała na Orlanda. – A ty lepiej już wsiadaj do swojego porszaka i zmiataj z mojej posesji – zasugerowała.

– Nic mi nie sprawi większej przyjemności, stara krowo – rzucił obojętnie Orlando i wsiadł do samochodu.

Bob nie żałował, że jego stary przyjaciel odjeżdża. Jak na wielu innych, również na nim więzienie odcisnęło negatywne piętno.

Tymczasem w areszcie szeryf Hugh Miazga naigrawał się z Coolbrotha Fronka, który kipiał wściekłością w jednej z dwu znajdujących się tam cel.

– Jak to się stało, że nazwali cię „Coolbroth"? Dlaczego nie „Hotstew"?*

– To imię irlandzkie. Po moim stryjecznym dziadku.

– Też coś. Dla mnie brzmi po litewsku. Albo po chińsku. Albo jak w języku tagalskim, albo jak narzecze z Ziemi Ognistej.

– Do jasnej cholery, przecież powiedziałem, że to irlandzkie.

– Nie przeklinaj chłopcze, bo możesz za chwilkę poczuć się bardzo struty. I jeszcze jedno akuratnie chciałbym wiedzieć. Chodzą słuchy o tobie i o tym, dlaczego cię wykopali ze Szkoły Gospodarstwa Wiejskiego.

– Wcale mnie nie wykopali.

– Z tego, co my tu słyszeli, toś zrobił coś dziwacznego bykowi, którego trzymają tam na farmie doświadczalnej. Powiadają, żeś wtykiwał mu od tyłu kawałek rury. I że nie zgodzili się tolerować takiego zbereźnictwa. Ciekawość, co też żeś chciał temu bykowi zrobić? Jakiś zboczeniec jesteś, czy co?

– Jesteś starym, sprośnym capem. Jeśli ktoś jest tu zboczony, to właśnie ty. Powiem ci, choć wiem, że nie masz dość rozumu, żeby to pojąć. No dobra. Nie wyrzucono mnie ze studiów. Mam urlop, żeby popracować nad pewnym projektem. I to nie był byk, tylko wieprzek. Nie, żeby coś związanego ze sztuką cokolwiek dla ciebie znaczyło, ale ja jestem artystą. Rzeźbiarzem. A przygotowuję pewną pracę, mianowicie... „Frazesy wyrażające niewiarę". Słyszałeś kiedyś wyrażenie „w świńskiej dupie"?

Szeryf skinął głową.

– Moja siostra zbiera znaczki – oznajmił, co było jedyną rzeczą łączącą rodzinę Miazgów ze sztuką, jaką był w stanie wymyślić.

– No więc, pracuję właśnie nad rzeźbą przedstawiającą wnętrze świńskiego tyłka. A mam jeszcze oko na inne komunały, mam latarnię, pod którą jest ciemno – „najciemniej jest pod latarnią" – i mnóstwo innych. To rodzaj sztuki konceptualnej. A co z telefonem? Czy nie należą mi się dwie rozmowy?

---

* Dosł. „zimny rosół" i „gorący gulasz".

– Jedną już wykorzystałeś, kiedy przed godziną zadzwoniłeś do swojej mamuśki. Widzi mi się, że nie za bardzo jej się spieszy, żeby cię stąd wyciągnąć. – Szeryf obdarzył Coolbrotha jednym z tych swoich twardych spojrzeń. – O innych twoich występkach też słyszałem to i owo.

– Jakie znów inne występki? Bo nie uważam, żeby było nim zaparkowanie roweru na chodniku.

– Owszem, to jest wykroczenie. W Bumelii. Nie, występek, który ja mam na myśli, to to, co zrobiłeś Dawn Kurcz. – Przybliżył twarz do twarzy Coolbrotha i wysyczał: – To ty ją wpędziłeś w tarapaty, co? To ty jesteś tym nieznanym tatusiem.

– Chcę tu widzieć adwokata – zażądał Coolbroth z twarzą zaczerwienioną wściekłością.

– To czemu tak od razu nie mówiłeś? – spytał szeryf. – N a t y c h m i a s t bym zadzwonił.

Poszedł do swojego gabinetu i po chwili Coolbroth usłyszał, jak rozmawia przez telefon. Minęło sporo czasu, zanim otworzyły się frontowe drzwi i Coolbroth usłyszał śmiech szeryfa i kogoś drugiego. W korytarzu zabrzmiały kroki i obok celi przeszedł, nie odwracając nawet w jego stronę głowy, starszy mężczyzna z dużym, mięsistym nosem; doszedł do końca, zawrócił, znów przeszedł obok i wrócił, skąd przyszedł. Coolbroth ponownie usłyszał śmiech szeryfa, odgłos otwieranych i zamykanych drzwi. Po chwili szeryf pojawił się znowu.

– Przyuważyłeś tego gościa?

– Taa... i co z tego?

– Ano, to właśnie był adwokat i już go widziałeś. Gasimy światła. Ululaj się teraz i śnij słodkie sny o wieprzach z wielkimi dupskami i o bezimiennych dzieciątkach przymierających głodem, bo ich tatuśkom ich los ze szczętem zwisa, i żebyś mi ani nie pisnął. – Szeryf Hugh Miazga przekręcił wyłącznik i zapadł półmrok, mimo że na zewnątrz było przejrzyście jasno i do zachodu słońca brakowało jeszcze dwu godzin.

26

Brat Jadłoszyn

Dzień przed wyjazdem do Denver Bob pojechał do Poczciwego Psa na suty posiłek ze stekiem i z ziemniakami, jako że trochę obawiał się wegetariańskich zapędów wuja Tama, wyobrażał już sobie nawet półmisek z kopczykiem poszatkowanej kapusty otoczonej kręgiem gotowanego pasternaku. Otworzył drzwi lokalu o wpół do drugiej, kiedy to większość bywalców już wyszła, rzucił czapkę na narożny stolik od frontu, skąd, mimo że stolik stał za występem ściany, miał niezły widok na ulicę (poddał się bowiem miejscowemu zwyczajowi obserwowania pickupów i aut osobowych), wyłowił stek z wielkiej misy, teraz niemal pustej. Ziemniaków już nie było, zostały pokrojone na malutkie kostki do zapiekanki na następny dzień. Cy zaczął już nawet kroić pozostałe steki.

– Wrzucę ci jednego ziemniaka do mikrofalówki – zaproponował Cy. – To praktycznie jedyne, do czego to cholerstwo się nadaje, do podgrzewania kawy i pieczenia ziemniaków. Śmietanę i masło wstawiłem do lodówki, będziesz musiał je sobie wyjąć. Jak chcesz sałatkę, to zostało trochę kapusty. Starczy? Mam też trochę pasternaków. Zostało się mnóstwo pieroga z cebulą, zwanego wpierw „quiche", ale chłopaki go nie jedli, kiedy tak go nazywałem, a jak mówię „pieróg z farszem z cebuli", to im smakuje. Chodzi o słowo „pieróg". Widzi mi się, jakbym powiedział „pieróg z farszem z gówna", też by zjedli. I prawdę mówiąc, dałem do niego dwa razy większą porcję cebuli, niż jest w przepisie, tak że to już zupełnie nie to samo. Zostało też trochę placka z wiśniami. Knedli już nie ma. O, idzie brat Jadłoszyn, pewnie też zechce coś przegryźć. Czemu wy, chłopaki, nie przyjdziecie w południe, jak wszystko jest gorące i smaczne?

Kiedy Bob napełniał swój talerz, brat Jadłoszyn, z wysoko podciągniętym habitem, w ubłoconych butach do końskiej jazdy, wszedł do środka, zacierając dłonie i rozglądając się po pustej sali.

– Wygląda na to, że uniknęliśmy tłumu – rzucił w kierunku Boba.

Cy prychnął i zaczął coś mamrotać pod nosem.

– Powiedzmy, że nic nie usłyszałem – zaśmiał się brat Jadłoszyn, nabijając na widelec ostatni stek i zgarniając wielki kawał pieroga z cebulą.

– Mam pewien dowcip, który zachowałem dla ciebie, bracie Jadłoszynie – tłumaczył Cy. – Za chwilę będę mógł wypić z tobą kawę.

– Mogę się dosiąść? – spytał Boba brat Jadłoszyn. – Nie krępuj się, jeśli wolisz być sam.

– Ależ skąd, proszę siadać – odparł Bob, przesuwając się w kąt i wskazując krzesło naprzeciwko.

– O dobry Panie, jak miło jest usiąść na czymś, co się nie porusza – oświadczył brat Jadłoszyn, który roztaczał wokół ostry koński zapach. Z ronda jego kapelusza zwisała gałązka głogu. – Od świtu na końskim grzbiecie sprawdzałem ogrodzenie. Na dodatek znowu boli mnie ząb. Mamy kawałki ogrodzenia, gdzie słupki są za płytko wkopane, i jak te nasze bizonki zaczną się na nich opierać, jak zaczną się o nie czochrać, to wyciągają je po prostu z ziemi, drut zaczyna zwisać i wkrótce cały fragment leży na ziemi, a nasze stado rusza sobie w kierunku wodospadu. – Zaczął sobie czyścić paznokcie eleganckim nożykiem.

– Czy to palisandrowy trzonek? – spytał Bob.

– Gwajakowy. Wykonał go Lee Reeves z Shattuck. „Robię je dla ręki, a nie dla oka", powiada, a przecież przyjemnie popatrzeć na to, co zrobi. Powinieneś sprawić sobie podobny.

– Stosujecie inne ogrodzenie niż to dla bydła?

– O tak. Większe, wyższe, głębiej wkopywane słupki, mniej dodatkowych płotów do rozdzielania pastwisk, bo przecież bizony nie pasą się jak bydło... krowy są wybredne. Wyjedzą całą najlepszą trawkę i roślinki do cna i po kilku dniach trzeba je przeganiać w inne miejsce, chyba że lubisz mieć pastwisko z plackami gołej ziemi. Jeśli zaś chodzi o bizony, to one ewoluowały na tych równinach razem z roślinnością... wyrastały wspólnie, i jedno, i drugie p r z y n a l e ż y do tego miejsca, do tego krajobrazu. Bizony i tutejsze gatunki roślinne są ze sobą związane. Bydło jest tu nie na miejscu i dlatego tyle przy nim roboty. Trzeba je karmić paszą, którą lubi, trzeba dawać mu wodę... te tysiące wiatraków, to i owo. Bizon zadba o siebie. Pomaszeruje do wody daleko albo znajdzie sobie malutkie wycieki i źródełka, o których człowiek nie miał pojęcia, a jak już będzie musiał, to sam, kopytami, dokopie się do wody podskórnej. A zimą będzie jadł śnieg. Z tego, co wiem, to może i zlizywać szron z drutów ogrodzenia. Bizon polega na sobie i należy do tej krainy. Krowa, wyhodowana na zwierzę łagodne i ospałe, i łatwe do nadzorowania, jest tutaj intruzem. Czy wiesz, na przykład, że w śnieżnej zamieci krowy poruszają się zadem pod wiatr?

Bob skinął głową, bo on sam także poruszał się zadem pod wiatr. Jego myśli krążyły jednak wokół liczącego na własne siły bizona. Wyobraził sobie siebie, jak umiera z pragnienia, jak rwie pazurami ziemię, żeby dostać się do wody.

– Ano nasz bizon tak nie robi. One ruszają burzy śnieżnej n a p r z e c i w i w ten sposób szybciej wyrywają się z obszaru złej pogody. Krowina się razem z nią porusza, siedzi w tej złej pogodzie, idzie razem z nawałnicą, aż padnie trupem albo natknie się na ogrodzenie i tam zamarznie. I jeszcze jedno. Są na ranczu stare bajora, niewielkie zagłębienia, nie używane od stu dwudziestu lat. Wypuszczamy nasze bizonki, a one w dwa tygodnie odnajdują te wszystkie wykopane przez swoich przodków wodopoje i przejmują je na nowo. W każdym razie zlikwidowaliśmy na starym ranczu większość tych wewnętrznych ogrodzeń i w ten sposób mamy trzy tysiącakrowe pastwiska i kilka pięćsetakrowych. Coś ci powiem, jak chcesz mieć jakieś pojęcie o tym, jak wyglądała ta kraina sto pięćdziesiąt lat temu, to zjedź do nas do Potrójnego Krzyża. Możesz tam patrzyć daleko przed siebie i nie zobaczysz kawałka ogrodzenia.

– Chciałbym, ale muszę jutro pojechać na kilka dni do Denver. Może kiedy wrócę. J e ś l i wrócę.

– Są jakoweś wątpliwości?

– Taa. Chyba podpadłem szefowi. Bo widzisz, nie jestem tym, za kogo się od początku podawałem. Kazali mi kłamać na temat tego, co tutaj robię, i wygląda na to, że wybrałem sobie niewłaściwe łgarstwo, bo zacząłem się coraz bardziej plątać i to z mojej winy niektórzy tutaj mają o mnie mylne wyobrażenie.

– No to opowiedz mi o wszystkim, dobrze? – spokojnym głosem zaproponował brat Jadłoszyn, dając po raz pierwszy świadectwo, że jest kimś więcej niż tylko zapalonym hodowcą bizonów. – Przyniosę jeszcze deser. Masz ochotę na kawałek placka z wiśniami do kawy? Muszę zadzwonić do dentysty. Ten ząb mnie wykończy.

Zadzwonił, wrócił po kilku chwilach z dwiema porcjami oblanego śmietaną placka z wiśniami.

– Dzięki – powiedział Bob, patrząc przez okno na pickupa, który wydał mu się znajomy. Pewnie dopiero co wyjechał z myjni samochodowej, bo cały był gęsto usiany kropelkami wody. Kierowca, Francis Scott Kita, wyskoczył z kabiny, wcisnął mocniej na głowę kapelusz, żeby wiatr mu go nie zwiał, i pobiegł wokół pojazdu do drzwi od strony pasażera.

– Tylko nie on – jęknął Bob. – Ten facet mnie nie cierpi.

– Co, ten Francis? A co mu zrobiłeś?

– Nie mam pojęcia. Po prostu moja obecność tutaj wydaje mu się podejrzana.

– A ma powód?

– Nałgałem mu na temat tego, co robię w panhandle, i wyczuł pismo nosem.

Z pickupa Francisa Scotta Kity wysiadła druga osoba i szła razem z nim do baru, a wiatr targał jej długie blond włosy.

– Mój Boże – wzdrygnął się Bob – to przecież Evelyn Chine.

– Chyba jej nie znam – oznajmił brat Jadłoszyn.

Kiedy tych dwoje weszło do środka, nawet nie zerknęli ku stolikowi w rogu, tylko pomaszerowali prosto do znajdującego się w tyle sali boksu. Bob nie widział ich za przepierzeniem, chwytał co najwyżej poszczególne zwroty oraz pojedyncze wyrazy.

– ...co zostało – mówił Cy – to pieróg z farszem z cebuli i trochę surówki z kapusty. Mogę szybko usmażyć steka... ruszt jest jeszcze gorący. Albo przygotować na zimno...

– Wystarczy mi kanapka z szynką – oświadczył Kita. –
A tobie, Evvie? Jest kawa, Cy?

– Będę zachwycona kanapką z szynką – potaknęła gorliwie niedościgła wywiadowczyni Globalnej Skórki Wieprzowej.

– Dużo kawy – odparł Cy.

Głosy pary przy stoliku ścichły do szeptu.

– No dobrze – spytał brat Jadłoszyn – jak doszło do tego, że
wszystko tak ci się pokomplikowało?

– To się zaczęło – odpowiadał Bob – kiedy pan Klukwa mi
powiedział, że muszę wymyślić jakąś maskującą historyjkę, bo
tutejsi ludzie są wrogo nastawieni do przemysłowego tuczu świń.
„Nie na moim podwórku" i takie tam. A kiedy LaVon Fronk przycisnęła mnie do muru, to zanim byłem w stanie wymyślić coś
przekonującego, powiedziałem jej pierwszą rzecz, jaka mi przyszła do głowy. I zobaczyłem, że mi nie wierzy, wobec czego wymyśliłem te luksusowe osiedla dla emerytów. Nadal zresztą uważam, że to niezły pomysł. Są tu przecież takie piękne miejsca.
Myślałem o tym, żeby spytać pana Klukwę, czy Globalna Skórka nie utworzyłaby działu nieruchomości. Kiedy w przyszłym
tygodniu pojadę do Denver, spytam go, czy byłaby na to szansa.

– Wiesz, Bob, być może nie powinieneś był brać zajęcia, które pociąga za sobą kłamstwa na temat tego, co robisz. Na pewno są posady, które pozwalają zachować człowiekowi uczciwość
w pracy. Bo mnie wygląda na to, że ten Klukwa w głębi serca
jest przekonany, że jego firma robi coś, co jest moralnie naganne, skoro prosi cię, żebyś wymyślał sobie jakąś „maskującą historyjkę". Czy to zajęcie, ta praca, jest czymś, co uważasz
za cenne i godne?

– Broń Boże! Nienawidzę tych wszystkich podchodów. Wziąłem to, bo w końcu była to jakaś praca. Bo tak naprawdę, to
nie wiem, co chciałbym robić. Wuj, który mnie wychował,
prowadzi coś w rodzaju sklepiku z używanymi rzeczami, a ja
tego robić nie chcę. Jedyna rzecz, która mnie naprawdę interesuje, to coś takiego jak... historia. Historia Szlaku Santa
Fe. – I opowiedział o wspaniałych chwilach spędzonych z raportem porucznika Aberta i o swoim pragnieniu, żeby pójść
tamtą przebytą w 1845 roku drogą i zobaczyć to samo, co widział porucznik. – I książki. Książki naprawdę lubię.

– W twoim wieku – powiedział brat Jadłoszyn – ja też nie wiedziałem, co chciałbym robić. Wiedziałem, że lubię zwierzęta... wychowałem się na ranczu w panhandle, jako najmłodszy z sześciu synów. W pobożnej rodzinie. Lubiłem matematykę i fotografowanie i myślałem, że będę szczęśliwy, pracując jako misjonarz albo też ucząc innych. No to spróbowałem nauczania. Okropnie mi to szło... brak mi było tego, co nazywają „umiejętnościami społecznymi". A sprawa misjonarstwa zbladła dość szybko... ta ci dopiero wymaga zaawansowanych umiejętności społecznych. Zawsze lądowałem w dużym mieście – nie uwierzysz, ale sześć miesięcy spędziłem w Nowym Jorku – pomagając w przytułkach, w wydających bezpłatne zupy garkuchniach i przy szukaniu noclegu dla bezdomnych; nie powiem, praca zaszczytna, tyle że ja nie potrafiłem przestać myśleć o panhandle. Wreszcie, kiedy miałem jakieś trzydzieści, trzydzieści jeden lat, doszedłem do wniosku, że tylko kontemplacyjny tryb życia z jego codziennymi rytuałami i zwyczajami jest czymś odpowiednim dla mnie. Prostota, skromność, stabilizacja, modlitwa, praca, odpowiedzialność i nauka. I kiedy odnalazłem Potrójny Krzyż tutaj, w mojej rodzinnej krainie, byłem tym głęboko poruszony oraz wdzięczny. Jeszcze trochę kawy?

– Taa – powiedział Bob, unosząc się z krzesła, ale brat Jadłoszyn wyprzedził go i z filiżankami w rękach odszedł od stolika. Kiedy wrócił, oprócz kawy przyniósł też dwa pączki. Nic dziwnego, że bolą go zęby, pomyślał Bob.

– Cy mi je dołożył. W każdym razie po kilku latach opat oraz braciszkowie wysłuchali wreszcie moich argumentów dotyczących hodowli bizonów na ziemiach klasztornych. Są owszem klasztory, które hodują bydło, ale to jest jedyne ranczo bizonie. Minęło kilka lat na badaniach i dyskusjach, nim rzecz została opracowana. Zaczęliśmy na maleńką skalę, z czterema jałówkami i jednym młodym bykiem, a teraz mamy prawie trzysta sztuk. To pozwoliło się określić naszemu klasztorowi. Przed tą hodowlą zajmowaliśmy się pozyskiwaniem nasion warzyw, w większości roślin odpowiednich na południowe równiny, i nadal to zresztą robimy, jednak fizyczna praca związana z bizonim ranczem bardzo dobrze nam robi. Sporo się od tych zwierząt nauczyliśmy... o ich zachowaniu, o naszym, o tym, co jest stosowne dla tego regionu świata. Nasz klasztor to szczęśliwe i produktywne miejsce. I ja jestem szczęśliwy. Więcej nie mógłbym żądać od życia.

– A nie czujesz się paskudnie, kiedy przyjeżdża ciężarówka, żeby zabrać twoje zwierzęta do rzeźni?

– Żadna ciężarówka nie przyjeżdża do nas w tym celu. My hodujemy stado rozpłodowe.

– A niech to szlag, Cy, w tej kawie jest mucha! – dobiegł ich gniewny głos z tyłu sali.

– Mogę zrobić następny dzbanek, Francis.

– Dej se spokój, przejdziemy się do cukierni tych starszych pań i tam się napijemy. Robią świetną kawę, a i o deserach mógłbyś się czegoś od nich nauczyć... skończyć wreszcie z tym ananasowym wariactwem.

Rozległ się brzęk naczyń, zadzwoniły monety i Francis Scott Kita, obejmując w pasie Evelyn Chine, przemaszerował ku drzwiom, nie zaszczyciwszy nawet spojrzeniem Boba i brata Jadłoszyna. Kiedy tych dwoje wsiadło do pickupa Kity, ku swojemu zdumieniu Bob ujrzał, jak zwarli się w jednoznacznym uścisku.

– O Boże – wykrzyknął brat Jadłoszyn, który też wyglądał przez okno.

– A myślałem, że interesuje ją tylko jego ranczo jako miejsce pod świńską fermę – zadumał się Bob.

– Niby dlaczego o n a miałaby się interesować hodowlą wieprzków?

– Bo robi to samo, co ja... i dla tej samej firmy. Szuka terenów pod świńskie fermy dla Globalnej Skórki Wieprzowej. To właśnie część mojego problemu. Ona jest dla mnie konkurencją. Świni mi na moim własnym terytorium. Dosłownie.

Cy podszedł do ich stolika z filiżanką kawy ze skażonego przez muchę dzbanka. Opadł ciężko na krzesło.

– Mam tylko nadzieję, że Tazzy Kitowa jest nieświadoma, że jej mężulek zadaje się z tą dziewczyną. Nie brak im tupetu. Tak se siedzieć na widoku i obmacywać się, i w ogóle. Może on i Tazzy zerwali ze sobą. Chociaż wątpię. Tazzy ma bzika na jego punkcie. I mają syna. Zresztą to nie pierwszy raz, kiedy

Francis Scott Kita się zbiesił. Tyle że nigdy z taką małą jak ta. Wiecie, jak to jest, kiedy się widzi wysokiego faceta z maleńką kobitką, z mety człowiek próbuje ich w myślach dopasować, próbuje wykombinować, jak oni to robią.

Brat Jadłoszyn odchrząknął.

– Wybacz mi, bracie Jadłoszynie, widocznie to ten twój kapelusz mnie zmylił i wziąłem cię za jeszcze jednego niewybrednego kowboja.

– Co to za dowcip miałeś mi opowiedzieć?

– A tak. No więc, kowboj wchodzi do baru, lokal jest prawie pusty, i zamawia piwo. Barman przynosi mu piwo, a kowboj pyta: „Gdzie się wszyscy podzieli?" Barman odpowiada: „Poszli popatrzeć na obławę". Kowboj pyta: „Obławę? Na kogo?" „Na Pete'a de Pita", mówi barman. „Bardzo się dziwnie nazywa", mówi kowboj. „Coś ci powiem", mówi barman. „Tak go nazywają, bo cięgiem pitoli". „A niech mnie!", mówi kowboj. „A niech mnie. A za co chcą go wsadzić?" „Bo pitolenie nie rozliczają się z podatków w terminie", odpowiada barman.

Brat Jadłoszyn jęknął tylko, ale Bob się roześmiał. Cy skierował na niego wzrok.

– Wiesz, Bob, brat Jadłoszyn to chyba najlepszy wiązacz w całym panhandle.

Bob, który myślał, że „wiązacz" to jakiś afrykański ptaszek, skinął głową, ale milczał.

– Najlepszy wiązacz, jakiego świat widział. Istny sztukmistrz z lassem. A jaki szybki sukinkot.

Brat Jadłoszyn, którego twarz oblała jaskrawa purpura, wstał.

– Pójdę już – oznajmił, wbijając kapelusz na głowę. – Dowcip był kiepski, ale to jest jeszcze gorsze.

– Na dodatek skromny – powiedział Cy. – Nie znosi, kiedy go otwarcie chwalą.

Tymczasem ulicą przejeżdżał powoli zakurzony, beżowy sedan; prowadząca go kobieta spoglądała w okna lokalu.

– To właśnie – oznajmił Cy – jest Tazzy Kitowa i założę się, że wypatruje swojego ślubnego i tej panienki.

27

Podróż do Denver

Bob nieraz już myślał o tym, żeby pojechać na weekend do Denver, odwiedzić wuja Tama i przy okazji może jakiegoś developera, jednak dopiero ostatni list od Ribeye'a Klukwy spowodował, że wyjazd stał się koniecznością.

Bobie Dolar.

Pogadałem sobie dziś rano z twoim szeryfem. Nie było NAJ-MNIEJSZEJ POTRZEBY, żebyś próbował dostać się na teren hodowlanej jednostki należącej do konkurencji. Cały proces produkcji jest NIEISTOTNY DLA TWOJEGO ZAJĘCIA, którym jest poszukiwanie terenów pod nasze fermy. Znalazłeś się na mojej liście ludzi POD SPECJALNYM NADZOREM.

Być może nie zdajesz sobie sprawy z tego, że każdy wywiadowca Globalnej Skórki Wieprzowej ma mnóstwo zajęć, JEŚLI TYLKO ON, CZY ONA, NAPRAWDĘ SIĘ STARA! Myślałem, że jesteś typem zdobywcy, panie Dolar, ale udowodniłeś mi, że się pomyliłem. Już od trzech miesięcy znajdujesz się na liście płac GSW, a nie doprowadziłeś jeszcze do ANI JEDNEJ transakcji. Wyjaśniłem ci w ubiegłym tygodniu, dlaczego to takie istotne, żebyś przedstawił jakieś poważne propozycje. Otrzymuję ciągle zapytania od Billa Ragsdale'a z naszej Centrali w Tokio, dlaczego nie załatwiono większej liczby lokalizacji na terenie panhandle Teksasu i Oklahomy. Na rynku wieprzowiny niesamowity ruch, najwyższe ceny od lat. Wytłumaczyłem ci, że panhandle to na hodowlę świń tereny pierwszorzędne. Ani ciebie, ani mnie nie stać na czekanie – na guzdranie się – na bezczynne siedzenie, z nadzieją, że wszystko będzie dobrze. MUSIMY dostać te tereny. POŚPIECH, POŚPIECH i jeszcze raz POŚPIECH jest rozkazem dnia. Nic, absolutnie nic, nie może spowolnić tempa zakładania nowych ferm. Dlatego właśnie to TY jesteś w tym wszystkim taki ważny. Panie Dolar, masz pan ważne zadanie do wykonania, wziąłeś pan na siebie poważną odpowiedzialność. To zadanie, ta odpowiedzialność, ten OBOWIĄZEK to zdobycie terenów pod świńskie fermy i to migiem! Chwytaj więc za ołówek i zacznij wypełniać swoje zadanie NATYCHMIAST! Rusz się, Bobie Dolar!

Pan Ragsdale przyjeżdża w najbliższy poniedziałek do Denver na kilka spotkań. Wymagana jest też twoja obecność. Proszę zgłosić się do mojego biura w najbliższy poniedziałek o ósmej rano. BEZWA-RUNKOWO!

Mimo iż Bob urażony był autorytatywnym i komenderującym tonem listu, pomyślał, że przynajmniej w drodze na północ sprawi sobie kilka godzin wakacji. Gdyby wyjechał w czwartek, miałby czas, żeby odwiedzić kamieniołom, dojechać przed wieczorem do Denver, spędzić dwa dni z wujem Tamem, a potem stawić czoło Ribeye'owi Klukwie. Nadłożyłby nieco drogi i obejrzał kamieniołomy Alibates, ponieważ widział wcześniej kilka z tych wielokolorowych grotów w Muzeum Tornada i Długopisu w Kowbojskiej Róży, i to miejsce budziło jego ciekawość, tym bardziej że porucznik Abert, nie wiedząc nawet, do czego Indianie używali tego krzemienia, 11 września 1845 roku napisał: „Ostatniego dnia podróży wędrowaliśmy przez prerię zarzuconą agatami, kamieniami zabarwionymi pasemkami różu i błękitu oraz wszelkimi innymi kolorami stanowiącymi tychże mieszankę. Były chropowate i nie przedstawiały większej wartości, natomiast ich liczba była tak ogromna, że nazwaliśmy to miejsce Agatową Skarpą".

Nie mając pewności, czy wróci, wieczorem przed wyjazdem spakował swoje rzeczy. Było wielce prawdopodobne, że Ribeye Klukwa go zwolni. Kiedy powiedział o tym LaVon, ta, tonem żartobliwie kategorycznym, przypomniała mu, że Święto Drutu Kolczastego odbędzie się pod koniec czerwca i on ma się na nim pojawić, nieważne, czy zwolniony czy nie.

Bob miał szczerą ochotę w nim uczestniczyć, ale odpowiedział jedynie:

– Zobaczymy.

Leżąc na łóżku w baraku, ostatni być może już raz, słuchając koncertu kojotów, opracował plan, w jaki sposób wyjaśnić korzyści płynące z ubocznego zajęcia, jakim dla GSW mogłaby być działalność na rynku nieruchomości. Gdyby Globalna Skórka Wieprzowa posiadała dział nieruchomości, on sam mógłby poszukiwać terenów zarówno pod świńskie fermy, jak i pod inny rodzaj budownictwa. Wyobraził sobie Ribeye'a Klukwę oraz tego nieznanego pana Ragsdale'a, jak klepią się w czoła i wykrzykują: „Wielkie nieba! Toż to absolutnie błyskotliwy pomysł!" Wyobraził sobie również Ribeye'a, jak wrzeszczy: „Jesteś zwolniony!"

Nazajutrz, kiedy wyszedł z walizką na ganek, oko jego po raz pięćdziesiąty zarejestrowało ów ciemny obiekt, tkwiący w wysokiej po szyję trawie leżącego odłogiem pastwiska. Pewnie to jakiś krzak albo niezwykle gęsta kępa trawy, mówił sobie, a może dziwaczny kopiec mrowiska czy stos butwiejących, rzeźbionych figur, jak te, które stały za barakiem. Miał ostatnią szansę, żeby sprawdzić, co to tak naprawdę jest. Postawił walizkę, przeszedł na drugą stronę ogrodzenia z drutu kolczastego i powoli ruszył przed siebie, nasłuchując ostrzegawczego grzechotu, mając nadzieję, że wszystkie te ciche węże żyją jedynie w Kalifornii. Minął kilka metalowych słupków, które kiedyś dźwigały drut kolczasty ogrodzenia dawno temu dzielącego to pastwisko. Gdy już zbliżał się do celu, wiedział, że nie jest to krzak.

Rozchylił ostatnie źdźbła trawy i oczom jego ukazał się niesamowity widok: szkielet jelenia nadziany na metalowy słupek ogrodzenia; brakowało tylko głowy, a słupek przechodził na wylot przez klatkę piersiową. Zakrzywione żebra ze strzępami mięśni miały zimnoszarą barwę. Wyschnięte ścięgna nadal nie pozwalały rozpaść się kościom. Z początku pomyślał, że to pozostałość po jakimś upiornym rytuale, ale obejrzawszy znalezisko ze wszystkich stron, doszedł do wniosku, iż jest to rezultat wypadku, nieszczęśliwego zbiegu okoliczności, że jeleń poruszał się skokami przez tę wysoką trawę, nie dostrzegł ukrytego tam metalowego słupka i pechowo spadł na niego całym swoim ciężarem, nadział się i zginął. Będzie tam tak wisieć niczym jakiś makabryczny strach na wróble, dopóki z upływem czasu kości nie rozpadną się, a żuki nie przeżują ich na pył. Wstrząśnięty, z uczuciem lekkich mdłości, wrócił na ganek, wziął walizkę, wsiadł do saturna i odjechał.

Nie potrafił wyrzucić tego szkieletu ze swojego umysłu. Widział w wyobraźni, jak jeleń sadzi wielkimi susami przez trawę. Może była noc, może księżyc dopiero zaczynał rozjaśniać niebo bladym światłem, nadając źdźbłom traw oraz kłosom metaliczny połysk. Jakże łatwo w tak połyskliwym otoczeniu nie zauważyć w wysokiej trawie śmiertelnie niebezpiecznej włóczni; a potem ten gwałtowny szok i przeszywający ból, kilka sekund instynktownej szamotaniny, podczas gdy księżyc przygasa i znika na dobre. A może, ścigany przez gończe psy, uciekał w panice, wielkimi skokami, które wynosiły go wysoko w powietrze, dwadzieścia stóp i wyżej, zdolny przefrunąć ponad słupkiem, gdyby go tylko widział, lecz nie, nieubłagany los powoduje, że upada całym ciężarem i rozpędem i zawisa, przebity na wylot; umiera powoli, gdy tymczasem psy szarpią jego ciało, a potem zaczyna gnić i kurczyć się w słońcu poranka.

W biurze Towarzystwa Ochrony Pomników Przyrody we Fritch spytał, jak dojechać do kamieniołomów.

– Musi pan mieć przewodnika. Właśnie w południe wyrusza grupa – poinformowała go wysoka brunetka zza kontuaru. – Może się pan do niej przyłączyć. Prowadzi Cal Wollner. Spotykacie się wszyscy na dole, przy posterunku strażników leśnych, za pół godziny.

Bob zerknął na zegarek. Była za kwadrans jedenasta, a przecież o jedenastej trzydzieści chciał ponownie znaleźć się w drodze. Nie dojedzie do Denver przed północą, jeśli zatrzyma się jeszcze przy Skale Autografów* w pobliżu Boise City i w hołdzie porucznikowi Abertowi odwiedzi Fort Benta. Może powinien zostawić sobie i skałę, i fort na drogę powrotną... jeśli w ogóle dojdzie do powrotu.

Wszedł Cal Wollner, przewodnik grupy, i spytał:

– Wszyscy gotowi? Nie zapomnijcie o kapeluszach, tam jest bardzo gorąco. Nie chcemy, żeby ktoś dostał udaru słonecznego.

Spory tłumek podążył stromą ścieżką za Wollnerem. Co kilkaset stóp ludzie kryli się w cieniu zamontowanych na słu-

---

* Słynna formacja skalna z około dwustu podpisami z lat czterdziestych (i późniejszych) dziewiętnastego wieku.

pach daszków, zamieszkanych przez zuchwałe osy, podczas gdy Wollner opowiadał o grupach Indian, o osadach, handlu, migracji, wojnie. W dole widać było głęboki błękit jeziora Meredith.

– Są jakieś pytania?

– Ciekaw jestem – odezwał się Bob – czy nazwa „Alibates" jest indiańskim słowem oznaczającym krzemień.

Wollner uśmiechnął się.

– Nie. To nazwisko starego kowboja, do którego należał ten teren w dziewiętnastym wieku. Nazywał się Allie, pan Allie Bates. – Nie potrafił powiedzieć Bobowi, kim byli wykorzystujący krzemieniowe kamieniołomy Indianie.

Na szczycie zobaczyli dziesiątki niewielkich otworów, z których Indianie wyłupywali cenny kamień. Mnóstwo jego drobnych ułomków walało się wokół: purpurowe, białe, bladoniebieskie, jedne plamiste, inne w paski. Bob dostrzegł piękny kawałek czerwonawopurpurowego kamienia, w ukośne paski w kolorze przydymionego błękitu. Bardzo chciał go mieć i kiedy przewodnik ruszył dalej, a za nim cała grupa, schylił się i udając, że zawiązuje sznurowadło, chwycił kamyk i schował do kieszeni. W dotyku był ciepły i śliski. Po kilku minutach wyjął go z kieszeni i upuścił na ziemię, zauważył bowiem obserwujący go bacznie wzrok Wollnera. Tamten skinął z aprobatą głową.

– Ani się waż, człowieku – ostrzegł bez śladu uśmiechu.

W drodze powrotnej przewodnik zatrzymał się, żeby pokazać rzecz całkiem oczywistą.

– Oto jezioro Meredith – oświadczył.

Fale na matowym, błękitnym lustrze wody wyglądały jak spowalniacze na jezdni.

– Ale wielkie – zdumiała się jedna z kobiet.

– Owszem, a przecież widać tylko jego powierzchnię – powiedział Wollner. – Kiedy wybudowali zaporę i jezioro się napełniło, wszyscy mieszkańcy z Amaryli i z Borger popędzili ze swoimi nowymi łodziami, żeby je wypróbować. To był istny koszmar. Większość tych ludzi, mieszkańców panhandle, nigdy nie widziała więcej wody niż to, co mieści się w zbiorniku wody pitnej dla bydła, i dlatego nie mieli najmniejszego pojęcia, co wiatr potrafi wyprawiać z naszą poczciwą H_2O. Wywracali się z łodziami, wypadali za burtę, taranowali się nawzajem, tonęli. Zabójczy, śmiercionośny, wodny cyrk.

Za Stinnet Bob skierował się na północ, przejechał granicę stanu i kołując przyprawiającymi o dezorientację uliczkami Guymon, w poszukiwaniu idącej na północny zachód drogi numer 64, wjechał na prowadzącą do Goodwell numer 54. Zanim zdążył naprawić błąd, przekroczył wyschniętą rzekę Beaver i znalazł się na drodze gruntowej, biegnącej przez pola ropy i gazu, otoczony kiwającymi się obojętnie pompami. Jałowe łożysko rzeki przedstawiało smętny widok. Wiedział, że kiedyś był to bystry strumień, zwany Canadian Północny, przepływający ocienioną doliną, która przyciągała ranczerów i osadników. Niestety, na początku dwudziestego wieku prawo dotyczące wypasu, nakazujące ranczerom trzymanie bydła w ogrodzeniu, zamknęło te otwarte tereny, a ogrodzone bydło, zbierając się u wodopoju, zadeptywało porośnięte trawą brzegi. Te zaczęły erodować i spływać w dół, w koryto. Nie minęło dziesięć lat, a rzeka zaczęła umierać i ostatecznie przestała płynąć, chyba że po bardzo obfitych opadach, pozostawiając jedynie w krajobrazie niewielkie zagłębienie, zaznaczające jej dawną trasę, jakby jakiś wielki palec przeorał prerię; ostatnie zaś jej strumyczki spiętrzono i zachowano obok autostrady jako Azyl dla Dzikich Zwierząt „Optima".

Wyjechał na drogę 64 i skręcił w lewo, w kierunku Boise City. Tuż za miastem zobaczył stojącego na poboczu starszego wiekiem Indianina z ubraniem oraz innymi rzeczami osobistymi zapakowanymi w rdzawoczerwoną torbę z nadrukiem sklepu Neiman Marcus. Chociaż tamten nie podniósł do góry kciuka, Bob był przekonany, że czeka na okazję, wobec czego zatrzymał auto.

– Jadę do Denver. A wy dokąd?

– Do Trinidad. Córka mieszka w Trinidad. W Kolorado.

– Cóż, to po drodze. Wskakujcie.

Staruszek, pomyślał Bob, jest równie zdolny do wskakiwania jak do fruwania. Tamten wczołgiwał się powoli i niezgrabnie na fotel pasażera; torbę ułożył sobie na kolanach. Bob wjechał z powrotem na szosę.

– Jedziecie więc w odwiedziny do córki.

– Nie w odwiedziny. Przeprowadzam się do niej.

Zapadła długa chwila milczenia, w czasie której Bob oczyma wyobraźni widział znów siebie samego siedzącego na progu domu wuja Tama.

– Skąd jesteście?

– Z Oklahomy.

Bob starał się, żeby nie słychać było w jego głosie irytacji.

– No cóż, tyle to sam odgadłem. Spotkałem was przecież w Oklahomie, Oklahoma to stan indiański, tyle odgadłem. Z jakiego plemienia? – spytał z nadzieją, że ten mężczyzna okaże się Czejenem i że pogada z nim o poruczniku Abercie. Nie usłyszał jednak odpowiedzi i kiedy zerknął w bok, zobaczył, że stary człowiek ma zamknięte oczy, choć nie sądził, by tamten spał.

Bob, nieco rozdrażniony, bo liczył na rozmowę w zamian za podwiezienie, jechał dalej, słupy telefoniczne uciekały do tyłu, wznosiły się i opadały długie odcinki drutów. Znajdował się w krainie bylicy i piaszczystych wydm, pośród dzikich śliw i sumaków, ziemi porośniętej z rzadka kępami trawy sinolistnej. Ruchu drogowego nie było tu w ogóle i okolica ta przyprawiała go o uczucie osamotnienia, osamotnienia wśród pyłu i spalonej ziemi. Wyschnięte koryto rzeki Beaver, stopniowo zasypywane, przygnębiało go. Nie potrafił powstrzymać myśli o tym przysypującym wszystko pyle, o tych drobinach piasku osiadających warstwami; coraz to grubsze warstwy zbijają się i twardnieją, a wiatr ciągle nanosi pył każdego dnia, każdego roku, wypełnia ślady stóp i rowy, i łożyska strumieni, przesypuje się ponad skałami, zakrywa kości dinozaurów, ludzkie siedziby, szlaki i drogi, narasta cal za calem, stopa za stopą, tysiąclecie po tysiącleciu; w ten sposób cała przeszłość tego okaleczonego krajobrazu przemija i ulega zapomnieniu.

Mila za milą zagłębiali się w krainę płaskowyżów, a rosnące na piaskach krzewy ustąpiły miejsca niskim sosnom, jałowcom i wiązowcom, rozłożystej opuncji i karłowatym dębom. Był w krainie niskich traw i teraz już upewnił się, że Indianin tylko udaje sen.

Tuż przed Trinidad starzec wyprostował się i wyjrzał przez okno.

– Prawie na miejscu, co?

– Taa – bąknął krótko Bob, nadal obrażony, że godzinami musiał prowadzić w milczącym osamotnieniu.

– Wprowadzam się do córki – oświadczył starzec.

– Już to mówiliście. Kiedy was zabrałem. To miłe, że macie rodzinę.

– Ma dobrą pracę, pielęgniarki. Ona i jej mąż zarabiają mnóstwo. Duży dom. Mogę mieć własny pokój, własną łazienkę. Nie mają dzieci.

– Będzie wam raźniej razem – zauważył Bob. Chyba że, pomyślał, zaśniesz przy obiedzie albo przy oglądaniu wieczornej telewizji, bo wtedy będzie z ciebie żadne towarzystwo dla córki.

– Mój zięć poznaje wiedzę szamańską. A ja będę jego nauczycielem.

– Co to takiego... ta „wiedza szamańska"?

– Obrządki... tańce – odparł mgliście mężczyzna, machając ręką w kierunku horyzontu.

Nagle wyprostował się w fotelu i zapatrzył na zachód, gdzieś za uciekające do tyłu ogrodzenia.

– Najbliższy zjazd – oświadczył. – Około mili na zachód.

Pełen wątpliwości Bob zjechał z drogi międzystanowej i wjechał na szosę numer 12. Jechali na zachód, jednak mimo że przejechali już milę, starzec milczał.

– Już niedługo?

– Tak, całkiem niedługo – zgodził się mężczyzna.

Bob jechał dalej. Po przejechaniu następnej mili czy dwóch przyspieszył i wkrótce już gnał z prędkością sześćdziesięciu pięciu mil na godzinę, a szosa umykała błyskawicznie spod kół. Starzec przyglądał się bacznie krajobrazowi i milczał.

– Jak daleko jeszcze? – spytał Bob. – Miało być milę od międzystanowej. Wiecie przecież, że muszę jechać do Denver.

– Tak – odparł mężczyzna. – Myślę, że już dawno minęliśmy to miejsce.

– Na miłość boską, dlaczego żeście nic nie mówili?

– Nie wiem – wyznał mężczyzna.

Z piskiem opon Bob zawrócił auto. Strzałka prędkościomierza wspięła się do osiemdziesiątki.

– Teraz już mi powiedzcie, kiedy będziemy się tam zbliżać – poprosił.

– Nigdy tam nie byłem – oznajmił stary. – To jedna z tych bocznych.

– Jedna z tych bocznych? A to świetne. Od tej nie odchodzi ich więcej niż pięćdziesiąt. A jak się ona nazywa?

– Nie wiem. Zapomniałem zabrać list córki.

W tym momencie Bob zorientował się, że ma problem. Starszy pan nie miał pojęcia, dokąd jedzie, a tamten list, którego nie zabrał, na pewno zawierał również numer telefonu.

– Macie numer telefonu córki?

– Nie. To i tak na nic. Ona jest w pracy.

– A wiecie, gdzie pracuje?

– Jest pielęgniarką.

– Tak, ale to może oznaczać szpital albo przychodnię, albo dom opieki, albo jakąś prywatną lecznicę, albo jeszcze z dziesiątkę innych miejsc. Podjedziemy do najbliższego automatu i sprawdzimy książkę telefoniczną. Mogą w niej być te wszystkie instytucje.

Zatrzymał się przy całodobowym sklepie spożywczym Huerfano, z rzędem dystrybutorów paliw.

– Nie widać na zewnątrz automatu telefonicznego. Na pewno jest w środku. Jak się nazywa córka?

– Shirley.

– Shirley co?

– Shirley Rączanoga.

Bob wszedł do sklepu i rozejrzał się w poszukiwaniu telefonu. Zobaczył jaśniejszy prostokąt farby na ścianie obok toalet, gdzie z całą pewnością wcześniej znajdował się automat telefoniczny.

– Zabrali go – poinformowała go stojąca za ladą otyła kobieta. – W zeszłym tygodniu.

– Mój Boże, to niby jak mam teraz zadzwonić?

– W dzisiejszych czasach każdy ma telefon komórkowy. Nikomu już nie są potrzebne te stare automaty.

– Mnie jest potrzebny. Muszę się dowiedzieć, gdzie mieszka

ta kobieta. Mam w samochodzie jej ojca. Podróżuje autostopem, a ja przywiozłem go tutaj z Oklahomy. Nie ma pojęcia, gdzie ona mieszka.

– A jak się nazywa? – Kobieta już trzymała w rękach książkę telefoniczną, gotowa przewracać kartki.

– Shirley Rączanoga. Indianka. – Bob czuł się nieswojo, podając to nazwisko. – Jej ojciec mówi, że jest pielęgniarką. – Nie umiał zdusić w głosie tonu niedowierzania i sarkazmu.

– W Trinidad?

– Tak. Tak twierdzi jej ojciec. I że mieszka przy drodze odchodzącej od tej. Zgubił list od niej, gdzie była nazwa tej drogi.

– Nie ma tu nazwiska Rączanoga. Może pan spytać w informacji – i podała mu słuchawkę bezprzewodowego telefonu. Jednak w informacji też nie mieli tego nazwiska.

– Dziękuję pani – powiedział i wrócił do samochodu. Starego Indianina nie było.

Popatrzył w jedną i w drugą stronę szosy, sprawdził męską toaletę, wreszcie wrócił do sklepu.

– Wchodził tu ten starszy jegomość?

– Oprócz pana nikogo tu ostatnio nie było.

– Ale zniknął.

– Mówił pan, że jest autostopowiczem.

– Bo jest.

– No to co się pan przejmuje? Może nie podobała mu się jazda z panem, skorzystał z okazji, żeby się urwać. – Wyraz twarzy tej kobiety wskazywał wyraźnie, że jej też nie podobałaby się jazda z nim w jednym samochodzie.

– Podwiozłem go tutaj – wyjaśnił – jestem za niego odpowiedzialny – i poszedł do saturna, uruchomił silnik i wyjechał na szosę.

Pomyślał, że gdyby palił papierosy, to teraz właśnie zapaliłby sobie jednego. Żałował, że nie kupił w sklepie batonika. Był wygłodniały i zmęczony, bolały go nogi w miejscu, w którym krawędź fotela wbijała się w uda. Kiedy zbliżył się do międzystanowej drogi nr 25, zobaczył znajomą, człapiącą postać: to jego wiekowy Indianin wędrował przed siebie. Z westchnieniem zatrzymał auto.

– Jak żeście się tu dostali? – spytał głosem ściśniętym irytacją, mimo że starał się jednocześnie wyobrazić sobie, co to znaczy być starym Indianinem, którego cały dobytek mieści się w sklepowej torbie.

– Podwieźli mnie. Tamta pani powiedziała, że moja córka tu nie mieszka. A jest tu całe życie. Ma siwe włosy.

– To co teraz planujecie?

– Nie wiem.

Bob zrobił długi wydech. Siedział w tym po uszy. Pomyślał o bracie Jadłoszynie i o czymś, co tamten powiedział na temat doświadczeń, które pozwalają nam rozwijać się coraz pełniej jako istoty ludzkie. Bob poczuł, że on sam się jakoś coraz bardziej kurczy.

– Wsiadajcie. – Oddychał głęboko. – Wiemy, że jest pielęgniarką, zgadza się? Wiemy, że pracuje, tak? Nie wiemy tylko gdzie. Wobec czego proponuję, żebyśmy pojechali do szpitala w Trinidad i spytali, czy przypadkiem nie pracuje właśnie tam. Jeśli nie, to dobrze będzie zapytać szeryfa. Szeryfowie znają wszystkich. Muszą znać – oświadczył, przypominając sobie szeryfa Hugh Miazgę. – Jak wam się to widzi?

– OK. Widzi mi się OK. – Starzec oparł głowę o zagłówek i ponownie zamknął oczy.

Bob prowadził samochód jak głupiec, zmieniał nieustannie pas ruchu, tak długo siedział na zderzaku starego pickupa, że jego kierowca po kilku milach takiego nękania zjechał na pobocze; potem sam został na dłużej przyblokowany przez ciężarówkę z przyczepą, żałował, że nie ma telefonu komórkowego, bo mógłby zadzwonić pod widoczny z tyłu przyczepy numer i odpowiedzieć na wymalowane obok niego śmiałe pytanie: JAK PROWADZĘ?

– Kiepsko – rzucił wściekle w stronę ciężarówki. A do swojego pasażera powiedział: – Człowieku, jeśli znajdziemy twoją córkę... – i zamilkł, nie wiedząc, co ma mówić dalej.

Szpital w Trinidad był skromnym, niskim budyneczkiem, a ponieważ wszędzie wokół rozciągała się kraina rancz, Bob domyślał się, że zajmują się w nim przede wszystkim ofiarami wypadków na rodeo oraz prac przy koniach. Weszli do środka obaj, Bob z mocnym postanowieniem, że tym razem to starzec będzie zadawał pytania.

– No, idźcie tam – instruował. – Spytajcie przy tamtym okienku o córkę. Czy tu pracuje.

Ledwie starzec zrobił trzy kroki w kierunku siedzącej za szybą recepcjonistki, kiedy jakaś krępa kobieta w karmazynowym bliźniaku, pchająca przed sobą wózek inwalidzki, na którym siedział mężczyzna z twarzą jak zmięta papierowa torebka, zawołała:

– Ojcze! – i natychmiast skręciła w jego kierunku.

– Córko – odezwał się całkowicie spokojnym głosem starzec. – Zapomniałem twój list. Szukali my.

Zerknęła na Boba, który wzruszył ramionami.

– Łapał okazję. Jeszcze w Oklahomie. A ja jechałem do Denver.

– Tak. Ten człowiek wiózł mnie daleko. Pomógł cię szukać.

– Ależ ojcze, nie musiałeś jechać autostopem. I co robiłeś w Oklahomie? Przecież wysłałam ci pieniądze na autobus. – Odwróciła się do Boba i powiedziała: – Mieszka w rezerwacie Sosnowa Turnia.

– Zgubiłem te pieniądze. Kim jest ten człowiek na wózku? Nie twój mąż, co?

– Nie, nie. To pan Gunnel. Pracuję w Domu Złotego Wieku, a pan Gunnel musi przyjeżdżać tutaj na dializy. Ja go tu przywiozłam. To prawdziwa niespodzianka tak cię tu nagle zobaczyć. – Zwróciła się do Boba Dolara. – Shirley Mason – przedstawiła się.

– Szukaliśmy Shirley Rączanoga.

– Wyszłam za Boba Masona. Przedtem rzeczywiście nazywałam się Shirley Rączanoga. Mój ojciec nazywa się Moony Rączanoga. To bardzo uprzejmie z pańskiej strony, że przywiózł go pan tutaj i tak się starał, żeby mnie odnaleźć. Zapraszamy pana na kolację. Zabiorę pana Gunnela z powrotem do domu opieki i pojadę do własnego. Bardzo by to nam ułatwiło sytuację, gdyby mógł pan tam zawieźć ojca. Proszę, wyrysuję panu, jak do nas dojechać. I w żadnym razie nie przyjmuję odmowy. Bob – mój mąż – upolował wapiti i będziemy mieli pieczeń. – Mówiąc, rysowała kreski na odwrotnej stronie kartki, która oznajmiała wielkimi literami ZAPANUJ NAD SWOIM PĘCHERZEM. Wcisnęła mu kartkę do ręki, ojcu powiedziała, że zobaczą się później, i pospieszyła w stronę wyjścia, pchając wózek z panem Gunnelem, z szybkością, jakiej tamten z pewnością od lat nie doświadczył.

– Co za szczęśliwy traf – oznajmił Bob. Będzie musiał zadzwonić do wuja Tama i powiedzieć mu, że przyjedzie bardzo późno.

Żałował, że Shirley Mason nie zabrała ojca ze sobą. Spojrzał na starego Indianina. Ten odwijał starannie celofan z różowego lizaka, który wyjął ze stojącego na ladzie recepcji papierowego pudełka. Kiedy spojrzenie Boba spoczęło na nim, drgnął, odwrócił ponownie do kubełka, wybrał zielony lizak i wręczył mu go.

– Dzięki – powiedział Bob, przyglądając się planowi. Rzeczywiście, dom Masonów znajdował się w pobliżu Boncardo Road, odchodzącej od szosy numer 12.

– To nie jej mąż – oświadczył starzec, liżąc cukierek – ona powiada.

Po długich poszukiwaniach znalazł wreszcie automat na samym końcu wywoskowanego korytarza, zadzwonił do wuja, na jego koszt, i wyjaśnił całą sytuację.

– Pieczeń z wapiti? Zabierz mały plasterek do domu. Nigdy nie jadłem wapiti.

– Mógłbyś zjeść, gdybyś tylko poszedł do tej cholernej restauracji Pod Porożem z tymi okropnymi kelnerami.

– Za droga.

– A co się stało z wegetarianizmem?

– Nic. Nadal jem warzywa. Ale nie jestem fanatykiem. Przynajmniej kiedy mam spróbować wapiti.

Kierując się planem, skręcili z szosy numer 12 w Boncardo Road, potem w jeszcze mniejszą i jeszcze bardziej zakurzoną drogę, oznaczoną jako „Błotne Wrota", i dalej posuwali się, podskakując na pofałdowanej niczym tara do prania nawierzchni, tak że samochód drżał i trząsł się cały, a do jego wnętrza niewidocznymi szczelinami sypał się pył. Wskazówki Shirley Mason brzmiały: „2 mile dom z bali po lewej czerwone drzwi". Dom okazał się niewielki, zupełnie nie przypominał ogromnej rezydencji z opisu starego Indianina, niemniej Rączanoga wydawał się zadowolony, bo sapnął z ukontentowaniem:

– No.

Zatrzymali się za zielonym bronco i wysiedli. Maska silnika bronco nadal była gorąca i słychać było postukiwanie stygnącego metalu. Shirley Mason wyszła na ganek i pomogła ojcu wspiąć się po schodkach.

– Masz walizkę? – spytała. Jej ojciec pokręcił głową. – Niczego ze sobą nie zabrałeś? – Stary wyciągnął przed siebie rękę z torbą od Neimana Marcusa.

Kobieta przytrzymała drzwi i Bob wstąpił w sam środek cudownego aromatu piekącego się mięsa i ziemniaków, czosnkowego sosu, świeżych brzoskwiń i cynamonu z gotującego się na wolnym ogniu ćatni.

– To mój mąż, Bob Mason – powiedziała, prowadząc ich do nucącego coś pod nosem otyłego mężczyzny, który urzędował w kuchni, gdzie w kominku trzaskały w ogniu gałązki jadłoszynu, a przed kominkiem stały dwa bujane fotele.

Mason wyszedł im na spotkanie z wyciągniętą ręką, z uśmiechem na twarzy. Uścisnął dłoń Boba wilgotnymi, tłustymi palcami, poklepał starszego pana po ramieniu, posadził obu przed kominkiem i nalał im po filiżance świeżej, gorącej kawy.

– Pieczeń będzie gotowa za jakieś pół godziny, może trochę więcej – oznajmił. – Jestem bezrobotnym nauczycielem, moja żona pracuje, ja siedzę w domu i gotuję, i sprzątam. Zatem, mój teściu, opowiedz nam o swoich przygodach.

Starzec uśmiechnął się i wskazał na Boba Dolara.

– To on jest moją przygodą. On wiezie mnie z Oklahomy do tutaj, nawet jeśli zgubiłem list z adresem. On dobry człowiek.

Bob oblał się rumieńcem, przypominając sobie swoje zniecierpliwienie, złość, swoją irytację z powodu milczenia starego człowieka i pozornej, jak się okazało, głupowatości.

Bob Mason się rozpromienił.

– Szczęśliwy to dla ciebie dzień, teściu. Bo mógł cię zabrać do swojego samochodu jakiś rabuś czy morderca. Mogli cię porwać albo wyrzucić z samochodu na pobocze. A przecież jesteś tutaj, bezpieczny, w domu. – Wstał, żeby polać tłuszczem pieczeń, znieruchomiał, ponownie popatrzył na starego człowieka. Zadał mu pytanie, głosem znienacka uroczystym i poważnym: – Przywiozłeś swoją szamańską torbę?

Starzec odpowiedział mu półuśmiechem, przyłożył wskazujący palec do prawej skroni, potem wskazał nim torbę od Neimana Marcusa.

– Ojcze – odezwała się Shirley Rączanoga Mason – zupełnie nie pojmuję, co robiłeś w Oklahomie, ale proszę cię teraz, chodź ze mną obejrzeć swój miły pokoik. Czeka na ciebie. Masz tam własny telewizor i stół do pisania lub rysowania. – Spojrzała na Boba Dolara. – Ojciec znany jest ze swoich malarskich umiejętności. Jego prace są w kilku muzeach. Proszę popatrzeć, tam, nad kominkiem jest tego przykład.

Bob ujrzał dziwny i niepokojący obraz; pustka rozległego, żółtego obszaru, z dwoma cienkimi patykami blisko prawego, dolnego rogu. Podszedł bliżej i zobaczył, że patyki te to wbite w ziemię strzały, zagłębione w niej niemal po pierzaste lotki, jakby wystrzelono je z wielkiej wysokości, gdzieś z nieba, a one spadając, nabierały szybkości. Niczego więcej tam nie było, niemniej malowidło wydawało się pełne znaczeń.

Pieczeń z wapiti była wyborna, pełna wyrazu, z owym delikatnym posmakiem dziczyzny. W sosie Bob dostrzegł malutką ciemną kuleczkę i pomyślał, że to ziarnko pieprzu, jednak Bob Mason nazwał je jagodą jałowca. Stary Rączanoga odmówił jedzenia ziemniaków oraz sałatki, zadowalając się mięsem. Bob zauważył, że jego zięć wykrawał dla niego najlepsze kawałki i dbał o to, by miał przez cały czas pełny talerz. Zadziwiło go to, ile mięsa jest w stanie pochłonąć ten stary człowiek.

– Wina niestety nie mamy – powiedział Bob Mason. – To dom abstynencki. Bo ja jestem niepijącym alkoholikiem.

W trakcie kolacji, przy świetle z kominka, które rzucało refleksy na stół i odbijało się w ciemnym sosie z mięsa na półmisku, Shirley spytała Boba o to, czym się zajmuje, a on, czując się swobodnie i pośród życzliwych sobie ludzi, zaczął im opowiadać wszystko po kolei, o uczelni i o Orlandzie, i o panu Klukwie, i o LaVon, i o tarantulach, i o mataczącej Evelyn Chine, i o swoich nieudanych wysiłkach, by skłonić Jima Skórę do sprzedaży ziemi, o własnej niepewności, jak powinien urządzić sobie życie. Starzec podniósł wzrok znad kopca mięsa.

– Ty, bogaty biały młodzieniec, jesz dobrze, jeździsz porządnym samochodem, szykowne ubranie, drogie buty i nie wiesz, jak pokierować życiem?

– Nie jestem bogaty. W rzeczywistości jesteśmy ubodzy. Samochód nie należy do mnie, a mój wuj prowadzi sklep ze starzyzną i stamtąd pochodzą te moje buty. Ja po prostu nie wiem, co jest dla mnie najlepsze. To znaczy, czy powinienem dalej studiować, czy co? Bo nie sądzę, żebym miał dłużej być wywiadowcą poszukującym terenów pod świńskie fermy. Myślę, że pan Klukwa zamierza mnie zwolnić.

– Nazwisko Jim Skóra obiło mi się o uszy – powiedział starzec. – To wielki głupiec. Ma w sobie trochę krwi Indian Czerokezów i się wyłguje. Jego tata był półkrwi Czerokezem i też się wyłgiwał. Skóry to kłamce.

Bob zgadzał się z tą opinią.

– Ale – powiedział Rączanoga – są sposoby, żeby nawet łgarza przerobić na uczciwego człeka.

– Żebym tylko je znał – westchnął Bob.

– To nicniewiedzenie to sprawa młodych, to szukanie, kto i co, i gdzie. Ale ty masz szczęście. Dla ciebie są możliwości, biały, młody człowieku. A jak by ci się podobało w rezerwacie, czterdzieści do osiemdziesiąt pięć procent bezrobotni, nie ma pracy, nie ma pieniędzy, żeby wyjechać, nie ma szkoły, nic tylko się upijać, robić dzieci, wydawać pieniądze z pomocy społecznej na butelkę? Tam młody człowiek nie pyta: „Kim będę w życiu?" Bo odpowiedź jest jedna: pijakiem, umrę młodo i w nędzy, zostawię kalekie dzieci. Więc tylko myśli: „Jak długo pożyję?"

Boba oblała fala wstydu, bo rzeczywiście wyglądało na to, że jest i zamożny, i okropny.

– Jeszcze trochę wapiti, teściu? – Bob Mason dużym widelcem podniósł ociekający tłuszczem plaster. Kruche mięso zakołysało się.

Starzec nadal jednak zwracał się do Boba.

– Będziesz musiał odnaleźć swoją drogę samotnie. Może ten wuj, o którym mówisz, ci pomoże.

– Być może – zgodził się Bob, przybity i nieszczęśliwy.

Starzec wzniósł w górę oczy.

– Miej litość. Pozwól temu biedakowi wieść dobre życie.

Dla Boba ten przyjemny wieczór nabrał gorzkiego smaku. Opuścił gospodarzy tak szybko, jak tylko wypadało. Kiedy przekręcał kluczyk w stacyjce, zobaczył, jak w pokoju starca zapala się światło, zobaczył, jak Shirley Mason włącza telewizor i puszcza w ruch drgające obrazki.

28

Używane, ale nie nadużywane

Było już dobrze po północy, kiedy Bob wszedł do małego mieszkanka nad sklepem. Panowała cisza; wszystko wydawało się niezmienione, kilka naczyń w suszarce, blaty czyste i lśniące, krzesła ustawione porządnie wokół stołu, niewielki stosik rachunków obok książeczki czekowej i pióra wuja Tama, na samym zaś środku miękka plastikowa butelka w kształcie misia, z resztkami miodu. Bob zerknął do książeczki czekowej i zobaczył, że saldo wynosi 91 dolarów i 78 centów. Zatem żaden z tych rachunków nie zostanie zapłacony, chyba że kwoty na nich są mikroskopijne. W lodówce znalazł pęczki marchewki, dwie główki kapusty, gnijące banany, jarmuż w plastikowym woreczku, a obok kilku podwiędłych jabłek wiązkę porów oraz pojemniczek pieczarek. Plastikowa torebka z pokrojonymi warzywami sałatkowymi czternaście razy oznajmiała napisami różnego kroju, że cała mieszanka znajdująca się w środku jest „Ekologiczna!" Wszystko to wydawało mu się mało obiecujące, dopóki nie zauważył kuli ciasta na pizzę oraz kostki mozzarelli. Najwyraźniej wuj Tam planował przygotować pizzę z pieczarkami i cebulą, ulubioną pizzę Boba. Rozglądając się po ubogiej kuchni, nabrał pewności, że jeśli wyrzucą go z pracy, to nie wróci tu, żeby zamieszkać z wujem.

Usłyszał, jak otwierają się drzwi sypialni, i odwrócił się ku nim.

– Bob! Nie słyszałem twojego samochodu. Napijesz się bezkofeinowej?

– Jasne.

Krytycznym okiem przyjrzał się wujowi. Miał taką samą kocią twarz jak on, cecha przekazywana w genetycznym darze od słowiańskich przodków, których fotografie nigdy nie istniały, a oni sami już dawno temu odeszli z tego świata, lecz ich rysy uparcie powracały w kolejnych pokoleniach. Wuj Tam robił wrażanie mniejszego, w jakiś smutny sposób poszarzałego i mniej sprawnego. Stracił na wadze tyle, że jego piżama, z wzorkiem w zielone łosie, wisiała na nim jak stara zasłona.

– Nadal masz bzika na punkcie tej wegetariańskiej diety?

– Owszem. Ale marchewki już tak mnie nie zachwycają. Wypróbowuję produkty egzotyczne: kolczochy, liście kaktusa, śliwy daktylowe. Są też te nowe kiwi, malutkie i naprawdę słodkie, bez tej włochatej skórki. Gładkie. Smakują jak winogrona. Prawdopodobnie genetycznie modyfikowane. Zdarzają się jednak takie chwile, kiedy marzę o zjedzeniu ogromnej porcji pieczonych żeberek. Pierwsze kęsy pewnie by mnie zabiły. Tak czy owak, pomyślałem sobie, że zrobię pizzę. Jeśli już nie jest za późno, no i jeśli masz jeszcze trochę apetytu. A jak smakowało wapiti?

– Wapiti było pyszne. I przywiozłem ci plaster. A pizzę zjem z chęcią. Tyle że jutro, zgoda? Pomogę ci ją przygotować. Co słychać w okolicy?

– O, najgłośniej jest o Dickiem Van Hose, pamiętasz go? Prowadził skład apteczny. – Opowiadając, zakładał filtr do dzbanka, wsypywał kawę i odlewał wodę.

– No pewnie. Taki otyły jegomość z krzaczastymi brwiami. Co z nim?

– Zainwestował wszystkie swoje pieniądze za pośrednictwem firmy maklerskiej ze śródmieścia. I wszystkie w akcje spółek najnowszych technologii. I popłynął. Stracił wszystko, wziął forsę na hipotekę, stracił dom, sprzedawał specyfiki na lewo, stracił aptekę. Wyczyszczony do cna. I najwyraźniej wpadł w desperację. Zabił żonę i troje dzieci, zostawił list, w którym napisał, że chciał im oszczędzić cierpień, a potem poszedł do tego biura maklerskiego, Garstka i Czułek, przy Lincoln. Położył trupem pięć osób, ze swoimi maklerami włącznie. Potem wrócił do domu i się zastrzelił. W tym liście napisał, że Garstka i Czułek „unicestwili mnie swoją bezlitosną zachłannością".

– Boże, to okropne. – Bob dolał sobie mleka do kawy, wycisnął odrobinę miodu z butelki w kształcie niedźwiadka. – A co słychać u Bromo?

Wuj Tam popatrzył na niego wzrokiem, pod którego wpływem poczuł się nieswojo.

– Wiesz, że to jest pierwszy raz, kiedy o niego pytasz?

– Ależ skąd!

– Owszem. Pierwszy raz. Tak naprawdę nigdy za nim nie przepadałeś. On uważał, że jesteś bystry, ale to nie był komplement. Wyprowadzały go z równowagi te krzyżówki. I ta rywalizacja o słowa, takie jak „oryks" i „aorta", i „Ares", i „Zsa Zsa".

– Zawsze istniała tam jakaś reguła, jakaś prawidłowość. Należało ją tylko odnaleźć. On uważał, że to słowa oderwane, i stąd jego problemy. A nigdy o niego nie pytałem, bo... no przecież wiesz.

– Nie, Bob, nie wiem. Co masz na myśli?

– Nic. Po prostu... masz rację, nigdy za sobą nie przepadaliśmy. On... ja zawsze myślałem, że żywi do mnie jakąś urazę. Jakby był zazdrosny.

Zapadła długa chwila milczenia.

– Coś za bardzo się plączesz. W każdym razie doceniam to, że pytasz. Wayne ma się całkiem dobrze w Nowym Jorku. Od kilku lat uczęszcza na zajęcia z projektowania i historii wzornictwa mebli. Przed południem pracuje w eleganckim sklepie z antykami w World Trade Center, na samym dole, na tym najniższym poziomie. Mówi, że to piękny sklep. Zapomniałem nazwy. Zaprosił mnie do siebie na koniec lata. A sam chce przyjechać na Święto Dziękczynienia albo na Boże Narodzenie czy jakieś inne święto. Przysłał ci jeszcze jedną książkę... żebym tylko sobie przypomniał, gdzie ją położyłem. Może jest w biurze na dole.

– Jak interes, sklep?

– Tak sobie. Niestety, nie jest najlepiej położony. Srodze mnie kusi, żeby pozbyć się wszystkiego poza sztuką z materiałów plastycznych. Zacząć od nowa, gdzieś indziej.

– Też bym tego chciał – powiedział Bob. – Nie znoszę tego szukania terenów dla wieprzków. Przyjemnie by było mieć gdzieś księgarenkę.

– Sam tak właśnie zacząłem – zauważył wuj. – Jakoś tak sama obrosła w różne śmiecie. W magazynie nadal mam większość tamtych książek w kartonach. Tak czy owak, lepiej zmieńmy temat – mruknął pod nosem. – Chcę ci coś pokazać.

Wyszedł z kuchni i zszedł do sklepu. Bob dolał kawy do znajomych kubków w kształcie grubasa z fajką i w trójgraniastym kapeluszu. Kiedy wuj wrócił, trzymał w dłoniach Biblię i Bob poczuł nagle ogromny ciężar na sercu. Nie miał wątpliwości, że wegetariańska dieta obudziła jakiś drzemiący religijny wulkan i że za chwilę popłynie z niego gorąca lawa. Tymczasem wuj Tam podał mu Biblię i kazał zajrzeć do koperty z mapą, znajdującej się od wewnętrznej strony tylnej okładki. Bob wyjął mapę i ujrzał za nią plik studolarowych banknotów. Przeliczył. Było ich dwanaście.

– O co tutaj chodzi? – spytał.

– Popatrz na rewersy banknotów – poinstruował go wuj. – Sam zobaczysz.

Jedna strona trzeciego z kolei banknotu pokryta była czerwonym atramentem, pismem bardzo trudnym do odczytania, niemniej Bob odcyfrował większość słów. Był to testament.

Cholernie ciężko na to pracowałem, ale że nie mam dzieci ani żadnych innych spadkobiercuf, przeznaczam to dla ciebie, kimkolwiek jesteś, a wszedłeś w posiadanie tej Świętej Księgi, stajesz się moim legalnym spadkobiercom, z bożym błogosławieństwem.

Podpisano „Floyd Lollar, Colorado Springs 30-9-56".

– No tak – westchnął wuj Tam. – To kazało mi pomyśleć o własnej sytuacji. Prawie już postanowiłem wystawić sklep na sprzedaż, poszukać innej lokalizacji.

– Mój Boże, to bardzo poważny krok. Chciałbyś się przenieść do Nowego Jorku? Pojechać na wakacje czy zrobić coś, co lubisz?

– Nie. Nowy Jork to nie jest dobre miejsce dla mnie. I czasami nie jest to kwestia robienia czegoś, co się lubi. Wiem, że twoje pokolenie bardzo to sobie ceni, jednak dla większości z nas to problem radzenia sobie najlepiej jak potrafimy z tym, co mamy i jacy jesteśmy.

– Wiem, wiem – rzucił szybko Bob, szykując się do wysłuchania wykładu na temat odpowiedzialności. Ten jednak nie nastąpił. By przerwać krępującą ciszę, zaczął opisywać broszkę, którą Freda Salonik miała na spotkaniu przy szyciu kapy, szkicując przy tym jej kształt na odwrocie koperty.

Wuj Tam uderzył się kantem dłoni w czoło i jęknął.

– Dlaczego nie tu? Dlaczego w Teksasie?

29

Biuro Ribeye'a Klukwy

Bob spał w swoim starym łóżku, a rano poszedł do piekarni i kupił chałkę oraz babeczki z owocami i pączki nadziewane marmoladą, a także dwie gazety. Jeśli przeniesie się do Denver, poszuka sobie mieszkania w pobliżu piekarni. Siedzieli potem z wujem Tamem, zgodnie maczali słodkie pieczywo w kawie i odczytywali sobie wzajemnie różne wiadomości.

– Ta broszka, którą mi ubiegłej nocy opisałeś, może być francuska... w każdym razie europejska. Francuzi traktowali plastik bardzo poważnie i wykonali z niego sporo pięknej biżuterii. Domyślam się, że może to być egzemplarz francuskiego art déco, z lat dwudziestych... ten celuloid niczym macica perłowa, te szewrony z górskiego kryształu. Zorientuj się, czy nie uda ci się tego dla mnie kupić.

– Spróbuję – powiedział Bob. – Tyle że ona jest zamożna i uparta, i śmiała. Niektóre z tych pozostałych kobiet też miały ładne rzeczy – co powiedziawszy, usiłował narysować naszyjnik z wisiorem, który widział na szyi Relli Nooncaster, komentując przy tym: – To jest bladoniebieskawa zieleń, a to w czerni.

– Ojej – westchnął wuj Tam. – Jakże bym chciał złożyć jej ofertę. Zrób to w moim imieniu.

– Zrobię – przyrzekł Bob.

– Sam też znalazłem kilka drobiazgów, kiedy cię nie było – oświadczył wuj. – Parę pantofli z akrylu, z tych projektowanych dla gwiazd przez Beth Levine. I mam oko na dość wariacką zastawę stołową z lat trzydziestych, żółtą w czerwone grochy. Problem w tym, że właściciel żąda czterystu dolarów. Jak wygram w totka...

– Mógłbyś wydać część tych z Biblii.

– A owszem, mógłbym, tyle że... być może będę ich potrzebować na coś zupełnie innego. – Milczał przez chwilę, a potem szybko dodał: – Być może wyskoczę do Nowego Jorku, żeby zobaczyć, co kombinuje Wayne. A co byś powiedział na kino dziś po południu?

W poniedziałkowy ranek Bob rozkoszował się gorącym prysznicem, choć jednocześnie brakowało mu tej porannej kawy na ganku baraku. Włożył porządny szary garnitur, który przez całą jego nieobecność wisiał w szafie, zawiązał krawat, ten pomalowany przez matkę, z tonącym *Titanikiem*. W kuchni otworzył okno na cudowny świat wczesnego lata, z drozdami wykrzykującymi nieustannie swoje *Tak tak! Tak tak!* Wszedł wuj Tam ze słowami „najświeższego z poranków winszuję ci", wypowiedzianymi scenicznym, irlandzkim akcentem. O wpół do ósmej Bob zszedł do saturna i udał się do usytuowanego w Denver biura Globalnej Skórki Wieprzowej. Mógł pojechać autobusem, pomyślał jednak, że być może pan Klukwa z punktu zażąda zwrotu kluczyków od służbowego auta.

Pan Ragsdale z tokijskiego biura był wyjątkowo przystojnym przedstawicielem rodzaju ludzkiego. Mimo że był po pięćdziesiątce, jego mocne szczęki oraz regularne rysy, jego szerokie ramiona i wysportowana sylwetka, jego zwinne ruchy, opalenizna i zadbane dłonie, razem z garniturem od Armaniego zdawały się mówić: „Oto człowiek, który dostaje wszystko, co najlepsze", co nie przeszkodziło Bobowi pomyśleć sobie natychmiast w duchu: „To niby czemu pracujesz dla świńskiej firmy?" Jednak na głos powiedział:

– Moje uszanowanie panu.

– Siadaj, Bob – rzucił Ribeye Klukwa, wskazując żółtozielone, opalizujące metalicznie, aluminiowe krzesło po drugiej stronie swojego biurka.

Pan Ragsdale siedział w skórzanym fotelu stojącym z boku, fotelu dokładnie takim samym jak fotel Ribeye'a. Bob pomyślał, że Globalna Skórka Wieprzowa kupiła je chyba hurtem dla całej swojej kadry kierowniczej.

– No i cóż powie nam szanowny Bob? – zaczął Ribeye. – Zastanawiam się, czy wiesz, jak blisko ci do zwolnienia. – Zmarszczył brwi.

– Tak, proszę pana, tak coś czułem – odparł Bob. – Niemniej mam w perspektywie kilka dobrych transakcji. – I opowiedział im o Taterze Kurczu i Jimie Skórze. – A pan Kurcz spytał mnie, ile jesteśmy gotowi zaoferować za jego posiadłość. Naturalnie nie mogłem podać mu sumy, ale chciałbym teraz ustalić termin, w którym przyjechałby tam ekspert od finansów i ją sobie obejrzał. Już go przyparłem do muru, ale bez podania konkretnej sumy nic więcej zrobić nie mogłem. I myślę też, proszę pana – ciągnął – że Globalna Skórka Wieprzowa mogłaby tam rozwinąć bardzo korzystną działalność uboczną. – W tym miejscu Bob rozpoczął wywód na temat luksusowych rezydencji, opisując przy tej okazji dość dokładnie ranczo Saloników, pomijając wszakże cenę, jaką w rozmowie rzucił Waldo Salonik.

– Wielkie nieba! – zadudnił basem Bill Ragsdale. – Mamy tu wreszcie agenta, który samodzielnie myśli!

– O tak, to wyjątkowy bystrzak – oznajmił Ribeye Klukwa przymilnym tonem.

– Kwestia zdrowego rozsądku – rzucił z mocno bijącym sercem Bob.

– Przedyskutuję to z panem Goliatem – oznajmił Ragsdale. – Kto wie? Pomysł może mu się spodobać. I rzeczywiście prawdą jest, że piękne posiadłości wpadają w oko agentom poszukującym terenów, tyle że nie biorą ich pod uwagę, ponieważ mają one zbyt dużą wartość – nieodpowiednią na świńskie fermy – i na tym rzecz się kończy. Naturalnie musimy rozważyć kwestię zasadniczą. Czy w regionie, gdzie trwa produkcja tuczników na wielką skalę, można w ogóle myśleć o wysokiej klasy posiadłościach? I naturalnie sprawa wymagałaby sporego zastrzyku kapitału.

– Prawdę mówiąc, proszę pana, niekoniecznie. Wywiadowcy w trakcie swojej pracy nieustannie natykają się na ładne nieruchomości. Zbędne byłoby zatem zatrudnianie dodatkowego personelu.

Pan Ragsdale posłał mu znaczący uśmiech i zmrużył oczy.

Ribeye Klukwa podjął tymczasem inny wątek:

– Bob, jeśli chodzi o posiadłość pana Kurcza. Wyślemy tam oferenta. Prawdę mówiąc, mamy już na miejscu bardzo dobrą agentkę, która dopiero co została awansowana do statusu oferenta finansowego. Mogłaby dokonać oceny i podać panu Kurczowi konkretną sumę.

– Proszę, panie Klukwa, tylko nie Evelyn Chine.

– Co?! Poznałeś Evelyn Chine?!

– Proszę pana, ona już od jakiegoś czasu kręci się wokół moich potencjalnych klientów. Jest tu, tam, po prostu wszędzie. Kilka razy próbowała mnie wykolegować. Proszę pana, osobiście nie przepadam za Evelyn Chine. Nie przepada też za nią Tater Kurcz. On jest właśnie jednym z tych, których usiłowała mi sprzątnąć. Powiedział mi, że jej nie lubi i na pewno jej swojej posiadłości nie sprzeda. I co by sobie teraz pomyślał, gdybym przyprowadził ją do niego, żeby złożyła mu propozycję finansową?

– To rozsądny argument, Bob. Sprawdzę, kogo jeszcze mamy w tym rejonie, kto mógłby ci pomóc w tej sprawie. Dam ci znać za kilka dni.

– Dziękuję panu. Ktokolwiek, byle nie Evelyn Chine. Poza tym ma romans z miejscowym żonatym mężczyzną. To prawdziwa żmija.

– To złośliwe plotki, Bob. My się tak nie zachowujemy.

– Naprawdę? – rzucił Bob lekkomyślnie. – Ale kłamać w sprawie tego, co tam naprawdę robię, jest w porządku, zgadza się?

Ribeye Klukwa obrzucił Boba druzgocącym spojrzeniem.

– Uważaj, Bob. Jeszcze nie wypłynąłeś na czyste wody. Zamierzamy dać ci jeszcze miesiąc, żebyś się mógł wykazać. Albo załatwisz w tym czasie dwie transakcje, albo wylatujesz na zbity pysk. I jak widzę, Bob – ton jego głosu nadal był groźny – ciągle nosisz te eleganckie brązowe półbuty. Nie kazałem ci przypadkiem sprawić sobie kowbojskich butów?

– Noszę kowbojskie, przez calutki czas, ale dzisiaj, skoro już jestem w Denver, pomyślałem sobie, że założę te. Bardziej pasują do garnituru – wyjaśniał Bob. – Panie Klukwa, ludzie narzekają na zapachy. Te świńskie fermy śmierdzą. Po nawietrznej jest nie do wytrzymania.

– Taka już jest wieś, Bob. Wiejskie życie. Tuczarnie bydła też śmierdzą. Zapach krów jest naturalnym akompaniamentem sielskiego życia. Panhandle – jak każde zresztą miejsce, gdzie lokujemy te fermy – jest terenem wiejskim, rzadko zaludnionym. Tak czy inaczej, jedynie kilku superwrażliwym osóbkom to przeszkadza. Na większości to nie robi wrażenia.

– Cóż, mówią też inne rzeczy. Powiadają, że zwierzęta są zamknięte w tych budynkach, cierpią i wiodą nienaturalny żywot.

Ribeye Klukwa popatrzył na pana Ragsdale'a.

– Nie mogę uwierzyć, że biorę udział w podobnej rozmowie. Zdaje mi się, że Bob zwyczajnie marzy o tym, żebym go wyrzucił. – Potem ponownie zwrócił się do Boba, używając sarkastycznie cierpliwego tonu, jakby przemawiał do upośledzonego umysłowo. – My nie myślimy o świniach jak o „zwierzętach", nie tak jak o kotach i psach, i jeleniach, i wiewiórkach. Mówimy „masa wieprzowa". Bo one są „masą wieprzową"... produktami jak kukurydza czy fasola. – W tym miejscu nastąpił długi wykład o wolnej gospodarce i o amerykańskim stylu życia, o istocie wykorzystywania możliwości ekonomicznych i o wartości przedsiębiorczości dla ogólnego dobra oraz dla pomyślności Ameryki.

– Nie tylko Ameryki, Bob. Całego świata – odezwał się dźwięcznym, znakomicie modulowanym głosem Bill Ragsdale.

– Ale ludziom tam, w panhandle, wydaje się, że skoro są właścicielami jakiegoś terenu, to już mają coś do powiedzenia na temat tego, co się na nim dzieje... i w jego pobliżu

– Kiedy dojrzejesz, Bob, to odkryjesz, że czcze frazesy na temat praw właściciela nieruchomości są właśnie jedynie tym... czczymi frazesami. Światem rządzi użyteczność... ogólna przydatność. Wygrywa to, co służy większemu dobru. Wiesz przecież, że wydziały budowy dróg mogą obciąć kawałki nieruchomości wbrew woli „właścicieli", żeby poszerzyć jezdnię dla ogólnego dobra. Tu mamy do czynienia z podobną sytuacją. I gdyby poddać rzecz pod głosowanie, tobyśmy się przekonali, że społeczeństwo popiera taką właśnie strategię, bo przynosi ona korzyści większej liczbie ludzi.

Bob przypomniał sobie nagle, jak Bromo odczytuje akapit ze swojego latami pisanego eseju, „Ta Ziemia NIE jest twoją Ziemią", eseju opisującego demokrację jako wystrychniętą na dudka służebnicę użyteczności. Otworzył usta, żeby coś powiedzieć, ale obydwaj mężczyźni już się podnieśli ze swoich foteli. Spotkanie dobiegło końca.

Ribeye Klukwa skinął głową w jego kierunku.

– Jedź i przygwoźdź dla nas kilka nieruchomości – rozkazał.

– Dobrze, że miałem okazję cię poznać, Bob – powiedział gładko pan Ragsdale, skinął głową w kierunku Ribeye'a i dodał: – Masz w panu Klukwie dobrego przewodnika – i Bob już wiedział, że ten człowiek nie zamierza przedyskutować sprawy utworzenia wydziału luksusowych nieruchomości z panem Goliatem, kimkolwiek jest ten gigant Skórki Wieprzowej. Fermy świńskie służą dobru ogółu.

30

Szybka zmiana

W drodze powrotnej spędził wtorkową noc w Wygodnym Babcinym Motelu w La Junta i choć słaniał się ze zmęczenia, włączył telewizor w nadziei, że obejrzy jakiś dobry film. Tymczasem trafił na bardzo szczególny repertuar. Pokazywali *Brata*,
Dobrego brata, *Szwagra* i *Brata wujaszka Wołodii*. Zasnął,
patrząc na dwóch rozgniewanych chłopów wrzeszczących na
siebie po rosyjsku, zbyt zmęczony, by czytać napisy.

W środę rano przekroczył granicę stanową z Teksasem; mijał teraz krępe sylwetki krów z pochylonymi głowami, nieustannie się pożywiających. Na fotelu obok leżała nowa książka od Bromo – *Złamana Ręka*, biografia człowieka gór, Tho-
masa Fitzpatricka, który towarzyszył Abertowi w wędrówce
przez panhandle. To właśnie Złamana Ręka ostrzegał porucznika, by nigdy nie przywiązywał mułów do krzaków.

Pola uprawne rozciągały się po obu stronach niczym płachty zielonkawego sztruksu zszyte bladymi nitkami gruntowych
dróg. Kiedy pomyślał o paśmie gór, które przyozdabiało Denver, odczuł tę płaskość jako swojego rodzaju anomalię. Jego
oko wędrowało ponad równiną. Stojące na niej domy robiły
wrażenie równie tymczasowych jak towary na ladzie sklepu
spożywczego. Minął opuszczoną farmę, znaną mu już z poprzednich podróży. Na jej tyłach walało się kilka staromod-
nych koryt, półkul z ocynkowanej blachy, wciśniętych w zarośnięte chwastami kąty, jako że nikt już obecnie nie hodował
świń na własnym podwórzu.

W Bumelii raz jeszcze mijał elewatory zbożowe, z dachami
dosłownie oblepionymi przez gołębie, które zachowywały się
tak, jakby coś je przyciągało do wnętrza obficie wypełnionego
ziarnem. Zjeść go co prawda nie mogły, ale przecież ono tam
było.

W południe znalazł się ponownie na Pękniętej Gwieździe. Nic się nie zmieniło; był jeszcze jeden z tych okropnie skwarnych dni, gorejące słońce prażyło ziemię, samochód LaVon stał zaparkowany pod skrawkiem wiaty, skręconej niczym stary, skórzany kapeć. Zapukał do kuchennych drzwi, potem je otworzył i wsunął do wnętrza głowę.

– La Von? Jesteś tam?

Wyszła ze swoich pomieszczeń biurowych ze zrolowaną płachtą papieru, wystarczająco dużą, by mogła być mapą Teksasu.

– Cóż, Bob, widzi mi się, że cię nie wyrzucili. Bieda tylko, że ominęło cię to całe poruszenie – oznajmiła. – Ano witaj w domu.

– Niby co mnie ominęło? Przejeżdżałem przez Bumelię i wyglądała tak jak zawsze. – Poczuł jakieś drgnienie w sercu, kiedy użyła słowa „dom", bo, być może, był rzeczywiście w domu, tym bardziej że uczucia tego nie doświadczył, wchodząc do mieszkania wuja Tama. Przez króciutką chwilę wyobraził sobie wuja Tama w panhandle, obraz ten jednak rozwiał się błyskawicznie.

– Aha. Wszystko się zmieniło. Tyle się dzieje, że po prawdzie nie wiem, od czego zacząć. Freda Salonik miała w sobotę rano wylew. Umarła. Nie dziwota, był już na nią czas. Jej syn Waldo zjechał na weekend i znalazł ją skrytą do połowy pod łóżkiem. Myśli, że szukała bambosza albo czegoś z biżuterii. Bo miała pełno tych tandetnych błyskotek. Nie znoszę, jak toto huźda się i podzwania. Słyszałam o kobiecie z Amaryli, co to nosiła takie wielkie, huźdające się kolczyki i jednego dnia obierała nad zlewem ziemniaki i jeden z kolczyków wpadł do tej dziury odpływu, gdzie zamontowany jest młynek do rozdrabniania odpadków, a ten wystrzelił mały kawałek kolczyka prosto w jej oko i ją oślepił. Fredy będzie nam jednak brakować. Wszędzie można ją było spotkać. Była oficjalną przewodniczącą Komitetu Święta Drutu Kolczastego. Oczywista, że ze względu na swój wiek niewiele mogła zdziałać, stanowisko było do cała honorowe, ale ktoś taki jest zawsze potrzebny. W niedzielę zadzwonili i spytali, czy nie zajęłabym jej miejsca, bo przecie święto tuż tuż. Tyle że chodzi o coś więcej niż tylko pokazanie się tego jednego dnia, o uśmiechy i pozdrowienia, do czego sprowadzała się działalność Fredy. Jest jeszcze cała kupa roboty. Trzeba musowo, na przykład, rozwiesić te plakaty.

Rozwinęła wielki, czterokolorowy plakat ukazujący parę tancerzy odzianych w westernowe stroje; z rolki pod ich stopami rozwijały się pasma staromodnego drutu kolczastego.

ŚWIĘTO DRUTU KOLCZASTEGO W BUMELII
*TAŃCE * GRILL*
*LOTERIA Z KAPĄ * RODEO*
GIEŁDA STAROCI I WYMIANA

Pozwoliła, by plakat zwinął się z klaśnięciem.

– Zaglądał tu Waldo Salonik. Chciał z tobą pogadać. Teraz jest znowu w Houston – pochówek mieli w poniedziałek – ale zostawił numer, pod który możesz do niego dzwonić. Jakem sobie myślała, że nie wrócisz, to i pewnikiem w tym bałaganie z papierzysk gdzieś go zapodziałam.

– Nie szkodzi. Chyba go mam. Wygląda na to, że mieliście nerwowy weekend.

– Och, to przecie nie wszystko. Było jeszcze więcej. Francis Scott Kita – to ranczer, którego pewnikiem nie znasz – pojechał z jakąś paniusią do motelu Hi-Lo na bara-bara i żona Francisa Scotta, Thomasina, zwą ją Tazzy – pojechała za nimi i pięć razy strzeliła przez okno. Francisa Scotta zabiła na śmierć, a ta kobieta wylądowała w szpitalu w Amaryli. Mówią, że może nie przetrzymać. A Tazzy siedzi w areszcie. Jej matka zajmuje się dzieciakiem.

– Dobry Boże! – wykrzyknął Bob. – Czy przypadkiem ta kobieta z Francisem Scottem Kitą nie nazywała się Evelyn Chine?

– Zgadza się. Akuratnie tak się nazywa. Nie jest tutejsza. Zachowałam sobie egzemplarz „Bummera". Przygotowali specjalne wydanie. Oto ono. Patrzaj tutej. Dają tu, na pierwszej stronie, zdjęcie, na którym ten przeklęty szeryf o żmijowatej paszczy wpycha te biedną Tazzy do wozu patrolowego. Za nic nie chciała wsiąść. Widzisz, jak się zapiera obcasami. Na to wychodzi, że musieli ją praktycznie nieść. Gadają, że tamta kobieta pracowała dla jednej z tych wielkich świńskich korporacji. Nie dziwota, że Tazzy ją zastrzeliła... za to, że tak podeszła Francisa Scotta, że nic, tylko miał chętkę sprzedać im swoją ziemię. Niektóre umyślili, że Tazzy powinna dostać medal. A to jeszcze nie wszystko. W hrabstwie Roberts jedna z pań została zaatakowana przez zbiegłego więźnia. Zostawiła drzwi otwarte, bo mąż miał jak raz wrócić do domu. Nie zabił jej, ale... no wiesz co.

W czasie, kiedy Bob czytał historię strzelaniny, LaVon podgrzała kawę.

– Trapi mnie tylko, że były dwie śmierci. A przecie one zawsze przychodzą trójkami. Nie wiemy więc, kto będzie następny. Nie wiemy, co jeszcze się wydarzy. No i jeszcze coś, Bob. Widzisz, nie kalkulowałam sobie, że wrócisz... mówiłeś, że raczej nie, a żadnych wieści od ciebie nie miałam. I tak Coolbroth wprowadził się do baraku. Pomieszkiwał tam już przedtem, zanim poszedł do szkoły, i teraz chciał wrócić na swoje miejsce i zająć się tym swoim rzezaniem. Ma teraz ambicje. Ta cała sprawa z Tazzy niemożebnie go rozpaliła. Walczy z firmami producentów trzody chlewnej i zebrał grupę sobie podobnych, cięgiem się spotykają, dosłownie co wieczór. Artyści Przeciw Wieprzom, tak ci się nazwali. Na wszelki wypadek, gdybyś jednak miał wrócić, rozeznałam się i znalazłam taką jedną panią przy Coppedge Road, która i owszem gotowa jest cię przyjąć na mieszkanie. Pani Jaelene Shattle. Mają ładny dom, z niewielkim mieszkankiem od tyłu – telefon, elektryka, telewizja i – to już najlepsze – jest tam też wanna do kąpieli z masażem wodnym. Mieszkała tam jej matka, póki nie umarła. Miała okropny antretyz i ten masaż wodny jej pomagał. Jaelene chce tylko pięćdziesiąt miesięcznie, tak jak tutej, pomimo tych wszystkich wygód. Jak chcesz, mogę do niej od razu zadzwonić i powiedzieć, że już tam jedziesz.

– Dzięki, LaVon. Doceniam twoją uprzejmość. Wygląda mi to na świetną okazję. Niemniej, baraku na pewno będzie mi brakować. A w ogóle, to gdzie jest ta Coppedge Road? – Nazwa brzmiała nieco znajomo, ale wydawało mu się, że w swoich rozlicznych wędrówkach po okolicy nie natknął się na to miejsce.

– Koło rancza Tatera. Jakąś milę na zachód. Najsampierw pojedziesz w stronę Tatera, ale skręcisz w lewo tam, gdzie jego droga się rozwidla, przejedziesz jakieś dwie mile i droga zakręci, prawie że zawróci, i jak przejedziesz przez most, to będzie taki biały dom po prawej stronie. Nie przegapisz go.

Dopiero kiedy skręcił w Coppedge Road, z całą mocą dotarło do niego, gdzie jest. Wielka ferma świńska King Karolina, która tak dawała się we znaki Taterowi Kurczowi, mieściła się właśnie przy Coppedge Road. W rzeczy samej, serce zamarło mu, kiedy uświadomił sobie, że dom Jaelene Shattle znajduje się na zachód od rancza Tatera Kurcza, co oznaczało, iż musi przylegać bezpośrednio do tego zakładu. Nic dziwnego, że kobieta żąda jedynie pięćdziesięciu dolarów za miesiąc. Potem jednak odzyskał ducha. A może i ona zechce pozbyć się posiadłości. Po kilku chwilach ponownie popadł w stan zniechęcenia. A może nie zechce. Może nigdy nie uda mu się doprowadzić do żadnej transakcji. Melancholia, dolegliwa jak smród skunksa, wypełniła wnętrze samochodu. Poczuł, że nie spotka go nigdy nic pomyślnego, ani żadna udana transakcja, ani też dziewczę z dołeczkami w policzkach i z kręconymi włosami. Nie chciał kłamać, a wyglądało na to, że nie będzie w stanie przerwać łańcucha łgarstw. A przecież nie mógł tak po prostu zrezygnować i wrócić do Denver, i poszukać sobie jakiejś następnej posady, w rodzaju tamtej w hurtowni żarówek. Wziął na swoje barki odpowiedzialność – obiecał znaleźć tereny pod fermy świńskie i przekonać farmerów i ranczerów w podeszłym wieku, żeby wyprzedali dziesiątki lat swojej ciężkiej harówki milczącym szeregom Świata Wieprzków – i nie może się z tego nie wywiązać. Za bardzo przypominałoby to zachowanie jego własnych rodziców, którzy porzucili go i sami popędzili na Alaskę. Słowa „Świat Wieprzków" przepłynęły obok niego, a on wyobraził sobie park tematyczny poświęcony świniom, park, gdzie brama wejściowa byłaby ogromną repliką prosiaka, a samochody przejeżdżałyby pomiędzy jego potężnymi, różowymi nogami, taki wieprzowy Disneyland, gdzie poszczególne rozrywki związane byłyby z podobiznami rosłych dzików czy inteligentnych prosiaczków, z chlewem, w którym dzieci karmiłyby marchewkami i jabłkami żywe zwierzęta, z pomieszczeniem, gdzie budki z jedzeniem oferowałyby żeberka z grilla i szynkę szwarcwaldzką, gdzie wędzony bekon i kiełbasy zwisałyby z ciemnego i osmolonego dymem sufitu wursthausu.

Jaelene Shattle była kobietą otyłą i zmęczoną życiem, z czołem pobrużdżonym troskami, jej palce nerwowo skubały włoski swetra. Bob zastanawiał się, jak ona jest w stanie wytrzymać w swetrze w taki upalny dzień. Kiedy stał na progu, czekając, aż gospodyni poprosi go do środka, dostrzegł kątem oka odległe o ćwierć mili niskie, porządne budynki świńskiej fermy. Zapachu nie czuł, być może dlatego, że wiatr wiał akurat od wschodu.

– Owszem – mówiła kobieta – m i e s z k a m y obok tej świńskiej fermy i po prawdzie, to nie mam pojęcia, co robić. Akuratnie nie jest tak źle, ale kiedy zmienia się wiatr, a oni włączają te wielkie wentylatory, jest bardzo kiepsko. Mój mąż wielce z tego powodu cierpi. W domu mamy dziewięć specjalnych urządzeń klimatyzacyjnych, sześć oczyszczających powietrze, które cięgiem pracują, dlatego jest do wytrzymania, za to na dworze, przy wietrze z tamtej strony, natychmiast zaczynają człowieka piec oczy, a gardło okropnie boleć. Dlatego biorę tylko pięćdziesiąt dolarów za to mieszkanko. Gdyby nie ta sytuacja, kosztowałoby dwieście. Jeśli będzie pan w stanie znieść takie sąsiedztwo, zrobi pan dobry interes. Ma pan skłonności astmatyczne?

– Nie – odparł Bob, decydując się jednocześnie na zamieszkanie w tym domu. Jeśli nie wytrzyma, to po prostu się wyprowadzi. – Spróbuję tu wytrzymać – oświadczył.

– Jeśli chodzi o telefon, to proszę z niego korzystać jak z własnego, a potem przejrzymy razem rachunek. Tak będzie łatwiej, a pan nie będzie musiał dzwonić do GTE, tej najbardziej niecnej firmy telefonicznej w Teksasie. Siedzi się czasem z godzinę, może i dwie, a oni człowieka częstują jakimiś głupawymi informacjami i okropnymi muzyczkami, nim wreszcie połączą z żywą osobą. Tak będzie poręczniej.

Mieszkanie było słoneczne, nieskazitelnie czyste i sympatyczne; była tam duża sypialnia, z podłogą przykrytą wykładziną dywanową, z jasnymi, kremowymi ścianami; jej okna ozdobione zasłonkami wykończonymi frędzelkami wychodziły na chlewnie; był duży, wygodny salon z telewizorem, starym biurkiem z żaluzjowym zamknięciem, czerwoną kanapą z niebieskimi poduszkami; była wreszcie łazienka z owym legendarnym wodnym masażem. Wszystkie okna wyposażono w siatki przeciw burzom gradowym. Dzięki filtrom oczyszczającym powietrze nie czuł świńskiej fermy, zaczął ją już uważać za drobną zaledwie niewygodę, której szkodliwe działanie jest wielce przesadzone. Gdyby Tater kupił sobie kilka urządzeń do oczyszczania powietrza i klimatyzator, być może nie odczuwałby tej sytuacji aż tak dolegliwie. Odłożył na bok porucznika Aberta i spędził przyjemny wieczór, oglądając telewizję, a po rozkosznej kąpieli wślizgnął się w różową pościel i zasnął.

Nazajutrz zadzwonił do Ribeye'a Klukwy, czerpiąc przy tym satysfakcję z faktu, że nie był w tym celu zmuszony jechać do automatu Pod Poczciwym Psem.

– Proszę pana, przeniosłem się do nowej kwatery. Mam tu teraz telefon. – I podał numer. – Myślałem, że zechce pan wiedzieć, że Evelyn Chine jest ciężko ranna i leży w szpitalu.

– Ranna? W jaki sposób?

– Pocisk. Ściślej, pociski z broni palnej. Nakryto ją w motelu z żonatym mężczyzną. Jego żona strzelała do obojga. W gazecie piszą, że leży w klinice w Amarillo.

– Rozumiem. – Zapadło długie milczenie, po którym głos pana Klukwy napęczniał do tonu, jaki przystoi szefowi wydającemu polecenia. – Bob, chcę, żebyś pojechał odwiedzić Evelyn Chine i porozmawiał z jej lekarzem, dokładnie wywiedział się na temat stanu jej zdrowia. Później zadzwonisz z tą informacją do mnie. Ona była już bliska sfinalizowania poważnej transakcji z tamtejszym ranczerem. Niejakim Kitą. Możliwe, że będziesz zmuszony przejąć tę transakcję, jeśli ona przez jakiś czas będzie niezdolna do pracy.

– Pan chce, żebym to ja ją odwiedził?

– Naturalnie. Z kwiatami.

– Z kwiatami. To mogłoby zająć nieco czasu. Tu nie ma żadnej kwiaciarni. Jej miejsce zajęła cukiernia.

– W szpitalu, Bob. W szpitalach mają kwiaciarnie.

– Dobrze, zrobię to. Uważam jednak, że powinien pan wiedzieć, iż pan Kita nie żyje. Bo to z nim była w łóżku.

– Rozumiem. To faktycznie szkoda. Ale być może wdowa okaże się podatna na perswazję. Sprawdź, jeśli to możliwe, jak wygląda układ terenu na tym ranczu. Aha, jeszcze jedno, Bob. Czy nadal chcesz, żebyśmy wysłali oferenta finansowego do pana Kurcza?

– Owszem, proszę pana, ale niech on najpierw zadzwoni do mnie i powie, kiedy przyjeżdża. Byle nie jutro, bo do Amarillo i z powrotem to nieźle długa jazda.

– To nie będzie „on", Bob. Wszyscy oferenci finansowi to panie. Fakt, że to kobieta proponuje pieniądze, działa jakoś łagodząco na ranczera i dzięki temu jest on bardziej skłonny wziąć nieco mniej. Pani Betty Doak przyjedzie pod koniec tygodnia. Zadzwoni do ciebie.

Wyglądało na to, że tego dnia będzie bardzo zajęty, skoro miał jechać do Kansas, kupić kwiaty, odwiedzić i ocenić stan Evelyn Chine, wpaść do Tatera Kurcza i poinformować go, że przyjeżdża oferent finansowy, skontaktować się z Waldem Salonikiem. Nie uważał, by musiał jeszcze dowiadywać się, jaki jest stosunek Tazzy Kitowej do sprawy sprzedaży rancza firmie hodującej świnie. Ona już wyraziła swoją opinię gradem kul. I Jim Skóra też pewnie był przegraną sprawą, chociaż jego spróbuje jeszcze złapać w drugiej połowie tygodnia. Najpierw zadzwonił do Walda.

– Halo, panie Salonik. Bardzo mi przykro z powodu śmierci pańskiej matki. Spędziłem weekend w Denver i dopiero co wróciłem. Tak. Cóż, rozmawiałem ze swoimi przełożonymi i chociaż ci mają wątpliwości, czy panhandle jest odpowiednim regionem na luksusowe osiedla... Po co mnie zatem tu przysłali? W rzeczywistości przysłali mnie, żebym szukał terenów pod przemysłowe chlewnie...

Trzymał słuchawkę daleko od ucha, podczas gdy pełne

wściekłości wrzaski pokonywały odległość dzielącą Houston od Bumelii. Próbował wyjaśnić sytuację.

– Był tam jednak pan Ragsdale z biura tokijskiego i on zamierza przedstawić ten pomysł prezesowi firmy, panu Goliatowi, po czym skontaktuje się ze mną. A ja natychmiast...

Ale Waldo Salonik już odłożył słuchawkę.

Następnie, ponieważ było mu po drodze, zajechał do Tatera Kurcza, wszedł po schodkach na ganek i zapukał do drzwi. Jako że gospodyni się nie pojawiła, przekręcił gałkę i wślizgując się do wnętrza, zawołał:

– Panie Kurcz? Jest pan w domu? – wiedząc, że jest, bo jego pickup stał na podwórku. Niemniej i tak się wzdrygnął, kiedy starszy pan niespodziewanie zjawił się przed nim w nocnej koszuli, ukazując mu swoją bladą, pokrytą rzadkim, zmierzwionym włosem czaszkę.

– Ano – przywitał Boba. – Pojechała do miasta po zakupy. Wejdź.

– Wpadłem na chwilkę, panie Kurcz, żeby panu powiedzieć, że przysyłają kogoś, kto złoży panu ofertę. W drugiej połowie tygodnia. Wie pan, nie mieszkam już u LaVon. Przeniosłem się tutaj, do Shattle'ów. Mieszkają tuż przy chlewniach. Bo Coolbroth, syn LaVon, wprowadził się podczas mojej nieobecności do tego baraku na Pękniętej Gwieździe.

– Zachorzejesz od tej świńskiej fermy. Jerky Shattle ma z jej powodu dość kramu ze swoimi płucami. Myślę, że go to zabije. Ich małemu wnuczkowi nie wolno ich nawet odwiedzać. Dostaje drgawek od tego zapachu. Podali te fermę do sądu. Widzi mi się, że długo se tam nie posiedzisz.

– Oni założyli klimatyzację i filtry powietrza, i w ogóle. Wewnątrz nie jest tak źle. Co prawda spędziłem tam dopiero jedną noc.

– Bo ostatnia noc to drobiazg. Nie bój nic, jeszcze poczujesz. Tamtą posiadłość powinieneś kupić. Ona jest jak raz skończona.

– W każdym razie wrócę z tą osobą od pieniędzy. To kobieta, pani Doak.

– A co z tą drugą, z tą kłamczuchą? Słyszałem, że Tazzy Kitowa do niej strzelała.

– Właśnie jadę do Amarillo, żeby ją odwiedzić. Jest w tamtejszej klinice.

Tater Kurcz zrobił dziwną minę i obiecał, że będzie na niego czekał.

Bob zatrzymał się Pod Poczciwym Psem na wczesny lunch.

– No proszę, kogo tu mamy – zawołał Cy. – Nie myślałem, że wrócisz. Mam dzisiej gulasz wołowy, fasolkę w sosie pomidorowym, surówkę z sosem, marynowane orzechy włoskie, bułeczki i ciasto z jabłkami na deser. Częstuj się.

Bob nałożył sobie czubaty talerz, usiadł przy stoliku w tym samym boksie, w którym ostatnio widział Evelyn Chine z Francisem Scottem Kitą.

– Pewnieś już słyszał o najostatniejszych wypadkach... o Fredzie Salonik i o Kicie, i o tej dziewczynie, która tu była w zeszłym tygodniu, i o tej zgryzocie szeryfa.

– O szeryfie nie słyszałem.

– Tazzy załatwiła mu obie ręce, jak broniła się przed aresztowaniem. Pchał ją w kierunku wozu patrolowego, nie założył jej wprzódy kajdanków, no bo przecie kobita i w ogóle, a ta łapie go za lewą grabę i z całej siły wygina do tyłu. Gadali, że po drugiej stronie ulicy słychać było trzask kości. Potem wyprowadza kopniaka, wysoko – a na nogach ma buty robocze ze stalowymi okuciami na czubkach – i załatwia mu drugą łapę. Zaczęła uciekać, ale jeden z zastępców szeryfa, Haish Smith, natarł na nią i ten już umyślił se założyć jej kajdanki, ale dopiero po tym, jak poczęstowała go kolanem tam, gdzie najbardziej boli. Tak po prawdzie to nie winię Kity za to, że szukał sobie jakiegoś łagodniejszego damskiego towarzystwa. Szeryf, z połamanymi rękami, musi mieć teraz kogoś, kto go cięgiem wozi, wziął więc w tym celu jedną z dyspozytorek i z tego, co wiem, to ona pomaga mu też w bardziej osobistych sprawach, takich jak siusianie. Nieźle mu dała popalić, ta nasza Tazzy. A wiesz, ona przez całe swoje życie pracowała na ranczu, no to nie dziwota, że ma taką krzepę. W panhandle wiele kobiet jest równie mocarnych jak mężczyźni.

– Może to właśnie jest ta trzecia rzecz. Bo LaVon utrzymuje, że złe rzeczy chadzają trójkami.

– Ma rację – zgodził się Cy. – Nie widzi mi się jednak, żeby połamane ręce dorównywały śmierci i zabójstwu. Będzie jeszcze jedno zejście.

Lokal nadal był pusty.

– Czyżby wszyscy poszli oglądać obławę na Pete'a de Pita? – spytał Bob. – Bo bardzo tu dzisiaj spokojnie.

Cy zrobił kwaśną minę.

– To przez te damulki i ich cholerne desery. W jadłospisie mają akuratnie tylko kanapki i zupę, ale robią mnóstwo różnistych frymuśnych deserów i wychodzi na to, że to się jak raz marzy kowbojom i pracownikom szybów wiertniczych. Musiałem zrezygnować z ananasa, bo tylu narzekało, z wyjątkiem Jima Skóry oczywiście. Powiedziałem mu, że może se iść do supermarketu i nakupić ananasów w puszkach, ale to mu nie pasuje. Te chrześcijańskie damulki, te stare kurwy, one mają tam ciasta, mają ptysie, wystawiają eklery i torty kawowe. W życiu bym nie pomyślał, że robole z rancza mogą mieć taką chętkę na słodkości, a tu Ernie Chambers przychodzi kiedyś i powiada, że jak nie zacznę robić *crème brûlée*, to się zabierze i pójdzie sobie tam. „A co powiesz na pieczeń wieprzową?", ja mu na to. „Widziałem, jak wcinasz sześć grubych plastrów pieczeni wieprzowej podlanych sosikiem. A tego tam nie uświadczysz. Pasuje ci dietka z puszkowej zupki pomidorowej i kanapki z sałatką jajeczną?" Jasne, że nie mógł mi odpowiedzieć, cały zawstydzony i z gębą pełną deserem brzoskwiniowym. Chryste, wolałbym już włożyć se lejek do ust i gnać pod wiatr.

– Nie sądzisz, że ta nowość z czasem spowszednieje?

– Możliwe. Ananasa dzisiej nie ma! – krzyknął w kierunku frontowych drzwi i Bob, odwróciwszy się, zobaczył Jima.

– Nie szkodzi – odparł Jim. – Jakoś mam dość ananasa. Za to mam wielką chętkę na mięso. Co tam masz? – Dostrzegł Boba, jednak za późno, żeby się wycofać.

– Gulasz wołowy może być? Jest niezły. – Cy ponownie odwrócił się do Boba. – Ano, myślę o tym, żeby mieć budę otwartą w porze kolacji, żeby przyciągać tu ten kolacyjny tłumek. Jeśli taki w ogóle istnieje. Nie dowiem się tego, póki nie spróbuję. Bo w promieniu pięćdziesięciu mil nie ma nijakiego lokalu, co to byłby otwarty wieczorem. Oczywista, może być też tak, że w promieniu pięćdziesięciu mil nie ma nijakiego człowieka, co by chciał jeść kolację poza domem.

Jim Skóra wziął talerz, napełnił go, położył na wierzchu cztery bułeczki, rozejrzał się po pustej sali i wreszcie podszedł do stolika Boba. Zakłopotanie wręcz biło od niego na odległość, niczym jakiś gorzko pachnący płyn po goleniu.

– Jak się masz, Bob? – spytał ostrożnie. – Słyszałem, że wyjechałeś.

– Jeszcze nie. Musiałem pojechać do Denver, zameldować się w biurze. Myślałeś choć przez chwilę, żeby porozmawiać z Asem Kurczem o sprzedaży swojej posiadłości?

– Do licha, Bob, zamiarowałem się w tej sprawie z tobą skontaktować. Ale jak mówiłem, myślałem, że wyjechałeś na zawsze. As teraz nie chce sprzedawać.

– Rozumiem – rzucił krótko Bob, wytarł bułką sos, dopił resztę kawy i wstał z krzesła. – Muszę lecieć. Do zobaczenia, Cy – zawołał i raptownie zostawił Jima samego, chcąc, by to niegrzeczne odejście ukłuło go, było przesłaniem oznaczającym, że on wie, iż Jim Skóra jest pokrętnym kłamcą, który flirtuje z firmą gazowniczą.

Parking przy klinice w Amarillo był niemal całkowicie wypełniony i Bob musiał się zadowolić miejscem w jego najdalszym kącie, do którego wiatr wraz z liśćmi nawiał całą kolekcję opakowań po batonikach. Pusta puszka po oleju przetaczała się niespokojnie w tę i we w tę.

W recepcji szklany wazon na blacie biurka, pełen zakurzonych kwiatów z jedwabiu o postrzępionych brzegach, przesłaniał mu w sporej części widok siedzącej za biurkiem kobiety, o piersiach niczym piłki od koszykówki, z których upuszczono nieco powietrza.

– Evelyn Chine? Wyżej, na OIOM-ie. Tylko członkom rodziny wolno odwiedzać. Jest pan krewnym?

– Tak – skłamał Bob. – Jestem jej bratem. – Po czym, naturalnie, sam zaczął w to wierzyć.

– Aha. Pańska matka i ojciec są tam teraz.

– Pan i pani Chine?

– A któżby inny?

– No tak. Bo ja jestem jej bratem przyrodnim. Z pierwszego małżeństwa pani Chine. Poczekam, aż zjadą na dół. Nie chciałbym przeszkadzać.

Kobieta spojrzała na niego; jej twarz wyrażała zaciekawienie pomieszane z podejrzliwością.

– Czy jest pan reporterem? – spytała nagle.

– Skądże! Boże uchowaj. A ci już tam byli?

– No jasne! – odparła kobieta. – Niech pan nie odwraca teraz głowy, ale wszyscy ci ludzie przy oknie to właśnie reporterzy. Po ich zachowaniu można by sądzić, że wcześniej w Teksasie nikt nikogo nie postrzelił. Chine'owie powinni wkrótce zjechać na dół. Wizyty u pacjentów na OIOM-ie nie mogą trwać dłużej niż dziesięć minut.

Bob poszedł do maleńkiej kwiaciarni i kupił jedną żółtą różę oraz balonik z nadrukiem pyszczka kota z filmu rysunkowego. Wychodząc ze sklepiku, zerknął w kierunku dziennikarzy – grupce złożonej z kilku osób w średnim wieku – rozwalonych niedbale w fotelach, obcinających paznokcie lub rozmawiających przez telefony komórkowe. Rozpoznał Babe Vanderslice, czołową reporterkę wychodzącego w Bumelii „Bannera", i miał tylko nadzieję, że ona nie rozpoznała jego. Choć z drugiej strony, co z tego, gdyby nawet? Mógł tam przecież być z różnych powodów, chociaż róża i balonik określały go jako gościa odwiedzającego pacjenta.

Drzwi windy rozsunęły się i zobaczył opuszczającą jej wnętrze parę: mężczyzna z burzą włosów w stylu Conwaya Twitty'ego*, oboje niskiego wzrostu i oboje z opanowanym, posępnym wyrazem twarzy. Napotkawszy spojrzenie Boba, piersiasta recepcjonistka skinęła głową.

Na górze, w dyżurce pielęgniarek powtórzył swoje kłamstwo i powiedział, że „rodzice" właśnie wyszli.

– Może pan wejść tylko na kilka minut – oznajmiła przy-

---

* Conway Twitty – artystyczny pseudonim piosenkarza Harolda Jenkinsa (1933–1993).

stojna, czarnowłosa, młodziutka siostra, która wyglądała zupełnie jak podlotek z lat dwudziestych. W policzkach miała dołeczki, co bardzo Bobowi przypadło do gustu.

Evelyn Chine, której głowa zwieńczona była turbanem z bandażu, leżała nieprzytomna na łóżku szpitalnym; twarz miała straszliwie opuchniętą, ogromne sińce wokół oczu, na jednym uchu resztki zaschniętej krwi. Całe mnóstwo aparatów i urządzeń liczyło uderzenia jej serca, jej oddech, mierzyło zawartość tlenu oraz dwutlenku węgla we krwi, kreśliło fale mózgowe. Dopiero teraz Bob uzmysłowił sobie, że postrzelono ją w głowę. Poczuł, jak zalewa go niesamowite uczucie. Przedtem widział w Evelyn Chine jedynie rywalkę, teraz natomiast, kiedy leżała ranna i bezsilna, wyobraził sobie, jak ratuje ją przed jej własną lekkomyślną naturą, która doprowadziła ją na krawędź śmierci. Nie myślał już o sobie jako o przyrodnim bracie Evelyn Chine. Wyobraźnia, jak maszyna losująca, wyrzucająca kolorowe kulki, podsuwała mu kolejne obrazki. Teraz był jej ukochanym, jej narzeczonym i wreszcie jej mężem w podróży poślubnej. Widział siebie na zawsze z nią związanego, widział, jak składa przysięgę, że nigdy jej nie opuści, jak pcha wózek inwalidzki, okrywa jej drobne ramiona kaszmirowym szalem. Jednak po chwili obrazy te odsunęły się, on zaś ujrzał siebie jak bierze w posiadanie jej bezwładne ciało, jak ustawia bezsilne ramiona i nogi w ekscentrycznych i bezwstydnych pozycjach. Położył różę na stoliku obok łóżka, a na białym kartoniku zwisającym z szyjki wazonika napisał „kochający Bob", pocałował jej opuchnięty, rozpalony gorączką policzek i poszedł do dyżurki pielęgniarek.

– Jakie ma szanse? – spytał pielęgniarkę podlotka.

– To jej lekarka... doktor Brun – odpowiedziała na jego pytanie pielęgniarka, kiwając głową w kierunku surowo wyglądającej kobiety, ze spłaszczonym nosem i w białym fartuchu, określającym ją jako osobę naprawiającą uszkodzone ludzkie ciała. – Musi pan z nią porozmawiać. Doktor Brun... jest tutaj brat Evelyn, chciałby z panią porozmawiać.

Lekarka podeszła do Boba, chwyciła jego dłoń, uścisnęła ją współczująco. Jej oddech cuchnął bagnem, skierowane na

Boba spojrzenie zielonkawych jak niedojrzałe jagody oczu było twarde.

– Jestem mężem Evelyn – oświadczył, wyobrażając sobie ojca Evelyn pchającego jej wózek inwalidzki przez kościół, kiwającą się na boki głowę panny młodej. – Jaki jest jej stan?

– Właśnie wyjaśniłam wszystko jej rodzicom. Nie mówili, że jest zamężna.

– Bo tego nie wiedzą – odparł lekko Bob. – Ślub był utrzymany w tajemnicy.

– Eee... zna pan okoliczności, w jakich doznała obrażeń?

– Tak. Evelyn często bywa w motelach z żonatymi mężczyznami. Jest to problem, który próbujemy rozwiązać. W tym celu Evelyn bierze udział w dwunastoetapowym programie. Zdarzyło się już wcześniej, że strzelały do niej zazdrosne kobiety, ale nigdy nie celowały w głowę. Zresztą zazwyczaj pudłują. Mamy ogromną nadzieję, że wyjdzie z tego, otoczona miłością i opieką.

Pani doktor zaczerpnęła głęboko powietrza, jakby chciała sobie odświeżyć płuca większą ilością tlenu.

– Czy pan jest reporterem?

– Nie – odparł Bob. – Pracuję w nieruchomościach.

– Ach tak. No cóż, jej obrażenia są poważne. Pocisk rozerwał się i jego fragmenty tkwią w części jej mózgu. Bezpieczniej będzie pozostawić te fragmenty in situ, niż próbować je stamtąd usunąć. To, co nas w tej chwili martwi, to obrzęk mózgu. Twarda kość czaszki nie pozwala na dalsze jego powiększenie i jeśli do niego dojdzie, będziemy zmuszeni pewien fragment czaszki usunąć.

– A fuj – jęknął Bob, na co lekarka zareagowała lodowatym spojrzeniem.

– To usunięcie chwilowe. Kiedy obrzęk ustąpi, umieścimy kość ponownie na miejscu.

– Czy ona wyzdrowieje? – spytał Bob, udając głupca.

– Czas pokaże, panie Chan – odpowiedziała lekarka, przewracając oczyma i naciskając przycisk długopisu. – Ponieważ jednak jej obrażenia są poważne, dobrze pan zrobi, przygotowując się na najgorsze, chociaż my tutaj zawsze mamy nadzieję. Wszystko jest w rękach Boga, a my możemy się jedynie modlić.

31

Pani Betty Doak

Jaelene Shattle jedną ręką miętosiła palce drugiej i marszczyła czoło.

– Och, panie Dolar, przez calutkie popołudnie wydzwaniały do pana jakieś kobiety. Jakaś pani Doak dzwoniła dwa razy i prosiła, żeby panu przekazać, że spotka się z panem jutro w południe na lunchu Pod Poczciwym Psem. To dziwne, ale coś mi się widzi, że ją znam. Myślę, że nazywała się kiedyś Betty Śmietanko. Myślę, że chodziła do tej samej co ja szkoły w Wink. Lata temu, podczas boomu naftowego, mój tata pracował w Wink. Ciągle się przeprowadzaliśmy. Rok w Wink, rok w Midland, rok w Amaryli. A tamta druga kobieta powiedziała, że zadzwoni wieczorem. Nie zostawiła nazwiska. Zauważył pan, jak okrutnie dzisiej cuchnie?

– Owszem – odparł Bob. Rzeczywiście, z chlewni unosił się ostry, ciężki, niemal dotykalny odór amoniaku, który palił oczy i gardło. – Myślała pani kiedyś o sprzedaży?

– A kto by kupił tak położone miejsce? Zlituj się człowieku!

– Eee... sądzę, że świńska ferma by je kupiła. Wie pani, że Tater Kurcz zastanawia się nad sprzedażą.

– Och nie! Tak się nie godzi. Przecież wtedy bylibyśmy wciśnięci pomiędzy dwie takie fermy. Tego by już mąż nie przetrzymał. Jest właśnie w szpitalu pod respiratorem.

– Gdybyście państwo sprzedali, moglibyście się przeprowadzić gdzieś indziej, tam, gdzie nie ma ani jednej chlewni.

– A gdzie niby mogłoby to być? Pewnie w dużym mieście. My ludzie wiejscy i od czterech pokoleń mieszkamy na tej ziemi. Nie dla nas miasto. Byliśmy tutej szczęśliwi i mąż wypruwał sobie żyły, żeby to ranczo było na godziwym poziomie. A teraz nawet bydła nie idzie tu trzymać. Krowy tego nie wytrzymają. Czy pan uważa, że to w porządku, kiedy jakaś podła korporacja wykupuje grunty panhandle i zmusza miejscowych do odejścia? Nie wiem, co zrobimy. Na pomoc senatora stanowego z Amaryli nie ma co liczyć. Jest po stronie tych świńskich korporacji. W Teksasie korporacje mają obstukanych wszystkich polityków, od góry do dołu. A dla Austin panhandle leży gdzieś daleko i tak czy owak, traktowane jest jako region nic niewart... uważają, że w sam raz dla wieprzków. Dzisiejszego wieczoru ten fetor da nam w kość.

– Mogłaby pani porozmawiać z mężem i zorientować się, co sądzi na temat sprzedaży rancza i przeprowadzki do innego regionu. Może w okolice Austin? Mieszka tam sporo majętnych ludzi, którzy na pewno nie wpuszczą do siebie świńskich ferm. Jeśli dojdą państwo do wniosku, że taka sprzedaż jest możliwa, proszę dać mi znać. Mogę państwa skontaktować z kupcem.

– Wspomnę mu o tym wieczorem, kiedy go odwiedzę. A właściwie to chyba już teraz pojadę. – Zabrała gorącą brytfannę, mrucząc pod nosem: – Kurczak z jarzynami zapiekany w cieście, bardzo to lubi – i zniknęła za drzwiami.

Wróciwszy do swojego pokoju, Bob zdjął wilgotne ubranie i wziął prysznic. Pięknie byłoby teraz u LaVon na ganku – brakowało mu tego gorejącego na zachodzie nieba. Włączył telewizor, jednak na wszystkich stacjach pokazywali coś głupiego, więc wyłączył odbiornik i rozejrzał się za sprawozdaniem porucznika Aberta z jego wędrówek. Nie mógł znaleźć książki i zastanawiał się, czy może jest ona w samochodzie, czy w ogóle zabrał ją ze sobą do Denver i czy przypadkiem nie pozostawił jej w swoim dawnym pokoiku. Wyszedł na dwór i zajrzał do auta. Książka leżała z tyłu na podłodze, z przyklejonym do okładki pod zawadiackim kątem patyczkiem po lizaku. Nowa książka, *Złamana Ręka*, leżała na przednim fotelu. Zabrał obie do domu. Wchodząc, usłyszał telefon, ruszył się, by go odebrać.

– Halo – odezwał się, dysząc ciężko.
– Co porabiasz?

– Kto mówi?

– Nie poznajesz mojego głosu? Marisa? Twoja dziewczyna? Ze średniej Front Range?

– Marisa. Gdzie jesteś? – spytał, tłumiąc śmiech.

– W Denver. Odwiedzam rodziców. Wzięłam numer telefonu od twojego wuja. Co porabiasz w panhandle? Czy tam nie jest okropnie?

– Bynajmniej, miejsce ma własny specyficzny charakter. I wiele sympatycznych cech. Siedzę tu w interesie hodowli wieprzków. A co u ciebie, Marisa? Wydawało mi się, że poszłaś do college'u.

– Owszem. Ale już go skończyłam. Teraz jestem na studiach magisterskich. Mój chłopak robi magisterkę z prawa, to pomyślałam sobie, że ja też pociągnę dalej to, co robiłam.

– To znaczy?

– Konfigurację jednostki.

– A co to takiego ta „konfiguracja jednostki"?

– Cóż, praktycznie wszystko. Czyjś profil biznesowy albo strona internetowa, albo biznesplan, albo nawet wykres inwestycji kapitałowych. To tak jakby wziąć coś takiego jak ektoplazma i uformować z tego coś materialnego. No wiesz, coś, co jest poplątane, uczynić jasnym i zrozumiałym. To jak, masz dziewczynę?

– Owszem. Prawdę mówiąc, jestem żonaty. Żona ma na imię Evelyn. Ma ciemne, kręcone włosy i dołeczki w policzkach. Jest zawodową tancerką. W tej chwili przebywa w Kansas; tańczy tam.

– Żonaty? Ty żonaty? O mój Boże! Twój wuj nawet się nie zająknął na ten temat. Zadzwoniłam, bo pomyślałam sobie, że moglibyśmy się kiedyś ponownie spotkać i sprawdzić, jak się sobie podobamy. Naturalnie nie mogłabym przyjechać do panhandle. Ale gdybyś ty przyjechał tutaj, to moglibyśmy się spotkać. Moi rodzice nadal chodzą do kościoła w niedzielę.

– Ja też – powiedział Bob – z moją żoną – i delikatnie odłożył słuchawkę.

Czytał sprawozdanie porucznika Aberta do momentu, w którym litery zaczęły mu się rozmywać przed oczyma. Przyszło mu nagle do głowy, że czarne wiewiórki z Kolorado, te z pędzelkami na uszach, nazywane są „wiewiórkami Aberta", i zastanawiał się, czy istnieje tu jakiś związek. Bo dotąd nie było tu nic o wiewiórkach. Może przeczyta jeszcze raz od początku, mając je na uwadze.

Nazajutrz fetor był gorszy niż kiedykolwiek przedtem. Obudził się z bólem głowy, dzwoniło mu w uszach, swędziały zaczerwienione oczy. Miał zawroty głowy, czuł się rozbity, zupełnie jakby dopadła go grypa. Jedynie pod prysznicem, w strumieniu pachnącej szamponem wody, oderwał się na chwilę od tego zapachu. Wszystko było przesiąknięte smrodem. Jego ubranie cuchnęło, wydawało mu się, że usta ma pełne błotnistego nawozu. Popędził ku drzwiom, niemalże zderzając się z panią Shattle.

– Bob, rozmawiałam z mężem i on mówi: sprzedawać! Skoro Tater sprzedaje, to my też. Bo trzymało nas tu jedynie to, że nie chcieliśmy pogarszać sytuacji Tatera. Ale jeśli on zamieruje pogorszyć naszą sytuację, cóż, sprzedamy. Przeprowadzimy się do Kanady albo na Grenlandię, gdzieś, gdzie ludzie nie słyszeli o świniach.

– W porządku. Pogadamy o tym, kiedy wrócę... po południu. Czy mógłbym coś pani przywieźć z miasta?

– Nie, Bob. Sama też pojadę do miasta, ucieknę od tego smrodu.

Jechał Pod Poczciwego Psa z opuszczonymi szybami; wpadające do wnętrza auta gorące powietrze targało mu włosy na wszystkie strony. Dopiero dwie mile od świńskiej fermy był w stanie ponownie odetchnąć. Nigdy wcześniej powietrze nie wydawało mu się takie słodkie. Podniósł szyby i przeczesał palcami czuprynę, klnąc przy tym na siebie, że nigdy nie nosi grzebienia, po czym przypomniała mu się wożona w bagażniku szczotka do zmiatania śniegu z karoserii, zatrzymał zatem auto na poboczu i tym niezbyt wygodnym przedmiotem przygładził fryzurę.

– Hej, brachu – przywitał go Cy, kiedy wszedł do lokalu. – Mamy dzisiej smażonego suma i kukurydziany chlebek, steki, jeśli nie lubisz ryb, i zapiekankę z siekanego indyka i ziemniaków, jeśli, z kolei, nie lubisz steków.

– Czekam na kogoś – oznajmił Bob.

– Nie na Jima Skórę?

– Nie.

– Brata Jadłoszyna?

– Nie. Na pewną kobietę, której nie miałem jeszcze przyjemności poznać. Panią Betty Doak.

– Betty Doak? Widzi mi się, że ją znam. Nie była ci ona kiedyś Betty Śmietanko? Jej tatko nie robił przy szybach naftowych?

– Głowy nie dam – odparł Bob. – Ale bardzo możliwe. Pani Shattle też tak przypuszcza. Może ją rozpoznasz, kiedy wejdzie.

Pół godziny później, kiedy Bob zaczynał już myśleć, że pani Betty Doak nie przyjdzie na umówione spotkanie, na zewnątrz zatrzymał się pomalowany dwoma odcieniami lakieru grand cherokee i wysiadła z niego smukła kobieta z burzą spiętrzonych loczków, w spodniumie z błękitnego sztucznego jedwabiu spowijającym jej postać, która składała się niemal wyłącznie ze skóry i kości. Weszła Pod Poczciwego Psa, pokonawszy dwa stopnie naraz.

Spojrzała na Cya, przeniosła wzrok na Boba. Odchyliła głowę do tyłu i roześmiała się.

– Cy Frease, to tu wylądowałeś? Myślałem, że będzie to raczej uniwerek w Huntsville.

– Prawie że był, Betty. Jednak w czas się wycofałem. Wyglądasz wspaniale. Pomyślałem sobie, że to musisz być ty. Mieszkasz w Oklahomie?

– Tak, mam niewielki dom na północ od Beaver, część starego rodzinnego rancza mojej matki. Zaledwie kilka akrów. Zapisała mi je. Bo tata nigdy nie miał ni rancza, ni domu, ni niczego, co mógłby nazwać własnym. Choć, trzeba to przyznać, dobrze się bawił. Zarabiał sporo i wszystko wydawał.

– Słyszałem. I wiedziałem, że mieszkasz gdzieś niedaleko, tuż za granicą stanową.

– No tak, kiedy ja i Richard Doak braliśmy rozwód, to mieszkaliśmy wtedy w Wichita Falls i pomyślałam sobie, że powinnam wrócić do panhandle, nawet jeśli to jest ta oklahomska część. Wiesz przecież, że nie ma to jak w domu.

– Wiem. Tak to już jest. Szmat czasu minął, od kiedy byliśmy dzieciakami w Wink. To dopiero było trudne do życia miejsce.

– Owszem. Ale czy nie bawiliśmy się świetnie? Ciężkie życie, ale szczęśliwe dzieciństwo.

– Może uda nam się częściej cię tu gościć. A właśnie, oto gość, z którym byłaś umówiona na lunch, Bob Dolar. Mamy smażonego suma, steki, zapiekankę z indyka. Sama wybierz sobie truciznę.

– Witaj, Bob. Miło cię poznać. Weźmy coś z tego, co Cy upichcił. Pachnie smakowicie. Nudzi mnie gotowanie dla siebie tylko, więc z przyjemnością coś tu zjem. – Wzięła suma i sałatkę.

Bob nałożył sobie to samo i usiedli oboje przy stoliku pod oknem.

– Słyszałam oczywiście o Taterze Kurczu, ale nigdy go nie poznałam; nie widziałam też jego rancza. Znam całkiem dobrze jego brata, Asa. Trochę jestem zdziwiona, że chcą sprzedać. Kurczowie mieszkają tu od bardzo dawna.

– Chodzi o zapach. On już nie jest w stanie go znieść. Na zachód od jego rancza jest duża świńska ferma i nieźle z niej zalatuje. Tater zestarzał się już na tyle, żeby docenić pomysł mieszkania w mieście. Jeszcze bliżej tej fermy mieszkają na swojej ziemi Shattle'owie. Pan Shattle ciężko choruje z powodu tego smrodu i najwyraźniej też jest skłonny sprzedać posiadłość. Możemy więc tam pojechać i zobaczyć, jaką ofertę mogłabyś złożyć również na to drugie miejsce.

– Chyba znam te kobietę. Czy nie nazywała się kiedyś Defoos?

– Tego nie wiem, ale ona uważa, że zna ciebie. Powiedziała, że lata temu chodziłyście do tej samej szkoły w Wink.

– To znaczy, że to ona. I co ty na to? Dwoje szkolnych kolegów jednego dnia. Z Wink do Bumelii. Powinnam częściej tu przyjeżdżać.

– Amen – podsumował Cy, który przysłuchiwał się ich rozmowie.

– Cy, ty na pewno nauczyłeś się tego kucharzenia od swojej matki. Czy to nie ona gotowała Pod Gwiazdą w Wink?

– Owszem, ona. Zarabiała więcej na napiwkach niźli mój

tata przy wierceniach. Ale trapił ją piasek i wiatr. Powiadała, że jak wiatr sypnie piaskiem, to wydziera jej dziury w nylonowych pończochach.

Wszedł Bill Koźla Skórka z Kasztanowatym Billem, popatrzyli na Boba i Betty Doak, wzięli rybę i spytali, co jest na deser.

– Nie chcę żadnego deseru – szepnęła Betty Doak do Boba, odsuwając ości na brzeg talerza. – Ruszajmy lepiej w drogę i zobaczmy, czy uda nam się załatwić i Płomykówkę, i nieruchomość przy Coppedge Road.

Zapłacili rachunek po połowie; Bob otworzył i przytrzymał jej drzwi.

– Bardzo dziękuję uprzejmemu panu – powiedziała.

– Wracaj jak najszybciej. Słyszysz, Betty? – Cy spoglądał na nią nalegająco. – Bo jak nie, to poszukam cię w Beaver. Jesteś w książce telefonicznej?

– Jestem. Właśnie to powinieneś zrobić... przyjechać w odwiedziny. Do zobaczenia.

Po uprzejmych przepychankach, którym samochodem mają pojechać, Bob zgodził się na grand cherokee, wsiadł do niego i Betty powiozła oboje ku Coppedge Road.

Pod Poczciwym Psem zadzwonił telefon. Cy podniósł słuchawkę i już po chwili jego lakoniczne „Taa?" ustąpiło miejsca okrzykom.

– Nie! Naprawdę? No dobra, dobra. Właśnie wyjechali. Nie, nie wiem. Dziękuję.

Podszedł do Koźlej Skórki i Kasztanowatego, położył dłonie płasko na stoliku i oparł się na nich całym ciężarem.

– Dyspozytorka z biura szeryfa. Tazzy Kitowa dała drapaka z aresztu, porwała swoją spluwę z szuflady szeryfa i oznajmiła, że zastrzeli każdą związaną z wieprzami osobę, jaką tylko zoczy. Bob jest na jej liście. Na jednym z pierwszych miejsc. Tazzy ściągnęła jedną z tych dyspozytorek do celi, prawie ją udusiła i ta migiem musiała otworzyć jej drzwi. A ten cholerny szeryf siedzi se dzisiej w domu. Bo kiepsko się czuje z powodu tych łap w gipsie. Powiadają, że przyjechała jego siostra, żeby się nim czas jakiś zająć.

– A dokąd jechali Bob i Betty? Zdałoby się zadzwonić i ich przestrzec.

– Po prawdzie to nie wiem. Nie zwyczajnym podsłuchiwać.

– Akurat. Ani chybi się dowiemy, jak do nich strzeli.

Podjazd przed domem Tatera, na wysokości starego baraku, zdobiła duża, wypełniona błotem dziura. W sobotę deszcz wymłócił całe panhandle. Doak spojrzała na stojący przed nią budynek i oznajmiła:

– Założę się, że te mury znają niejedną historię.

To przypomniało Bobowi, że LaVon, podczas tych setek godzin gadania, nigdy mu nie powiedziała, co było powodem blizn na plecach jej dziadka.

Betty Doak zajechała przed frontowe wejście i oboje wysiedli. Smród ze świńskiej fermy był bardzo silny i kobieta zmarszczyła nos. Gospodyni, która najwyraźniej stała przy samych drzwiach, otwarła je zamaszyście. Uśmiechnęła się do pani Doak, zignorowała Boba, wskazała dłonią przepełniony meblami salon, gdzie Tater siedział na swoim inwalidzkim wózku.

– Tater! Tater, są już tutej!

– Przecie wiem. Nie widziałem niby, jak zajeżdżali? Idź, pokrój ten cholerny placek i przynieś nam tutej.

– Panie Kurcz – odezwał się Bob – to jest pani Betty Doak. Jest oferentem finansowym.

Pani Doak wyciągnęła rękę, ale starzec zbył ją machnięciem dłoni.

– Nic mi to teraz nie da. As nie zamiaruje sprzedawać.

– No nie – oburzył się Bob. – No nie. Co z nim jest nie tak?

– Wszystko z nim jest, jak trza. On zwyczajnie usiłuje ocalić kawałek panhandle. Umyślił se, że to nie jest miejsce dla wieprzów.

– Ale one już tu są. Czy ma jakiś sposób, żeby pozbyć się tych, które już tu są?

– O to już musisz zapytać jego samego. – Dłonie Tatera drgały, a wzrok błądził dookoła. Zerknął na Boba, odwrócił oczy. – On jest najstarszy. Do niego należy ostatnie słowo.

W terenowo-sportowym pojeździe Betty Doak Bob skrył twarz w dłoniach. Wizyta u Shattle'ów nie miała teraz sensu. On sam zupełnie nie nadawał się do tej gry w świńskie fermy. Pomyślał o jeździe przez kraj autostopem, o znalezieniu dla siebie nowego miejsca. Pomyślał o podróży na Alaskę, jednak nie zależało mu już na odnalezieniu rodziców. Poradził sobie bez nich. Dorósł. Przez chwilę się zastanawiał, czy nie jest za późno, by zostać kowbojem, ale doszedł do wniosku, że jest za późno o co najmniej sto lat. Potrzebne mu było jakiekolwiek zajęcie, byle nie to. Powinien się nauczyć jakiegoś zawodu... zostać rusznikarzem, geometrą, fotografem. Narastało w nim przykre uczucie, jakby połknął gwoździe.

– Hm – przerwała ciszę Betty Doak. – I co teraz zrobimy?

– Nie wiem. Pewnie dokonam tej ostatniej próby. Pojadę do Asa Kurcza i spytam, dlaczego, do diabła, na wszystko mówi nie. Gość zdaje się tkwić w tle każdej nieudanej transakcji. Nie pojmuję, dlaczego on to robi. Przeprowadzka do miasta dobrze by zrobiła Taterowi. Shattle'owie też czekają na jakiś ratunek. A Jim Skóra klepie biedę, chociaż ma tę ziemię, która przecież na nic innego się nie nadaje.

– Tak to wszystko widzisz? Że ratujesz ludzi?

– No cóż, w pewnym sensie.

– Tak sobie myślę, że inni widzą to inaczej. Coś ci powiem. Jedź pogadać z Asem Kurczem, a do mnie zadzwoń, jak będziesz chciał, żebym tu przyjechała. Możesz dzwonić bezpośrednio, nie zawracaj sobie głowy biurem w Denver. Oszczędzisz czas. Masz tu mój numer.

Jechali w milczeniu Pod Poczciwego Psa, gdzie Bob się pożegnał i poszedł do swojego saturna, i tam siedział przez kilka chwil, porządkując sobie w głowie wszystko, co zaszło. Wysiadł ponownie, wszedł Pod Psa.

– Cy – powiedział – wiesz, gdzie mieszka As Kurcz? Muszę z nim pogadać.

– Jedyne, co musisz, to być ostrożny – ostrzegł go Cy. – Tazzy jest na ścieżce wojennej, a ty jesteś jej celem. Uciekła z aresztu, dopadła swojego starego, wielkokalibrowego gnata i chce twojej krwi. Po mojemu najlepiej byś zrobił, jakbyś zniknął. W biurze szeryfa mówią, że ukradła wóz patrolowy i że znaczy się jest uzbrojona i niebezpieczna.

Bob nie potraktował tych wieści poważnie. Nie był w stanie uwierzyć, by jakaś kobieta, nawet Teksanka, urządziła sobie na niego polowanie z bronią palną.

– Taa, dzięki, ale gdzie mieszka As Kurcz?

– Bob, masz chłopie jaja, muszę ci to oddać. As mieszka w Kowbojskiej Róży, przy Kokosiej, mały, biały domek na końcu ulicy, z dziesięciostopowym wiatrakiem na trawniku. Na tablicy jest napisane Wiatraki Asa. Jego warsztat mieści się od tyłu. Trafisz bez trudu. Uważaj na siebie.

32

As w rękawie

Kowbojska Róża wydawała się teraz Bobowi inna, bardziej sfatygowana, wynędzniała i zmurszała. Kokosia była krótką uliczką z niewielkimi domami, w pobliżu bocznicy kolejowej. Rozedrgane fale gorącego powietrza niczym woda przelewały się nad jezdnią. Przed domem Kurcza, na marnym trawniku, walały się zepsute części wiatraków, leżały stosy żerdzi pompowych. Szopa od tyłu zapchana była różnorakim żelastwem, a obok niej stały leciwe półciężarówki. Bob wciągnął głęboko powietrze, pomaszerował do drzwi, zapukał, poczekał kilka chwil, zapukał ponownie. Usłyszał pospieszne kroki.

Drzwi się otworzyły i zobaczył starszą kobietę, u której nadal można było dostrzec wyraźne ślady dawnej urody.

– Pani Kurcz? – Czuł zapach przypalonej potrawy, słyszał brzękliwe śmiechy z telewizora.

– Tak.

– Czy pan Kurcz jest w domu? Nazywam się Bob Dolar i muszę z nim porozmawiać.

– W domu? Nigdy go nie ma w domu. A kiedy już jest, to śpi. Teraz jest gdzieś w terenie, reperuje wiatrak, na ranczu Głowy, Krowie Kości. Tam pan go znajdzie. Wie pan, jak tam dojechać?

– Nie, proszę pani.

– Niech pomyślę. – Popatrzyła w sufit. – No tak, jedzie pan na zachód, drogą Jadłoszynowa Dolinka, wie pan, gdzie to jest? Dobrze. Jedzie pan aż do skrzyżowania z 943, potem widzi mi się, że skręca się w prawo, znaczy się na północ, i jedzie jakieś trzy czy cztery, czy pięć mil, aż się dojedzie do Wertepów Zużyte Trepy. No tak. Na Zużytych Trepach skręca się w prawo i jedzie następne dziesięć czy dwanaście mil, aż się zobaczy wielką bramę wjazdową na ranczo z przybitymi do niej pięcioma czy sześcioma krowimi czaszkami. To brama główna. Ale ty, młodzieńcze, w nią nie wjeżdżasz. Ty potrzebujesz te drugą, północną, mijasz więc bramę główną i skręcasz w prawo, na Drogę Wszelakiego Żelastwa, tam gdzie dochodzi do niej Papkowa. Jakieś trzy mile dalej znajduje się ten wjazd od tyłu na ranczo, duża, zielona, metalowa brama, właśnie ta, co tobie jest potrzebna. As jest na pastwisku, co to je zwą Czarna Dolinka. Powinieneś zauważyć jego półciężarówkę i musowo zauważysz sam wiatrak. Chcesz, żebym to wszystko zapisała? – spytała, widząc jego spłoszoną minę.

– Jeśli byłaby pani tak uprzejma...

Napisała kilka zdań, jedno przekreśliła, napisała je ponownie i podała mu kartkę.

– Jest całkiem możebne, że na Zużytych Trepach skręca się w lewo.

Kiedy w samochodzie odczytywał jej wskazówki, zupełnie nie pasowały mu one do tego, co powiedziała wcześniej.

Godzinę później pogubił się w gąszczu pokrytych kurzem gruntowych dróg, przy których sporadycznie jedynie rosła jakaś juka, kępa włoskich orzechów czy morw, dróg o nazwach takich, jak Wielkie Wyschnięte Jezioro czy Porządki. Wskazówki pani Kurcz, podobnie jak jej mapka, okazały się bezużyteczne; nic do niczego nie pasowało. Płaski teren ustąpił ciągowi rozpadlin i zagłębień, przeciętych wijącym się strumieniem. Jego brzegi porastały chaszcze ze splątanych śliw. W końcu zatrzymał się i poczekał, aż opadnie kurz. Z oddali dochodził nieregularny stukot pracujących pomp.

Ten bezimienny strumień, czarny i głęboki, przepływał pod betonowym mostkiem; na powierzchni wody unosiła się kaczka karolinka, a za nią, zupełnie jak nanizany na sznurek, równy rządek kaczątek. Popatrzył w kierunku, z którego przyjechał, wątpiąc, czy byłby teraz w stanie odnaleźć chociażby drogę powrotną do Bumelii. Po kilku minutach zobaczył tuman kurzu, wzbijany przez jakiś nadjeżdżający pojazd. Wysiadł, gotów machnięciem ręki zatrzymać kierowcę i zapytać o drogę.

Zza pagórka, klekocząc, wyłonił się pickup. Zwolnił, a potem, kiedy zrównał się z jego saturnem, stanął. Kierowca był młody, miał szeroką, krągłą, gładko ogoloną twarz, mocne szczęki, ciemne oczy z czarnymi jak sadza rzęsami, zadarty nos, wargi tak czerwone, że Bob pomyślał, iż musiał przed chwilą jeść buraki. Włosy zaczesane do góry niczym pióropusz, przypominający czub dudka, na samych skroniach zaczęły się już przerzedzać, ale ten defekt przydawał mu jedynie jakiegoś nieuchwytnego uroku. Był on, jak pomyślał Bob, jednym z tych niewielu mężczyzn, do których pasowało określenie „słodziutki".

– Siemanko – rzucił w jego kierunku kierowca. – Wszystko w porządku? A może autko wysiadło?

– W porządku, autko jest w porządku, tylko ja sam nieco się pogubiłem. Szukam północnej bramy na ranczo Krowie Kości. Nie bramy głównej.

– No tak. Zboczyłeś o jakieś siedem mil. Musisz teraz pojechać przed siebie i po mniej więcej dwóch milach napotkasz po prawej stronie stary budynek szkolny... tam właśnie mieszkam z moim przyjacielem. Jedź jeszcze milę i miej oczy otwarte na znak z napisem Droga Papkowa. Skręć w lewo i jedź prosto tak długo, aż dojedziesz do Drogi Wszelakiego Żelastwa. Tam skręcisz w prawo. Po jakichś dwóch milach zobaczysz metalową bramę. Na bramie jest jakiś napis; nie wiem, jak brzmi. Nigdy tak blisko nie podjeżdżałem. Nie za bardzo kumplujemy się z Dickiem Głową i z jego pracownikami.

– A co ze Zużytymi Trepami? Miałem skręcić przy Wertepach Zużyte Trepy.

– Zużyte Trepy? Nie słyszałem. Nie ma czegoś takiego w okolicy.

– Dzięki – powiedział Bob nieco zmieszany. W tym spotkaniu było bowiem coś osobliwego. Niemniej zapalił silnik i ruszył, obserwując jednocześnie znikający w obłoku kurzu pickup tamtego.

Znalazł i Papkową, i Wszelakiego Żelastwa, i wreszcie samą metalową bramę z napisem. Ten napis, choć litery były niewielkie, brzmiał WSTĘP WZBRONIONY TO DOTYCZY CIEBIE, brama zaś okazała się zamknięta. Miał trzy możliwości. Mógł pojechać z powrotem do bramy głównej i do głównego budynku rancza, tam powiedzieć, że szuka Asa Kurcza i poprosić uprzejmie, by go wpuścili, albo mógł zaparkować saturna, wdrapać się na bramę, przedostać się na drugą stronę i pomaszerować dalej pieszo; mógł też zrezygnować i wrócić do domu Shattle'ów, zadzwonić do Ribeye'a Klukwy i przekazać mu złe wieści.

Ostatecznie, bez głębszego zastanowienia, wspiął się na bramę, ściskając w jednej dłoni foldery Globalnej Skórki Wieprzowej. Znalazłszy się po jej drugiej stronie, ruszył wapienną, wewnętrzną drogą, nad którą polatywały białe płatki maków. Jak daleko może być do tego wiatraka? Mila? Szedł dalej. I jeszcze dalej. Po godzinie i dwudziestu minutach spływał potem, skórę miał obklejoną pyłem. Nie było tam żadnego cienia, jedynie to bezlitosne słońce i jego mordercze promienie. Jeszcze nigdy w życiu nie odczuwał takiego pragnienia, na dodatek zapomniał okularów przeciwsłonecznych i biały pył przed jego oczyma rozmigotał się czerwonymi i zielonymi plamkami. Z kartek broszur usiłował zrobić sobie jakiś kapelusz, ale okazały się one za małe i za śliskie, tak że po kilku chwilach nakrycie głowy samo się rozlatywało. Na poboczu płożyły się jakieś marne roślinki i już miał je zebrać i uwić coś na kształt liściastego kapelusza, kiedy przypomniała mu się opowieść jednej z tych szyjących kapy starszych pań, historia o tańczących dziewczętach i o sumaku jadowitym. Nie był pewien, jak taki sumak wygląda, nie miał jednak najmniejszych wątpliwości, że przy jego obecnym szczęściu na pewno okaże się, iż jest to właśnie ta roślina. Przyglądał się uważnie poboczu, szukając jakichś bezpieczniejszych materiałów, wreszcie zatrzymał się i zebrał naręcze trawy, z której próbował uwić coś, co chroniłoby jego rozpaloną twarz oraz głowę, ale brakowało mu umiejętności i sprokurowane nakrycie rozsypywało się na wszystkie strony jak bierki. W końcu zdjął koszulę i owinął sobie wokół głowy, czując, jak natychmiast wściekły żar zaczyna piec i palić jego odsłonięte ramiona i tors. Teraz już wiedział, dlaczego mężczyźni noszą podkoszulki – one chronią ich przed udarem. Doświadczył nagłego przypływu inspiracji. Może i nie nosi podkoszulka, ale przecież ma na sobie bokserki. Zdejmie je, włoży w nie odpowiednio kilka patyków i voilà!... jest kapelusz.

Zdążył zdjąć spodnie oraz bokserki, kiedy do jego świadomości dotarł stukot podków i obróciwszy się, ujrzał galopującego w jego kierunku jeźdźca. Nie było czasu, by się porządnie ubrać, zdążył jednak naciągnąć bieliznę, nim jeździec znalazł się przy nim. Bardzo sędziwy mężczyzna o mocno zarysowanych kościach czaszki gniewnie spoglądał na niego z góry.

– Co robisz na moim ranczu? Nie umiesz czytać? Na bramie pisze, że wstęp wzbroniony.

– Tak, proszę pana. Czy pan Richard Głowa? – Nie odważył się użyć zdrobniałej formy Dick.

– Owszem. A kimże, do diabła, ty jesteś? I dlaczego paradujesz z gołym tyłkiem po mojej drodze? Należysz do tych ciot, co mieszkają w starym szkolnym budynku?

– Nie, proszę pana. Nazywam się Bob Dolar. Szukam Asa Kurcza. Jego żona powiedziała, że dzisiaj pracuje tutaj. Brama była zamknięta, więc pomyślałem, że ruszę pieszo. I słońce tak strasznie mnie przygrzało, że pomyślałem, żeby zrobić sobie z bielizny kapelusz.

– Też coś, zupełna głupota. Dlaczego nie przyjechałeś pod dom i nie zapytałeś, zamiast łazić jak wariat? Jak połazisz odpowiednio długo, to go napotkasz, jeśli on wcześniej, wracając do domu, nie napotka ciebie.

– Jak to jest jeszcze daleko... proszę pana?

– Jeszcze z jedenaście mil. Jak będziesz szybko przebierał girami, to może do kolacji zajdziesz. Jeśli cię wcześniej nie powali udar słoneczny – dodał, spoglądając na rozpaloną twarz Boba. – A jakiż to kapelusz zamierzałeś sobie zrobić z gatek, coś w stylu Lawrence'a z Arabii?

– Nie wiem. Dopiero zaczynałem. Robić je. Go.

– No dobra. Zrobimy tak. Siądnij se i trochę ochłodnij. Daj mi kluczyki, a ja pojadę do bramy i przyprowadzę twój samochód, uwiążę tam konia i podjadę twoim autem tutej. Potem ty zawieziesz mnie z powrotem do mojego konia przy bramie i wtedy się namyślisz, czy zabierasz się stąd w trymiga i spotykasz się z Asem wieczorem w jego domu, czy też jedziesz do studni i tam go łapiesz. On ma klucz do tej bramy. Sam cię może wypuścić.

– Dziękuję panu. Doceniam pańską uprzejmość.

– Nie cieszyłbym się z trupa na swoim ranczu. – Co powiedziawszy, starzec zawrócił konia i odjechał w eleganckim stylu, trzymając się na końskim grzbiecie prosto jak świeca.

Godzinę później Bob, jadąc już swoim saturnem, z klimatyzacją włączoną na pełen gaz, ujrzał daleko przed sobą wiatrak i parkującą obok dużą, kanciastą półciężarówkę. Słońce, teraz już dość nisko, odbijało się w łopatkach kręcącego się wirnika. Kiedy podjechał bliżej, dostrzegł na górnym pomoście mężczyznę. Wyczuwał wyraźnie, że ten mu się przygląda.

– Pan Kurcz? – Mrużąc oczy, Bob spoglądał na stojącą wysoko postać. Świecące z tyłu słońce pozwalało dostrzec jedynie ciemną sylwetkę.

– Mów mi As. – Głos był zaskakująco głęboki i pobrzmiewał w nim ton rozbawienia. – No i mamy cię wreszcie tutej, Bobie Dolarze, posłańcu Globalnej Skórki Wieprzowej.

– Tak, proszę pana.

– Właź na górę, Bob. Mam tu mrożoną herbatę, a coś mi się widzi, że bardzo ci się przyda.

Bob zaczął się wspinać po wąziutkiej, metalowej drabince. Pokonał około jednej trzeciej wysokości, kiedy As ponownie się odezwał:

– Trzymaj się lepiej poręczy, nie łap się szczebli. Szczeblom zdarzało się już urwać, a poręcze są pewne jak mur.

Bob wspinał się dalej, w ogóle nie patrząc w dół, na ziemię, mocno zaciskając dłonie na szorstkim, gorącym metalu. Kiedy znalazł się wyżej, owiał go przyjemny wiaterek. Słyszał nad sobą westchnienia obracającego się koła, brzęk unoszącej się i opadającej żerdzi pompowej, rytmiczny chlust wpadającej do zbiornika wody. Na szczycie drabiny wczołgał się na pomost i nie mając odwagi się wyprostować, na czworakach posunął się do miejsca, gdzie As Kurcz siedział sobie swobodnie obok wiadra, z przymocowanym do pałąka powrozem służącym do jego opuszczania i podnoszenia, ze słojem herbaty, tkwiącym w na pół roztopionym lodzie. Podał ten słój Bobowi, kiedy tylko ten usiadł na krawędzi pomostu.

– Mój Boże – westchnął Bob, obejmując wzrokiem dziesiątki mil prerii, rozrzucone na horyzoncie białe elewatory zbożowe. Pomimo wywołanej żarem mgiełki i drgającego mirażu, za którego sprawą droga robiła wrażenie całkowicie zalanej wodą, widział na odległość trzydziestu mil. Przez kilka chwil milczeli obaj, Bob rozkoszując się upojnym wręcz powietrzem i zimną herbatą, As zatopiony we własnych myślach.

Wreszcie odezwał się As.

– Po kiego tu przyjechałeś, co, Bob? – spytał, a w jego głosie zabrzmiała ostra nuta.

– No dobra – odpowiedział mu Bob. – Jestem tutaj, bo nie rozumiem, dlaczego pan powtarza ludziom, żeby nie sprzedawali mi swoich nieruchomości. Ta ziemia należąca do Jima Skóry jest całkowicie bezwartościowa. – Własny głos wydał mu się nagle zrzędliwy i skamlący. – A co z ranczem pańskiego brata? Smród tam jest tak okropny, że brat nie jest już w stanie cieszyć się życiem i mówi, że chciałby przeprowadzić się do Bumelii. Mówi, że chciałby sprzedać. No i są Shattle'owie. Też chcą sprzedać, ale ze względu na pana mówią nie. Tater powiedział nie, to i oni powiedzieli nie. Zupełnie jakby pan miał nad tymi wszystkimi ludźmi jakąś władzę i oni nie mogli sami mówić za siebie.

Starzec nie odezwał się. Wyjął z kieszonki koszuli papierosa i zapalił. Bob najpierw poczuł gryzący zapach z potartej zapałki, a potem dopiero dym z papierosa. As Kurcz milczał.

– No więc – ciągnął Bob – co miałem zrobić, przyjść najpierw do pana? Jakbym na klęczkach prosił jakiegoś gubernatora o pozwolenie na przejazd przez jego teren?

As Kurcz zaśmiał się krótko, nadal jednak milczał.

– Czy nie uważa pan, że bratu byłoby lepiej w mieście?

Starzec zdusił ledwie co napoczętego papierosa, rozerwał niedopałek paznokciem, rozsypał tytoń na wietrze i zwinął bibułkę w maleńki pocisk, który prztyknięciem palca wystrzelił przed siebie, w przestrzeń.

– Co tam widzisz, Bob? – Ręką omiótł horyzont, na którym kilka chmurek jak pierożki smażyło się na skwierczącym niebie. – Powiedz, co widzisz.

Bob czuł, że As wciąga go w pułapkę.

– Ogrodzenia z drutu kolczastego, kilka półciężarówek na drodze i bramę. Tory kolejowe i dwa elewatory zbożowe, pewnie jeden z nich to ten w Bumelii. Pompy do ropy.

Zapadło milczenie, które tym razem zdawało się przeciągać w nieskończoność. As Kurcz wyjął i zapalił następnego papierosa.

– Ja widzę więcej, widzę dom. – A kiedy Bob wykręcił głowę i spojrzał w kierunku Kowbojskiej Róży, starzec powiedział: – Nie tamten dom. Moją rodzinną ziemię, którą moi ludzie zamieszkiwali ponad sto dwadzieścia lat, od kanionów do wzgórz. Wiesz, Szlak Jonesa i Plummera wiódł właśnie tędy, dokładnie pod tym wiatrakiem, na którym siedzimy. Można dojrzeć ślady po nim.

– Panie Kurcz, ja też myślę o tamtych czasach. Myślę o poruczniku Abercie, który przybył do tej krainy w 1845 roku i pierwszy odkrywał tereny nad rzeką Canadian, myślę o wszystkim, co zobaczył. – Kiedy to powiedział, poczuł, że tak naprawdę chciałby być porucznikiem Abertem wędrującym po dziewiczej prerii, a nie jakimś nieopierzonym komiwojażerem, namawiającym starych ludzi do sprzedaży ich własności.

– To wyjątkowy kawałek Ameryki Północnej. Wiele rzetelnych i porządnych ludzi, mężczyzn i kobiet, zmagało się z trudnościami, by uczynić to surowe panhandle swoim domem. – Twarz Asa była pobrużdżona niczym wyschnięta skorupa błota, szparkami starczych oczu wpatrywał się w mgiełkę rozgrzanego powietrza.

Bob poruszył się niespokojnie.

– Panie na spotkaniu u LaVon opowiadały mi o dawnych czasach – o melonach i kowbojach, i o boomie naftowym – tak że jestem w stanie wyobrazić sobie, jak to wyglądało. I tę ujmującą atmosferę panhandle.

– Po prawdzie to ty nic nie wiesz o tym miejscu. Tobie się widzi, że to takie sobie zwykłe miejsce. A to coś więcej. To życie ludzi, to historia tej krainy. Przeżyliśmy tu powtarzające się susze, przetrwaliśmy Wielki Kryzys i burze niosące tak gęste tumany piasku i pyłu, że robiła się ciemnica jak z chmur dymu przy pożarze szybu naftowego. Widzieliśmy plutony egzekucyjne kowboi, rozstrzeliwujące tysiącami zdychające z głodu i pragnienia bydło. Tak, oni to musieli robić, ci sami ludzie, co opiekowali się krowami przez całe swoje życie, musieli je zabijać. I niejeden twardziel odwracał głowę.

– To było, proszę pana, prawie siedemdziesiąt lat temu.

As jednak nie zamierzał na tym poprzestać.

– Co roku kilku wyprzedaje się korporacjom. Każden jeden myśli tylko o sobie. I to głównie te młode chcą pieniędzy, bo nie mają zamiaru tu żyć. Umyślili sobie setki powodów. Ale mnie się widzi, że powinniśmy trzymać się razem w tej chociaż sprawie i kazać tym świńskim korporacjom wynosić się do wszystkich diabłów.

Podniósł słój z herbatą, napił się, podał naczynie Bobowi.

– Jedyne, co mamy, to ta ziemia i Ogallala, a oni niszczą i jedno, i drugie. Taka więc byłaby moja odpowiedź dla Globalnej Skórki Wieprzowej. Idźcie do diabła. Kiedy tu zjechałeś, Bob, to przecie wszyscy wierzyli, że z ciebie prawdziwy milasek, jak tak opowiadałeś o wykorzystaniu tej ziemi pod ładne domy, ekologiczne gospodarstwa i w ogóle. Wydawało się, że przyniosłeś ze sobą jakąś dodatkową rzetelną wartość.

– Ależ As, nie możemy żyć przeszłością. I nie możemy jej przywrócić. Czy ludzie nie mają prawa decydować o tym, gdzie i jak chcą żyć? Prawdopodobnie za jakieś czterdzieści czy pięćdziesiąt lat pojawi się coś innego, co wypchnie te świńskie fermy, i ktoś inny powie, jakie to smutne, że ginie to świńskie dziedzictwo panhandle.

– A niby co innego, panhandle na poligon atomowy? I nie ma potrzeby, żebyś mi gadał o zmianach. Życie spędziłem przy wiatrakach. A jak powiada brat Jadłoszyn: „Rzeczy są niby ten wiatrak wobec wiatru, wiecznie się zmieniają, nieustannie reagują". Zupełnie inna zaś sprawa, w co się te rzeczy zmieniają. A człowiek, choćby jeden czy we dwóch, może podjąć walkę, może się bronić.

– Nie zgadzam się z takim podejściem, proszę pana. Proszę popatrzeć na Indian. Oni walczyli i widzimy, co się z nimi stało. Bo mieli coś, czego pożądali inni. Podobnie jest tutaj. Macie coś, czego chcą produkujące wieprzowinę korporacje, i one to coś dostaną.

– Nie za mojego życia. Wiesz, ten twój pomysł z eleganckimi osiedlami był całkiem niezły. Mógłby się zrealizować, gdyby nie było na tych terenach świńskich ferm. Może niekoniecznie rezydencje dla bogaczy, może coś ździebko skromniejszego. Nie luksusowe, ale przyzwoite domy dla przyzwoitych ludzi, co to darzą ziemię szacunkiem. Tak sobie myślę, że to zaczątek dobrego pomysłu. Chętnie bym z tobą porozmawiał na ten temat.

– Szczerze mówiąc, proszę pana, As, sądzę, że te fermy zagościły już tu na dobre. Może taka jest przyszłość panhandle... ludzie wyprowadzą się i oddadzą ten teren świńskim fermom i tuczarniom. Intensywnej hodowli. Może tak byłoby najlepiej.

– Najlepiej dla kogo? A ty byś był z siebie kontent, że jesteś tego częścią? Proszę, napij się jeszcze tej herbaty.

Bob westchnął.

– Cóż, najlepiej dla dobra ogólnego. – Donikąd go to nie prowadziło. Ten człowiek tkwił w przeszłości.

As podał mu słój z herbatą i mówił dalej.

– Bob, tutej każdy wie co nieco o świniach. Niektórzy nadal je hodują na niewielką skalę. Phil Bule hoduje wieprzki metodą naturalną, bez żadnych antybiotyków, bez stymulantów wzrostu czy hormonów, i jest to najlepsza wieprzowina, jaką w życiu jadłeś. Jego świniaki żyją na świeżym powietrzu i mogą sobie iść na słońce czy w cień, jak im się chce. Skóra na tych wieprzkach z przemysłowej hodowli jest cieniutka jak bibułka. Spróbuj je załadować na ciężarówkę, tknij je tylko, a zaczynają krwawić. A niektóre z nich są takie ciężkie, że nogi łamią się pod nimi jak zapałki. Rzucają nerwowo głowami i do żywego mięsa czochrają się o druty ogrodzenia. Ze wszystkich stworzeń, jakie żyją na tej Bożej ziemi, życie świni z przemysłowej hodowli jest najgorsze, jest do cna piekłem. –

Rozgniótł niedopałek o stalową konstrukcję. – Cała ta hodowla jest obrzydliwa i nienaturalna, a ja jestem jej przeciwny. Ty też powinieneś.

– Nie wiem, czemu ja jestem przeciwny – wymamrotał Bob. – I nie widzę nic złego w przystosowywaniu się do zmian. Jest tu mnóstwo ludzi, którzy nie mają nic przeciwko korporacyjnemu rolnictwu w swoim hrabstwie. I nie mają też nic przeciwko lagunom.

– Na miłość boską, nie nazywaj tych bajor „lagunami". Laguna to piękny widok, kawałek morza odcięty od niego. Ano mamy tutej dolinę rzeki Canadian, nasz kawałek świata, z własną kulturą i zwyczajami, które z tego miejsca wyrosły. Można by rzec, jak raz, sielska doskonałość. Jednak jakaś siła z zewnątrz chce ją ze szczętem rozbić. I wyniknie z tego ludzki gniew i rozżalenie, że obrócono wniwecz to wszystko, co czyniło to miejsce szczególnym i dobrym dla ludzi. I w takim miejscu znajdujemy się właśnie teraz, w strefie cienia.

– Panie Kurcz... As... wydaje mi się, że wiatraki też mają swój udział w tym rozbijaniu. To znaczy, można by powiedzieć, że te wiatraki to rodzaj technologii skierowanej przeciwko poczuciu wspólnoty, przeciwko społeczności... każdy dla siebie, zamiast wodnych spółek. Więc to, co ty robiłeś przez całe s w o j e życie, też było skierowane przeciwko panhandle. Czym to się różni od wysiłków biznesmena, który próbuje zarobić na utrzymanie hodowlą trzody chlewnej na wielką skalę?

– Powinieneś zostać prawnikiem, Bob. Bo zaczamy koło do punktu wyjścia. Na świecie jest teraz tak wiele ludzi, że nie ma nawet dość miejsca, żeby się zamachnąć. Czy człek urodzony tutej nie ma prawa tu żyć? Większego prawa niż jakiś mieszkający daleko stąd, a czerpiący jedynie zyski i niszczący to miejsce korporacyjny hodowca trzody chlewnej?

– Dlaczego fakt, że się gdzieś urodziłeś, miałby dawać ci jakieś większe prawa? Nigdy nie byłem w stanie tego pojąć. To mi przypomina Francisa Scotta Kitę i jego nalepkę na zderzaku auta: „Urodzony Teksańczyk". I co z tego, że urodzony?

– To prawa historyczne i psychologiczne. Do diabła, zbliża się ku zachodowi, a my tu drzemy koty. Czas zleźć na dół i ruszyć do domu.

As Kurcz wstał zwinnie, przeciągnął się, opuścił wiadro z lodem i herbatą na ziemię, a potem spuścił się szybko po drabinie, większą część drogi ześlizgując się po jej poręczach. Bob zszedł za nim ostrożnie i powoli, mocno trzymając się poręczy. Znalazłszy się na dole, As rzucił krótko:

– Jedź za mną, otworzę bramę.

Kiedy dojechali do bramy, As Kurcz otworzył ją, przejechał, zaparkował swój pojazd, przytrzymał bramę Bobowi. Na zewnątrz Bob też się zatrzymał i podczas gdy As zamykał ponownie bramę, nadal próbował go przekonywać.

– Chodzi o to, czy to sprawiedliwe, żeby twój brat tam cierpiał, kiedy mógłby się cieszyć życiem w mieście? A co z Shattle'ami? Pan Shattle od tych oparów choruje. Oni muszą się pozbyć tych nieruchomości. I...

– Synu, Tater i ja zbliżamy się do grobu. Jesteśmy w tym wieku, kiedy wychodzi się naprzeciw losowi, zamiast robić zwroty i uniki w tej grze, której nikt wygrać nie może. Umyślili my sobie, Tater i ja, że mamy pewne zobowiązania względem panhandle. Ja jestem najstarszy. Na mnie spoczywa odpowiedzialność. I decyzja. Tater i ja nie sprzedamy niczego tym świńskim korporacjom. Ty przegrywasz. Pamiętaj jednak, że nie wszystko da się wygrać.

– Wszystko? Dotąd jeszcze niczego nie wygrałem.

As Kurcz wsiadł do półciężarówki. Raz tylko skinął głową i odjechał.

Bob, który nigdy wcześniej nie odgrywał roli czarnego charakteru, aż kipiał goryczą. Ponieważ jednak obawiał się, że może się ponownie zgubić, ruszył za tylnymi światłami pojazdu starszego mężczyzny.

33

Nieudacznik

Kiedy Bob wjeżdżał do Bumelii, zmęczony i przygnębiony, po całym dniu wypełnionym smakiem przegranej, zauważył, że Pod Poczciwym Psem palą się światła i że wewnątrz kręcą się jacyś ludzie, potem przypomniał sobie zamiary Cya dotyczące otwarcia lokalu do późna i rozpoczęcia czegoś, co zwał „działalnością kolacyjną", żeby wyrównać straty wynikłe z konkurencji tamtych chrześcijanek z sąsiedztwa. Miseczka chili poprawiłaby mu humor. Może spotka brata Jadłoszyna, chociaż nie zauważył tam jego pickupa.

W jednym z boksów, nad talerzem pełnym kości oraz resztek panierki po schabowych, siedziała LaVon.

– No proszę, oto i Bob, osoba, którą jak raz chciałam zobaczyć. Umyśliłam sobie tu przyjechać, żeby sprawdzić, czy nie kręcisz się po okolicy. Dzwoniłam do Jaelene i ona powiedziała, że nie było cię calutki dzień. A akuratnie mam do ciebie prośbę.

– W życiu bym się nie spodziewał, że ciebie tutaj ujrzę – zdziwił się Bob. – Przecież przysięgałaś, iż twoja noga tu nie postanie.

– Coolbroth chciał tu przyjść, tyle że on był nieczasowy, pożarł migiem i poleciał na to swoje zebranie. Muszę przyznać, że Cy nieźle gotuje. A ciebie chciałam spytać, czy mógłbyś jutro posiedzieć w kasie loterii podczas Święta Drutu Kolczastego. Mam już obstawione wszystkie godziny z wyjątkiem tej jednej, pomiędzy drugą a trzecią. Coolbroth odmawia. Idzie tylko o sprzedawanie losów. Losowanie kapy jest o piątej.

– No cóż, pewnie mógłbym. Skoro to tylko godzina.

– Godzina. O trzeciej mamy... – sprawdziła na liście, którą wyciągnęła z torebki... – panią Herwig. Pamiętasz panią Herwig. Albo kogoś innego. Wiesz, Bob, niektóre są strasznie na ciebie wściekli za to, że chciałeś odebrać im ziemię na świńskie fermy. Nawet syn Fredy Salonik, ten Waldo, umieścił w „Bummerze" półstronicowe ogłoszenie o tym, żeby nikt tobie niczego nie sprzedawał, bo podawałeś się za kogoś, kim nie jesteś.

– Nigdy nie chciałem, żeby posiadłość Fredy Salonik wykorzystano na świńską fermę. On to wszystko pomieszał. Bo ja uważałem przecież, że to doskonałe miejsce na luksusowe rezydencje.

– A jakże, ze świńskimi fermami wszędzie wokół, ze smrodem od północy, południa, wschodu i zachodu? On powiada, że nie jesteś związany z żadną firmą zajmującą się nieruchomościami. Niezła ta wieprzowina – oświadczyła ni stąd, ni zowąd, oblizując kość.

– Pewnie z jednej z tych okropnych świńskich ferm.

– Nie, Cy Frease bierze wieprzowinę od Phila Bule'a. Pytałam go o to.

Bob westchnął ciężko.

– Tak czy owak, mnie nikt niczego nie sprzeda. Koniec z tym. Zadzwonię w poniedziałek rano do Globalnej Skórki Wieprzowej i powiem, że nie byłem w stanie doprowadzić do żadnej transakcji.

– Nie pojmuję, dlaczego tak bardzo zależy ci na tej firmie. Masz w niej udziały? Masz jakowyś krewnych w dyrekcji?

– Nie. Po prostu podjąłem pracę i chciałem... nie dbam o Globalną Skórkę, niemniej uważam, że ważną rzeczą jest dokończyć to, co się zaczęło.

– Skoro ci nie zależy, to przestań robić z tego wielkie halo.

– LaVon, czuję, że spoczywa na mnie pewna odpowiedzialność. Wiesz, że moi rodzice mnie porzucili. Nie chcę być jak oni. Nie chcę odejść, nie dokończywszy zadania.

– Po mojemu, to nijak nie można mówić o jakimś „dokończeniu", jeśli się rozchodzi o kupowanie terenów pod świńskie fermy. Ludzie nic, tylko zmieniają pracę. To w niczym nie przypomina ucieczki twoich rodziców. Znajdź sobie jakieś inne zajęcie. Roboty dla bystrych młodzieńców nie brakuje. Co mi przypomina, że dzwoniła Jaelene, żebym ci powiedziała, jak cię zobaczę, że było do ciebie kilka telefonów, pilnych telefonów.

Bob tymczasem kontynuował swój wywód:

– A co z ludźmi, którzy zamierzali sprzedać swoje nieruchomości? Chodzi mi o to, że teraz to oni znaleźli się w kłopocie. Jasne, ja mogę sobie wyjechać i znaleźć inne zajęcie, ale co z Taterem Kurczem? Będzie musiał już zawsze wąchać ten smród. I Shattle'owie. Nawet Jim Skóra, któremu przydałyby się pieniądze za tamten kawał wyeksploatowanej ziemię.

– Już ty się nie frasuj i śpij spokojnie. Cosik ci rzeknę, wszyscy ci ludzie s p r z e d a j ą swoją ziemię, tyle że nie tobie. Jest inny kupiec.

– Co? Evelyn Chine? Jest ciężko ranna i prawdopodobnie nie wróci już do pracy.

– Nie, nie ona. As. As Kurcz to wszystko skupuje. Po prawdzie kupił już te świńską fermę koło Shattle'ów i teraz rozbiera chlewnie, zwyczajnie je rozwala. Dzisiej po południu wywieźli ciężarówkami wszystkie świniaki.

– As? As Kurcz? Przecież on jest biedny. Nie mógłby kupić świńskiej fermy. Ani tych wszystkich rancz. Dopiero co z nim rozmawiałem i ani słówkiem nie pisnął o kupowaniu świńskiej fermy.

– Nie jest taki gadatliwy jak Tater. W każdym razie powinieneś pojechać i spytać o to Tatera. Bo wychodzi na to, że As miał w zanadrzu kilka niespodzianek dla Tatera i w ogóle dla wszystkich.

– Jasne, że pojadę – oświadczył Bob, który był jednocześnie zaintrygowany i rozgniewany. Wstał.

– Bob, nie zjesz kolacji? – zawołał od pieca Cy. – Jak nie chcesz tych schaboszczaków, to jest jeszcze spaghetti i klopsiki.

– Nie mam czasu – rzucił Bob i popędził ku wyjściu.

Zaparkował na podwórku Tatera, skokami pokonał schody i bez pukania otworzył drzwi wejściowe. Starszy pan popijał ze szklaneczki whiskey i oglądał telewizję, *Seks w wielkim mieście*. Podniósł wzrok i gestem ręki wskazał wystrojonych aktorów.

– Zupełnie jakbyśmy pomieszkiwali na różnych planetach.

– Tater – zwrócił się do niego Bob. – Tater, co tu się dzieje? Co wy mi wszyscy robicie? Czy ktoś dopuści mnie wreszcie do tej tajemnicy? Twój brat, As, przez całe popołudnie nadawał mi o pionierach i o geografii moralnej.

– Bob, przecie nikt ci niczego nie robi. As mi przedstawił całą sprawę, a przecie on jest najstarszy. Wyklarował mi, że dopóki pętamy się po tym świecie, nie wolno nam oddać panhandle ani tobie, ani nikomu innemu. To nasz dom i będziemy się go trzymać ze wszystkich sił. Od tej pory nikt nie sprzeda swojego rancza na żadną świńską fermę.

– Niby jak? Po pierwsze, tutejsi ludzie są indywidualistami. Nie pójdą na współpracę. Odnoszę wrażenie, że mieszkańcy panhandle raczej doprowadzą się do ruiny, niż będą działać wspólnie. I As nie będzie w stanie wykupić tych wszystkich gospodarstw. Na to potrzeba wielu milionów. Sam mi powiedziałeś, że nie ma własnego nocnika.

– Myliłem się. On ma nocniki z litego złota, z brylantami na krawędziach. Ten stary Holender, co to z nim byli wspólnikami przy tym wiatrakowym interesie, wszystko mu zostawił. As nie rzekł o tym nic, bo rok minął, póki można było użyć tych pieniędzy. Myślał, że prawnicy wszystko zabiorą. Ale nie zabrali, wszystko przypadło jemu. Setki i setki milionów. As jest niemożebnie bogaty. Jest petrodolarowym miliarderem. No i widzisz, Coolbroth Fronk i LaVon, i Shattle'owie, i brat Jadłoszyn, i ja, i drudzy, jesteśmy razem z nim. On planuje kupić wszystkie farmy i rancza, i świńskie fermy, jakie tylko da radę wykupić, polityków zresztą też, jeśli będzie to musowe, żeby przeciągnąć ich na naszą stronę. Zamiarujemy zlikwidować ogrodzenia i otworzyć całe panhandle, zagnać tutej bizony. Brat Jadłoszyn nam w tym pomoże. W czwartek zjadą do naszego kościoła ci Popperowie*, żeby o tym mówić.

---

* Frank J. i Deborah E. Popper – działacze na rzecz rekultywacji terenów wielkich równin środkowych Stanów Zjednoczonych przez likwidację pło-

Oni już robią coś takiego w obu Dakotach. Więc dlaczego nie w panhandle? Na to wychodzi, że nawet jest rynek na bizoninę, jak już Ted Turner otwiera te stoiska z bizonimi burgerami. Wszystko się zmieni.

– Uwierzę, jak zobaczę – rzucił Bob, obrócił się na pięcie i wyszedł. Drzwi zostawił otwarte, na dowód swojego niezadowolenia.

Wiatr wiał nie z tej strony, co trzeba, i kiedy Bob podjeżdżał do domu Shattle'ów, świński fetor był mocniejszy niż kiedykolwiek wcześniej. Podejrzewał, że skoro rzeczywiście wywieźli wieprzki, to ta trująca laguna – ten dół z gnojowicą – musi stanowić źródło snującego się nad prerią nieznośnego odoru.

– Witaj, Bob – zawołała Jaelene Shattle. – Słyszałeś nowiny? As Kurcz kupił te świńską fermę i dzisiej usunął stąd wszystkie zwierzaki. W przyszłym tygodniu wypompują lagunę do specjalnych beczkowozów i zabiorą to paskudztwo do Nevady. Powinni zawieźć do Waszyngtonu. Podsmrodzić rządowi.

– No to nie musisz sprzedawać swojej własności.

– Owszem, sprzedamy. Tater też. As stoi za wielkim konsorcjum, Krainą Bizonów Panhandle. Bizonów, piesków preriowych, preriowych cietrzewi, miejscowych traw, widłorogów, wszystkich takich rzeczy, to tak jakby rezerwat przyrody. I on sobie umyślił, że w pobliżu rezerwatu przyrody ludzie będą chcieli budować domy, będą oglądać te bizony i w ogóle. Jednym słowem, to coś takiego, o czym sam mówiłeś, kiedy szukałeś terenów pod luksusowe osiedla. Waldo Salonik zamierza sprzedać im swoje ranczo Obuch.

– To tylko takie gadanie – hamował ją Bob. – To nie może się udać.

– Wiemy, że czeka nas ciężka praca przy odbieraniu panhandle tym wielkim korporacjom, ale niby co innego możemy zrobić? Poddać się i umrzeć? A właśnie, były dzisiej do ciebie telefony. Proszę, wszystko zapisałam.

---

tów, intensywnego rolnictwa i hodowli na rzecz ekoturystyki, otwartych pastwisk, powrotu niskich traw, bizonów i innych tubylczych gatunków.

Bob popatrzył na kartkę: Abner Chine, pilne, z numerem kierunkowym stanu Kansas; wuj Tam, pilne, z numerem sklepu; brat Jadłoszyn, pilne, z klasztornym numerem. W pierwszej kolejności zadzwonił do pana Chine'a.

– Och, panie Dolar, cieszę się, że pana słyszę. Żona i ja chcielibyśmy porozmawiać z panem o Evelyn. Wydaje się, że jej lekarka uważa, iż pan i Evelyn jesteście... małżeństwem? Czy to możliwe? Evelyn nic nam o tym nie mówiła, a w świetle zaistniałej sytuacji... lekarka uważa, że będzie ona długie miesiące, lata nawet, poddawana terapii i będzie wymagała stałej opieki, zatem, jeśli jest mężatką, powinniśmy o tym wiedzieć, zarówno w związku ze sprawami ubezpieczeniowymi, jak i wszelkimi innymi. Jej pracodawca twierdzi, że nie poniosła ona obrażeń w związku ze swoją pracą, więc zostaliśmy, że tak powiem, na lodzie.

– Przykro mi, panie Chine, to było nieporozumienie, całkowicie z mojej winy. Evelyn i ja nie jesteśmy małżeństwem. Powiedziałem tak, żeby móc się do niej dostać. Przepraszam pana, nie miałem zamiaru sprawiać najmniejszych kłopotów. Uważam natomiast, że córka państwa doznała obrażeń w trakcie wykonywania obowiązków służbowych. Evelyn miała niekonwencjonalne, ale skuteczne podejście do potencjalnych klientów.

– To mogłoby być w tej sprawie bardzo pomocne, panie Dolar. Czy zechciałby pan porozmawiać o tym z moją małżonką i ze mną?

– Naturalnie – zgodził się Bob. – W poniedziałek zamierzam przyjechać do Denver. Czy nadal będą państwo w Amarillo? Mógłbym pojechać tamtędy.

– W takim razie tam się spotkamy, Bob. Może o drugiej w szpitalu? I będziesz mógł zobaczyć Evelyn. Jest przytomna, chociaż mówią, że ma przed sobą długą drogę. Twoja wizyta dobrze jej zrobi. Nawet jeśli cię nie rozpozna.

Zadzwonił do wuja do mieszkania, jako że była pora obiadowa i wujaszek pewnie skrobał marchewki i kroił pory.

– Cześć, wujku. To ja.

– Bob, dzięki Bogu. Tak się martwiłem. Był artykuł w dzisiejszym „Post". Na pierwszej stronie. Wczoraj po południu w Globalnej Skórce Wieprzowej doszło do strzelaniny. Poczekaj chwileczkę, mam to tutaj. „Kobieta o nieznanej tożsamości, niezadowolona pracownica, jak się sądzi, weszła do sali posiedzeń w Globalnej Skórce Wieprzowej i otworzyła ogień do czworga dyrektorów, zabijając jednego i raniąc poważnie innego oraz lżej dwóch pozostałych. W zebraniu uczestniczył pan Kwant Goliat z Tokio, prezes GSW. Troje rannych zabrano do Denver General Hospital. Nazwiska zmarłego ani rannych nie zostaną podane do publicznej wiadomości do czasu powiadomienia najbliższych ich krewnych. Kobietę aresztowano". Zamierzam słuchać wiadomości o jedenastej, żeby zobaczyć, co odkryli.

– Mój Boże – zdumiał się Bob. – Nie piszą tam, kto zginął?

– Nie. „Do czasu powiadomienia".

– Chyba się domyślam, kim jest ta kobieta. Jest tu taka jedna, bardzo rozgniewana małżonka, której mąż planował sprzedać Globalnej Skórce Wieprzowej ich wspólne ranczo, a na dodatek miał romans z agentką firmy. Tazzy Kita. Strzelała do męża i do tej kobiety, a potem uciekła z miejscowego aresztu. Jest na ścieżce wojennej, wypowiedziała wojnę firmom zakładającym świńskie fermy.

– Bob, masz bardzo niebezpieczną pracę.

– Miałem, wujku. Już jej nie mam. Jestem nieudacznikiem. Nie potrafiłem doprowadzić choćby do jednej transakcji. Zrzekłem się swojej odpowiedzialności. Chyba jestem taki jak mój ojciec.

– Uff. Cholernie się cieszę, że jesteś bezpieczny. No to nie udało ci się kupić od ludzi ich farm i rancz na świńskie fermy. Czy to takie okropne? Przyjedź do domu, a całą rzecz rozłożymy na stole i dokładnie się jej przyjrzymy.

– Przyjadę w przyszłym tygodniu. Obiecałem, że jutro pomogę przy wielkim Święcie Drutu Kolczastego. A przez całą niedzielę trzeba będzie po nim sprzątać. Chcę też się pożegnać z paroma osobami. Planują one załatwić ten problem świńskich ferm. Tak więc w przyszłym tygodniu oddam samochód i pogadam z panem Klukwą, powiem mu, że odchodzę.

– Nazwisko brzmi mi znajomo. Możliwe, że to jeden z tych postrzelonych podczas posiedzenia.

– Możliwe. Daj mi znać, jak usłyszysz coś nowego. – Pomyślał sobie, że te jego dwadzieścia pięć lat dotychczasowego życia przypomina wielką hałdę kopalnianych odpadów, które dały zaledwie kilka okruchów złota. Kiedy jednak powiedział to wujowi Tamowi, zamiast słów sympatii czy jakiejś wujowskiej rady, usłyszał jego gromki śmiech.

– Jak małe są te okruchy złota, Bob? Jak drobiny pieprzu? Odchody muchy? Większe od ziarenka soli?

– Już ci nigdy nic nie powiem – oświadczył Bob i odłożył słuchawkę.

Ostatni telefon, ten do klasztoru, przyniósł mu nagrane przesłanie: „Dobry wieczór. Dodzwoniłeś się do klasztoru Potrójny Krzyż. Nie możemy teraz odebrać telefonu, ponieważ uczestniczymy w Komplecie. Proszę zostawić wiadomość po usłyszeniu sygnału albo zadzwonić ponownie jutro po Prymie".

34

Drut kolczasty

Telefon zadzwonił o świcie i Bob wytoczył się z łóżka, boleśnie nadepnął na coś wyjątkowo ostrego, skacząc na jednej nodze, dotarł do aparatu, podniósł słuchawkę i usłyszał zaspany głos Jaelene Shattle:

– Z kim? Och, Bob jeszcze śpi. Może mogłabym...

– Jestem, Jaelene – włączył się do rozmowy.

W słuchawce zadudnił tubalny, teksaski głos:

– Witam cię, Bob, dzień dobry! Jest prześlicznie. Wyjrzyj przez okno i raduj się.

– Brat Jadłoszyn? – Obejrzał podeszwę, wyjął kolec akacji, który wbił mu się w piętę. Jak to się dostało do domu?

– Zgadza się. Piękny dzień. Na razie chłodno, ale wkrótce się ociepli. Przykro mi, że nie udało mi się wczoraj z tobą skontaktować. Bo zastanawiałem się, czy bierzesz udział w dzisiejszym Święcie Drutu Kolczastego?

– Owszem. Obiecałem LaVon, że po południu będę przez godzinę sprzedawał losy na loterię.

– Świetnie. Odszukam cię. Kiedy będziesz siedział w tej twierdzy?

– Od drugiej do trzeciej. Ale pewnie pojadę tam przed południem, żeby się rozejrzeć. Nigdy przedtem nie byłem na Święcie Drutu Kolczastego.

– To całkiem pokaźna impreza. Bumelia na świeżym powietrzu. Nie przegap rodeo. Twój uniżony robi użytek z powroza. Razem z bratem Hesychastem.

– Za nic nie chciałbym tego przegapić – oświadczył stanowczo Bob. – A kiedy się rozpoczyna?

– Rodeo zaczyna się w południe. Będę się za tobą rozglądał.

Bo musimy o czymś pogadać. Czymś związanym z kampanią Asa Kurcza. Słyszałeś o tym, co?

– Taa, słyszałem – odparł Bob, pozwalając, by w jego głosie zabrzmiała nuta goryczy, i popatrzył przez okno na poprzecinane karmazynowymi i złocistymi smugami rozjarzone niebo.

Wziął prysznic (niewątpliwy luksus po dokonywanych za pomocą gąbki ablucjach z barakowych czasów na Pękniętej Gwieździe) i spodziewając się upalnego dnia, włożył szorty oraz koszulkę bez rękawków, kiedy jednak spojrzał w lustro, strój ten wydał mu się bardzo nieteksaski. A przecież miało być i rodeo, i palące słońce... na pewno ludzie ubiorą się w westernowym stylu. Włożył zatem dżinsy oraz koszulę z długim rękawem, wciągnął do tej pory nie używane kowbojskie buty, które wedle pana Klukwy stanowiły klucz do odniesienia sukcesu na terenie panhandle. Może to właśnie był jego problem, niewłaściwe obuwie. Spojrzał w lustro i nawet był dość zadowolony z tego, co zobaczył, dopóki nie przypomniał sobie relacji wuja Tama ze strzelaniny w kwaterze Globalnej Skórki Wieprzowej. Musi zadzwonić do LaVon i powiedzieć jej o tym. Przynajmniej raz to on będzie miał jakieś wieści. Kiedy jednak spróbował się z nią połączyć, okazało się, że linia jest zajęta.

Na dole Jaelene, popychając w jego kierunku rondelek z kaszą kukurydzianą, kazała mu usiąść i zjeść śniadanie. Nalała mu kawy do kubka, wbiła dwa jajka na roztopione na patelni masło, posypała je pieprzem.

– Napijesz się soku pomarańczowego, Bob?

– Chętnie. Mogę w czymś pomóc? – Coś kazało mu się powstrzymać od poruszenia tematu tamtej strzelaniny.

– Pewnie. Możesz posmarować masłem grzankę, kiedy już wyskoczy. Większość ludzi nie jada jednocześnie i kaszy, i grzanki, ale kiedy się pobraliśmy, mój małżonek tak właśnie sobie życzył, i tak to już zostało. W lodówce jest dżem. Masło stoi tutej.

W lodówce rzeczywiście był dżem, bardzo dużo dżemu. Shattle'owie bez wątpienia lubią słodkości, pomyślał, wyjmując galaretki, dżemy, konfitury oraz coś, co nosiło nazwę jagodowego tygrysa.

Jaelene ponownie napełniła ich kubki kawą, zsunęła na talerze sadzone jajka, ozdobiła je po bokach faworytami z okraszonej masłem kaszy i usiadła naprzeciwko niego. Rozsmarowując na grzance jagodowego tygrysa, Bob pomyślał, że pewno zajął miejsce pana Shattle. Zaskoczyła go dziwna smakowa kombinacja chili, bourbona oraz czarnych jagód.

– Jak się czuje pan Shattle? – Jednocześnie zastanawiał się, kto też zginął w Globalnej Skórce.

– Dobrze. Wiesz, powiedziałam mu o planie Asa i o tym, że wywieźli świniaki i że zamierzają osuszyć lagunę i zasypać ją w przyszłym tygodniu ziemią, i biedaczysko, on się po prostu rozkleił i zaczął płakać. Bo było mu tak bardzo ciężko. Nakazał mi: „Koniecznie powiedz Asowi, że kupię tyle bizonów, na ile tylko będzie mnie stać". Nie widzi mi się, żeby wiedział, ile te zwierzęta kosztują. Bo nie tyle co krowy! Nie za długo wróci do domu, niech tylko wypompują te gnojowicę i powietrze się trochę odświeży.

Na zewnątrz było ciepło, niebo niczym karta błękitnego papieru nie zapowiadało kłopotów z pogodą. Kiedy jechał do Bumelii drogą o nawierzchni przywodzącej na myśl posiekane migdały, zdał sobie nagle sprawę, że czuje się nadzwyczaj dobrze, wolny od konieczności ciągłego kombinowania związanego ze świńskimi fermami, gotowy spędzić dzień na przyjemnościach. Temperatura otoczenia pięła się w górę. Kiedy dojechał do miasta, termometr na banku pokazywał trzydzieści cztery i pół stopnia. Wyglądało na to, że w miasteczku wszyscy czują się tak jak on, ludzie byli bowiem weseli i roześmiani, niemal wszyscy odziani w dżinsy, koszule z długimi rękawami i w kowbojskich butach, poza kilkoma turystami w szortach, ze skórą na nogach już czerwoną od słońca. Jako że nie miał kapelusza, ruszył znaleźć jakiś w jednym z dziesiątków kiosków i straganów ustawionych wzdłuż ulicy Głównej. Miasto uległo przeobrażeniu. Różne ekipy musiały pracować przez całą noc, żeby przygotować te wszystkie stragany, stoiska, kioski i podia. Estrada, z napisem otoczonym wieńcem z kolczastego drutu, znajdowała się na końcu ulicy.

TAŃCE ULICZNE 20.00
TARANTY PANHANDLE
z
FRANKIEM McWHORTEREM

Ulicą przesuwał się już gęsty tłum, ludzie zbierali się w grupki obok stoisk, wdychali smakowitą woń pieczonego mięsa i jadłoszynowego dymu. Rtęć termometru wspięła się do czterdziestu stopni, a żar spływający z nieba dawał odczucie podobnie przyjemne w swojej intensywności, jakie daje haust koniaku. Budki z drutem kolczastym przyciągały mnóstwo ludzi, rozpalonych i spoconych, wachlujących się programami rodeo oraz pamiątkowymi wachlarzami z napisem ŚWIĘTO DRUTU KOLCZASTEGO W BUMELII. W miasteczku roiło się od kolekcjonerów drutu kolczastego, tłoczących się do kiosków, w których oferowano osiemnastocalowe odcinki starodawnego drutu o przedziwnych nazwach, takich jak choćby Skręcone Ogniwo Crandela. Z północnego wschodu nadleciał lekki wiaterek i ktoś powiedział: „On nam ściągnie opady", wskazując na zachód, gdzie Bob ujrzał front pęczniejących chmur kumulusowych, tak często rozwijających się w burzowe. Zieleń trawnika wokół urzędu nabrała wyjątkowej intensywności.

Za budkami z drutem stał kiosk z przeróżnymi ozdóbkami i drobiazgami wykonanymi z zardzewiałego drutu. Bob, spływając potem, kupił dla siebie wiatrak, a dla wuja Tama, jako ciekawostkę, uplecioną z drutu kolczastego sowę. Stojący za ladą ogorzały mężczyzna, o wąskich i lekko skośnych, niebieskich oczach pod krzaczastymi brwiami, ubrany w dżinsy i skórzaną kamizelkę, ze sterczącymi spod pach kępkami jasnego owłosienia, poinformował Boba, że może wykonać dla niego każdy, jaki sobie zażyczy kształt, włącznie ze sprośnymi i wulgarnymi, i w ciągu dwóch tygodni przysłać na podany adres. Bob zamówił napis „Vive la France!" do kuchni LaVon i drugi dla Shattle'ów: MY ♥ CZYSTE POWIETRZE.

Minął stos skór na podłogę oraz ekspozycję długich rogów, gotowych do zamontowania na maskę cadillaka albo do powieszenia na ścianie salonu. Widział budki z watą cukrową, ciasteczkami, kształtem przypominającymi węże, kiełbaskami, błyszczącymi australijskimi pelerynkami przeciwdeszczowymi i z artykułami gospodarstwa domowego, teczkami z końskiej skóry, widział rzemienie do boli, skórzane oraz wełniane ochraniacze na spodnie kowbojskie. Jeden ze sklepików sprzedawał kapelusze oraz buty i Bob przymierzył kilka słomkowych nakryć głowy, decydując się ostatecznie na wykonany z poliestru i konopi kowbojski kapelusz firmy Resistol, z ręcznie kształtowanym rondem, charakterystycznym zagłębieniem oraz z czarną, sznurową opaską. W lustrze wyglądał jak prawdziwy Teksańczyk.

Kontynuował przechadzkę pod osłoną nowego kapelusza, zastanawiając się, dlaczego nie kupił jakiegoś wcześniej, minął okazy sztuki kowbojskiej prezentujące krwawe zachody słońca oraz stające dęba konie. Ludzie nieustannie zerkali na niebo, które tymczasem zaczęło się pokrywać chmurami. Termometr bankowy wskazywał czterdzieści dwa stopnie. Sprzedawcy artykułów gospodarstwa domowego wykrzykiwali i machali utensyliami o wielu ostrzach. Kilku klientów stanęło przed stoiskiem z barometrami i urządzeniami ostrzegającymi przed tornadem.

– Miej je stale włączone – powiedział Hen Goniec do sprzedawcy, wskazując ręką na niebo.

Na następnym stoisku Cy Frease grillował bizonie burgery, a Coolbroth Fronk przekładał mięsem bułki i wydawał resztę. Bob kupił dwie porcje z cebulą i z pikantnym sosem pomidorowym, zjadł je podczas dalszej przechadzki.

Dotarł do przerwy w stoiskach i zobaczył Rope'a Kłąba siedzącego w siodle założonym na wyjątkowo wysoki kozioł do piłowania drewna. Z tej swojej grzędy Rope recytował kowbojom poezję na zamówienie, po dwa i pół dolara od sztuki. Bob kupił recytację długiego, komicznego utworu autorstwa samego Rope'a, zatytułowanego *Jak sporządzić uzdę*, za pięć dolarów, jako że był on dwa razy dłuższy od zwykłego wiersza i zawierał parę sprośnych kawałków, które zazwyczaj płatne są dodatkowo. Kiedy rozpoczęła się recytacja, zaczął się zbierać tłumek, ale Rope machnięciem ręki odgonił ludzi, informując, że to występ prywatny, opłacony przez klienta. Po tej porcji poezji Bob zatrzymał się, żeby popatrzeć na dwu siłujących się na rękę mężczyzn; obaj spływali potem, a mistrz, ogromny kowboj z Goodwell w Oklahomie, położył jak dotąd wszystkich rywali. Kiedy muskularne ramiona mężczyzn się ze sobą stykały, ich skóra wydawała cmok. Od strony estrady dobiegła go burza oklasków, kiedy Bill Koźla Skórka, przewodniczący jury wyborów Królowej Drutu Kolczastego, ogłosił nazwisko zwyciężczyni – Moxie Slauter, najstarszej córki Advance'a Slautera, piękności o brzoskwiniowej cerze i rozwichrzonej rdzawoczerwonej czuprynie. Bob zauważył, że ma ona w policzkach podwójne dołeczki, wobec czego uznał, że w pełni zasługuje na zwycięstwo.

Za kwadrans dwunasta pomaszerował w rozprażonym powietrzu ku arenie rodeo, usytuowanej na północnym końcu ulicy Głównej, miejscu stalowych i drewnianych zagród dla zwierząt, które widział już wcześniej z pięćdziesiąt razy, opuszczone i zapomniane, a nad którym obecnie wisiała chmura bladożółtego kurzu. Teren zastawiony był pickupami dieslami i ciężarówkami do przewozu zwierząt, pierwsi widzowie zaczynali już zapełniać ławki dla publiczności, konie, byki i cielaki czekały w zagrodach. Granatowe, burzowe chmury zawisły nad pociemniałą, płaską równiną, Nad wejściem wisiał transparent obwieszczający 68. Rodeo Ranczerskie w Bumelii. Sprzedawcy zachęcali do kupowania waty cukrowej i zimnych napojów.

Bob kupił bilet i wszedł na widownię; wybrał sobie miejsce przy przejściu. Pierwszy rząd był już zajęty przez ośmiu bardzo różniących się od siebie wyglądem mężczyzn, jak podejrzewał Bob, zakonników z Potrójnego Krzyża, sądząc po ich beżowych drelichowych spodniach i koszulach z krótkimi rękawami, jako że świeccy mieszkańcy Bumelii mieli na sobie dżinsy i wysokie kowbojskie buty. Turyści natomiast ubrani byli w szorty i T-shirty. Woń jedzenia była wszechobecna. Sprzedawca indyczych udek wędrował wzdłuż przejść, oferując gorące mięso; za nim kroczył roznosiciel taco, następnie sprzedawca żeberek z rusztu oraz kobieta z prażoną kukury-

dzą, potem chudy młodzieniec z wielką tekturową tacą, na
której piętrzyły się wysokie stożki waty cukrowej, dla Boba
drugi najobrzydliwszy słodki produkt tej planety, pierwsze
miejsce bowiem przyznawał kandyzowanemu jabłku. Bobowi
zdawało się, że widzi w tłumie tę czarnowłosą pielęgniarkę
z dołeczkami w policzkach, kiedy jednak kobieta się odwróciła, stwierdził, że to nie ona. Może znów ją zobaczy, kiedy spotka się w szpitalu z Chine'ami. Ktoś za nim oznajmił:
– Ani chybi szykuje nam się burza.

Otaczająca arenę ściana, od wewnątrz, i prowadzące do
boksów dla zwierząt bramki, od strony areny, były dokładnie
zaklejone reklamami miejscowych firm. Wielu zawodników
jeździło w tę i z powrotem po arenie na swoich nieśmiałych,
używanych jedynie na ranczu wierzchowcach, żeby przyzwyczaić je do tłumu i do otoczenia. Był wśród nich i brat Jadłoszyn, na swoim srokaczu, Tik-Taku, przeciwko któremu to
imieniu opat protestował jako nie dość uduchowionemu, brat
Jadłoszyn jednak, wychowany wśród koni tak nazywanych,
nie zamierzał dopuścić, by imię Tik-Tak zatarło się w ludzkiej
pamięci.

Bob był już na niejednym rodeo, nigdy jednak nie oglądał
rodeo rancz. Wiedział, że kilka konkurencji jest tutaj innych.
W programie przeczytał, że zawodnicy to wyłącznie kowboje
pracujący na lokalnych ranczach, że udział zawodowców jest
zabroniony. Usunięto trzy tradycyjne konkurencje, a wśród
nich, ku szczeremu żalowi Boba, jazdę na byku oraz to źródło
uciechy dla wszystkich widzów, jakim jest przejazd bez ogło-
wia. Natomiast nie znane mu wcześniej konkurencje obejmowały zaganianie krów przez drużynę czterech zawodników,
ujeżdżanie dzikich koni w stylu klasycznym, powalanie i wiązanie byczka dwójką, oddzielanie cielaka od stada konno, dojenie dzikiej krowy i wreszcie komiczny bieg w workach po paszy.

Rodeo rozpoczęło się w samo południe i Bob, otoczony ludźmi pogryzającymi indycze udka i płaczącymi niemowlętami,
podniósł się z miejsca i wraz z pozostałymi zdjął kapelusz na
dźwięk *Modlitwy kowboja* zaintonowanej przez Rope'a Kłąba.
Front spęczniałych chmur rozbłysnął błyskawicami, nie zdawał się jednak zbliżać. Lekki wiaterek z północnego wschodu

odświeżył powietrze i ludzie aż westchnęli z ulgą. Kiedy tłum zasiadł ponownie, rozpoczęła się Wielka Parada, w której brały udział drużyny skautów oraz dzieci lokalnych biznesmenów w jarmarcznie krzykliwych kostiumach, machające reklamowymi chorągiewkami, na koniach specjalnie przystrojonych, błyszczących wypolerowanymi kopytami, połyskujących wyszczotkowanymi zadami, z grzywami splecionymi w skomplikowane warkoczyki, zdolne wywołać zawiść u niejednego klienta salonu piękności dla Afroamerykanek. Spiker, siedzący wysoko w kabinie, niejaki Warnell Pue, bywalec Poczciwego Psa, mocno podpity, dowcipkował sobie z klaunów (odzianych w damskie suknie przycięte na wysokości uda), mylił nazwiska, a nawet konkurencje. Zawodnicy zebrani w grupki z towarzyszami ze swoich rancz stali oparci o barierki areny, obserwując na przemian to niebo, to wydarzenia na wybiegu.

– Na początek ujeżdżanie dzikiego konia, sposób jazdy dowolny, siodło typowe, pierwszy wystąpi Dalton Booklung z rancza Brudne Skarpetki, z Clayton w stanie Nowy Meksyk, który przyjechał tu specjalnie dla tej konkurencji. Co? Co?! – Wychylił się z kabiny ku komuś, kto wrzeszczał coś do niego z dołu. – OK, drobna pomyłka, nie Dalton Booklung, ale jego brat Raine Booklung, w każdym razie z Brudnych Skarpetek. Raine Booklung na Kapitanie Chrupku. To naprawdę złośliwa dzika bestia. W tym roku już odesłał jednego klienta do szpitala... leży w sali 101 i 102.

Bob rozpoznał w Rainie Booklungu tamtego gościa bez koszuli, którego widział w kiosku z ozdobami wykonanymi z drutu kolczastego. Długie włosy sięgały mu do połowy pleców. Wilgotne ramiona błyszczały. Stał na barierce ogradzającej wąskie przejście na arenę, podczas gdy jego brat oraz przyjaciele przytrzymywali konia z łbem przypominającym kształtem głowę łasicy, następnie opadł na siodło, raptownie, niczym worek cementu, bramka się rozwarła, koń zaczął tańczyć i stawać dęba, by wreszcie opuścić niziutko łeb, wyrzucić wysoko w powietrze zadnie nogi i grzmotnąć Raine'em Booklungiem o ziemię.

– Jeden już wylądował. Pewnie zabolało, co, Dalton? – wołał spiker. – Drobna pomyłka, chwila moment, ten koń to nie

Kapitan Chrupek, ale Awokado Diabła... nie, nie, Adwokat Diabła.

Kowboj, pokryty nawozem przemieszanym z kurzem, pokuśtykał do przyjaciół pocieszyć się butelką.

Zwycięzcami tego dnia okazały się stające dęba mustangi, które pokonały wszystkich kowbojów, włącznie z Daltonem Booklungiem, którego, ku uciesze widzów, zapowiedziano jako „Betona Booklunga".

Następną konkurencją było nie znane wcześniej Bobowi zespołowe zaganianie do zagrody. Po przeciwnej stronie areny kręciło się niewielkie stadko cieląt z wymalowanymi na bokach numerami, podczas gdy po jego stronie kilku mężczyzn ustawiało przenośną zagrodę. Jeden z nich wyrysował kredą linię na ziemi i czterech kowbojów z rancza Bandżo-B wjechało na koniach na arenę. Jeden, z zawadiackim rudym wąsem, którego końce zwisały mu aż na pierś, wjechał w stado i zaczął oddzielać swoje trzy cielęta i przeganiać je na drugą stronę kredowej linii. Pozostali mężczyźni, nie przekraczając tej linii, starali się nie dopuścić, by zwierzęta powróciły do stada, niemniej jedno małe i zwinne cielę wymknęło im się i pędem dołączyło do gromady, i zanim ten pierwszy jeździec zdołał je ponownie odłączyć od reszty, pozostała trójka cieląt rozbiegła się na wszystkie strony. Jedno zaledwie cielę zapędzono do ogrodzenia. Któraś z krowich matek wyrwała się nie wiadomo skąd i truchtem wbiegła na arenę.

– Więcej szczęścia w przyszłym roku, chłopcy – zawołał spiker. – Teraz popatrzymy, jak radzą sobie zespoły dwuosobowe z powalaniem i wiązaniem.

Tymczasem krowia matka biegała w tę i z powrotem, muczeniem przywołując swoje cielę. Ponownie zabrzmiał głos Warnella Pue:

– Te złośliwe krówsko będzie tu muczeć i buczeć, jak gad prześlizgnie się przez chaszcze, jasna cholera. Nadzieje na róg i wszystko zepsuje. Teraz popatrzymy na powalanie i wiązanie w wykonaniu zespołów dwuosobowych.

Rozległy się okrzyki protestu, wołania, że przecież jeszcze cztery zespoły nie wzięły udziału w czteroosobowym zaganianiu, jednak Warnell Pue odkrzyknął do protestujących:

– A tam, do diabła, tak czy owak więcej szczęścia w przyszłym roku, chłopcy – i powtórnie zapowiedział tę dwuosobową konkurencję.

Nastąpiła chwila ogólnego zamętu, zakończona tym, że dwu spośród odrzuconych kowbojów wspięło się do kabiny spikera i usunęło stamtąd Warnella. Zastąpił go Advance Slauter, który mamrotał coś o braku doświadczenia i utrzymywał, że nie zna żadnych dowcipów, ale kiedy znalazł się na stanowisku zapowiadającego, z punktu usiłował jeden opowiedzieć; była to jakaś długa, skomplikowana historyjka, w której występowały teściowe z toporami, żona sekutnica, szczwany pies, złośliwy byk oraz gadający koń, wszystko to nie prowadziło do żadnej puenty, a jedynie do jęku widzów.

– W porządku, dokończmy więc konkurs zaganiania. Oooto chłopcy z rancza Wall Street. Bierzcie się do roboty. Bydełko robi się bardzo niespokojne.

Zespołowe wiązanie postawiło publiczność na nogi. Pierwszą parę tworzyli Charles Winiak i Shug Kapsel z rancza Romb z Kreską. Winiak, rzucający lasso na rogi, dopadł byczka zaraz przy bramce i poprowadził go zygzakiem ku środkowi areny. Kapsel czystym, tradycyjnym rzutem unieruchomił zwierzęciu kończyny.

– Jedenaście sekund! – ryknął Advance Slauter, kiedy człowiek mierzący czas uniósł stoper. Żaden z kolejnych zawodników nawet nie zbliżył się do tego wyniku.

Bob zobaczył brata Jadłoszyna, który na zewnątrz areny z przejęciem rozmawiał o czymś ze swoim partnerem. Po chwili obaj mężczyźni pochylili głowy i wspólnie coś mamrotali. Bob pomyślał, że może odmawiają modlitwę. W istocie, wielokrotnie już był świadkiem odmawiania modlitw na rodeo oraz czynienia znaku krzyża i całe wydarzenie często wydawało mu się jakimś religijnym rytuałem, prośbą do Boga o łaski oraz podziękowaniem za zwycięstwa. Brat Hesychast zerknął na niebo i zdawał się chwytać powietrze, rozcierać je między palcami, jakby mierzył jego wilgotność. Front chmur robił wrażenie bardziej odległego niż przedtem, a wiatr północno-wschodni ochłodził równinę. Być może, pomyślał Bob, burza przejdzie bokiem. Po krótkiej dyskusji mężczyźni podeszli do swoich toreb i każdy z nich wyjął innego rodzaju powróz, Bob zauważył jednak, że brat Jadłoszyn dokonał zmiany, odłożył ten nowy i ponownie wziął pierwszy – czy może trzeci – zamiast tamtego.

Zespół Potrójnego Krzyża występował ostatni. Brat Hesychast dosiadał groźnie wyglądającego małego rasowego gniadosza rasy quarter horse, o dość grubych pęcinach, pomyślał Bob, a brat Jadłoszyn Tik-Taka. Obaj odziani byli w habity, podciągnięte w pasie do góry, obu na piersi błyszczały krzyże. Kończyny ich koni zabezpieczone były przed okaleczeniem ochronami zwanymi kaloszami i strychulcami, rzadkość w przypadku wierzchowców z rancz, które na ogół ryzykowały zdrowie.

Brat Hesychast siedział sztywno na grzbiecie swojego konia w boksie, ze wzrokiem utkwionym nieruchomo w jakiś odległy punkt na arenie. Oczy brata Jadłoszyna błyszczały jak u kota, który właśnie dostrzegł mysz. Dano sygnał i byczek wyrwał się na arenę, brat Hesychast uniósł się w strzemionach, wywijając lassem, podjechał z lewej strony zwierzęcia, które jego mały gniadosz mierzył szacującym wzrokiem, a potem wykonał szybki celny rzut i okręcił linkę wokół kuli siodła. Byczek był wypoczęty i pełen energii, dlatego brat Hesychast musiał trzymać go mocno i kierować w lewą stronę areny. Zwierzę poruszało się szybko. Kiedy skręciło, brat Jadłoszyn ruszył w jego kierunku, ustawił się w ułatwiającej rzut pozycji, dał pętli więcej luzu i wykonał perfekcyjny manewr, zarzucając lasso na znajdujące się właśnie w powietrzu tylne kończyny byczka, czym poderwał całą publiczność na nogi.

– Sześć i jedna dziesiąta! – wrzeszczał Slauter. – W powietrzu! Chyba nieźle jak na kowboja z panhandle? To, co ujrzeliśmy, nadaje się do ogólnokrajowych finałów. Do licha, nigdzie nie zobaczycie ładniejszej roboty. Nie żałujmy głosu dla chłopców z Potrójnego Krzyża.

Bob krzyczał tak długo, że aż rozbolało go gardło.

Pozostałe konkurencje wydawały się całkiem stateczne i to mimo szaleństwa, jakim było dojenie dzikich krów, starych, podstępnych bydląt, zaganianych do kąta przez trzyosobowe zespoły, które usiłowały wydusić z ich wymion choć kilka kropli do małych butelek. Kilku kowbojów, gonionych przez zwycięskie krowy, kuśtykając w pośpiechu, uciekło z tego pola bitwy przed pościgiem zwycięskiej krowy. Siedzący gdzieś w tłumie Warnell Pue znów zaczął wykrzykiwać:

– Te złośliwe, stare krówsko...

Ranczo Wall Street wygrało zaganianie, dojenie oraz wyścig w workach po paszy i odebrało nagrodę dnia – trzysta dolarów dla drużyny, derkę pod siodło dla każdego współzawodnika oraz puchar Rodea Ranczerskiego w Bumelii, prawdziwy srebrny puchar, z wyrytymi nazwami zwycięskich rancz, poczynając od roku 1933, drugiego z kolei roku, w którym takie rodeo zorganizowano. Bracia Jadłoszyn i Hesychast otrzymali po pasie oraz po parze ostróg, wykonanych przez cenionych, miejscowych kowali, bratu Jadłoszynowi przypadł komplet Kevina Burnsa ze Spearman, a bratu Hesychastowi para od Pata Vaughna z Shamrock.

Bob pozwolił sobie na drugi lunch, złożony z trzeciego już tego dnia bizoniego burgera, czarnej kawy i dwóch ciasteczek w kształcie węży na deser; właśnie z przyjemnością pochłaniał drugie ciastko, wychylając się przy tym do przodu, żeby nie obsypać sobie koszuli cukrem pudrem, kiedy podszedł do niego szeryf Hugh Miazga, z obydwoma rękoma w gipsie i w towarzystwie swojej siostry Opal.

– Dzwonił twój wuj. Powiedziałem mu, że przekażę ci wiadomość. Idzie o te strzelaninę w Denver, w którą zaplątana jest Tazzy. Tazzy Kitowa. Twój wuj chciał, żeby ci powiedzieć, że ten zastrzelony to niejaki Kwant Goliat. Prezes Globalnej Skórki Wieprzowej. Tazzy pojechała tam, żeby dorwać ciebie, Bobie Dolar. Najsampierw odwiedziła ten barak na Pękniętej Gwieździe. LaVon widziała tam jej pickupa. Miałeś szczęście, że już wtedy mieszkałeś u Shattle'ów. Tak czy owak, mają ją teraz; siedzi w areszcie.

– Co jej zrobią? A co z jej synem? Czy LaVon wie o tej strzelaninie?

– Tazzy musowo stanie przed sądem. Dzieciak jest u babki. Pewnie jak podrośnie, zrobi to, co robi większość tych chłopaków z Teksasu, które nie wiedzą, co mają ze sobą począć... wstąpi do marynarki wojennej. Owszem, LaVon wie o tej strzelaninie. Zawsze słucha policyjnych rozmów na tej swojej krótkofalówce. To ona zadzwoniła do mnie, żeby powiedzieć, że widziała wtedy Tazzy w pickupie. Trudno zaskoczyć LaVon jakimiś nowościami.

– Chodź już, Hugh, spróbujemy tego mięsa z rusztu – powiedziała Opal Głowa. – Nakarmię cię.

– Zgoda, tyle że wpierw muszę iść w to miejsce dla chłopczyków. Zajdźmy na chwilkę do aresztu.

Krótko przed drugą Bob udał się spacerkiem w kierunku budki loteryjnej kasy, nie zaszedł jednak daleko, kiedy natknął się na kościelną wyprzedaż dobroczynną nadzorowaną przez Janine Huske. Kobieta siedziała pod białą markizą, zakrywając zarumienioną twarz białym, koronkowym kapeluszem, przyozdobionym sztucznymi niezapominajkami.

– Bobie Dolar – zawołała – chcesz dokonać wczesnych gwiazdkowych zakupów? Mamy wszystko, od rękawic kuchennych do odboi drzwiowych. A jak by ci się widział jadeitowy słonik z Birmy?

Bob podszedł i uścisnął jej dłoń, spojrzał na towary wyłożone na prowizorycznym stole z desek wspartych na kozłach. Była to mieszanina książek z serii Reader's Digest, różnych błyskotek i świecidełek, przycisków do papieru. Aż wstrzymał oddech, kiedy zauważył szufladę z jakiegoś biurka, z której wylewała się sztuczna biżuteria, wszystko bez wyjątku z bakelitu i celuloidu, i innych polimerów, których nie potrafił rozpoznać. Na samym wierzchu leżała bajeczna broszka, którą zapamiętał z tamtego spotkania poświęconego szyciu kapy. Janine Huske, podążająca za jego wzrokiem, oświadczyła:

– To wszystko należało do Fredy Salonik. Uważałam, że to nieco bezduszne ze strony jej syna, tak po prostu wywalić te rzeczy – bo tak właśnie je tutej przyniósł, wymieszane bez ładu i składu w tej szufladzie – tak się nie godzi, ale cóż, stało się. Niektóre rzeczy są zresztą całkiem ładne. Choć niemodne i z plastiku. Wyłożyłabym jakoś te najładniejsze, ale nie mam miejsca – i machnęła ręką w kierunku poplamionych popielniczek oraz pożółkłych buduarowych lampek, które figurowały na samym froncie.

Bob wziął do ręki szmaragdowo-tęczowy breloczek do kluczyków, w kształcie małej walizeczki z podobizną teriera szkockiego. Obok niego leżały grube, giętkie bransolety w dziesiątkach kolorów. Niektóre pokryte kolorowymi plamkami i kręgami wydawały mu się szczególne, nie wiedział jednak, z czego są wykonane. Była tam przezroczysta, żółta bransoleta z połączonych kawałków, pokryta czerwonymi figurami geometrycznymi; w innej osadzono sztuczne perły. Splątane zatrzaskami, zapinkami i zapięciami kolczyki, klipsy i inne przedmiociki o przedziwnych kształtach opadły na dno szuflady, gdzie utworzyły jedną masę.

– Ile za całą szufladę? – spytał Bob, usiłując powstrzymać drżenie głosu.

– Po prawdzie, nie bardzo wiem. Kazali mi sprzedawać po dolarze sztuka. Tyle że do tej pory nikt praktycznie niczego nie kupił, z wyjątkiem LaVon, która wygrzebała sobie spinkę z czerwoną wieżą Eiffla. Coś ci powiem, zapytam Rellę Nooncaster. Ona tu rządzi. Jest tam z losami. – Ręką wskazała kobietę zerkającą co rusz na zegarek i rozglądającą się dookoła. Bob pochwycił jej spojrzenie i zamachał, wskazał na swój zegarek, dając do zrozumienia, że potrzebna mu jeszcze chwilka. – Jeśli poczekasz minutkę, to zaraz będę z powrotem.

– Świetnie. I proszę uprzejmie powiedzieć pani Nooncaster, że zjawię się tam natychmiast, jak tylko tu skończę. Obiecałem, że przez godzinę zajmę się sprzedażą losów. Właśnie tam szedłem, kiedy mnie pani zawołała.

– Och, jestem pewna, że zaproponuje ci korzystną cenę, skoro pomagasz. – Wzięła torebkę i podreptała w kierunku kasy.

Bob wygrzebał spinkę w kształcie bakelitowego wieszaczka, z którego zwisały miniaturowe, mosiężne naczynia kuchenne. Wuj Tam chybaby zemdlał na widok tego cudeńka.

– Pyta, czy może być dwadzieścia dolarów za cały ten szufladkowy kram. – Po głosie Janine Huske można było poznać, że przynosi dobre wieści.

– Zgoda – powiedział Bob, sięgając po portfel. Wręczył jej banknot, zabrał ciężką szufladę i ruszył w kierunku kasy.

– No, jesteś wreszcie – przywitała go Rella Nooncaster. – Nie będę pytała, co zamierzasz zrobić z tą całą starą biżuterią. Pewnie masz gdzieś dziewczynę? A może to dla matki albo dla babki?

– Dla mojego wuja – oświadczył Bob, ciesząc się wyrazem jej twarzy, przez którą przepływały fale przeróżnych uczuć.

– Ano są ludzie i ludziska. W każdym razie będziesz robił tak. Wypełniasz losy podwójnie, jeden dla kupującego, drugi do losowania. Po pięć dolarów każdy. Dasz ten różowy kupującemu, a biały włożysz do pudełka. A tu masz kasetkę z pieniędzmi. Cokolwiek by się działo, nie opuszczaj swojego stanowiska, bo pieniądze i kapa to jak raz rzeczy cenne. O trzeciej zjawi się ktoś, kto przejmie od ciebie pałeczkę. I dziękuję ci, Bob, za pomoc.

Sprzedaż szła powolutku i Bob żałował, że nie zabrał ze sobą porucznika Aberta albo *Złamanej Ręki*. Zaczął wybierać z szuflady poszczególne sztuki biżuterii, pocierać i węchem szukać fenolowego zapachu bakelitu. Podszedł jakiś otyły mężczyzna z papierową torbą wypełnioną kawałkami drutu kolczastego oraz jakimś pokaźnym rulonem pod pachą, przyjrzał się kapie, która wisiała za plecami Boba.

– To naprawdę nie byle co. Piękna robota. Jestem antykwariuszem z Charleston w Karolinie Południowej. Z wielką ochotą kupiłbym tę kapę. Ile?

– Nie jest na sprzedaż – poinformował go Bob. – Można ją tylko wygrać. Pięć dolarów za los, a ciągnienie jest o piątej przy estradzie dla orkiestry.

– Cóż, wobec tego załatwmy, żeby ta osoba, która zrobiła tę, wykonała jeszcze jedną taką dla mnie. Zapłacę... – zamilkł i obrzucił kapę taksującym spojrzeniem zmrużonych oczu – ...zapłacę dwieście dolarów, za taką jak ta.

– Robi ją cała chmara kobiet, pracują nad taką okrągły rok – oznajmił Bob. – Potem oddają na loterię. Szyją tylko jedną na rok. Te kapy przynoszą tysiące dolarów.

– W porządku, wezmę pięćdziesiąt losów – oświadczył tłuścioch, odliczając banknoty z pliku, który trzymał w dłoni.

Bobowi zrobiło się słabo. Wypisywanie nazwiska i adresu tego człowieka zajmie mu całe godziny.

– Pańska godność? – spytał z nadzieją, że usłyszy coś krótkiego i prostego.

– Hubbel D. Pończocha. Adres to Osobliwe Antyki, Bulwar Magnolii, 1371A, Charleston, Karolina Południowa.

– To może trochę potrwać, proszę pana, zanim wypełnię te wszystkie losy. Czy zechciałby pan wrócić po nie za pół godzinki? – Pisał najszybciej jak potrafił i w trzy minuty udało mu się wypełnić siedem losów.

– Nie, posiedzę tutaj i poczekam. I tak już zmęczyłem się tym chodzeniem. Zabrałem ze sobą krzyżówki, o proszę – i wyciągnął książeczkę, którą Bob rozpoznał jako zbiór najłatwiejszych krzyżówek, obraźliwie wręcz prostych, wymagających jedynie znajomości takich wyrazów, jak „kot", „tutaj", „dzwonek", a z tych trudniejszych coś w stylu „Czwarty Lipca". Rulon pod pachą mężczyzny okazał się składanym krzesełkiem i już po kilku chwilach antykwariusz siedział wygodnie i wypełniał puste kwadraciki krzyżówki.

Za kwadrans trzecia, kiedy Bob zdążył wypisać trzydzieści dwa z pięćdziesięciu losów, do jego stanowiska zbliżył się brat Jadłoszyn i oznajmił:

– Wezmę dwa, Bob. Masz wolną chwilkę?

– Prawdę mówiąc, nie. Muszę wypełnić jeszcze osiemnaście dla obecnego tutaj pana Pończochy, a potem wypełnię twoje. – Palce miał już boleśnie zdrętwiałe.

– Wiesz co, Bob, pomogę ci – co rzekłszy, brat Jadłoszyn chwycił kilka losów i zaczął wpisywać *Hubbel D. Pończocha, Bulwar Magnolii, 1371A*.

– Proszę uprzejmie – zwrócił się Bob do grubasa, wręczając mu plik różowych kartoników, po czym odwrócił się do brata Jadłoszyna. – To była piękna robota z tym lassem. Mógłbyś przejść na zawodowstwo.

– Ja już mam zawód, Bob. I jestem całkiem zadowolony z obecnego stanu rzeczy. A dostałem pas z piękną sprzączką i wspaniałe ostrogi – co rzekłszy, pochwalił się sprzączką wielkości talerzyka, na której widniał napis:

Mistrz
Wiązanie Zespołowe 2000
Bumelia 68. Święto Drutu Kolczastego

Bob zaczął pisać na losach „brat Jadłoszyn".
– Stop! Chcę tu mieć nazwisko mojej matki – powstrzymał go tamten. – Wpisz „Laura Moody". Jak los okaże się wygrany, nagroda przypadnie jej. – Podciągnął habit i wyłowił spod niego dziesięć dolarów.
– Nie jest ci w tym gorąco? – spytał Bob, wskazując na habit.
– Jeszcze jak. Ale uważam, że daję w ten sposób wyraźne świadectwo. Zazwyczaj po rodeo znajduje się kilku chłopców, którzy chcą się dowiedzieć czegoś więcej o tym, jak to jest, kiedy ktoś jest jednocześnie i zakonnikiem, i hodowcą bizonów. A wiesz, Bob, chciałem cię o coś zapytać. Domyślam się, że wkrótce zamierzasz wyjechać, zgadza się? Skoro ten interes ze świńskimi fermami nie idzie zbyt dobrze?
– Chyba tak – odparł Bob. – Za kilka dni.
– Cóż, nie kupiłeś żadnego terenu pod świńskie fermy i rozwścieczyłeś parę osób, z drugiej wszak strony zrobiłeś na kilku dobre wrażenie. Pokazałeś, że masz charakter. Trwałeś przy swoim nawet wtedy, kiedy zaczęło być groźnie. As sobie umyślił, że może chciałbyś pracować dla nas.
– As! Dla kogo? Klasztoru? Niby co bym robił?
– Nie dla klasztoru. Dla Gospodarstw Odnowy Prerii. O czymś w tym stylu cięgiem gadałeś... terenach mieszkalnych. Tyle że nie dla szczególnie zamożnych, nie tych luksusowych osiedli. Wkrótce pozbędziemy się reszty świńskich ferm i otworzymy te tereny dla bizonów. As uważa, że znajdą się ludzie, którzy zechcą mieszkać w miejscu, gdzie można oglądać bizony i obserwować, jak znów powraca tu preria. To jakby przywracać prerii dawne gospodarstwa. Może jedno na milę kwadratową. A może kilka domów w grupie, a reszta terenu wolna. Umyślił sobie tak je właśnie nazwać – Gospodarstwa Odnowy Prerii. Rozmawiał już z Obrońcami Przyrody oraz Koalicją Dzikiej Przyrody i tamci mówią, że to może się udać. Jeśli się okaże, że sprawa ruszy, oni być może dołączą. Każde z tak

zwanych gospodarstw zobowiązane byłoby utrzymywać środowisko naturalne dla żyjących na prerii gatunków zwierząt: piesków preriowych i sówek ziemnych, cietrzewi preriowych, widłorogów, miejscowego gatunku wróbla, myszołowów królewskich, no i dla roślinności preriowej czy czego tam jeszcze. Czy wiesz, że kiedyś żyły tu tchórze czarnołape? I wielkie kuguary, i wilki, i tym podobne? As chce wprowadzić tutaj ponownie te tchórze. Uważa, że są ludzie, którzy byliby dumni z takiego stylu życia, że byłby to eksperyment w przywracaniu środowiska dla życia w niewielkich społecznościach. Zastanawia się więc, czy chciałbyś robić coś takiego...

– Co konkretnie?

– Jak to co, sprzedawać ziemię pod takie gospodarstwa. Opowiadać o nich ludziom. Jak zresztą wyjaśniałem przed chwilą. – Popatrzył na Boba, jakby ten był idiotą.

– Nie wiem – odparł Bob. – Zastanawiałem się nad powrotem na studia. Myślałem o lepszym poznaniu historii, o dowiedzeniu się czegoś więcej na temat Szlaku Santa Fe, o nauczeniu się hiszpańskiego, jazdy na koniu. Może założyłbym małą księgarnię. – Zamilkł zaczerwieniony, nie mogąc znaleźć stosownych słów.

– Księgarnia! Nie ma chyba miejsca, które by bardziej jej potrzebowało. Bumelii bardzo jest potrzebna księgarnia – oznajmił brat Jadłoszyn. – A jeździć konno to ja sam mogę cię nauczyć. I sporo ludzi może cię nauczyć hiszpańskiego. A Szlak Santa Fe jak raz ciągnie się niedaleko stąd. I nadal mógłbyś pomagać przy tych preriowych gospodarstwach. Wygląda na to, że przynależysz do Bumelii, Bob. Coś ci powiem, przemyśl to sobie i za dzień czy dwa zgłoś się do Asa... albo do mnie.

– Robię to cały czas – oświadczył Bob. – To znaczy, przemyśliwam.

Brat Jadłoszyn walnął go w ramię i odmaszerował dziarskim krokiem, podzwaniając ostrogami. Burzowe chmury niemalże się rozpierzchły, rozgonione ostrymi podmuchami wiatru, który porywał w powietrze papierki i kurz.

– O, Bob!

Podniósł wzrok na LaVon, która wyglądała, jakby miała się

za moment rozpaść; wypieki na twarzy, ręce pełne papierów, pomadka nałożona krzywo, jakby nie korzystała z dobrodziejstwa lusterka.

– LaVon. Rano próbowałem się do ciebie dodzwonić, opowiedzieć o tej strzelaninie, ale szeryf powiada, że już o niej wiesz.

– Tak, to okropne, ale na to wychodzi, że to jest właśnie ta trzecia śmierć. Przynajmniej ta sprawa już nad nami nie wisi. Przynajmniej nikt z nas nie znał tego zastrzelonego.

– Ja go znałem – sprostował Bob. – Był prezesem Globalnej Skórki Wieprzowej. Szefem mojego szefa.

– Prawdziwa tragedia. Biedna Tazzy. I biedny Francis Scott.

– I biedny ten ich syn – dodał Bob, z nadzieją, że chłopiec ma wuja.

LaVon jeszcze przez kilka sekund wyglądała stosownie tragicznie, po czym spytała:

– Jak ci poszło? Sprzedałeś jakieś losy?

– Sprzedałem sześćdziesiąt – oznajmił Bob. – Pięćdziesiąt z nich jednemu gościowi, temu grubemu, o tam, temu, co je te wężowe ciasteczka.

– Och, Bob, nie powiedzieli ci? Jest limit dziesięciu losów dla jednej osoby. Ojej. Teraz ten gość ma wielkie szanse wygrać kapę za względnie małą sumę.

– Ile w sumie sprzedano losów?

– Nie jestem pewna. Ponad tysiąc, jak sądzę.

Bob liczył szybko.

– Jego szanse nie są aż tak wielkie. Pięćdziesiąt z tysiąca oznacza jedną szansę na dwadzieścia. To nie tak dużo. Tylko dobrze wymieszaj te nazwiska. Poza tym ktokolwiek wygra i tak dostaje tę nagrodę za marne pieniądze. Nie widzę problemu.

– Pewnie masz rację. I za kilka godzin wszystko się skończy, i wrócimy do normalnego życia, jakiekolwiek by ono było. Chciałam ci właśnie powiedzieć, Bob, że Coolbroth wprowadza się z powrotem do domu, do pokoju swojego dziadka. Powiada, że nie może się obyć bez telefonu, odkąd zaangażował się w te sprawę z Asem i z resztą. Więc barak stoi teraz pusty...

Nagle brat Jadłoszyn wyrósł ponownie obok niego i szeptał mu z przejęciem do ucha:

– Mówię poważnie, Bob. Musisz mocno się nad tym zastanowić. Myślę sobie, że księgarnia wszystkim by tu dobrze zrobiła. A projekt Asa to rzecz szlachetna – i już go nie było.

– Ano – westchnęła LaVon – pójdę już chyba do kwatery głównej. Daj mi te losy, to dołączę je do pozostałych. Do ciągnienia zostało półtorej godziny. Mam nadzieję, że ten gruby gość nie wygra. Nie jest stąd.

– Nie pozwól, żeby wiatr wyrwał ci te losy... bo polecą aż do Oklahomy. Też już się będę pomału zbierał – oznajmił Bob.

Kiedy zaczął się przepychać przez tłum, wędrując chodnikiem ciągnącym się na tyłach kiosków, zaczął wątpić, by plan Asa mógł się powieść. Ludziom nie był potrzebny miejscowy gatunek wróbla, ludzie chcieli mieć bekon na talerzach. Było mu żal brata Jadłoszyna, Asa, Shattle'ów i Tatera Kurcza, nawet Coolbrotha Fronka. Ich naiwność zasługiwała na współczucie. Chciał im powiedzieć, że nic nie kończy się dobrze, że zniszczonych miejsc nie da się odbudować, że złoża wodonośne się nie odradzają. Wszyscy oni, oprócz Coolbrotha, byli starsi od niego; Tater i As o kilkadziesiąt lat. Skąd zatem u nich ta nadzieja? Jak mogą wierzyć, że pieski preriowe powstrzymają pęd do pompowania, do orania i siania, do budowania niskich, białych, przypominających bunkry budynków z gigantycznymi wentylatorami i cuchnącymi lagunami? Było to równie mało prawdopodobne jak widok Evelyn Chine wyskakującej nagle ze szpitalnego łóżka, by popędzić korytarzem na wrotkach, tak smutne i żałosne jak nadzieja zasmarkanego dzieciaka szukającego w skrzynce listu ze stemplem z Alaski.

Co stanie się z panhandle, regionem jak stary dywan poszarpanym, zaplamionym i zadeptywanym, zalewanym, wyniszczonym i wyblakłym? Czy wszyscy przeprowadzą się na obrzeża, pozostawiając jego środek krociom bizonów? Czy bizony potrafią dogrzebać się kopytem wody, kiedy już Ogallala przepompują do San Antonio? Bardziej prawdopodobne jest, że As poniesie porażkę, bo nawet on nie będzie w stanie wykupić całego północnego Teksasu i tym samym pieniądze Habakuka van Melkebeeka, wyrwane z samych trzewi panhandle, zostaną zmarnowane. Po czym cały ten region zamieni się w jedną gigantyczną świńską fermę, z milionami chlewni i cuchnących bajor z gnojówką, rozpostartą na prastarej równinie, w oczekiwaniu na to, co ma nastąpić. Czy on będzie to obserwował z Denver, czy zdarzy się może, że będzie nadal przebywał w Bumelii, będzie się krył przed gradem i jadł pieróg z farszem z kapusty Pod Poczciwym Psem? A może to As ma rację i jest to początek czegoś wielkiego i ważnego.

Oczyma duszy widział ziemię panhandle wykorzystywaną od niepamiętnych czasów; poruszaną wścibskimi korzonkami traw, nicowaną ostrymi kopytami bizonów, rozgrzebywaną przez tamte pradawne cietrzewie, piętnowaną kopytami podkutych i niepodkutych koni, żłobioną kołami o żelaznych obręczach, ciętą pługiem i broną, smaganą gradem, wstrząsaną przemarszami wielkich stad bydła, kaleczoną świdrami, prutą buldożerami i zatruwaną chemikaliami. To, co pozostało, stanowiło jakąś wyjałowioną, pozbawioną charakteru materię, brunatny pył mający jedynie czysto użytkowe własności. Ostatecznym rezultatem była ta widmowa ziemia, efemeryczna, a przecież trwająca.

Minął Poczciwego Psa. Przeczytał wiszącą w oknie wywieszkę DZISIEJ ZAMKNIĘTE Z POWODU ŚWIĘTA DRÓTU. Będzie mu brakowało kuchni Cya. Po chwili znalazł się przed kancelarią starego adwokata. W oknie zobaczył wywieszkę DO WYNAJĘCIA oraz numer telefonu. Zatrzymał się, przycisnął twarz do szyby.

Zapatrzył się w wysokie, puste pomieszczenie z poplamioną, drewnianą posadzką. Półki na książki zakrywały ściany od podłogi do sufitu. W jego wyobraźni powolutku zaczął się wykluwać pomysł. Pod tylną ścianą stał stolik i drewniane krzesło, pudło z papierami. Przez otwarte drzwi widać było inny pokój, a w nim fragment wysokiego okna. Poczuł powiew wiatru na włosach. Z estrady dobiegł go dźwięk rozgrzewających się skrzypek, gotowych przebijać się przez stare melodie. Chciał, żeby czas się zatrzymał na kilka dni, na godzinę. Musiał sobie to wszystko poustawiać. Naturalnie, nic się nie zatrzymało, nawet nie zwolniło, minuty biegły jak przedtem, dzień zbliżał się ku końcowi, a on trwał w stanie zawieszenia. Wymacał w kieszeni długopis, wyciągnął go i zapisał sobie na dłoni numer telefonu.

Pojedzie do Denver, jednak nie na długo. LaVon była mu winna tę opowieść, która kryła się za fotografią ukazującą pokryte bliznami plecy jej dziadka.

Uwagi autorki

W opisywanej krainie nie istnieją hrabstwa o nazwie Bumelia i Rozstaj. Miasteczka Kurzawka, Kowbojska Róża, Bójka, Bumelia i Dwugroszek są wymyślone. Postaci nie mają pierwowzorów w prawdziwych osobach, chyba że bardzo odległe, ich sposób bycia jest bowiem kombinacją ludzkich zachowań. Przy opisie wyglądu kilkorga wykorzystałam stare fotografie. Niektóre anegdoty oraz zdarzenia zostały wyekstrapolowane z historycznych zapisków i opowieści.

Zapiski ze strony 136, dotyczące zabawy kostiumowej z okazji roku przestępnego 1884, zaczerpnięto z pracy Williama Curry'ego Holdena pt. *Ranching Saga, the Lives of Williams Electious Halsell and Ewing Halsell*, Trinity University Press, San Antonio, Texas, 1976, vol. I, str. 172-174.

Zamieszczone na stronie 44 uwagi wuja Tama dotyczące dokonywanej przez ludzkość nieumyślnej selekcji grzechotników na korzyść tych, które nie grzechoczą, pochodzą od Barry'ego Lopeza.

Słowa piosenki na stronie 311 zaczerpnięte są z piosenki Mike'a Pratta i Jima White'a *Doskonały dzień na pogoń za tornadami* (*A Perfect Day to Chase Tornadoes*).

Nic mi nie wiadomo o żadnej Globalnej Skórce Wieprzowej SA ani też o żadnym święcie drutu kolczastego czy wreszcie o przyklasztornym ranczu bizonów. Natomiast Fort Benta (Bent's Fort) istnieje, użyto też tutaj wiele prawdziwych nazw położonych w regionie miast, a James Abert żył i spędził wiele lat w służbie w Korpusie Topograficznym.

Spis treści